D0348289

ALIÉNOR

L'Alliance brisée

DU MÊME AUTEUR
CHEZ LE MÊME ÉDITEUR

Le Lit d'Aliénor, 2002

Le Bal des louves, 2003
* *La Chambre maudite*
** *La Vengeance d'Isabeau*

Lady Pirate, 2005
* *Les Valets du roi*
** *La Parade des ombres*

La Rivière des âmes, 2007

Le Chant des sorcières, tomes 1 à 3, 2008-2009

La Reine de Lumière, 2009-2010
* *Elora*
** *Terra incognita*

Aliénor, tome 1, *Le Règne des Lions*, 2011

DU MÊME AUTEUR

Les Tréteaux de l'enfance, 2004, Elytis

Mireille Calmel

Aliénor

tome 2

L'Alliance brisée

Roman

ALIÉNOR

* *Le Règne des Lions*
** *L'Alliance brisée*

ISBN : 978-2-84563-515-9

À ma mère,
avec bien plus que mon amour…

1.

Blaye n'avait pas survécu.

Ni ses villes haute et basse, ni son castel, ni ses abbayes, ni sa forêt, ni la plupart de ses gens. La cité de Jaufré Rudel, mon troubadour, ma cité, bijou de notre châtellenie, avait été avalée par les flammes à l'heure du mariage de notre fils Geoffroy. À l'heure même où ce dernier en devenait le maître. Comme s'il avait fallu qu'elle renaisse de lui, de sa femme, pour mieux nous oublier, nous.

De fait, en cette nuit terrible, gardant sang froid quand autour d'elle ses amies le perdaient, Agnès d'Angoulême, ma belle-fille, s'était imposée pour faire évacuer la place par le souterrain qui, de la cour du castel, ramenait au pied du fleuve, sous la falaise. Habillée d'une feinte légèreté, réussissant là où ma fille Eloïn et moi aurions échoué tant l'effroi et la détresse nous étranglaient, et tandis que mon époux et mon fils s'agitaient en toute discrétion pour tenter de sauver la population, elle avait guidé nos amis jusqu'aux gabarres, puis, de là, sur cette île plantée au mitan de l'estey. C'était elle qui m'avait aidée à descendre de la dernière, après que Jaufré et moi, anéantis, avions quitté les lieux. Debout face aux colonnes de fumée, aux langues de feu qui tourmentaient le firmament, elle nous avait entourées de ses bras Eloïn et moi, avait étouffé un sanglot avant de se retourner vers les autres, silencieux, bouleversés.

— Que sont quelques pierres quand d'ici, impuissants vassaux de la camarde, nous pouvons entendre gémir et s'embraser nos gens ? Prions. Prions pour eux...

L'orage avait crevé sur nos têtes. Tous nous nous étions agenouillés. Ses parents, la reine, nos familiers, les chevaliers, nos serviteurs, les survivants qui débarquaient des barges. Tous. Nantis d'une même évidence au cœur du néant. Cette terre ravagée venait de trouver une grande dame.

Une dame qui ne cessa plus de me surprendre tout au long des deux années qui suivirent. Car rien ne fut facile. La priorité n'était pas de paraître mais de reconstruire, grâce aux subsides que spontanément Aliénor nous offrit avec l'immense chaleur de son affection, avant de nous quitter, happée par les obligations de sa charge.

Nous nous installâmes sur l'île, dans l'austère petit donjon de pierre qu'elle abritait. Balayé par les vents, battu par les trop fortes marées, il était à l'image du dénuement de notre âme. Les premières semaines, après une harassante journée parmi nos gens à soulever les poutres et les pierres, ramasser les corps calcinés, les porter en terre puis déblayer, accolés l'un à l'autre depuis ce refuge, Jaufré et moi attendions que la nuit étouffe la souffrance de Blaye, qu'une buée s'arrache des eaux vives et nous enveloppe de son linceul blanc. Chaque soir, à l'épaisseur du silence entre nous, je devinais des larmes couler sur ses joues. Lors, voulant les apaiser, ma voix crevait le brouillard. Son brouillard.

— Je n'ai de terre sinon toi,
Et dans le temps qui nous échoit, mon prince,
Si tu regardes à travers moi,
C'est bien plus belle que tu verras province.
Le chant promène dans nos cœurs
Autant de rires que de pleurs,
Mais c'est à toi que je succède,
Pour que de flamme en point de jour
Ne brille plus que mon amour
En une étoile et pour remède.

Aurais-je, seule, suffi à apaiser sa détresse quand malgré mon chant ou mon discours la mienne était si grande ? Agnès m'y aida. Pas une plainte, un mot plus haut que l'autre, pas une once de découragement en elle. Humble et vaillante, douce et rassurante, accorte au plus petit, seigneuriale avec les grands, elle était de tous les fronts. Attentive à chacun de nous. Parfois, voyant que je ne parvenais à briser l'isolement volontaire de Jaufré, elle s'en allait le rejoindre au bord de l'eau. Sans rien dire elle s'asseyait à ses côtés, laissait couler les minutes avant de tendre l'oreille, de feindre la surprise et de demander :

— Quel est donc cet oiseau ? Je ne le reconnais pas...

Ou encore :

— Je n'aurais jamais imaginé que ce fleuve puisse autant charrier de branches. N'est-ce point un pied de coudrier qui flotte devant nous ?

Je les voyais revenir ensemble, Jaufré plus gai qu'il n'était parti, la bouche pleine des beautés de sa terre qu'elle lui avait finement rappelées.

Elle réussit de la même manière à apaiser Eloïn, de longues heures refermée sur elle-même, incapable de comprendre pourquoi sa prémonition de l'incendie était survenue si tard, pourquoi la magie n'avait pas sauvé la cité. Prisonnière des mêmes questions, je n'avais su lui apporter de réponses. Agnès, elle, s'était mise à tisser, à tresser, à raccommoder à ses côtés, se servant du quotidien pour asseoir cette sagesse première que n'aurait pas réfutée Merlin.

— Quelle curieuse manière de nouer l'osier ! L'on croit qu'il va casser mais non, il se redresse, se prête à son modelage et ce fil si laid devient panier. Vous ne trouvez pas cela merveilleux, Eloïn ? Que la plus laide des matières puisse avoir de l'utilité ?

Ou encore :

— J'ai entendu dire que la cendre des défunts mélangée à l'argile donne du fortifiant aux nouveau-nés. Quelle chose terrifiante quand on y pense. Et si belle pourtant. À croire qu'il faut mourir pour renaître vraiment...

Mourir pour renaître vraiment... Lorsque son rire éclatait dans l'unique salle du donjon de l'île, que les flammes aiguisées par les courants d'air crépitaient dans l'âtre nous réchauffant autour de la tablée, cette part de nous-mêmes que nous pensions avoir perdue rejaillissait à la surface. Lors, sans rien en dire, nous mesurions le bonheur de l'instant, parce que les liens entre chacun de nous, les liens entre nous et nos gens, sortaient renforcés par cette épreuve, nous faisant, malgré la précarité ambiante, plus riches qu'avant. Peu à peu, à agir et réagir dans ce quotidien de semailles et de moissons, de murs et de toitures qui remontaient sous l'ardeur des maîtres artisans, chacun de nous se rebâtit au rythme de la ville. Et c'est ainsi que nous la vîmes, jour après jour, s'élever sur l'éperon rocheux culminant l'estey, ponctuée par un nouveau château et ceinte d'un rempart crénelé duquel émergeaient de nombreuses et hautes tours engagées pour protéger de nouveau ceux que nous aimions.

Aliénor s'invita souvent sur le chantier avec ses enfants pour en voir l'avancée, et, lorsqu'elle ne le pouvait, appelée à la gestion de ses domaines, nous nous écrivions sans relâche. Elle ne fut pas la seule à nous soutenir. Mon roi, Thomas Becket et même Louis de France ne cessèrent de nous porter amitié et subsides. Par leurs lettres nous suivîmes la marche du royaume. Les différentes tentatives de réconciliation entre Henri et Thomas Becket. Richard proclamé duc d'Aquitaine. Son frère Geoffroy promis à Constance, l'héritière du duché de Bretagne. Le couronnement anticipé d'Henri le Jeune en Angleterre, simple stratégie dans l'esprit d'un roi toujours partagé entre sa maîtresse et son royaume. Partagé aussi entre ses fils avides d'un pouvoir propre et son épouse, inguérissable des blessures d'hier et avec laquelle il n'avait plus d'échanges qu'épistolaires.

Tout cela nous semblait loin et proche à la fois tant nous avions à faire, tant nous étions unis à cette terre qui renaissait de nos mains calleuses, de notre abnégation et de notre amour.

Et puis vint ce matin. Alors que nous nous apprêtions à regagner le continent, à revenir enfin chez nous dans ce castel dont les travaux suffisamment avancés permettaient de nous accueillir de nouveau. Nous nous tenions côte à côte, Jaufré et moi, main dans la main, à surveiller par une des étroites fenêtres du donjon le chargement de la dernière de nos malles dans une gabarre. Geoffroy écarta la courtine qui séparait nos couches. Sa voix trembla derrière nous :

— Agnès attend un enfant.

Nous étions le 8 août 1170.

Deux ans jour pour jour après ses épousailles. Et le drame.

Une émotion intense nous submergea. Jaufré se retourna pour nouer notre fils à nos bras puis, réveillant enfin le troubadour en lui, lança une nouvelle strophe à ma cansoun :

— Nouvelle étoile est en mon cœur
Là où s'endorment nos malheurs, mon prince,
De tout ce qui lui fit défaut
Dans le ciel clair et dans les mots
Elle sera de renouveau, ma province
Le chant promène dans nos cœurs
Autant de rires que de pleurs,
Mais c'est bien toi qui me succèdes,
Pour que de flamme en point de jour
Ne brille plus que feu d'amour
Pour ton enfant et seul remède.

Nous reprîmes en chœur ce dernier refrain, Eloïn et Agnès ramenées à nos côtés par cette promesse de printemps. Elle me réchauffa définitivement après ces vingt-quatre mois d'hiver.

J'allais devenir grand-mère.

2.

Bernard de Ventadour s'était étiré comme un félin sur les draps, nu dans cette tiédeur estivale qui alanguissait chacun malgré l'épaisseur des murs du château ducal poitevin. Par la croisée ouverte, la lumière d'opale d'une lune pleine le frappait d'oblique, soulignant la quarantaine superbe d'un corps de guerrier adouci par la sensualité du chantre. Sa longue chevelure d'ébène, dénouée des lacets qui la disciplinaient dans la journée, couvrait de boucles soyeuses l'arrondi d'une épaule contre laquelle sa joue, piquée d'une repousse de barbe, reposait.

Aliénor, éveillée par un bruit inhabituel au pied des remparts, puis retenue près de la fenêtre par la douceur de l'air, se remplissait les yeux de l'indécent abandon de son amant. Comme hier, comme avant-hier et les nuits précédentes depuis qu'elle lui avait rouvert les bras, il l'avait bélinée avec tendresse, satisfaisant ses désirs les plus ardents d'une expérience acquise auprès d'amantes de passage durant tout ce temps où, unie à Henri, elle l'avait rejeté. Elle ne regrettait rien pourtant de ces heures sans lui. Elle s'était embrasée du Plantagenêt, s'était nourrie de leur ambition commune d'un royaume que tous envieraient. Jusqu'à ce qu'il la trahisse, qu'il la rejette pour une autre dont le dessein secret était qu'elle meure en couches pour qu'elle puisse lui succéder. Jusqu'à ce qu'elle se retire sur ses terres avec ses enfants pour sauver de ce mariage royal ce qui pouvait l'être encore. Jusqu'à ce qu'elle voie enfin cet homme, ce troubadour, qui attendait son heure sans oser l'espérer et que, vaincue par l'évidence de ses propres sentiments refoulés, elle comprenne qu'il serait le seul, jamais, à l'aimer pour elle-même et non pour ce que son duché représentait de richesses et d'intérêt politique. Le seul, somme toute, en qui elle pourrait toujours avoir une confiance aveugle. Recueilli dans la boue d'un caniveau sur le corps défunt de sa mère, élevé au château de Ventadour sous la protection de sa dame, Bernard méritait plus que quiconque le regard éperdu de reconnaissance et de tendresse qu'en cet instant elle lui portait.

Il bougea, dérangé dans son sommeil par une mouche en promenade le long de son nez droit. Un sourire flotta sur les lèvres d'Aliénor. Quarante-huit ans cette année. Elle aurait quarante-huit ans cette année, mais son esprit gardait la légèreté et le mordant de ses quinzc ans. Était-ce là le secret de son allure, des trop rares fils d'argent au milieu de la coulée d'or cuivrée de sa chevelure soyeuse, de ses traits à peine flétris, de la tonicité de sa peau, de ses seins, de son ventre malgré ses dix grossesses et la perte définitive de ses menstrues ? Ou ce sang de féerie qui coulait en elle depuis ce jour, maudit, de la naissance de son dernier fils, Jean ? Peu lui importait en vérité. Bernard de Ventadour, par le regard dont il la couvrait, par les chansons qu'il lui avait dédiées et lui dédiait encore, avait tari en elle la peur d'une vieillesse approchante. Elle était heureuse, simplement.

Elle se détacha de la croisée, refusant de la rabattre et, nue elle aussi, se rapprocha de ce lit aux rideaux relevés, le désir noué de nouveau par la superbe de ce vit qu'un rêve, délicieux sans doute, venait de redresser lentement. Trois coups frappés à sa porte l'immobilisèrent à deux pas du lit. Une voix leur succéda. Celle de sa dame d'atour qui n'osait, visiblement, troubler son intimité.

— Votre Majesté. Votre Majesté, insista-t-elle, arrachant Bernard à Morphée.

L'heure n'était pas aux visites. Aliénor récupéra à terre son chainse de nuit dont les doigts de Ventadour l'avaient déshabillée. Elle l'enfila prestement puis, laissant Bernard, aussi surpris qu'elle, attirer le drap dans un bâillement pour s'en couvrir, s'en fut ouvrir sur un dernier appel pressant.

L'huis écarté lui révéla la figure ronde et défaite de sa servante dans la lueur de la lampe à huile qu'elle tenait en main.

— Qu'y a-t-il, ma bonne Hermeline ?

— Un messager vient d'arriver de Normandie. Le comte d'Antelburgh. Il demande audience immédiate.

Un sursaut de colère durcit les traits d'Aliénor. L'homme était un des familiers du roi d'Angleterre. Celui sans doute qu'elle appréciait le moins malgré sa fidélité incontestable à la couronne. Probablement parce qu'il n'avait eu de cesse, depuis son mariage avec Henri, de se gausser du tempérament aquitain. Son cher époux avait l'habitude de le dépêcher près d'elle, aussi bien pour lui annoncer les alliances qu'il avait conclues sans son avis que pour réclamer la présence de l'un de ses fils ou annoncer sa visite impromptue. Avec Henri, on ne savait jamais ce que serait l'heure suivante. Et il n'était pas exclu, compte tenu du fait qu'elle avait décidé, seule cette fois, des fiançailles de sa fille Éléonore avec Alphonse VIII de Castille, qu'il s'en soit courroucé assez pour lui faire porter aussitôt message de mécontentement. Quoi qu'il en soit, il n'était pas question qu'elle reçoive Antelburgh avant le matin.

— Eh bien il attendra !

Hermeline secoua tristement son joli minois piqué de taches de son.

— Lui peut-être, Votre Majesté. Mais sans doute pas cette camarde qui s'approche du roi.

L'espace d'une seconde Aliénor demeura interdite face à sa dame d'atour, puis claquant de la langue pour humecter sa bouche asséchée, elle balaya l'air devant elle d'une main pressée.

— Mon bliaud et ma coiffe…

Elle se détourna aussitôt pour laisser Hermeline entrer et se précipiter sur les vêtements mis à défroisser la veille sur un portant. Ventadour s'était redressé contre les oreillers. Il la fixait avec tendresse. Elle lui sourit sans conviction. Henri avait beau l'avoir blessée, humiliée, elle lui appartenait toujours dans cette part d'elle-même qui autrefois l'avait aimé. Profondément aimé.

— Je partirai dans l'heure…

— Et vous resterez auprès de lui le temps qu'il faudra, ma reine. Vôtre je suis, vôtre je resterai.

Sans le quitter des yeux, elle releva les bras pour laisser Hermeline lui ôter son chainse, lui enfiler celui de jour puis ses atours aux teintes automnales.

— Ne serre pas trop les lacets du giron ou je serai étouffée par la chevauchée.

— Bien, Votre Majesté.

Ventadour ne bougea pas. Seuls ses yeux, au velours triste, lui affirmaient son soutien. Car pour autant qu'il ait trahi sa promesse à Henri, Aliénor le savait, il était comme elle. Attaché au souvenir du grand roi qu'autrefois, avant de se laisser pervertir par la soif du pouvoir et sa jeune maîtresse, Henri Plantagenêt avait été.

3.

Thomas Antelburgh se tenait devant moi, les traits usés d'épuisement autant que d'inquiétude, le front emperlé de la pluie fine qui avait accompagné sa chevauchée depuis Poitiers jusqu'en nos terres. Il avait quitté Aliénor, elle-même sur le départ pour Domfront, quelque huit heures plus tôt. Pressé par le message d'Henri qui espérait nous revoir toutes deux avant son heure dernière, il n'avait avalé qu'une rasade d'eau fraîche tandis qu'en les relais on lui sellait un nouveau cheval.

— Ce ne serait pas la première fois que les médecins du roi se tromperaient, avançai-je pour me convaincre de l'impossibilité de cette nouvelle.

J'étais sous le choc. Henri ne pouvait mourir. Pas de cette manière, pas maintenant. Ni Eloïn ni moi n'avions eu la prémonition de sa fin. Et quand bien même, tout en moi, malgré les différends qui nous tenaient, se refusait à cette éventualité.

Thomas Antelburgh secoua ses boucles sombres.

— Certes, dame Loanna, je vous le concède, mais pour l'avoir vu se tordre de souffrance, le bas-ventre enflé telle une outre trop pleine et les yeux vitreux, je ne puis douter cette fois. Lui-même en est convaincu, et vous le connaissez comme moi. Il n'est pas homme à se plaindre. Moins encore à s'inquiéter d'un rien.

Je vacillai. Les mains de Jaufré se posèrent avec autant de délicatesse que de fermeté sur l'arrondi de mes épaules. Retranchée près de son frère et d'Agnès dans cette salle de réception du castel où nous venions de finir de déjeuner, Eloïn ferma les yeux sur un songe intérieur, en quête sans doute d'une confirmation. Je m'attardai sur la crispation de ses traits une seconde, convaincue déjà qu'elle ne capterait rien qui ne se soit invité spontanément, puis hochai la tête, la gorge nouée.

— Prenez collation en cuisine du temps que je rassemble en hâte quelques affaires et potions, mon ami. Peut-être n'est-il pas trop tard... Quoi qu'il en soit, j'étais à la naissance d'Henri. Si je ne peux rien de plus, alors je serai à sa fin.

— Nous serons, rectifia Jaufré dans mon dos.

Prise entre l'incrédulité de cette échéance et le doute d'elle-même qui lui demeurait depuis l'incendie, Eloïn affermit son timbre :

— Je viens aussi. Nous ne serons pas trop de deux, mère, vous par votre savoir des simples, moi par le pouvoir de guérison de mes mains.

— Bien. Bien, répétai-je tandis que le comte s'inclinait devant moi en guise de remerciements.

Lorsqu'il quitta la pièce, laissant nos enfants, la mine sombre, se rapprocher de nous, je cherchai l'asile des bras de Jaufré. Cette première nuit en les murs du castel rebâti nous avait noués l'un à l'autre. L'odeur du neuf avait éteint celle de nos premières étreintes, de nos premiers serments, mais son parfum de lys avait imprégné ma peau pour mieux les réinventer. Nous nous étions aimés. Avec une telle intensité que l'aube nous avait cueillis éreintés, repris de confiance et d'enthousiasme. Du coup, fragilisée par le bonheur, j'accusais plus encore le poids de cette annonce. Henri défunt, c'était ma raison d'être en ce monde qui s'éteignait. Quelques secondes durant, les visages de Guenièvre, ma mère adoptive, et de l'emperesse Mathilde me confiant son destin passèrent devant mes yeux. Combien n'aurais-je donné pour sauver Guenièvre emportée trop tôt? et Aude, ma mère, dont le souvenir lui-même m'avait été volé? Henri m'avait déçue, mais il était ce qui me rattachait à mon passé, à mon enfance. Il m'avait déçue mais je l'aimais. La profondeur de mon accablement dut se percevoir puisque la douce Agnès se fit rassurante comme à l'accoutumée.

— Si Henri était passé, les cloches se seraient relayées pour l'annoncer. Tant qu'elles se taisent, il faut garder foi. Il attendra votre venue et guérira de vos bienfaits, dame Loanna.

— Je le crois aussi, mère, me réconforta Eloïn.

Rassérénée par leur confiance, je m'écartai de la poitrine de mon époux.

— J'aurais aimé jouir en paix et avec vous de ce lieu regagné...

— Nous perdrions bien davantage, mère, si vous y demeuriez. Un roi. Blaye ne le vaut-il pas?

Je ne répondis à mon fils que d'un sourire triste, tandis que Jaufré, son bras passé autour de mes épaules, m'entraînait vers la porte. Combien de fois déjà par le passé avais-je été confrontée à ce choix-là?

Moins de une heure plus tard, laissant Blaye à la garde de Geoffroy et de son épouse, nous nous élancions sur la route, protégés par l'escorte de Thomas Antelburgh. Jetée à bride abattue sur ma monture, les pensées bousculées par l'urgence, je n'avais que cette question au fond du cœur : pouvait-on changer le destin des êtres que l'on aime ici-bas? Une vie pour une vie, m'avait appris Merlin. Il fallait que l'un se sacrifie pour que l'autre continue d'exister. Ainsi était la règle. Étais-je prête à cela avec Henri? au nom de l'Angleterre, de la charge de veiller sur son roi qui m'incombait depuis ma venue au monde? Ou m'avait-il trop blessée pour que j'y croie? Pour que j'y parvienne? Je ne savais pas. Et ce doute, ajouté à ma crainte d'arriver trop tard pour en trouver réponse, écrasait mon cœur d'un fardeau tel que ni la pluie ni le vent n'eurent de prise sur moi.

4.

Les heures succédèrent aux heures dans cette folle chevauchée. Nous ne prîmes que le temps de changer nos montures aux relais avant de talonner les suivantes dans l'espoir de devancer l'orage, dussions-nous nous priver de sommeil. Il nous fallut pourtant nous rendre à l'évidence. Niort passé, les nuages s'étaient mis à rouler en troupeaux serrés, plus menaçants de lieue en lieue. La nuit serait d'encre et tôt ou tard nous ne pourrions poursuivre, au risque de nous tromper de chemin et de nous égarer dans ces forêts épaisses qui jalonnaient la contrée. Le chevalier Aymeri de Chantemerle, seigneur de Pouzauges, s'était toujours montré dévoué à ma duchesse, et, si je n'avais jamais eu auparavant l'occasion de le rencontrer ou de séjourner en ses murs, je savais pouvoir y trouver gîte et couvert malgré l'heure tardive. L'orage, violent, creva sur nos têtes alors que nous étions en vue du château. Ce fut sous des trombes d'eau que nous tirâmes bride devant le pont-levis relevé. En vain. Une douve pleine nous barrait passage et aucune lumière, derrière ce rideau de pluie, ne perçait les meurtrières des châtelets d'entrée. Face à ces éclairs qui zébraient un ciel noir, je compris vite que nul n'entendrait nos appels, que nul ne nous verrait trépigner ni ne nous viendrait en aide. Effrayés par la violence des éléments, nos chevaux se cabraient avant de retomber dans les flaques boueuses que le sol, desséché par un mois d'août brûlant, peinait à drainer. Nous avions grand-peine à les empêcher de détaler. Il nous fallait trouver refuge.

C'est alors que sa voix éclata dans ma tête, protectrice, salvatrice. Je sus que c'était elle par le souvenir soudain que son timbre ranima. Ma mère. Aude de Grimwald. Avait-elle perçu ces doutes, ces questions sans réponse, ces angoisses qui me battaient le cœur sans discontinuer ? Ce manque des miens que l'idée de la disparition d'Henri avait réveillé ? Cette détresse qui m'avait poignardée après la mort d'Anselme de Corcheville face à la certitude que jamais, comme lui, je ne saurais ce qu'il était advenu d'elle après qu'elle lui avait échappé ? C'était impérieusement qu'elle m'appelait. Voulait-elle me rendre à ce que j'étais ? La dernière des grandes prêtresses d'Avalon, une enfant sacrifiée à l'Angleterre comme elle l'avait été ? Quelle qu'en soit la raison, je ne pouvais m'en détourner. Il y avait trop longtemps que les blessures de sa disparition avaient creusé leurs rides en moi. Et ce ne saurait être un hasard si ce jourd'hui il m'était offert de les refermer.

Rejoignant Antelburgh qui, les mains en cornet, les genoux serrés aux flancs de sa monture, persistait à hurler en direction des murailles, je couvris son appel du mien. Il comprit. Un geste le rallia avec ses hommes dans mon galop. Lors, me laissant guider par la douceur du murmure d'Aude, encadrée par Jaufré et Eloïn soudés d'instinct à mon élan, je m'enfonçai dans les ténèbres.

Je ne saurais dire combien de lieues nous parcourûmes avant de nous immobiliser devant les douves d'un petit château. L'atteindre, déjà, avait été difficile. Outre cette pluie torrentielle qui martelait nos épaules et nos chapels, cette nuit sans lune qui avait effacé nos derniers repères, la forêt s'était tant refermée sur lui que nous aurions pu le voisiner en plein jour sans l'apercevoir. Pourtant, alors même que je le soupçonnais abandonné depuis longtemps, le pont-levis s'abaissa. Sans hésiter, dans ce vent hurlant et cette furie pluvieuse, je cravachai ma monture pour le franchir la première et m'arrêter, sitôt qu'il fut passé, dans d'anciennes écuries accolées au mur d'enceinte. Je sautai à terre, laissant les autres s'abriter pour m'avancer au plus proche du rideau de pluie qui dégoulinait sans discontinuer de la toiture, en partie effondrée. Le vacarme autant que l'obscurité interdisaient tout échange, me permettant de ne donner aucune explication au baron d'Antelburgh quant au délabrement des lieux et à l'absence de valetaille. Les miens avaient deviné que le souffle d'Avalon m'avait guidée. Pour preuve, ils vinrent m'encadrer et me prendre la main. Un éclair illumina la place, dessinant face à nous, dans un ciel métallique, la masse imposante d'un corps de logis rectangulaire refermé de chaque côté par deux ailes étroites, surmontées, chacune, d'un chemin de ronde et rendues comme le reste au lierre, à la végétation. Un battant massif s'ouvrit dans la façade sans, je le devinai, qu'une main humaine l'ait écarté. Une pression, de part et d'autre de mes doigts, me poussa de l'avant sous l'orage et dans l'obscurité retombée.

Comme Eloïn et Jaufré, je perçus la puissance de la magie retenue là, à peine le seuil franchi. La porte se referma derrière nous, nous isolant du vacarme. Une torche, piquée au mur, s'enflamma tout aussi brusquement, révélant une grande salle vide. Mon cœur s'emballa dans ma poitrine face à un escalier qui s'enroulait dans le corps de la tourelle extérieure du castel vers l'étage. C'était soudain comme si le temps avait suspendu son cours, comme si ce lieu inconnu me forçait à le reconnaître pour ce qu'il avait été : la geôle de ma mère après que le cavalier noir eut incendié son castel. La geôle de ma mère après que Jaufré m'eut séparée d'elle pour me sauver.

— C'est forcément ici, dans cette salle, que Wilhem du Puy du Fou et Anselme de Corcheville se sont battus, murmura Jaufré, la voix enrouée d'émotion.

Comme moi il avait été rattrapé par la confession d'Anselme quelques années plus tôt, juste avant qu'il ne le tue sur le petit châtelet de Paris. Cette histoire, leur histoire, nous l'avions partagée avec Eloïn. Elle était d'amour, de trahison et de drame. Deux hommes, une dame dans la tourmente des ambitions contrariées des chevaliers de l'ordre du Temple, en un temps où ils épuraient la contrée des marques du paganisme, en un temps où Étienne de Blois complotait pour empêcher l'accession de la mère d'Henri au trône d'Angleterre, non encore vacant. Deux hommes, une dame. L'un était mort de l'avoir trop aimée. L'autre était devenu fou et destructeur de n'avoir pu l'oublier.

Mon sang se glaça dans mes veines. N'avais-je pas, comme ma mère, vu disparaître mon château dans les flammes et mis au monde une fille destinée à me succéder ? N'étais-je pas liée à mon époux au point de préférer la mort à l'idée de le perdre ? N'étais-je pas toujours prisonnière d'Henri, d'une certaine manière ? Était-ce cela le message qu'elle avait voulu me délivrer en m'attirant ici ? Cette certitude que, quoi que l'on fasse, on n'échappe pas à sa destinée ?

Un frisson me parcourut qu'Eloïn étouffa, d'instinct, de son bras autour de mes épaules. Sur le mur d'en face, non loin de la margelle d'un puits, un pont-levis passager était relevé. C'est par là qu'Anselme de Corcheville avait cru qu'Aude s'était échappée tandis qu'il faisait soigner dans les cuisines la blessure qu'elle lui avait infligée au visage. Je vacillai. À la place de ma mère, me serais-je enfuie ? Soudain ce fut comme si je la voyais dévaler ces marches de pierre, s'effondrer de désespoir et d'incrédulité sur le corps percé de son époux puis, prendre sa décision de demeurer à jamais près de lui en ce lieu. Mais où ? Où pour qu'Anselme n'ait pas réussi à en percer le secret ? Je n'eus pas à chercher davantage. Un claquement retentit dans la pièce, attirant nos regards, puis nos pas vers la cheminée. La plaque du foyer avait disparu, cédant place à une volée de marches. Jaufré avait, au passage, décroché la torche.

— Je passe devant, m'imposa-t-il après avoir caressé mes traits bouleversés de la tendresse de son regard.

Je m'effaçai. Comme si le rempart de son corps pouvait atténuer l'émotion qui m'étranglait. Me protéger de la douleur. Celle de ma mère que je captais ? Ou la mienne d'avoir été trop tôt séparée d'elle. Privée d'elle. Comme j'allais être privée d'Henri ?

Les réponses étaient là.

Je descendis les chercher.

5.

Semblant vouloir m'empêcher de me fondre à ce bloc de granit, d'absorber de trop la noirceur de ses veines, Eloïn ferma le pas en me couvrant de sa propre lumière. L'escalier s'enfonça dans la roche. Une toise, deux. Pas davantage, je crois. Au bas se trouvait un tunnel descendant sous le centre de la pièce que nous venions de quitter. Il s'ouvrait sur une excavation naturelle haute de deux toises, longue de trois. Jaufré s'écarta. Lors, dans la lueur faiblissante de la torche, je la vis enfin. Étendue au mitan d'un cercle d'opales, intacte, superbe, ses longs cheveux d'ambre doré formant couronne autour de son visage. L'emperesse Mathilde avait dit vrai. Eloïn était tout son portrait. Ma fille pressa ma main. Jaufré l'autre.

Pendant quelques secondes nous demeurâmes là, sans bouger, recueillis devant sa dépouille, percevant les images qui nous venaient de sa désespérance, de ses incantations tandis qu'elle laissait tomber les pierres autour d'elle. Nous la vîmes s'étendre, se poignarder avec le stylet puis, dans son dernier souffle, maudire son geôlier pour l'éternité.

En entendant sa malédiction répercutée en écho sous la voûte scintillante, je me sentis défaillir et ne dus qu'à l'appui solide de ma fille et de mon époux de ne pas m'effondrer. Que voulait-elle me dire ? Qu'attendait-elle de moi ? Devais-je simplement admettre sa fin comme une fatalité ? celle d'Henri comme une fatalité? ou me battre pour le sauver lui? En ce cas, quel en serait le prix? Merlin autant que Guenièvre me l'avaient enseigné autrefois : parce que rien ne se crée, que tout se transforme, il y avait toujours un prix à payer.

— Mère, je vous en prie, l'appelai-je dans ce silence de tombeau qui nous plombait.

Un bruissement d'ailes s'invita à nos côtés, puis une lumière bleutée et scintillante grandit autour du corps jusqu'à se détacher de lui. Lors, elle nous apparut, diaphane et dansante telle une brume enchantée.

— Je suis là, Canillette...

Des larmes piquèrent mes yeux face aux siens emplis de bonté. Comment avais-je pu les oublier? Bouleversée, je tendis mes doigts. La brume s'y enroula en une caresse subtile, me rendant le souvenir de ce toucher que notre séparation m'avait enlevé. Comme à chacune des apparitions de Merlin en Brocéliande, je savais que le temps nous était compté, qu'il ne faudrait rien en gaspiller et que, comme mon aïeul, elle irait à l'essentiel de ce qui avait justifié notre rencontre. Le reste, cette émotion qui m'emportait, tous ces mots que j'aurais voulu prononcer, ces échanges perdus par la camarde, son regard le répercutait avec tant de force que point ne serait besoin d'en rajouter. Pour preuve, elle les cueillit d'une voix au cristal de source :

— Il ne faut pas pleurer, ma fille. Le temps a fait son œuvre. Je suis en paix.

— Mais pas moi, mère. Henri est mourant.

— Oui. Je le sais. Mais tu n'y peux rien changer. C'est en lui et lui seul que se trouve le pardon. S'il ne peut l'accorder à ceux qui l'ont offensé, alors il est condamné. Comme je me suis condamnée moi-même autrefois en voulant me venger de Pierre de Chantemerle, le seigneur de ce château de Vendrennes où vous vous trouvez et que tu connus sous le nom d'Anselme de Corcheville. J'ai détruit sa vie comme il avait détruit la mienne lorsque j'ai refusé d'accepter qu'il m'ait séparée des miens pour me sauver de mes ennemis. Lorsque j'ai refusé d'accepter que mon époux s'était jeté sur lui et que c'était par accident qu'il avait été tué. Qui va trop loin dans la haine détruit cette part d'humanité qui est le propre de l'âme. Et Henri est allé trop loin.

— Envers Becket ?

— Oui, envers Becket. En se dressant contre son roi, le primat n'a-t-il pas tenté de le protéger de lui-même ? N'a-t-il pas couvert ses folles dépenses au profit de Rosamund Clifford ? tenté de réguler sa soif égoïste et injustifiée de puissance ? Qu'a-t-il reçu en retour ? Opprobre et exil. Souffrance et rancœur. Châtiment et malédiction. Comme j'ai été trop loin avec Pierre. S'il veut guérir de cette culpabilité qui le ronge, Henri doit reconnaître ses erreurs et pardonner à Becket d'avoir agi contre lui mais pour son bien. Sans jamais l'avoir trahi. S'il ne s'y résout, alors ni toi ni personne ne peut rien pour lui. Tu dois l'accepter, Loanna. Nous ne sommes que ce que nous décidons d'être. En cela seulement nous allons vers notre destinée.

— Je comprends, mère. Oui... Je comprends.

Elle me sourit dans la délicatesse de ses traits de brume, avant de reporter son attention sur Jaufré, troublé à mes côtés, et de le saluer d'un mouvement de tête.

— Troubadour, votre cœur est dolent comme en ce jour où je vous vis vous éloigner de moi avec ma fille. N'êtes-vous donc pas guéri de n'avoir su me convaincre de vous accompagner alors qu'à ma porte le cavalier noir frappait ?

La main sur le cœur et le cœur serré, il s'inclina avec respect devant celle qui flottait toujours sous la voûte naturelle de l'excavation rocheuse, au-delà de ce corps immobile étendu à nos pieds.

— Vous revoir en ce lieu ravive ma culpabilité et ma tristesse d'alors, dame Aude.

— Il ne faut pas. J'ai fait ce que je devais à défaut de ce qu'il fallait.

— Ne regrettez-vous rien, grand-mère ?

Elle posa sur la joue d'Eloïn, qui s'était approchée à son tour, une caresse de plume.

— Tout, mon enfant. Je regrette tout. La folie de Pierre, la détresse de Wilhem, sa mort. Si je n'avais failli à ma mission première de servir l'Angleterre, si je n'avais rejeté la puissance d'Avalon, si j'avais assumé mes pouvoirs, peut-être aurais-je pu anticiper cette folie destructrice. Sauver les miens. Rester de chair à tes côtés ma fille.

Mon cœur se serra plus encore. Je la sentais si proche et si lointaine à la fois, dans cette brume de magie qui nous fondait à la pierre, nous isolait du monde extérieur. Elle me couvrit de son regard violet pailleté d'or. Tant d'amour. Oui, tant d'amour dans ces deux prunelles privées d'âge.

— Je regrette tout, Loanna. Jusqu'à cette malédiction contre Pierre. Lorsque je l'ai jetée, j'étais bouleversée de souffrance. Je n'ai mesuré ses conséquences qu'au fil des années, dans cette éternité que je m'étais imposée. J'ai obtenu l'inverse de ce que j'avais espéré. En voulant te protéger de mes ennemis, j'ai dressé contre toi le seul qui eût pu t'en écarter. Comme Henri avec Becket.

Je repris ses doigts tendus dans les miens pour me réchauffer de leur lumière.

— Que ne ferait une mère pour son enfant ! murmurai-je.

La main d'Eloïn se souda à notre étreinte. Sa voix se fit caresse :

— L'inverse est vrai...

Un soupir dans ces lèvres diaphanes, ce halo de lumière bleuté :

— Mais ce n'est pas dans l'ordre des choses...

Pourquoi à cet instant ces mots se mirent-ils à résonner en moi avec la puissance d'un glas ? Pourquoi me furent-ils insoutenables ? Insinuant en moi ce doute : et si elle se trompait ? Si rien n'était dans l'ordre des choses ? S'il existait une vérité cachée depuis laquelle les grandes lois pouvaient être changées ? M'écartant avec délicatesse de son contact éthéré, il me parut impérieux de m'agenouiller près de sa dépouille, de toucher du doigt ce sang séché échappé de sa blessure au cœur. Je frôlai la lame du stylet brisé de son geôlier. La retirer ? Elle en tua l'idée d'un balayage du poignet, projetant une gerbe d'étincelles au-dessus de moi, de nous. Au point de me rendre incapable de bouger, au point que l'espace d'une fraction de seconde j'eus l'impression de porter l'univers tout entier sur mes épaules. Trouvant l'incompréhension de mon regard levé, elle secoua la tête.

— Non, Loanna. Cette lame sert de relais à la malédiction et doit demeurer fichée en moi si je veux continuer à te protéger des réincarnations du cavalier noir dans tes vies futures.

Je lui souris, heureuse de pouvoir la rassurer à ce sujet.

— Je l'ai mis en paix. Il ne reviendra pas. Ni dans cette vie ni dans une autre. C'est terminé, mère.

Elle eut un sourire triste.

— Tu te trompes, ma fille. Seul celui qui lance un sort peut le lever. Et, malgré le regret que j'en ai, je ne le ferai pas.

Je me redressai.

— Pourquoi mère ? Pourquoi ce jourd'hui ne pourriez-vous enfin vous reposer ? donner à Corcheville ce pardon que vous venez d'évoquer ?

— Parce que tu perdrais Jaufré. Votre lien est né de cet instant où je t'ai confiée à lui, où j'ai remis ta vie entre ses mains. Je l'ai lié à toi. J'ai su dès qu'il est entré chez nous que vous étiez deux âmes en attente l'une de l'autre. Deux âmes nées pour se rejoindre, dans un amour qui défierait le temps. L'un sans l'autre vous seriez incomplets, vous approchant sans vous reconnaître vraiment, et vous en mourriez prématurément. Je ne peux pas l'accepter, Loanna.

Des larmes noyèrent mon regard.

— Dois-je comprendre que c'est votre sacrifice qui a décidé de notre union ? que vous deviez périr chaque fois ?

dans chacune de nos réincarnations respectives? que, pas une seule fois, dans aucune d'elles, nous ne serons réunies de chair?

— Je le crains, ma fille.

Une colère foudroyante s'empara de moi. Au nom de quoi, moi, pouvais-je accepter cela?

— Il doit exister un moyen de pallier cette injustice. Sans que je perde Jaufré. Vous le connaissez, mère, je le sais. Vous le connaissez. Vous le connaissez, sinon vous ne m'auriez pas appelée ici.

Elle baissa le regard.

Cette douleur en moi, si vive, si puissante. Cette certitude, plus imposante encore, de pouvoir changer le cours du destin, de nous réunir vivants un jour, tous les trois. Une mort prématurée dans le grand cycle des réincarnations n'était-elle pas le prix à payer en échange de ce que j'avais reçu déjà et dont elle avait été privée? Combien de siècles faudrait-il? Combien de temps sans Jaufré pour gagner ce droit? Je me tournai vers lui dans le fracas effrayant de mon être. À la détresse poignante de son regard, je sus qu'il avait suivi mon cheminement intérieur. Qu'il avait compris que je devrais le renier pour la sauver elle. Bouleversée, j'emprisonnai ses mains dans les miennes.

— Mon attachement pour toi sera toujours là, Jaufré, au fil des siècles et comme une évidence, la certitude que nous sommes des âmes sœurs, j'en suis convaincue. Un amour comme le nôtre ne peut pas se perdre. S'oublier oui, si pour ne pas faillir dans la mission que je me serai imposée je dois reporter sur elle tout l'amour que je te porte. Mais pas se perdre. Et puis, même si je te tiens loin de moi, toi tu sauras. Tu sauras que je suis née pour toi. Comme tu l'as toujours su et bien avant moi. Ce dont je me serai protégée à l'heure de notre victoire, ton regard me le rendra, mon livre d'heures, ce livre que je tiens scrupuleusement depuis la naissance d'Henri, oui ce livre-là me le rendra. Et si je doute encore, tu me réapprendras à t'aimer. Tu ne me laisseras pas sans toi, n'est-ce pas?

— Non, ma fille, intervint Aude tandis qu'il hochait douloureusement la tête. Tu mourras avant de le rencontrer. Ou à l'instant de le rencontrer. Parce que en décidant de me sauver c'est ta vie à toi que tu sacrifieras.

Je me retournai vers elle :

— Je suis prête à prendre ce risque, mère. Mon âme s'accrochera à la vôtre dès votre réincarnation et jusqu'à la mienne, pour vous raconter notre histoire, siècle après siècle. Vous finirez par la croire, vous finirez par l'entendre. Ce jour-là, parce que j'aurai gagné le droit de vivre à vos côtés, vous pourrez lever la malédiction sur ce château, sur son propriétaire, et jouir de l'amour de votre époux, sans plus avoir à craindre quoi que ce soit. Ce jour-là, vous empêcherez que je meure en nous réunissant Jaufré et moi. Et personne ne disparaîtra, ni lui, ni vous, ni moi. Il faut me croire, mère. Merlin y a veillé. Vous y avez veillé. Jaufré et moi ne formons qu'un. Notre aura est indissociable. Si je doute, si j'ai peur, si je ne comprends pas, si je refuse de l'accepter, vous serez là, tous deux, je le sais, pour ranimer cette vérité en moi. Pour me guérir. Vous vous battrez pour moi. N'est-ce pas ?

Jaufré m'attira dans ses bras. Depuis que l'emperesse lui avait rendu le souvenir de l'enlèvement d'Aude et du rôle qu'il avait joué auprès de moi, souvent nous avions évoqué ensemble son regret de ne l'avoir pu sauver. Il m'avait toujours suivie dans mes choix. Cette fois encore. Je le lus dans son regard, dans l'intonation de sa voix.

— Aujourd'hui comme demain, que serait vivre sans toi ? Pourtant, moi, Jaufré Rudel, prince de Blaye, j'accepte de te perdre, toi, Loanna, dans mes vies futures, pour mieux te retrouver et t'aimer plus encore, dans le souvenir de ce que nous fûmes et dans cette autre que tu seras, lorsque le moment viendra de n'être plus qu'à toi.

Eloïn, retranchée dans son émotion silencieuse, vint se nouer à notre étreinte, me ramenant soudain à l'évidence de sa propre inexistence si son père et moi ne parvenions à nous rejoindre dans le futur. Elle ne me laissa pas le temps de revenir en arrière, de reconsidérer ma décision. Elle sourit, lucide et confiante.

— Moi, Eloïn Rudel, par le pouvoir des cinq éléments, je décide de pleine conscience et de choix d'échanger mes vies futures pour que nous soyons réunis, tous, à l'aube d'un nouveau cycle, dans la paix, l'amour et la magie.

Une pluie d'étoiles glissa jusqu'à terre, comme autant de ruisseaux d'or qui coulaient de son âme tandis qu'Aude secouait la tête.

— Non. Non, je ne peux pas accepter cela.

Eloïn la couvrit d'évidences.

— Il le faudra pourtant, grand-mère, car nous sommes de mère en fille aussi entêtées que déterminées. De plus, de par sa trinité, ce serment nous engage déjà. Si vous n'y souscrivez pas, il nous dispersera... À jamais cette fois...

— Elle a raison, mère, murmurai-je. Vous le savez aussi bien que nous.

La pluie d'étoiles redoubla. La voix trembla, vaincue :

— Moi, Aude de Grimwald, je fais serment d'accepter les vies futures que ma fille me construira, pour renouer ce qui fut désuni et guérir chacun de nous des blessures du passé.

Je m'écartai de Jaufré, plantai mon regard dans le sien.

— Quant à moi, Loanna de Grimwald, j'accepte de te perdre, Jaufré de Blaye, le temps qu'il faudra pour briser la loi druidique et créer un nouveau cycle de vie. Mais je jure de veiller, le moment venu, à ce que notre histoire me soit racontée pour que nous nous retrouvions tels que nous sommes ce jourd'hui. L'un à l'autre, mais dans de nouvelles vies, de tout temps, et sous d'autres identités. Pour l'amour de toi. Pour que nos enfants puissent venir au monde et que la lignée d'Avalon ne s'éteigne pas.

Il y eut un nouveau tourbillon de lumière près d'Aude. Mon cœur se serra plus encore de voir se matérialiser ma tante et mère d'adoption.

— Moi, Guenièvre de Grimwald, appelée comme juge par les forces sacrées d'Avalon, je te fais serment à toi, Aude, ma sœur, de demeurer en ces murs pour protéger le secret de ta sépulture, et de tout temps de mettre au monde celle qui sera la réincarnation de Loanna.

Alors seulement, dans ce silence retombé que seuls troublaient les battements fous de nos cœurs, la voix de Merlin s'éleva :

— Ainsi sera.

Lorsque nous quittâmes le corps de logis, pour rejoindre Antelburgh et notre escorte, ce fut avec le même sentiment. Nous avions du temps. Le restant de cette vie-là pour nous préparer à l'absence. Je savais aussi que nous n'en reparlerions pas. Nous avions mieux à faire. Vivre. Vivre chaque instant plus intensément encore. Vivre. Restait à savoir si Henri avait lui aussi fait ce choix-là.

6.

Henri n'accorda qu'un regard au prêtre venu lui rendre visite en sa chambre. À l'heure d'une fin qu'il sentait s'écrire en lui de manière inéluctable, il se demandait si la confession avait encore un sens pour le ramener du côté des vivants. C'était pourtant bien lui qui avait réclamé cet homme trop malingre, à la voix nasillarde, au front interminable et aux yeux étroits. Une caricature de vie. Le père Benoît s'installa à ses côtés, sa bible à la main, le visage marqué, de circonstance. Ne venait-on pas de lui dire que le roi était au plus mal, que ses urines rares et sanglantes évoquaient les prémices d'un enfer auquel il le croyait promis ? et qu'il n'était là, lui, simple curé de Domfront, que pour tenter de repousser le diable ? Il se gratta la gorge de ses ongles longs, agacé de cette repoussée de barbe qui, raclée chaque matin, se réinvitait sitôt le déjeuner.

— Je vous écoute, mon fils.

Henri tourna son visage amaigri vers lui. Se soulager la conscience. Enfin. Au matin de ce 10 août 1170, il s'était acquitté de ses autres obligations et avait distribué ses domaines à ses fils. Seul le dernier, Jean, demeurait sans terre. La loi du nombre. Tant pis. Puisque Aliénor le maintenait à Fontevrault, l'enfant deviendrait prêtre. Après tout, n'était-ce point là le plus souvent le sort des cadets ? Il grimaça sous la torture en son bas-ventre, comme si des centaines d'épingles s'y étaient immiscées.

— Je vais passer, mon père…

— Seul le Seigneur peut l'affirmer, voulut le rassurer l'homme d'Église.

Henri trouva encore la force de l'écraser d'un œil sombre.

— Le Seigneur n'est point mon allié mais celui de Thomas Becket, vous le devriez savoir mieux que quiconque.

Sujet houleux qui liquéfia cette face de carême, cousin éloigné du primat d'Angleterre. L'affaire remontait à quelques années déjà. Quittant sa charge de chancelier du royaume sitôt qu'il avait été nommé archevêque de Cantorbéry, Becket s'était rangé aux ordres de l'Église, faisant fi des ambitions d'Henri de réunir sous sa couronne, et par leur complicité, les pouvoirs temporel et laïque. Pour s'en débarrasser, Henri l'avait accusé d'avoir détourné une partie du trésor à des fins personnelles, fonds qu'il avait en réalité utilisés, lui, pour satisfaire un des nombreux caprices de sa maîtresse, Rosamund Clifford. Forcé de prendre la fuite, Becket avait trouvé refuge auprès de Louis de France, et depuis lors n'avait eu de cesse qu'il ne vît réparée cette injustice qu'Henri avait aggravée au printemps dernier en faisant couronner son fils aîné roi d'Angleterre, sans que Becket, qui eût dû sacrer le nouveau roi, y fût convié. Nombreux étaient ceux qui tentaient de réconcilier les deux hommes pour le bien de la chrétienté, mais rien n'y faisait. Becket savait que tous les arguments d'Henri en faveur de son éventuel retour en Angleterre n'étaient que leurre et refusait de courber l'échine devant un roi qui, en plus de l'avoir humilié, avait fait lapider son plus jeune frère par mesure de rétorsion. Leurs rencontres, arbitrées par Louis de France, n'avaient été que des courbettes de protocole, chacun des deux espérant voir l'autre plier.

Henri brassa l'air d'une main agacée.

— Qu'importe ! Becket a raison et j'avais tort. Voilà par quoi il me faut commencer.

L'abbé, qui avait craint un instant que le roi ne l'ait appelé pour lui faire procès, se sentit soulagé.

— N'êtes-vous point réconciliés depuis le mois dernier?

— En théorie, mon père. En théorie. Nous n'avons pas échangé le baiser de paix et Becket demeure en terre de France. Pourtant, je lui ai accordé de regagner l'Angleterre et ses charges sans qu'il soit inquiété. Accordé de laver son honneur bafoué tant qu'il ne portait pas préjudice au mien. Je ne suis pas seul en faute. Je sais la rancœur qui l'anime. Et cette rancœur me tue.

— Voyons, voyons, sire... Vous prêtez de bien mauvaises pensées à un ...

Prenant appui sur ses coudes, Henri se dressa, aussi rouge que sa crinière.

— ... un saint ! Voilà le mot que vous alliez employer. Un saint ! Je l'entends sur toutes les bouches en réponse à mes exactions passées contre ses amis, sa famille. Je l'avoue ! J'ai été parjure, j'ai outrepassé mes droits, sacrifié notre amitié et son devenir pour une femme ! Là ! Que faudrait-il encore pour qu'il soit canonisé par l'Église? Que je le pourfende de ma main? Que j'en fasse un martyr?

Effaré par sa soudaine vindicte, l'abbé se signa.

— Votre Majesté s'égare...

Henri retint un hurlement de douleur. Voilà bien qu'une des piques de Belzébuth voulait lui descendre dans le vit? Allait-on le châtrer d'en avoir trop joui ? Il se laissa retomber, le souffle court, sur l'oreiller de plume. Emprisonna les replis du drap de dessus dans ses poings. Si cette torture devait être la dernière, qu'elle lui laisse au moins le temps de se justifier. Il força le verbe :

— Becket est teigneux, rancunier, au moins autant que moi. À mes espoirs de retrouvailles, il a opposé des offenses. Qu'a-t-il fait à Montmirail il y a un an, et dernièrement en juillet? Oh oui ! il s'est jeté à mes pieds, mais pour mieux les écraser sitôt m'avoir renouvelé serment de fidélité.

Il ricana.

— *Salvo honore Dei! Salvo honore Dei!* Sauf l'honneur de Dieu ! Voilà son hommage. Moi seul en connais la signification, la levée d'armes. Que je sauve son honneur et celui de l'Église. Que j'avoue avoir détourné l'argent du royaume au profit de mes amours coupables. Que j'avoue lui avoir prêté mes actes pour l'écarter de la cour. Que j'avoue l'avoir sali, humilié, trahi et non l'inverse.

— Le ferez-vous ?

Colère ou douleur... Henri ne savait plus bien quel était encore son combat. Une part de lui avait regretté ses actes sitôt commis, mais l'autre, guidée par l'orgueil, s'en était réjouie. Depuis que, deux ans plus tôt, Loanna de Grimwald lui avait fait promettre de réhabiliter Becket, depuis qu'Aliénor, retournant sur ses terres aquitaines, s'était effacée, depuis que Rosamund Clifford, sa maîtresse, brillait à ses côtés, cette querelle n'avait plus de sens, sinon de préserver au regard de ses sujets l'image qu'il s'était forgée d'un être droit et juste. Il y était parvenu en salissant plus encore celle de Becket. Et force était de constater que son glaive s'était enfoncé dans de l'eau. Une eau de source au lit de fer dans laquelle le petit peuple trouvait sa force. Jamais Becket n'avait autant été aimé des vilains alors même que lui, Henri Plantagenêt, roi d'Angleterre, avait comploté encore et encore pour le perdre auprès des puissants. Il en avait assez. Oui, assez de cette guerre.

— Le ferez-vous, sire ? insista l'abbé.

Henri avait l'impression que son vit allait éclater tant il enflait sous le passage de l'aiguille. Il grogna, trop occupé à suivre ce trajet inhumain vers l'issue qu'il présumait fatale. Déchiré de l'intérieur, il se viderait de son sang. Personne n'y pourrait plus rien. Sinon le diable qui danserait en brandissant ce misérable instrument de luxure, réjoui de l'avoir attrapé enfin.

— Sire ? s'inquiéta Benoît en le voyant blanchir et perdre le souffle.

Henri gonfla ses joues, son torse, son ventre, se durcit. Encore et encore. L'image furtive des dernières couches d'Aliénor devant les yeux. Qu'elle sorte, cette épine ! Qu'on en finisse une fois pour toutes! Il expectora, écarlate, ramena ses traits exsangues vers le prêtre qui s'était mis à marmonner, en pétrissant son missel... L'extrême-onction... L'abbé se préparait à lui donner l'extrême-onction. Alors même qu'il était certain, lui, d'une nouvelle poussée vers l'enfer. Pouvait-il encore sauver son âme? empêcher qu'elle ne rôtisse dans les flammes? Il cria :

— C'est fait l'abbé. C'est fait et vous êtes témoin. L'honneur de Becket, celui de l'Église et de ses saints est lavé...

Le temps que l'homme de Dieu se demande s'il était la meilleure personne pour relayer cette confidence, Henri poussait un hurlement de damné, se cabrait sur sa couche et, dans un flot de sang qui en inondait les draps, y retombait, inerte et les yeux exorbités.

7.

Moins de vingt-quatre heures plus tard, Henri riait en dévorant à pleines dents un rôt de cygne, entouré de ses compagnons. Point de gentes dames à cette tablée, mais des putains de généreuse constitution qui allaient et venaient de l'un à l'autre, picorant dans les assiettes ou entre les cuisses de ses familiers. Henri, lui, bien qu'ayant le vit rendu à la raison, en accueillait une de chaque côté de sa chaise et se laissait chatouiller le torse par-dessus son bliaud souillé de projections de graille. Il ne se lassait pas de le redire, entre deux gorgées de vin :

— Un caillou. En forme d'étoile. Aussi pur que du diamant. Le croyez-vous, mes bons ? J'ai pissé un bout de ciel ! Là, voyez !

Et de repousser les enjôleuses, fouiller dans sa besace, en arracher le coupable, le tourner, le retourner comme une pierre précieuse dans sa main tendue. Ce qu'il ne disait pas, c'était qu'il était persuadé qu'au dernier instant son repentir avait chassé le diable et que le Seigneur, dans Sa grande mansuétude, lui avait laissé preuve de pardon. Et quel pardon !

— Je vais le faire sertir ! Pensez donc ! C'est qu'il est venu de loin…

— … D'un jet de pisse, reprirent en chœur ses chevaliers, hilares et avinés, à l'écoute d'une énième version.

— Riez, riez... Je sais ce que je dis... J'en ai bien senti la fabrication !

Le roi était saoul. Le roi était vivant.

— Vive le roi ! cria-t-on en levant hanap autour de la table avant de s'immobiliser face à cette porte qui s'était ouverte pour laisser entrer la reine.

La colère qui lui empourprait les traits suffit à tuer les rires sur les bouches et à peindre un « Oh ! » de surprise sur celle d'Henri. Il secoua ses doigts graisseux pour chasser les putains revenues à la charge.

— Je crois, mes toutes belles, que la feste est terminée.

Aussitôt, elles s'éclipsèrent par une porte de côté. Aliénor ne prononça mot, mais l'œil assassin qu'elle porta sur les amis de son époux les incita à repousser le banc sur lequel ils étaient avachis et à sortir, les uns derrière les autres, non sans lui avoir offert révérence. Elle les regarda partir, le menton fier et les poings serrés. Près d'elle, partagé entre le soulagement et l'exaspération, son fils Richard dardait sur son père un œil d'incompréhension.

Henri n'attendit pas que la salle se vide pour tendre de nouveau son hanap à l'échanson. Dans le silence retombé, le vin épicé coula de la carafe d'argent, avec un murmure semblable au chant d'une fontaine. Jugeant que sa mère et son père avaient à s'expliquer en privé, Richard se retira derrière le dernier des barons anglo-normands et fit refermer sur lui le double battant. Ils se retrouvèrent seuls. Face à face. Henri le breuvage aux lèvres, elle les bras croisés, le pied martelant les tomettes au rythme de sa colère. Il s'essuya les lèvres, carminées par le raisin, éructa bruyamment puis haussa les épaules.

— Cessez donc de trépigner, Aliénor. J'étais mort hier, je suis vivant ce jourd'hui. N'étiez-vous donc venue que pour reprendre *de facto* ce royaume en main ?

— Je suis venue à l'appel d'un homme qui me voulait demander pardon avant que de trépasser. Voyez ma surprise. Je le trouve m'humiliant une fois de plus au mitan d'ivrognes et de prostituées. Permettez qu'après douze heures d'une chevauchée inconfortable je m'en sente quelque peu agacée.

Le ton était glacial. Il voulut l'adoucir d'un geste ample désignant les plats abandonnés sur la table :

— Boire et manger y remédieront, ma reine.

L'œil d'Aliénor s'étrécit plus encore.

— Croyez-vous ?

Il lança un soupir à fendre l'âme avant de tendre ses bras vers elle, la bouche en cœur.

— Un baiser alors ?

Elle s'avança vers lui, enleva au passage un hanap abandonné près d'un tranchoir. Il claqua des doigts en direction de ses hanches, ricanant de sottise dans sa beuverie, prêt à croire aux miracles depuis la nuit précédente. Elle s'immobilisa à respectable distance de ses mains avides, de son haleine chargée. Il voulut se lever, se porter au-devant d'elle. Il n'eut que le temps de repousser légèrement son siège en arrière avant d'y retomber lourdement, pris de vertige, l'air désolé.

— Voyez ma faiblesse encore. Vous me fâchez quand je fus, il y a quelques heures seulement, à deux doigts de trépasser. Paix, ma reine. Paix. Rosamund est absente et nous sommes seuls. Ne voulez-vous plutôt me cajoler ?

La main d'Aliénor s'envola et avec elle le contenu du hanap qui se perdit du front d'Henri jusqu'en les poils de sa barbe. Il n'eut que le réflexe de battre des cils et de grogner :

— Faut toujours que vous gâtiez tout, ma mie.

Une gifle acheva d'empourprer sa joue.

— Fruit bleuet, fruit écrasé ! se justifia-t-elle avant de tourner les talons.

Le rire d'Henri explosa avant qu'elle n'ait atteint la porte, sa voix étant redevenue ferme :

— Vous aussi, ma reine, vous m'avez manqué.

Furieuse, elle sortit sans se retourner pour apostropher le chef de leur escorte dans la cour du castel battue par un vent froid.

— Qu'on selle les montures ! Nous quittons la place sans tarder.

Du haut de ses treize ans, Richard se planta devant elle :

— Allons, mère, nous n'avons pas fait tant de chemin pour repartir si vite.

Aliénor accorda à son fils un regard plus doux que ne le laissait présumer son air austère. Sa fatigue, leur fatigue était évidente. Mais pour autant qu'avait-elle encore à faire à Domfront ? Elle n'était plus la bienvenue à la cour de son époux depuis qu'il y affichait sa maîtresse. Que Rosamund Clifford soit retournée en Angleterre au chevet de sa mère mourante n'y changeait rien. Qu'il n'ait pas jugé bon de la ramener au sien non plus ! Elle l'avait perçu dans l'œil égrillard des compagnons d'Henri. Si elle conservait son titre, son règne était passé et elle n'avait pas l'intention de pardonner l'affront qu'elle avait reçu ce jourd'hui, quand bien même la paume de sa main s'était soulagée de l'avoir retourné.

La voix du nouveau duc d'Aquitaine se fit cajoleuse, son œil insistant :

— S'il vous plaît, mère. Deux heures seulement.

Elle hésita quelques secondes encore. Une goutte de pluie s'écrasa sur sa joue. Elle lui parut soudain lourde, infiniment lourde. Aliénor se força pourtant à n'en rien laisser paraître.

— Soit. Vous avez raison, mon fils. L'orage menace et la nuit nous retiendrait dans ses rets. Nous quitterons les lieux demain, dès l'aube. Prenez-en acte, sieur Baptiste.

— À vos ordres, Majesté, s'inclina ce dernier, soulagé.

Richard passa son bras sous celui de sa mère pour la ramener vers le corps de logis rectangulaire, d'allure massive. En traversant les salles en enfilade jusqu'à celle où le roi donnait banquet, elle avait dû reconnaître à Henri un certain goût. Les tapisseries fleuries avaient remplacé les scènes de chasse vieillottes. L'une d'elles représentait même une inconnue qui tendait la main vers une licorne.

L'influence de Rosamund sans doute. Elle n'eût pas mieux choisi en vérité. Ce constat l'avait blessée. Et se retrouver face à cette débauche ! N'aurait-il pu avoir la décence seulement de demeurer couché, dans l'attente qu'elle se penche au-dessus de lui et le plaigne ? Elle se serait réjouie de le voir hors de danger, lui aurait, sans hésiter, accordé l'oreille qu'il demandait, le pardon qu'il espérait. Non dans l'espoir de quelques retrouvailles comme il s'était abaissé à le réclamer, mais dans l'intérêt de leurs enfants. Au lieu de quoi Henri n'avait réussi qu'à creuser plus encore la distance qui les séparait.

Elle ne fut pas surprise pourtant d'entendre l'intendant, se précipitant vers elle, annoncer que sa chambre était prête, qu'une collation y avait été montée. Henri ne doutait de rien. Pas même de son bon sens quand elle-même le malmenait. Elle gravit les marches qui lui faisaient face, en pesant plus lourdement que d'ordinaire sur l'avant-bras de son fils. Il eut la délicatesse de ne pas le relever, de ne la quitter qu'au seuil de la pièce non sans l'avoir bisée au front et de lui avoir enjoint de se reposer.

Lorsque la porte se referma sur lui, elle s'y adossa, la gorge nouée, incapable d'un pas, les yeux fermés sur cette détresse qui montait en elle de tout ce temps perdu, de tant d'amour gâché. Lorsqu'elle les rouvrit, ce fut pour constater qu'Henri se tenait assis dans l'ombre d'un des rideaux du lit, sur la courtepointe. Lui aussi, son œil coulait.

8.

Ils s'affrontèrent du regard dans le clair-obscur qu'entretenait un chandelier à trois branches posé sur la table, dressée, le temps pour Aliénor de sentir remonter en elle la colère derrière la lassitude.

— N'espérez point, Henri, d'autre traitement que celui que je vous fis tout à l'heure.

Il répondit d'un sourire triste. Un instant, le repentir sincère qu'elle put lire sur son visage éclairé des lueurs dansantes des bougies fit vaciller ses certitudes, mais elle connaissait trop son époux, ses feintes, ses approches, ses traîtrises pour ne pas se garder à distance de lui. Elle ne voulait plus souffrir d'avoir espéré en vain, d'avoir cru en vain, d'avoir aimé en vain. Pour autant, elle ne trouva rien à dire et, plutôt que de perdre face, grinça méchamment :

— Faudrait-il encore que vous en ayez les moyens, car à ce que j'en ai entendu d...

— Cessez, Aliénor, c'est inutile. Ne voyez-vous point que je me rends ?

Elle ricana, appréciant plus encore l'appui de cette porte à son dos rompu de fatigue, au doute qu'il jetait une fois de plus sur leurs relations.

— Vous vous rendez, Henri !? À la raison vous le pourriez encore, aux excuses je les entendrais, mais à moi... il est trop tard.

Il soupira, les épaules affaissées.

— Je me rends à tout ce qui justifie votre colère, votre rancœur et votre aigreur. Je me rends compte et acte pour ce que je vous fis d'injustice et de tourment. N'est-ce point assez pour espérer que nous dînions ensemble simplement?

— N'êtes-vous point repu de toutes vos ripailles? Que vous ayez bassiné votre goule, troqué votre mise, ou ravalé vos grivoiseries n'y change rien, vous empuez de vin.

Un nouveau soupir. Plus appuyé.

— J'empeste ce que je suis. Une outre qui n'aspire qu'à se vider de la lie qu'elle contient. Allons, ma reine, je vous le demande au nom de ce qui nous unit hier, au nom de nos enfants et de ce royaume que vous m'offrîtes. Paix. Ou par défaut, trêve. Je m'en contenterai céans, je vous en fais serment. Je garderai distance pour ne vous incommoder point, et même ferai préparer autre chambre si celle-ci retient de trop mon parfum.

Il tendit la main vers elle avant de désigner les mets délicats préparés en hâte à son intention. Une omelette safranée et une tarte à la confiture de lait. Elle n'hésita que pour lui laisser croire à une faveur. À la vérité, son estomac criait famine.

— Une trêve, soit, mon époux. Si vous ouvriez une fenêtre avant que de me rejoindre à l'autre bout de cette table...

Elle considéra son sourire comme une victoire. Attendit qu'il se déplie, avec moins d'aisance que dans son souvenir, puis se lève et obéisse. Alors seulement, hautaine, elle s'attabla face à lui.

Devant la froideur de ses gestes, la crispation trop appuyée de ses mâchoires sur les aliments, Henri demeura silencieux et le front bas. De fait, aux dires de ses médecins qui avaient examiné le caillou sorti de son vit, il n'était pas passé loin de la camarde. À leur sens, pour avoir entraîné tant de vide de sang, le coupable avait dû léser nombre d'endroits sur son passage. Henri ne le pouvait nier. Uriner lui restait un supplice. Des petits cristaux, semblables au gros qui l'avait déchiré une vingtaine d'heures plus tôt, granitaient son jet. Pour autant qu'il ait suspendu la sentence, Dieu réservait son pardon. Il l'avait lu dans l'œil de fouine de son confesseur en reprenant conscience à ses côtés. Seulement, les réserves d'hier revenaient. L'unité du royaume, déjà malmenée par l'éloignement d'Aliénor, résisterait-elle à la vérité? Et sa réputation? On respectait le roi à travers l'homme. S'il avait avoué sur l'instant qu'il avait, par l'entremise de Becket, puisé dans le trésor pour offrir résidence somptueuse à sa maîtresse, cela restait affaire interne, mais maintenant... Il était allé trop loin. Bien trop loin dans les manigances, dans les représailles contre Becket. Pire, bien trop loin contre les proches de ce dernier qu'il avait fait fuir devant sa soif de vengeance. Mi-juin encore, n'avait-il pas une ultime fois bravé toute règle en couronnant son fils roi d'Angleterre sans la présence de sa promise, Adélaïde de France, et pire, de Becket, toujours primat d'Angleterre? Non, il ne pouvait pas se résoudre à sa faute. Affirmer qu'il avait persécuté Becket injustement. Louis de France s'en rengorgerait de superbe, l'Église exigerait réparation d'une manière ou d'une autre. À l'heure où il mettait à sa botte l'Occident chrétien en imposant ses enfants aux places stratégiques, à l'heure où impunément il pouvait jouir de tous les privilèges, de tous les pouvoirs, dans la terreur qu'il inspirait à ses ennemis, dans la servilité qu'il exigeait de ses alliés, plus et mieux encore au-dessus des hommes et des dieux que ne l'avait autrefois été le roi Arthur, il lui apparaissait inconcevable de se mettre à genoux. L'ambition, cette ambition qui lui dévorait le cœur, aussi dénuée de scrupules qu'il était devenu calculateur, devait user de toutes les armes pour le servir, lui, Henri Plantagenêt. La solution à son épineux problème lui était apparue en même temps que le désir de son épouse tout à l'heure. Une solution qui l'avait dégrisé par son évidence sitôt que, l'ayant giflé, elle avait claqué la porte. Par les vertus qu'on lui prêtait autant que par le respect qu'elle suscitait, Aliénor seule donnerait du crédit à ses arguments. Il devait la ramener à l'Angleterre et ressouder leur alliance s'il voulait affirmer le poids de son repentir, laisser croire qu'il avait atteint l'âge de raison. Ensuite, ce fait entendu, il ne lui resterait plus qu'à laver Becket de toutes ses accusations en offrant à la justice un nouveau coupable. Becket regagnerait l'Angleterre, l'Église apaisée fermerait les yeux sur ses nouvelles exigences, distillées au compte-gouttes, et, avant qu'il ne soit long, le nom d'Henri Plantagenêt éclipserait celui d'Arthur, servi par les brillantes plumes des romanciers et des chroniqueurs tout acquis à sa gloire.

Dans ce silence qui perdurait entre eux, rompu des bruits de mastication, Aliénor reprenait force. L'œil d'Henri ne la quittait pas, empli d'un repentir qu'elle ne parvenait à ressentir sincère mais qui, bien malgré elle, l'apaisait. Elle finit par rompre la distance, qu'intelligemment il l'avait laissée apprivoiser.

— Puis-je le voir à mon tour ?

— Quoi donc, ma reine ?

— Votre caillou...

Il sourit, le sortit d'une bourse de cuir à sa ceinture tandis qu'elle s'essuyait les lèvres, rougies de safran, à un coin de tissu. Elle s'en empara du bout des doigts, retourna ce cristal épineux avant de le lui rendre, moqueuse.

— Un bout de ciel, vraiment...

— N'ai-je point le droit de croire en sa clémence ?

Elle le fixa avec dureté.

— Non.

Il tiqua. Hier il aurait bondi, l'aurait gratifiée d'une réplique cinglante. Et il l'aurait définitivement perdue. Il préféra baisser le nez et remiser son trophée et sa superbe.

— Vous avez raison sans doute. Je l'ai bravé plus qu'aucun autre, comment espérer pardon ?...

Elle se rinça les doigts dans la coupelle d'eau de mélisse prévue à cet effet près de son hanap, les essuya de nouveau, réservant sa réponse dans le doute qu'il instillait en elle. Henri ne bougeait pas, les deux avant-bras reposés sur la table, à quelques pouces du sien. Elle eut envie, furtivement, de son contact. Comme hier, comme demain… En dépit de tout et malgré cette rage qui couvait en elle, malgré les liens, puissants, renoués avec Ventadour. Henri était sa blessure. Elle ne cesserait jamais de le désirer, de l'aimer. À s'en brûler le cœur et la peau. Elle résista. Elle ne voulait plus de ce feu-là. Elle en avait trop souffert. Elle en souffrirait trop de nouveau, c'était inévitable. Henri avait besoin d'elle, pour une raison qui lui échappait, mais il avait besoin d'elle. Il ne l'aimait pas.

Elle accepta son regard.

— Un pardon ne se mendie pas. Il se gagne, Henri. Redevenez celui que vous fûtes… Juste, généreux et prévenant envers vos gens, votre maisnie, votre famille. Peut-être… avec du temps et de la patience…

— On m'avait plutôt recommandé un pèlerinage au Val Ténébreux…

Elle lui retourna son sourire. Deux années plus tôt, le corps d'un homme, sanctifié aussitôt par un exceptionnel état de conservation, avait été découvert par les bénédictins de Tulle installés près d'un oratoire marial. Débaptisé aussitôt, le lieu était devenu Roc Amadour, du nom de l'ermite. Depuis, des pèlerins ne cessaient de s'y rendre et de nombreux miracles s'y produisaient, disait-on. Henri espérait-il qu'un autre la ramène à lui ?

— Si cela suffit au Très-Haut pour vous absoudre, il me faudra, quant à moi, démarche plus allongée que celle-là.

— Cela allait de soi. Du temps donc. Prenez-en autant qu'il vous en faudra puisqu'on m'en a offert encore. Mais ne doutez plus de moi…

Elle ne répondit pas. Il soupira.

— J'ai bravé l'avis des médecins en quittant le lit peu avant votre arrivée, persuadé que ripaille rattraperait sang perdu. Je m'aperçois qu'il en manque encore. Si vous le permettez…

— Faites, Henri…

— Vous verrai-je à mon réveil, demain ?

Elle hésita avant de hocher la tête.

— Selon vos ordres, le comte d'Antelburgh a filé vers Blaye. Je ne doute pas que Loanna ait, comme moi, répondu à votre appel. Nous repartirons ensemble.

— Il y a bien longtemps que nous n'aurons été réunis tous trois, ma reine.

— Bien longtemps, en effet. Deux ans déjà…

Il se leva, s'inclina devant elle puis gagna la porte, le pas lourd. Le cœur d'Aliénor oscilla à son rythme. Entre la pitié et la satisfaction vengeresse, entre l'amour et la haine. Entre l'espoir et la raison.

— Que la nuit vous soit réparatrice, Henri.

Il se retourna, les yeux brûlants.

— Elle le sera, Aliénor. Vous êtes restée…

La seconde d'après, la porte se rabattait sur lui et Aliénor, épuisée, se laissait tomber sur la couche sans se dévêtir. Henri n'avait pas atteint sa chambre qu'elle dormait.

9.

Habitué depuis longtemps aux étrangetés de cette magie qu'Henri cautionnait, Antelburgh ne demanda aucune explication à nos visages défaits, à notre absence prolongée dans le corps de logis abandonné du château de Vendrennes. Il ne souleva pas même l'ombre d'une question, se contentant de constater que les nuages s'étaient délités en quelques minutes sitôt notre retour sous le couvert des écuries, laissant place à une nuée d'étoiles dont la lumière fut suffisante pour nous ramener sur la grand-route et nous permettre de poursuivre jusqu'à Domfront. Malgré mon impatience à y parvenir, une part de moi, que je traînais tel un fardeau depuis que j'avais découvert l'histoire tragique d'Aude, s'en était allée. Je ne craignais pas les conséquences de mon engagement envers elle. Je sentais en chaque fibre de mon âme que j'avais raison. Je gagnerais contre le temps. Ma croyance éperdue en Jaufré, l'amour que je portais à nos enfants seraient là, le moment venu, pour me rendre les miens. Et si cela ne suffisait, le besoin vital que j'aurais d'Aude saurait me le rappeler. Jaufré à mes côtés, dans ce galop qui nous poussait d'heure en heure de l'avant, finit par s'en remettre à la confiance absolue qu'il avait en moi, en notre complicité. Lorsque nous mîmes pied à terre dans la cour intérieure de la place forte royale, rassurés de lieue en lieue sur le sort d'Henri par le silence des cloches, ce fut d'un même sourire, d'un même regard échangé. Le sien était si particulier, si profond, si aimant que ce fut plus encore une certitude en moi.

Je ne l'oublierais jamais.

— Eloïn !

L'appel, mêlant surprise et joie, tomba du sommet des marches du puissant donjon de pierre quadrangulaire. Si Richard avait forci ces deux dernières années grâce à un entraînement intensif aux techniques de combat, ses traits étaient restés les mêmes. Une copie de ceux de son père. Certes la mâchoire était légèrement moins carrée, mais l'arête du nez filait droit, le cou était massif, le sourire aux lèvres finement dessinées, carnassier, les deux premières incisives marquées par un espace. Seul le regard, laissant à Henri ce vert changeant selon ses humeurs, était celui de sa mère, entre le bronze et l'acier. Le visage de ma fille s'illumina alors qu'il dévalait l'escalier à sa rencontre. Tout aussitôt mon cœur se serra. Comme s'il avait senti cette culpabilité qui m'oppressait soudain à les voir se rejoindre, elle lui offrir révérence, lui la relever, Jaufré enroula son bras autour de mes épaules pour m'accoler à lui. Sa voix se fit rassurante à mon oreille :

— Elle a fait son choix, Loanna. Comme toi. Comme moi. Ils se retrouveront eux aussi, lorsque le moment viendra, comme tu auras retrouvé Henri et Aliénor en même temps qu'Aude et moi. Je t'aiderai à ne pas te tromper. À ne pas laisser ton attachement pour Henri, pour l'Angleterre, prendre le pas sur l'amour que tu me portes. Ces enfants naîtront, fais-moi confiance. Fais-toi confiance.

Mon œil tomba sur ma reine qui venait d'apparaître tout en haut des marches, dans l'encadrement de la double porte. Visiblement ragaillardi et jovial, Henri l'accompagnait. Ma tension acheva de se relâcher. Aude avait raison. Nous ne sommes que ce que nous décidons d'être. En cela seulement nous allons vers notre destinée. Henri s'était sauvé lui-même et je ne voulais croire que dès lors l'alliance entre eux resterait plus longtemps brisée. Ils agitèrent les mains d'un même élan pour nous accueillir. Lors, aux côtés de mon époux, je traversai la cour pour les rejoindre, l'esprit balayé de folles interrogations. Auraient-ils les mêmes traits au fil des siècles ? la même couleur d'yeux, de cheveux ? les mêmes noms ? Nous reconnaîtrions-nous ? Céderais-je à l'amour d'Henri ou de Denys de Châtellerault si je me protégeais de celui de Jaufré pour ne pas risquer de dévier de ma mission envers Aude ? pour empêcher, en me substituant à Aliénor, la naissance de Richard comme celle d'Eloïn ? Mais ce faisant, ne risquais-je pas d'engendrer une autre lignée ? Tant de questions, si peu de réponses.

— Il faut vivre de présent, mon aimée. Car c'est de présent que je t'aime, que je t'aimerai, chuchota Jaufré à mon oreille, comme si tout haut je m'étais exprimée.

Cette communion de pensée, la garderions-nous lorsque nous serions réincarnés ? Je chassai tout cela pour me jeter dans les bras de ma reine puis m'agenouiller devant mon roi, pâle et amaigri.

Jaufré avait raison. En cette heure qui nous réunissait, où le souffle de la camarde s'était détourné, ce présent était heureux. Et c'était tout ce qui importait.

Les heures qui suivirent nous abattirent sur nos couches, éreintés de la route autant que d'émotions. Rassurés définitivement quant au sort d'Henri qui avait, affirma-t-il, dormi d'un trait et sans souffrance, nous plongeâmes, Jaufré et moi, dans un sommeil réparateur, noués dans les bras l'un de l'autre. Midi était passé lorsque nous nous en arrachâmes. Le temps de reprendre allure et nous rejoignions les époux royaux dans la grande salle du banquet. Aliénor, en quelques mots, me raconta leur échange de la veille et la trêve qui en avait découlé. Dans l'état d'esprit où notre étrange rencontre au château de Vendrennes m'avait laissée, je ne pus que m'en réjouir. De fait, tout au long du repas qui suivit, la concorde s'affirma entre Leurs Majestés par les plaisanteries fines qu'ils échangèrent, l'amabilité de leur ton mâtiné de respect, de sorte que nul, des barons, de leurs dames attablés, des joglars ou des troubadours ne prononça le nom de Rosamund Clifford. À croire, soudain, que tous l'avaient oubliée. Notre absence pendant ces longs mois à rebâtir notre cité exigea détails et récits. On nous plaignit pour mieux saluer notre courage, notre abnégation envers nos gens. Parler de Blaye nous fit du bien, accepter l'invitation d'Aliénor en Poitiers aussi. Lorsque le soir tomba sur Domfront, Aude de Grimwald était toujours en mon cœur mais au plus secret de lui, derrière tout ce qu'il me fallait pour réinventer demain.

*

— Tu me surprendras toujours, Canillette. La dernière fois que je t'ai vue, en Blaye, tu avais les mains calleuses de les avoir offertes à rebâtir ton fief, et je te retrouve ce jourd'hui, dix-huit mois plus tard, à peine marquée par ce chantier dément, te réjouissant de ma guérison mais fuyant la cour pour regarder au loin. Comme si cette île minuscule plantée au mitan du fleuve était celle qui t'avait servi de refuge. As-tu donc perdu le goût des réjouissances ? le goût des tiens ?

Henri était venu me rejoindre sur le chemin de ronde qui dominait la Varenne, au pied de l'éperon rocheux sur lequel se dressait le château. La nostalgie de ma Gironde, accentuée par l'idée de la devoir perdre dans mes vies futures, m'y avait poussée tandis que Jaufré échangeait quelques accords avec un jeune troubadour nommé Clairil. Détachant mon regard, je pivotai de quart pour cueillir la verdure du sien.

— Toutes les rivières au couchant prennent la même teinte, entre le bronze et l'argent. J'aime leur lumière. Les dernières lueurs du jour qui se perdent en elles. Ne m'en veuillez pas, Henri. Si je me réjouis profondément de vous retrouver plein de vigueur et d'allant, une part de moi, par cette implication que vous venez d'évoquer, est restée en Blaye. La petite sorcière de Brocéliande n'a jamais été autant elle-même que parmi les petites gens.

Il soupira.

— Je comprends, Canillette. Mais c'est la grande prêtresse d'Avalon qui me manque en cette heure d'un bilan sans gloire.

Je ne pus réprimer un sourire complice.

— Becket ?

— Et qui d'autre ?

Henri posa ses deux mains à plat sur la pierre d'un créneau, ramenant comme moi ses yeux vers l'horizon embrasé.

— Suis-je au couchant de mon règne, Loanna, tel ce soleil qui, lentement, se pare de magnificence avant de disparaître ? ou au contraire, pressé de le tuer pour mieux le voir renaître ?

Je songeai aux paroles d'Aude à son égard.

— Est-il donc si difficile de demander pardon à Becket ?

Ses épaules s'affaissèrent.

— Je me suis convaincu de la nécessité de le faire. Mais les conséquences politiques seraient néfastes au royaume.

— J'en conviens et ne doute pas qu'il en conviendra aussi. Vous trouverez terrain de compromis si vous, mon roi, ramenez à l'amour et au respect ce que vous mîtes à la haine.

De nouveau il me fit face, sa chevelure, brunie au fil du temps, repoussée en arrière par un vent chaud. Sa bouche finement dessinée se tordit dans sa barbe aux poils courts.

— Cela implique de répudier Rosamund.

Je sursautai.

— Qui vous le demande ?

— Becket. Ce sera sa condition, je le sais. Et m'y suis résolu. Comme toi autrefois, lorsque, pour l'Angleterre, tu rejetas Jaufré. Je voulais que tu le saches.

Je ne répondis pas, soudain mal à l'aise. Quelque chose sonnait faux dans ce discours. Je n'aurais su dire quoi. Était-ce dans ce regard qui retenait le mien avec insistance ? en ces traits tirés encore ? Henri s'en rendit-il compte ? Il détourna les yeux. Un oiseau tuait son dernier chant dans un chêne proche. À son exemple, Henri abaissa son timbre :

— Allons, à quoi bon te mentir ! Tu me connais trop bien, Canillette. La vérité, je crois, c'est que je me suis lassé d'elle. Bien sûr, comme tous, elle l'ignore. L'éloignement prolongé qu'implique la gestion du royaume a pour faculté de me précipiter dans ses bras à chacun de mes retours. Elle jouit de son privilège auprès de la cour, récolte des bribes de pouvoir et en ce moment même, je puis jurer qu'elle se prétend la meilleure amie du primat d'Angleterre quand ce dernier la honnit. Je ne mettrai pas le royaume en péril pour elle, cette fois. Or, dans cette affaire, il me faut un coupable. Ce ne peut être moi. Définitivement pas. Et plus Becket.

Je m'accolai d'une épaule au créneau.

— Vous ne songez tout de même pas à rejeter la faute sur elle ? De quelle manière pourriez-vous vous y prendre ? Et les conséquences, Henri, avez-vous songé aux conséquences ?

Il baissa le nez.

— Elles sont moindres au regard du royaume. Qui la pleurera en vérité ? Pas même son père qui, un soir où nous avions bu plus que de raison, m'a confié à quel point ce qu'elle était devenue dans ses manières et son égoïsme lui arrachait le cœur. L'icône est tombée de son piédestal, révélant le diable en elle. Sa mère se meurt en ce moment même pour l'avoir découvert. Quant à nos familiers, elle a fini par les exaspérer à force de faux-semblants et, si on lui accorde sourires, ce n'est que pour mieux se garder de ses attaques assassines. Je l'ai crue de ton envergure, Loanna, en un temps où, rejeté de toi, je cherchais ton ombre. Elle m'a floué comme tous. Son âme que je croyais de diamant n'était que poison.

Il fouilla dans la petite besace qui pendait à sa ceinture, me tendit sa main ouverte.

— La voici, la représentation de cette âme. Un caillou d'allure merveilleuse qui m'est sorti du vit comme un poignard, manquant m'occire. C'est pour cela que je me rends au Val Ténébreux. Pour prier sur la tombe de saint Amadour, cet ermite épris d'amour fou pour la Vierge noire érigée là. Au point d'en oublier de boire, de manger, au point de se dessécher devant elle et d'en mourir. C'est ce qu'elle fait, Loanna. Elle grignote. Rosamund grignote le royaume à travers moi. Becket avait raison de m'en avertir dès la première heure. Ma vindicte contre lui est née de cela. De mon refus d'écouter son conseil, sa voix. Au point de l'impliquer dans ma folie et ensuite de lui en faire payer l'évidence.

Il remisa son trophée. Pas de regrets dans ses yeux. Pas le moindre froncement de sourcils. Aliénor avait vu juste : Rosamund Clifford n'avait été qu'un feu de paille au cœur du roi.

— La répudier, soit. Mais la condamner en votre place. En celle de Becket... Je ne vois pas comment.

Il haussa les épaules.

— La rumeur, bien trop prête à sa disgrâce, s'en chargera. On la devine ce jourd'hui capable de tout. On imaginera le reste par le simple fait que je l'éloigne au moment où Becket retrouve sa place. Par le simple fait que j'affirme avoir découvert le vrai coupable.

Que répondre à cela? Je connaissais bien trop les mœurs de la cour. Ses rivalités, ses jalousies, ses manigances. Henri avait raison. Rosamund Clifford était déjà coupable. Et si je ne savais rien d'elle depuis deux ans, je pouvais aisément me rallier à ce qu'il en laissait entendre. Sa fin ne m'arracherait aucune larme quand j'en avais versé plus que de raison sur le déclin de Becket. Henri était-il redevenu enfin digne de l'Angleterre?

— Que Dieu vous garde encore longtemps, mon roi, murmurai-je avec sincérité.

Son sourire creusa deux sillons de part et d'autre de ses joues, alourdissant de satisfaction ses paupières. Sa langue claqua contre la faille qui délimitait ses incisives, son « garde-manger », comme il se plaisait à en rire, là où d'autres voyaient signe de chance.

— Dieu et ton amour pour moi, fût-il né de devoir plus que d'inclination, Loanna.

Deux jours plus tard, nous quittâmes la place dans le sillage d'Aliénor. Henri chemina près de nous avant de tourner bride avec quelques fidèles en direction du Val Ténébreux, non sans avoir bisé son épouse au front pour affirmer leur paix gardée.

L'air fleurait bon les senteurs estivales, Eloïn et Richard riaient en chevauchant côte à côte, Jaufré semblait en paix. Quant à moi, dans le pas de ma reine, volubile et joyeuse de cette trêve qui seyait au royaume, autant que de ses prochaines retrouvailles avec son amant, je songeais aux propos d'Henri qui impliquaient, au détriment de Blaye, de ne la point quitter. Car Rosamund Clifford, j'en étais convaincue, voudrait se venger de voir ses faveurs perdues et, avec elles, l'héritage royal qu'Aliénor, pour, autrefois, se garantir de ses manigances, lui avait concédé.

10.

Nous fûmes accueillis à Poitiers telles les reliques des trois Rois mages découvertes quelques années plus tôt à Milan et rapportées en la cathédrale de Cologne. Par des « Noël ! » de joie. À croire que l'on nous avait imaginés indissociables des cendres de notre païs. Vivants, certes, mais condamnés à l'exil. Nous accordâmes à ces retrouvailles la réserve des êtres rompus aux effusions de cour, nous réconfortant des amitiés profondes, souriant des autres, de circonstance, et dont la jalousie perçait déjà hier, à l'heure où le privilège de ma proximité avec la reine avait éteint l'ambition de quelques-unes. Il nous fallut peu de temps pour comprendre que, de fait, tout avait changé autour d'elle. Outre la dimension, étonnante, qu'elle avait su donner aux tournois en y incluant des épreuves courtoises, aux cours d'amour par les prouesses d'esprit des troubadours, des joglars, des comédiens, des philosophes, des clercs lisant ou romançant, la mode avait évolué vers plus de grâce encore. Les décolletés s'étaient légèrement échancrés, les manches resserrées. Les guipes, rebaptisées girons et déjà cintrées à la taille, se trouvaient joliment travaillées en pointe sur le devant du bliaud. Quant aux chaperons, ils se déclinaient à présent en une multitude de tons. Comme si ce ne pouvait suffire, la cathédrale Saint-Pierre de Poitiers était achevée et somptueuse de vitraux. Quelques pas dans sa nef vous plaçaient sous leur lumière, tant que vous vous retrouviez bénie par le doigt d'un saint, apaisée du sourire d'un autre, ou surprise par les traits de la reine sous une auréole. Aliénor avait offert aussi plus de couleurs aux jardins du palais ducal, aux tentures, aux tapis. Tous venus d'Orient comme ces parfums que l'on brûlait à la manière de l'encens dans les pièces et qui répandaient non plus la fragrance des églises, mais des senteurs de myrrhe ou de musc. Était-ce la modestie de nos terres trop malmenées, la sobriété anglaise de Domfront que nous venions de quitter, mais tout me sembla plus raffiné au fur et à mesure que, d'un pas sur l'autre, d'une chevauchée à l'autre, je prenais conscience de ce qui nous entourait désormais.

Aliénor elle-même avait changé. Je n'aurais su dire si c'était la proximité retrouvée de Bernard de Ventadour, l'imposante et superbe prestance de Richard à ses côtés ou l'apaisement que le pardon d'Henri lui avait procuré, mais elle était plus rayonnante que jamais. L'étais-je restée moi-même alors que j'entrais avec elle dans ma quarante-huitième année ? Comme le sien, mon miroir me renvoyait des traits à peine alourdis et ridés. Point de ces sillons disgracieux qui, partant de l'empâtement du nez, creusaient de parenthèses les joues de nos compagnes, point non plus de ces paupières tombantes qui empêchaient les cils de caresser l'arcade. Notre teint avait conservé son velouté, nos pommettes, leurs dessins et couleurs. Quant à nos bouches, loin de s'être striées en étoile et de laisser filer le fard, elles riaient toujours, finement ourlées.

— Tu m'as définitivement gagnée à ta jeunesse, avait ri Aliénor lorsque je le lui avais fait remarquer.

Pour avoir retrouvé Henri affadi par la maturité quand Jaufré, largement plus âgé, accusait à peine le poids des années, il m'était difficile d'en douter. Quoi qu'il en soit, Aliénor resplendissait. Et plus encore de savoir que, loin de l'en blâmer, Henri avait approuvé son choix quant aux futures épousailles de leur Éléonore avec le roi

Alphonse VIII. La fillette avait ce jourd'hui six ans, et, comme le voulait la coutume, elle allait devoir quitter l'Aquitaine pour être élevée dans la famille d'un fiancé de sept ans son aîné. Aliénor savait que ce lui serait déchirement, une fois encore, de se séparer de son enfant, mais elle s'y préparait sans appréhension. Son duché était, depuis de nombreuses générations, attaché à celui de Castille, aussi riche de cœur, de mœurs et de culture que l'Aquitaine. Elle ne doutait pas que sa petiote y aurait grand et heureux destin. Et puis, n'avait-elle pas déjà vu s'éloigner ses aînés ? Ne resteraient bientôt plus auprès d'elle que Richard, Jeanne, Alix de Blois et Marie de Champagne, autorisées enfin par leurs époux respectifs à profiter de leur mère et de ses influences de cour. Pour le plus grand bonheur d'Eloïn d'ailleurs, qui retrouvait là les compagnes de ses jeunes années et, si ce n'était lorsque Richard la réclamait, ne voulait plus les quitter.

Oui, la vie était douce en Poitiers, même si Blaye, toujours, nous manquait.

Fin septembre, alors que nous attendions le retour de pèlerinage d'Henri, sir Antelburgh se présenta, porteur d'un bref. Henri s'excusait. Des affaires urgentes le réclamaient en Normandie et, malgré le chagrin qu'il en éprouvait, il ne pourrait être présent aux festivités de tutelle d'Éléonore, *« pour lesquelles, ma mie, je vous laisse le soin de me représenter si besoin était »*.

Aliénor congédia sans réponse le messager avant de ratatiner le parchemin dans son poing et de l'envoyer s'écraser contre un des murs de la pièce, sous un petit garçon qui, depuis la tapisserie sur laquelle il était immortalisé, nous offrait un pied de nez. Richard en ses jeunes années. Aliénor ne lui prêta pas attention, emportée contre cet époux indélicat qui se défilait.

Dans une somptueuse robe de soie lavée qui mettait en valeur le moindre de ses mouvements, elle se mit à arpenter le parquet sous les larges fenêtres qu'un soleil de midi inondait.

— Affaires urgentes ! Affaires urgentes ! Je les connais bien, oui ! Elles lui couronnent le vit bien plus que la royauté ! lâcha-t-elle en s'immobilisant pour planter ses yeux rageurs dans les miens.

— Je doute qu'il puisse encore s'en rassasier, ma reine, objectai-je en riant, préférant ne rien lui dévoiler des intentions de mon roi qu'il n'ait, auparavant, rendues publiques.

Henri, avec son caractère changeant, pouvait encore se rétracter.

— Qu'importe ! De toute évidence, il est retourné auprès de Rosamund. Serai-je toujours aussi sotte que je me laisse encore prendre à son verbe ? Comme s'il pouvait un jour s'amender, faire passer l'intérêt du royaume, de ses enfants, de mon honneur, avant une troussée !

— Ne le juge pas si durement, ma reine. Attendons des faits. Tu l'as entendu comme moi de la bouche d'Antelburgh. De nombreux courriers ont été échangés entre Becket et Henri ces jours derniers. Peut-être cette fois Rosamund n'y est-elle pour rien ?

Sa bouche se pinça avec cruauté.

— Becket ou pas, je ne souhaite qu'une chose. Que ce caillou l'ait rendu bien plus mol qu'il ne le craignait !

Septembre n'était pas achevé qu'Aliénor nous ramenait vers Bordeaux en tête d'un cortège qui comprenait autant de hauts seigneurs aquitains et poitevins que de gens de robe. Tout ce que son pays comptait d'importance escortait la petite fiancée vers la délégation castillane qui devait nous rejoindre à Bordeaux. L'occasion aussi de présenter à tous Richard en sa qualité de nouveau duc d'Aquitaine et avec lui de renouveler donations et privilèges sur notre passage. Le spectre des conflits de voisinage avec Toulouse n'étant toujours pas enrayé, il était important de s'assurer la fidélité et l'armement des barons aquitains. Fontevrault, qui nous accueillit le temps d'une halte, lui permit aussi de revoir Jean, le dernier des Plantagenêts. Richard passa un long moment avec son cadet de quatre ans, élevé par les prêtres et qui marchait en regardant ses chausses. Aliénor quelques minutes seulement avant de se retrancher dans le bureau de l'abbesse, Mathilde d'Anjou. Je l'avais deviné au sourire triste qu'elle m'adressa. Elle avait essayé. Essayé de l'aimer. Mais elle n'y parvenait pas. Pas plus ce jourd'hui qu'hier. Ce n'était pas la faute de cet enfant et elle s'en voulait de ce rejet, mais… Mais il était né dans une douleur d'âme. Une douleur à côté de laquelle celle d'un enfantement était une peccadille. Une douleur que, malgré le discours d'Henri, elle n'était pas parvenue à apaiser.

11.

La rencontre entre Éléonore et Alphonse VIII de Castille fut à la hauteur des ambitions secrètes de ma reine. Les deux enfants se plurent au premier regard. Rien qui soit amour certes, à leurs âges respectifs ils en ignoraient encore l'émoi, mais ils s'étaient tout de suite senti l'un pour l'autre un attrait prometteur. Aliénor savait que cette amitié d'enfants suffirait à faire naître complicité, tendresse et sans aucun doute élan passionné. Ils avaient été bercés d'une même éducation, d'une même langue et d'un même goût pour les cours d'amour. Éléonore verrait avec bonheur la beauté de la province castillane, savourerait les cansouns de ses troubadours, Aliénor n'en avait aucun doute. Cette certitude adoucit la tristesse du départ, au lendemain de ces dix jours de festivités en Bordeaux. Les tournois s'étaient succédé sur terre autant que sur la Garonne où les barques remplacèrent les destriers et les gabarriers les chevaliers, pour la plus grande joie du petit peuple massé sur les rives. Aliénor avait récompensé les meilleurs et, voyant la cour applaudir à leurs prouesses, avait invité quelques-uns des dignitaires de la délégation castillane et de la sienne à jouter de même. La prime de cent talents d'or au vainqueur tua les réticences. C'est ainsi qu'on aperçut un abbé fanfaron perdre l'équilibre sous la poussée de la perche de son adversaire, tournoyer des bras comme un moulin des ailes avant de s'abattre en se signant dans l'eau brunâtre du fleuve ; un chevalier de renom, vainqueur de nombreux tournois, verdir du roulis sitôt pied posé sur la barque et, malgré tout son courage, n'y tenir debout que quelques secondes avant de perdre équilibre. Quant à tous ceux que l'eau paniquait et qui s'accrochaient telles des sangsues à la perche tendue pour les repêcher, on ne les put compter. Aucun pourtant ne se vexa ni n'en fut jugé, on n'en retira que fous rires, souvenirs joyeux et belle entente partagée. Oui, ce furent d'heureux moments.

La grande foire organisée pour l'occasion exposa de prodigieuses marchandises, plus riches encore qu'à l'accoutumée. Outre celles venues de Castille ou d'Aragon, comme ces olivettes parfumées de thym, de romarin, de sauge ou d'oranger, ces huiles suaves au parfum fruité, ces pains de savon aux baies de laurier, ces pâtes de fruits, de fleurs, d'amandes ou de miel, ces plats creusés dans des oliviers centenaires, ces calices de verre fin cerclé d'or, ce fut tout le faste de l'Orient qu'on put contempler. Au hasard des allées prises entre le fleuve et les remparts du château de l'Ombrière, on pouvait acquérir aussi bien des paravents de bois précieux travaillés tels des moucharabiehs, que des petits singes de compagnie dressés en jonglerie pour amuser les convives, s'ébaubir devant un dresseur de serpents au front enturbanné comme devant un luthier qui façonnait une mandore avec dextérité, sans parler des Cordouans qui, pour quelques sols, d'un simple morceau de peau, vous faisaient souliers. Tandis que ma reine s'occupait de ses invités, je passai avec Jaufré, Eloïn, Richard, Geoffroy et Agnès, venus nous rejoindre, des moments de surprise, d'émotion, de rire, dévorant oublies et pommes d'amour en me promenant dans la foule que rien ne semblait vouloir attrister.

Le soir retombé, tandis que des feux s'allumaient sur les berges pour illuminer les nuits étoilées et laisser, autour, danser les petites gens, ceux des fiancés dont nous faisions partie avaient eu leur content de ces répons ou de ces impromptus qui faisaient désormais la réputation des cours d'Aquitaine et de Castille. La musique des troubadours avait répondu aux chants qui montaient du fleuve, entrecoupés d'un côté comme de l'autre par les amuseries des joglars ou des moqueurs qui croquaient tel ou tel dans leurs œuvres.

De sorte qu'à l'heure où, abandonnant Bordeaux pour regagner Poitiers, Aliénor refermait derrière elle une nouvelle page de sa vie de mère, nous ne pûmes nous résoudre à l'accompagner. Nous n'avions retrouvé Blaye que trop peu de temps, les vendanges approchaient et Jaufré, comme son fils, ne voulait plus, depuis l'incendie, manquer les heureux moments qui en découlaient. Nous la laissâmes partir sur la promesse de la rejoindre dès qu'elles seraient achevées. Eloïn nous bisa au front avec tendresse avant de grimper en voiture près d'elle, les yeux pétillants et le cœur léger. Loin de Richard, qui venait, pour les escorter, d'enfourcher son palefroi, je le savais, elle n'était plus entière.

Pouvais-je le lui reprocher ?

Nous prîmes gabarre dans la foulée. Le déclin de la marée nous attirait vers Blaye. Chaque fois, descendre le fleuve nous était ravissement. Le va-et-vient des embarcations de pêcheurs, de pèlerins, de marchandises, d'ordres religieux pour ne citer qu'elles, était inimaginable. Les navires à fort tirant suivaient le lit central de la Garonne, les plus petits voisinaient ses berges plantées de roseaux, de coudriers, d'aulnes. Où que l'on portât le regard, la vie s'ébattait, sereine. Les loutres levaient à peine le nez des ajoncs avant d'enfoncer leurs pattes palmées dans la vase puis de nager. Des enfants, profitant de la tiédeur d'une arrière-saison estivale, pêchaient les petites crevettes grises qu'ils vendaient ensuite, cuites avec de l'aneth, à la poignée. Leurs aînés plongeaient leurs lignes ou leurs carrelets depuis les cabanes haut perchées sur des pieux qui dominaient les eaux sombres. Parfois, bien au-delà des rives, profitant de la hauteur d'une colline, les tours d'une maison forte se détachaient dans l'azur, d'un côté ou de l'autre, affirmant la gestion des hommes sur cette contrée que de là on eût pu croire détachée du temps. Le regard de Jaufré se posait avec respect sur tout, avec le même amour qu'hier, cet amour qu'il avait su me communiquer et qui me rendait fière.

— Oh ! là, voyez ! s'exclama Agnès qu'encadraient Jaufré et Geoffroy contre le bastingage, alors que, les murailles du castel de Bourg laissées, nous entrions dans cette passe où, donnant naissance à la Gironde, la Garonne se lie à la Dordogne.

Des pêcheurs se tenaient sur la rive. Voyant nos couleurs, ils agitèrent les mains d'un même élan chaleureux. Agnès leur répondit en croisant et décroisant haut ses bras au-dessus de sa tête chapeautée, indifférente au vent qui, forci d'un coup, gonflait la voile.

— Ne vous agitez pas trop, ma mie. En cet endroit les eaux sont traîtresses, s'inquiéta mon fils en sondant les remous brunâtres d'où surgissaient par intermittence branches et immondices arrachées à la terre ferme.

— Devrais-je pour autant négliger les nôtres ? se moqua-t-elle en se hissant plus haut sur la pointe des pieds.

Le choc fut brutal contre la coque. Déséquilibrée, elle bascula par-dessus bord. Je crois bien que mon hurlement d'effroi fut aussi immédiat que la réaction des deux hommes. L'un la retint par la cuisse, l'autre par la taille. Avant que, tremblante, je ne me sois ramenée à leurs côtés, Agnès était de retour sur le pont, à l'écart de tout danger mais les traits défaits et rougeauds, le chapeau de travers et le bras instinctivement barré en travers de son bas-ventre, là où la rambarde l'avait cisaillée, là où l'enfant qu'elle portait attendait son heure.

— Vous sentez-vous bien ? s'empressa Geoffroy, blême.

De longues secondes durant, à l'écoute de son corps meurtri, Agnès ne put répondre, puis, rassurée autant que moi de ne point voir le pont rougir du sang d'une hémorragie, elle rajusta sa mise.

— Oui, oui, mon époux. Plus de peur que de mal. Mais il va, je crois, me falloir apprendre à me méfier des caprices du fleuve.

— Si vous étiez tombée… Si…, balbutia Geoffroy, liquéfié par la vérité du danger.

Elle lui emprisonna le visage dans ses mains, le couvrit de tendresse.

— Cessez d'imaginer le pire. Il ne viendra pas, tant que vous serez si vigilant à mes côtés. N'est-ce pas, mère ?

Je hochai la tête, sous le coup encore de ce pincement qui interdisait aux battements de mon cœur de se réguler. Voulant clore le sujet, Agnès pivota dans les bras de Geoffroy pour reporter son attention vers la rive. La gabarre avait poursuivi sa trajectoire, nous masquant les pêcheurs restés en amont. Devant nous, la pointe de l'île qui nous avait hébergés écartelait de nouveau l'estey en deux.

— Tenez-moi bien, mon mari, on ne sait jamais, se mit à rire Agnès en reposant ses mains sur l'ourlet du bastingage.

Je vins m'installer près d'elle pour calmer le tremblement de mes membres. Reprenant le geste de son fils, Jaufré enroula solidement ses bras autour de ma taille. Ce fut sans autre mot dire que nous atteignîmes le port de Blaye, nous remettant lentement de notre frayeur dans le cri des oiseaux de mer, le claquement de la voile, les saluts des gabarriers entre eux, le clapotis des poissons au-dessus de la houle et le doigt tendu d'Agnès qui, comme une enfant rebelle au malheur, n'eut de cesse de s'émerveiller.

12.

Bliaud retroussé jusqu'au genou sur la place de l'église de la petite paroisse de Saint-Ciers-de-Canesse, deux jouvenceaux s'appliquaient à fouler le raisin, les mollets enfoncés dans de larges baquets. Enhardis par les acclamations des plus jeunes autant que par les railleries de quelques donzelles effrontées, ils riaient à gorge déployée. Partout en Blayais les vendanges s'étaient annoncées tardives, la faute à une fin d'été incertaine aux journées raccourcies, aux températures basses et au ciel nuageux. Il avait fallu septembre pour voir le soleil s'imposer. En ce début octobre, la récolte serait médiocre, le grain se voyant par endroits moisi avant que d'avoir mûri, à d'autres, sur les coteaux pentus, éclaté par trop de jus ou le bec des corbeaux. Qu'importe ! La quantité suffirait pour les besoins de l'année, avait jugé Jaufré en faisant le tour des paroisses, s'attardant avec son fils au bout des rangs, accueilli chaleureusement par les vignerons qui coupaient les grappes puis déversaient leurs hottes dans les charrettes à grains. En cette fin de journée, ils en avaient suivi une jusqu'ici. Du baquet aux charrettes, les paniers allaient et venaient, emportés par ceux que les raideurs de l'âge empêchaient de se courber sur les plants mais qui possédaient encore assez de force pour vider. Sous l'esplanade ombragée de châtaigniers, les dames de la paroisse, les coiffes ornées de feuilles de vigne et de fins sarments, disposaient tranchoirs et hanaps sur les longues nappes blanches, le verbe haut et les railleries aux lèvres. On s'apprêtait à festoyer près d'un abri fait de quatre poteaux de chêne et couvert de tuiles sous lequel se trouvait le pressoir à levier. Jaufré se souvenait d'avoir toujours connu cette grosse pierre qui servait de balancier. C'était à quelques pas d'elle que son père lui avait appris à goûter le grain, à en apprécier la saveur charnue, à se rendre compte de la valeur de la récolte. Là que, pour la première fois, sur un clin d'œil du comte, une jouvencelle s'était avancée, une grappe à la main, pour l'inviter à la renifler, et qu'il s'était retrouvé le nez barbouillé, baptisé par les rires légers et la main de son père sur son épaule.

— Un Rudel sait tout affronter, mon fils, même le ridicule, s'était-il exclamé de son timbre clair.

Loin de le ressentir, Jaufré, qui venait de fêter ses six ans, se souvenait d'avoir bombé le torse puis léché ce jus qui lui dégoulinait jusqu'aux commissures des lèvres, gourmand déjà de son parfum de myrtille légèrement acidulé. Il en avait transmis très tôt la fierté à Geoffroy, comme le plaisir de fouler. Malgré l'effarement qu'invariablement ils arrachaient au curé. Cette année encore, ils n'avaient pas l'intention de déroger à la coutume et riaient aussi fort que les enfants autour d'eux tandis qu'ils se déchaussaient.

— Voyons, messires ! voyons ! continuait de s'étrangler le brave abbé, consterné, renforçant les encouragements des habitants.

Indifférents à ses suppliques, père et fils enjambèrent les bords d'un même élan. Leurs orteils s'enfoncèrent dans les grains, se bombèrent sous les ramifications des grappes. Tandis qu'un jouvenceau hilare vidait son panier, ils levèrent un pied, puis l'autre, à la manière de ces échalas qui piétinent dans la vase, puis, enhardis par les acclamations des paroissiens autant que par la moue de désapprobation du curé, se mirent à fouler en cadence, les bras noués l'un à l'autre à l'imitation de ceux qui les avaient précédés.

Ensuite de quoi, sous la lumière des flambeaux, ils festoyèrent avec la population, rompirent le pain avec elle, se régalèrent d'une tourte aux lactaires, d'une daube de biche, d'une tarte aux marrons et de raisins de table aux reflets ambrés et à la saveur de miel. Ce ne fut qu'une fois les chants éteints, dans cette nuit claire qui les enveloppait, qu'ils quittèrent enfin la place désertée.

Ayant refusé toute escorte, père et fils laissèrent leurs montures assouplir un pas de promenade sous le regard bienveillant d'une lune aux trois quarts pleine. Ni l'un ni l'autre n'avait envie de se presser. L'air était doux, parfumé encore des vapeurs raisinées que d'autres, celles des sous-bois gorgés de fraîcheur nocturne après la chaleur de l'après-midi, remplaçaient sous les allées de chênes et de châtaigniers. Malgré l'abondance des forêts dans la châtellenie, aucun malandrin ne s'y cachait. Qui vivait chichement trouvait toujours bombance à l'heure des repas et ceux que le diable tenait au corps ne faisaient pas long feu de vilenies tant on les traquait, fourche à la main, avant de les conduire à Blaye pour qu'ils y soient jugés. Les Rudel s'étaient toujours montrés justes, ne condamnant à mort que les assassins, et cela faisait bien longtemps qu'aucun n'avait sévi dans la contrée.

Sachant cela, tous deux allaient côte à côte, sans escorte, repus et satisfaits.

— Belle journée, n'est-ce pas, fils ?

Geoffroy tourna vers son père son profil au nez légèrement busqué.

— Plus encore par votre présence à mes côtés.

Ils se sourirent.

— Je suis heureux que cela vous ait distrait de votre inquiétude pour Agnès.

Un voile de surprise passa sur les traits de Geoffroy.

— Quel père serais-je si je ne savais lire dans le regard de mes enfants ? Ce tourment qui vous ronge, aggravé par l'incident sur l'estey, je l'ai connu avant vous, chaque fois que votre mère a porté gros.

— Je ne le peux nier en effet. Chaque nuit mes cauchemars s'en peuplent. Tant de dames passent en couches…

Tant d'enfants s'éteignent avant ou juste après leur naissance...

— Et cependant graines poussent, femmes enfantent et recommencent l'année suivante. Il vous faut l'admettre, mon fils. Vous êtes à Agnès comme je suis à Loanna. Mais dès l'instant où son ventre a forci, vous êtes devenu père comme je le demeure, prisonnier d'émois et de craintes jusqu'à votre jour dernier.

Geoffroy s'attarda quelques secondes sur un fourré en bordure du chemin. Deux yeux s'en détachaient, hauts de quelques pouces. Une fouine sans doute, qui détala dans un bruissement de feuilles. Lorsqu'il reporta son regard sur son père, l'obscurité du sous-bois dans lequel ils venaient d'entrer lui avait volé ses traits. Curieusement cette distance éphémère soulagea Geoffroy de ces mots qu'il n'avait jamais trouvé le courage de prononcer.

— À dire vrai, j'avais toujours pensé que la délicatesse de votre allure et de vos vers vous faisait éprouver sentiment plus fort, émotion plus grande que celle d'un chevalier d'apparence plus guerrière. Je découvre avec honte et à mon propre tourment que je vous ai mal jugé.

— Pourquoi honte ? Ma valeur en fut-elle amoindrie ?

— Non. Pas davantage l'affection et le respect que je vous porte.

— Alors je n'ai rien à vous reprocher. Voyez-vous, les images sont trompeuses. Chacun laisse paraître ce qu'il veut montrer. Nombreux sont ceux qui ignorent que je suis capable et sans hésiter de troquer ma mandore pour une lame. Mieux, d'en jouer avec la même dextérité. Mais d'autres ambitions me portent que de courir fortune et gloire parce que j'ai acquis auprès des miens cette richesse que beaucoup cherchent sans la trouver. Pourrais-je posséder plus que je n'ai ?

— Non, en effet.

— Sachez-le, mon fils. Cette sensibilité que vous avez héritée, loin d'amoindrir la bravoure d'un homme, le rend plus juste, mais aussi plus vif, plus enclin à réagir lorsqu'il est poussé par la nécessité. Je vous surprendrai sans doute en vous avouant que, par le passé, j'ai tué de mes mains un homme, froidement et sans remords.

Geoffroy sursauta sur sa selle.

— Qu'avait-il fait ?

— Rien à l'heure où je l'ai condamné, mais ses actes passés constituaient une menace pour votre mère, pour vous.

Il ponctua ces mots d'un petit rire de dérision avant de poursuivre :

— Vous le voyez, chantre n'a de pureté que dans l'air de ses cansouns. Longtemps je me suis imaginé fat, sans saveur, incompris de mes pairs parce que de trop de jeunesse et de souffrance encombré. Votre mère m'a guéri de mes peurs, de mes doutes, de ce mal-être qui me faisait imaginer autre que ce que j'étais. C'est dans ses yeux, par son amour que je me suis reconstruit, sous ses mains aimantes que j'ai appris à m'aimer, avec cette part de violence en moi étouffée sous les vers, et la certitude que je n'en saurais user qu'avec discernement, justice. Je l'ai faite. Cette fois-là que je viens de vous confier, mais aussi au cours de la croisade lorsque votre mère fut capturée par le basileus Manuel Comnène. Je n'étais pas seul alors, Geoffroy de Rancon et Denys de Châtellerault, dont vous avez entendu parler, étaient à mes côtés.

— À ce que j'en sais, ce dernier a donné sa vie pour couvrir votre retraite.

— Oui. Je me suis souvent demandé s'il avait été plus brave que moi alors. Votre mère m'en a détrompé. Denys taillait derrière, je taillais devant. Sa mort nous fut tragique et douloureuse, mais, cette nuit-là, sous les remparts de Constantinople, le troubadour avait cessé d'exister. Je n'étais plus qu'un homme. Un homme aimant, prêt à tout pour reprendre à un autre la femme qu'il aimait, cette moitié d'âme qui m'avait été volée.

— Je comprends. Qui me prendrait Agnès n'aurait aucun endroit pour se cacher. Puis-je au regard de tout cela vous demander la véritable raison qui vous fit refuser l'adoubement que le roi vous a proposé ?

L'image de l'incompréhension d'Henri passa devant les yeux de Jaufré comme une gourmandise. Soutenant le regard du roi, il l'avait remercié de sa proposition avant d'ajouter qu'il ne saurait recevoir d'un roi chevalier capable de violenter une femme quoi que ce soit qui puisse à lui l'apparenter. Henri s'en était étranglé avant de tourner les talons et de n'en plus reparler. La rumeur, pourtant, probablement servie par ses soins, avait laissé entendre que c'était par peur des armes que Jaufré avait décliné l'honneur qu'on lui faisait. Il n'avait jamais démenti, n'ayant point besoin d'inspirer crainte pour être estimé ou aimé.

— Disons que, ce jour-là, j'ai rendu au roi par mon offense une part de celle qu'il avait faite à votre mère. J'aurais cent fois préféré le pourfendre, mais par amour pour elle je m'en suis empêché.

Geoffroy sentit grandir en lui une admiration profonde pour ce père, insoupçonné dans sa vérité.

— Vous auriez pu tuer le roi ?

— C'est le sort qu'il méritait.

Pendant quelques secondes, Geoffroy s'appesantit en silence sur sa selle, laissant deux effraies se répondre dans la nuit. Une part de lui aurait aimé connaître le crime du roi, l'autre lui interdisait d'en rien demander. Il pencha pour la seconde. D'autant que Jaufré ajoutait, la voix posée :

— Chaque fois que j'ai tiré lame, mon fils, ce fut pour une noble cause, pour protéger ceux que j'aimais. À ce seul titre la mort a un sens. Souvenez-vous-en et vous serez plus et mieux qu'un simple chevalier. Un homme de bien. Un homme dont toujours je serai fier.

Ils se sourirent, leurs visages poudrés par la blancheur de la lune réapparue au-dessus d'eux.

Agnès et moi les retrouvâmes à notre lever, attablés devant un solide matinel, la barbe drue, les yeux brumeux d'avoir poursuivi conversation d'hommes le restant de la nuitée. Nous n'en sûmes que les grandes lignes, Agnès par Geoffroy, moi par Jaufré. L'essentiel, nous le comprîmes : ces deux-là étaient désormais plus unis que jamais.

13.

Rosamund Clifford prenait des poses savantes et calculées devant son miroir, le visage s'essayant à tous les masques, de la tristesse contenue au sourire crispé, du regard lointain à l'œil éploré en passant par de brefs éclats de rire qu'elle faisait retomber aussitôt d'un tic à la joue, comme abattue par la fatalité. De tous ces essais il ressortait la même évidence. Le deuil lui seyait. Il rehaussait la délicatesse de son visage, le brillant de ses yeux, le carmin de ses joues, la pulpe de ses lèvres et jusqu'à la finesse de sa taille. Loin d'en être altérée, sa beauté éclatait tout en appelant la pitié. Au moins trouverait-elle son content de ces obligations funèbres ! Elle eût bien mieux préféré pousser du galop sur les chemins forestiers du domaine familial, que de veiller la dépouille de sa défunte mère. Si encore elle en éprouvait chagrin véritable ! Mais il lui fallait composer avec le détachement qui s'était opéré en elle dès lors qu'elle avait compris à quel point sa mère, à son sens transparente et effacée, était différente. Une bigote qui baissait le regard dès qu'un homme entrait, passait une partie de sa journée en prière, l'autre à ses œuvres de charité. Elle s'était réveillée à la Noël précédente pour la couvrir de reproches, affirmant que son statut auprès du roi, ses manières, ses tenues, son tempérament lui-même, étaient une injure à l'éducation qu'elle lui avait donnée, un blasphème impardonnable et une honte pour ses parents. Si elle s'était attendue à voir sa fille plier, elle s'était trompée. Rosamund avait éclaté de rire, avait pirouetté sur elle-même avant de s'immobiliser et de lui tirer la langue.

— Si, à défaut de la main de Dieu, vous vous étiez enjouée de celle de votre époux, ma mère, vous auriez compris que cul content vaut bien cul pincé !

Sur cette offense qui avait laissé la pauvre femme suffoquée, Rosamund avait quitté les lieux, bien décidée à n'y plus revenir. Le sermon qu'elle avait reçu de son père quelques semaines plus tard n'y avait rien changé. Elle l'avait toisé de mépris :

— Vous profitez plus qu'il n'en faut des avantages de ma proximité avec le roi. N'avez-vous reçu toutes les faveurs que vous réclamiez et d'autres même que vous n'osiez espérer ? Les catins sont bien moins généreuses qu'une maîtresse royale. Prenez garde à ne pas vous y tromper !

Rappelé à cette évidence, le baron Clifford s'en était bien gardé !

Aussi, lorsqu'un messager s'était avancé à Domfront pour la prévenir que sa mère, mourante, espérait la revoir avant que de passer, Rosamund avait failli le renvoyer dans un méchant éclat de rire. L'œil attristé d'Henri l'en avait dissuadée. On ne comprendrait pas qu'elle refuse faveur à dame si estimée. On ne comprendrait pas son indifférence. Elle avait donc composé. Avait répondu d'une voix tremblante qu'elle prendrait route dans l'heure qui suivrait, puis, laissée seule avec Henri, s'était mise à pleurer doucement contre son épaule, le temps qu'il fallait à la bienséance pour ne point trahir l'ennui qu'elle pressentait à cette corvée.

C'en fut une. Vraiment. Était-ce un privilège réservé aux saintes femmes ? Celle-ci avait mis plus de dix jours à s'éteindre, contraignant Rosamund à demeurer sur place. Non qu'elle eût éprouvé quelque remords à profiter de ces tardives journées ensoleillées, mais les dames des plus grandes maisons anglo-normandes n'avaient cessé de défiler, de pleurnicher sur les vertus de la mourante, sur leur incompréhension devant ce mal sournois qui l'avait rongée depuis janvier. Si doute elle avait eu, son père l'avait ôté en la couvrant d'un regard rancunier. Rosamund était seule responsable du déclin de sa mère. Force lui était donc de se racheter. Tout du moins comme à son habitude, pour tromper ceux et celles qui la pressaient dans leurs bras, éplorés. Elle perdait sa mère. Un exemple de délicatesse, de douceur, d'altruisme, de bon goût et de générosité. À force qu'on le lui répète, elle avait fini par trouver assez d'arguments pour, un minimum, la regretter.

Jusqu'à ces dernières heures.

Elle était entrée dans la chambre comme les jours précédents, avait trouvé sa mère adossée à l'oreiller, les yeux grands ouverts dans la pâle lumière du matin. Elle s'était immobilisée sur le seuil, surprise de ce regain de vitalité quand depuis si longtemps Marguerite de Tosny gisait, inerte, les paupières closes, la respiration altérée.

— Allez-vous mieux ? avait-elle demandé, bien plus déçue en vérité que soulagée.

— J'économisais mes forces, ces derniers jours. Je voulais en regagner assez pour vous parler…

Rosamund n'avait pas aimé ce timbre et cet œil froids, sans âme, inhabituels chez sa mère. Elle les avait mis sur le compte de la camarde, avait puisé en elle un reste d'humanité pour saisir cette main tendue. S'était approchée, avait accroché ces doigts glacés, trouvé assez de courage pour les conserver dans les siens et s'asseoir sur le côté du lit.

Sa mère lui avait accordé un pâle sourire.

— Rassurez-vous, ma fille. L'heure des reproches est révolue. Vous me l'avez ôtée définitivement à Noël dernier…

— Ne rejetez pas sur moi votre fin, mère. Il vous fallait m'accepter comme je suis, car c'est de vous que je suis née.

— De moi, oui, mais non du baron de Clifford.

Rosamund avait sursauté, autant de cette révélation inattendue que de l'éclair vengeur qui avait traversé le regard translucide de sa mère.

— Un secret bien gardé en vérité, mais que je tenais à vous léguer…

— Pourquoi ?

— Pour que vous compreniez bien le soin que je mis à racheter ce cul content que vous m'avez reproché.

Rosamund avait souri de ce masque qu'enfin sa mère venait de tomber.

— Somme toute, nous ne sommes pas si dissemblables.

— Détrompez-vous, ma fille. Tout nous sépare. J'ai aimé cet homme. Ce n'était ni un roi, ni un duc, ni même un chevalier, mais un simple métayer. Il possédait comme vous la beauté du diable, comme vous a su en jouer pour me manipuler. Mon époux ne s'est douté de rien de longues années durant, jusqu'à ce que vos traits l'amènent à l'évidence. Un matin il m'a appris froidement qu'il l'avait fait pendre, pour quelques chaparderies dont on l'accusait. J'ai compris qu'il savait. Lors pour me racheter, je suis devenue celle que vous exécrez.

Rosamund avait oscillé sous l'assaut de sentiments contradictoires avant de se rassurer. Aucun ne la mettait en danger. Cette histoire appartenait au passé et, visiblement, le baron avait continué d'agir avec elle comme si elle avait été sa propre fille. Elle ne voyait pas ce que sa mère gagnait à lui en parler. Elle balaya l'air d'une main agacée.

— Où voulez-vous en venir ?

— À ceci. Personne ne vous aime, Rosamund, parce que nul, finalement, ne veut aimer le diable. Tôt ou tard vous deviendrez gênante. Bien trop gênante. Et vous disparaîtrez comme ce métayer, sans laisser la moindre trace ni le moindre regret. Mieux, croyez-moi, comme moi-même je l'ai été à sa mort, malgré tout l'amour que je lui avais porté, tous en seront soulagés.

Un frisson avait parcouru Rosamund tandis que sa mère partait d'un rire inattendu, indécent et jouissif qui la vida de ses dernières forces. La seconde d'après, il s'étranglait dans sa gorge et sa tête retombait.

Rosamund avait quitté la pièce, glacée, s'était approchée de son père qui prenait matinel et, d'une voix éteinte qu'elle n'avait pas eu besoin de contrefaire, lui avait annoncé le décès de sa mère. Ensuite de quoi elle s'était réfugiée dans la solitude de sa chambre, s'était assise sur le lit de longues minutes durant, incapable de chasser de son esprit cette sentence. Avant de s'en moquer, de se lever et de s'apprêter. Sa mère se trompait. Ne possédait-elle pas le moyen de plier Henri à sa volonté lorsque Aliénor trépasserait ? Ce testament que la reine avait signé et qui la plaçait à sa succession auprès du Plantagenêt sur le trône d'Angleterre ? S'il venait à la tentation d'Henri de le refuser, il perdrait l'Aquitaine, même si son fils Richard tenait le duché. Mais Henri n'aurait aucune raison d'y songer. Il l'aimait.

Lors, résolue à montrer d'elle l'image de la grande reine qu'elle serait, elle quitta la pièce pour jouer le rôle que sa mère avait, si longtemps, composé.

14.

Tout le temps que durèrent les funérailles, Rosamund Clifford ne cessa de se sentir emplie de fierté. L'arrivée d'Henri quelques minutes avant la cérémonie fit grand effet parmi l'assistance. Certes, la relation que le roi entretenait avec elle n'était un secret pour personne, mais le fait même qu'il s'installe au premier rang dans la cathédrale, entre elle et le baron Clifford, prouvait l'importance et l'attachement qu'il leur accordait. Du coup, face au masque de circonstance de son amant, elle donna pleine mesure à son talent. À aucun moment on ne put prendre sa dignité ou son chagrin en défaut. Elle essuya régulièrement ses yeux baissés après avoir eu soin, pour s'arracher quelques larmes, de s'enfoncer un ongle sous la manche, dans le tendre de l'avant-bras. Ses épaules se voûtèrent puis se redressèrent, chaque fois, en même temps que celles de son père. Elle parvint même, à force de concentration, à trembler des mains pendant deux ou trois minutes alors que le curé bénissait le cercueil. Elle fut récompensée de ces efforts par le regard de ceux qui défilèrent ensuite devant elle pour lui présenter leurs condoléances. Son sourire crispé, la détresse posée de ses traits et jusqu'au blanc de ses yeux, rougi d'avoir été irrité d'une goutte de vinaigre quelques heures auparavant, lui valurent toute l'estime et l'admiration qu'elle avait voulu imposer. Pas un seul instant elle ne se douta de ce qui se tramait.

Henri Plantagenêt attendit que le valet ait refermé la porte d'un petit cabinet pour s'approcher du baron Clifford et le presser fraternellement contre lui.

— Je suis chagrin, mon ami. Infiniment chagrin, croyez-le, murmura-t-il.

— Je sais l'affection que vous portiez à mon épouse. Elle vous la rendait à sa manière, discrètement. Elle ne méritait pas de s'éteindre ainsi.

Henri hocha la tête.

— C'est à ce propos que j'ai souhaité nous isoler, baron. Je suis las. Las des manipulations, des faux-semblants et des manières de votre fille. À l'instant encore, si je n'avais eu autant de respect pour votre famille et la défunte, devant ce simulacre de désespérance, je lui aurais enjoint de sortir de l'église.

Le baron Clifford secoua sa tête qu'il venait de baisser tristement.

— Ainsi donc elle aura fini par vous user aussi.

— Je le suis, oui, et tenais à vous en avertir afin que vous puissiez juger de l'attachement sincère que je vous porte. Votre fidélité à la couronne n'a jamais démérité et je sais que mes liens avec Rosamund n'en sont aucunement la cause.

Le baron s'empourpra.

— Certains privilèges, cependant…

— … vous ont été octroyés uniquement sur la valeur de vos actes de guerre à mes côtés. Rien que vous lui deviez.

La sincérité de son ton soulagea le baron de son embarras.

— Quand comptez-vous lui annoncer votre rupture ?

L'œil d'Henri se glaça.

— La bienséance, face à votre deuil, m'incitait à en repousser l'échéance, mais l'exaspération que son attitude provoque en moi m'enjoint, avec votre permission, de la voir sans tarder.

Un sourire malin égaya un instant les traits du vieil homme.

— Vous l'avez, Majesté. Vous l'avez sans réserve, et, s'il vous plaisait, pour le repos de ma chère femme, de m'accorder une ultime faveur…

Henri lui enveloppa le haut de l'épaule d'une poigne amicale.

— Tout ce que vous voudrez, baron…

— Faites en sorte, mais sans l'occire, que je ne la revoie jamais.

Rosamund Clifford reçut comme une gifle le discours de son amant. Elle qui, du temps que son père retenait Henri, avait préparé leurs retrouvailles avec le plus grand soin, persuadée que son air éploré allait le précipiter vers elle pour la consoler ! Elle qui, dans ce dessein, avait parfumé chaque parcelle de sa peau, enfilé ses dessous de soie et, par-dessus, jouant la faiblesse, n'avait jeté qu'un mantel de nuit ! Au lieu de la prendre dans ses bras, de l'en déshabiller et de la coucher en travers du lit, Henri lui avait battu froid. Se bornant à refermer sur lui la porte de sa chambre et à lui assener un :

— Nous avons à parler vous et moi.

Parler ! Lui en avait-il laissé le temps ? Non. De se plaindre ? De gémir ? Non. À peine lui avait-il accordé un semblant de complaisance tandis que, debout, près de l'huis, il la fixait telle une bête curieuse dont il viendrait tout juste de découvrir l'existence.

— J'ai cessé de vous aimer, ma mie. Ne me demandez pas comment ni pourquoi. C'est ainsi. Votre règne s'achève et, souhaitant demeurer quelques jours en ces lieux, je veux, moi, vous en voir partie à l'aube, demain, dans la discrétion la plus grande et sous l'escorte de Thomas Antelburgh. Je vous laisse le choix de votre retraite. Le couvent ou cette demeure que je vous offris. Quoi qu'il en soit, vous n'en sortirez plus.

Ébahie, entre la colère et l'incompréhension, elle ne parvenait à détacher ses yeux de cette bouche qui, hier encore, la couvrait de baisers brûlants.

— Bien entendu, je pourvoirai à votre entretien, à moins que vous ne préfériez que je vous donne en épousailles. À vous de juger. L'affaire est entendue pour moi comme pour votre père et ne souffrira aucune supplique de votre part. Sur ce, je vous donne le bonsoir.

Il pivota. Posa ses doigts sur le loquet. Elle vacilla, se raccrocha d'une main au montant tourné du lit, parvint à articuler :

— Vous ne pouvez pas vous séparer de moi...

Ainsi qu'il venait de l'affirmer, il ne s'en affecta pas.

Elle demeura seule, dans cette pièce chargée encore de son parfum, incapable de concevoir la réalité de cet instant. Déroutée. Elle répéta :

— Vous ne pouvez pas vous séparer de moi...

Puis, comme une rose déjà fanée, lâcha prise et s'effondra.

Lorsque Rosamund Clifford reprit conscience, l'obscurité régnait dans sa chambre de jouvencelle. Elle mit un long moment à réaliser qu'elle se trouvait à terre, sur le parquet, et que personne ne s'était assez inquiété d'elle parmi la maisonnée pour frapper à sa porte, la forcer pour lui venir en aide. Sa mère, qui le lui avait sinistrement prédit, avait eu raison. Elle n'existait déjà plus. Pas même pour quelques domestiques qui l'avaient connue enfant. Cela ne la surprit guère. Avait-elle eu envers eux un seul geste de bonté ? Non. Tout au contraire, elle les avait rabaissés sans cesse, les épuisant de caprices et de méchanceté sournoise. Elle demeura donc ainsi, dans ces ténèbres, oscillant entre la certitude d'un cauchemar dont le lever du jour la guérirait enfin et celle d'une mort lente. Entre les deux, par vagues, un sanglot montait le long de sa glotte, avant de jaillir comme une source nauséabonde en un gargouillis incertain. Elle ne s'arracha à la raideur du parquet qu'avec le jour naissant, melue mais bien moins abattue que la veille. Sans doute avait-elle dormi suffisamment pour regagner confiance. Et orgueil. Faire esclandre, battre froid officialiserait sa rupture. Elle n'y gagnerait rien. Courber la tête non plus. Mieux valait composer. N'avait-elle pas donné la preuve de son chagrin ? Son retrait de la cour passerait pour de la pudeur. Elle n'y reviendrait que plus forte le jour où Henri, prenant conscience de son erreur, tomberait à ses genoux. Combien de temps lui faudrait-il ? se demanda-t-elle en délaçant son mantel de nuit. Un mois, deux tout au plus.

Elle était nue lorsque l'on toqua à la porte. Persuadée d'y voir s'encadrer sa dame d'atour, elle donna l'ordre d'entrer. La surprise, puis le fard qui se peignirent sur les traits du comte d'Antelburgh, statufié devant sa beauté parfaite, réchauffèrent le sang dans ses veines. Elle répondit à son embarras par un sourire vainqueur.

— Puisque le roi vous commet à mon service, comte, quittez donc ces allures de jouvenceau et asseyez-vous le temps que je termine mes ablutions.

— Dame Rosamund, je ne saurais, vous êtes...

— Transparente ainsi que l'a décrété le roi. Rougit-on de ce que l'on ne voit pas ?

Ce 18 octobre, Thomas Antelburgh vint rendre compte au roi de sa mission. Rosamund Clifford était arrivée sans encombre dans sa demeure et s'y était installée, résolue à la discrétion. Henri leva un sourcil surpris et, parce qu'il avait pris la mesure des diableries de cette femme, décida qu'il était plus prudent qu'elle demeure sous bonne garde. Thomas Antelburgh ne rechigna pas à l'ordre qu'il lui en donna. Lors, soulagé, il embarqua. Durant la traversée de la Manche, le gros temps malmena ses navires, lui faisant craindre, comme en janvier précédent, qu'un fût perdu avant l'arrivée. Il accosta pourtant sans autre dommage qu'un mât brisé puis chevaucha sous une pluie battante jusqu'en la puissante forteresse d'Amboise. Avant même de s'installer avec ses familiers, il fit prévenir Becket des dispositions qu'il venait de prendre, lui assurant sa protection et son amitié. Ensuite de quoi il se mit à attendre, tout en réfléchissant à la manière de se rapprocher avec délicatesse de la reine. Non que la répudiation de Rosamund lui laissât l'espoir de charnelles retrouvailles, mais il entendait bien, en l'annonçant à Aliénor et en ramenant Becket à leurs côtés, rendre totalement au royaume cette paix qu'il avait si méchamment outragée.

Pouvait-il se douter qu'à l'inverse une guerre sans merci venait de lui être déclarée ?

15.

Nos journées en Blaye m'avaient définitivement rassurée quant à l'état de santé d'Agnès. La légère commotion de sa peau à l'endroit de la pliure de la rambarde contre son ventre n'avait eu aucune conséquence sur sa grossesse. Tout au contraire, l'enfant affirma sa poussée d'une jolie manière qui fit prendre quatre livres à sa mère, entre le moment de notre arrivée et celui, toujours nostalgique, de notre départ. Geoffroy et Jaufré s'étreignirent aussi tendrement que j'enlaçai ma belle-fille, ne me séparant d'elle que sur la promesse d'allers-retours réguliers. Jaufré s'était rendu à mes arguments pour nous arracher à Blaye. Là où les résolutions d'Henri à propos de Becket et de Rosamund allaient dans le sens de l'unité retrouvée du royaume, infléchissant la noirceur de mes visions passées, une part de moi transpirait une angoisse sourde que rien, ni les caresses de mon époux, ni la douceur de vivre du Blayais, ni la légèreté d'Agnès ou ma complicité avec Geoffroy, n'était parvenu à tromper. Rosamund répudiée, Aliénor, je le craignais, était en danger. Ce 26 octobre nous ramena donc en Poitiers, où je trouvai ma reine perplexe devant une corbeille qu'un des messagers d'Henri venait de lui déposer. Des fruits exquisément confits encerclaient un billet qu'un lacet de soie retenait roulé. Elle le détacha et passa le restant de la journée à s'interroger sur le sens du message que son époux lui adressait. Il tenait en une phrase que je ne pus davantage éclairer. Il nous fallut sept jours, autant de corbeilles que de billets pour comprendre que toutes mises bout à bout formaient cansoun :

« Quand s'endorment les beaux jours
Par oubli de bel amour,
De sa dame et de pensée
Un roi seul peut s'empresser.
S'il faillit près de l'immonde
Sans pardon comme un chien fou,
C'est soumis qu'il se féconde
D'un sourire et à genoux... »

Visiblement, Henri, qui n'était pas le moins fameux des bardes anglo-normands, avait décidé de jouer de finesse pour récupérer sa dame, à l'heure où l'annonce de sa rupture avec Rosamund circulait. Bernard de Ventadour en blêmit jusqu'aux oreilles et ma reine dut, la nuit suivante, déployer des trésors de tendresse pour le rassurer. Même si la dernière entrevue d'Aliénor avec le roi s'était soldée par une trêve, il n'était pas question pour elle de sacrifier à un quelconque caprice le bonheur dont elle jouissait. Elle connaissait trop bien Henri. Rosamund déchue, une autre ne tarderait à la remplacer et quelques vers étaient bien insuffisants pour la convaincre de remords tardif ou de flamme retrouvée. Elle avait passé l'âge de croire que son époux pouvait changer.

Je l'écoutais me l'expliquer devant une infusion, alors qu'une pluie drue battait les vitres de sa chambre et que, les épaules enveloppées dans un châle de laine, de l'autre côté de la table qui nous séparait, elle faisait basculer vers l'arrière le dossier de sa chaise, au risque de perdre l'équilibre et de tomber à la renverse. Une habitude que j'étais à grand-peine parvenue à lui faire quitter mais qu'elle reprenait immanquablement dès qu'un souci la tourmentait. Le souci étant une fleur délicate, celui qui lui tenait l'esprit ne l'était pas moins. En effet, une nouvelle corbeille était arrivée au moment où je m'apprêtais à descendre prendre mon matinel. J'étais à peine parvenue au bas du grand escalier que Brunehilde, la dame d'atour d'Aliénor, le dévalait pour me rattraper. C'est ainsi que je m'étais retrouvée dans cette chambre que Bernard de Ventadour avait désertée, devant un bouquet de roses d'un grenat velouté, sans autre message cette fois que des pointillés. Un appel, visiblement, à réponse. Aliénor n'avait eu envie que d'une seule. Un pied de nez, mais, faisant preuve, cette fois, de sagesse, elle avait préféré surseoir et m'en parler.

Je ponctuai sa tirade d'un soupir ennuyé.

— Ces deux années sombres en Blayais m'ont coupée de tout, ma reine, mais point de ce qui me fit te mener à Henri. L'Angleterre. Quoi que je fasse, j'y demeure liée. En cela, vos retrouvailles seraient un bien que je ne peux nier.

Elle reposa la tasse qu'elle venait de vider, les sourcils froncés.

— Aurais-tu pardonné à ton roi ses violences d'hier, sa détermination à t'écarter du pouvoir, toi que la lignée d'Avalon y voulait imposer ? Dois-je te rappeler qu'Henri le Jeune fut confié à Becket et non à toi pour recevoir éducation ? Mieux, qu'Henri refusa qu'Eloïn lui soit dévouée comme toi tu l'avais été ? Oublierais-tu que c'est Richard, pourtant bien éloigné du trône, qui bénéficia de cet enseignement et de l'attachement de ta fille comme si Henri avait voulu reléguer à l'Aquitaine les anciens rites par lesquels il avait lui-même été couronné ? Faudra-t-il aussi que je cite l'épisode de Tintagel ? Son mépris pour la tombe d'Arthur…

— Assez, ma reine. Assez, l'interrompis-je, vaincue par tant d'arguments.

Elle coula vers moi un œil triste.

— Il peut chanter autant qu'il lui plaira, Loanna. Le fait est qu'il a besoin de toi et de moi uniquement pour satisfaire une ambition personnelle. S'il avait chéri l'Angleterre, il se serait comporté autrement avec elle, avec moi, avec toi. J'ai aimé un grand roi, conquérant mais juste, hardi mais soucieux de préserver les siens. S'il n'avait pissé sang, que serait-il ce jourd'hui sinon celui que nous avons quitté, la morgue aux lèvres, le vit en étendard, menant une répression cruelle et inqualifiable ? Son pèlerinage au Val Ténébreux n'en a pas fait un autre homme. Il lui a seulement donné l'illusion qu'il avait racheté ses fautes d'hier, mais nous savons, toi comme moi, qu'il en commettra d'autres, demain. Est-ce servir encore l'Angleterre en ce cas que de l'absoudre ? de lui laisser croire qu'il lui suffit d'une prière pour que le ciel lui tombe dans les mains ?

Elle avait raison, je devais en convenir. Une part de moi avait voulu se convaincre de la sincérité du dernier discours d'Henri, l'autre était demeurée sur ses réserves.

Le dossier de la chaise s'immobilisa à la verticale. Aliénor tendit ses mains par-delà les tasses pour prendre les miennes qui reposaient mollement sur la table.

— Tu l'as dit toi-même, Loanna, ces deux années t'ont écartée des intrigues du royaume. Mais pas uniquement parce que tu le souhaitais. Parce que j'ai tenu à ce que tu le sois.

— Qu'est-ce à dire ?

Elle secoua la tête d'un air navré.

— Tu ne sais pas tout.

Un frisson me parcourut tout entière et dut se répercuter dans la mousse de chêne de mes yeux, car elle soupira longuement avant de baisser la voix, comme si quelque espion risquait de l'entendre.

— Tandis que tu reconstruisais Blaye, Henri m'est venu trouver un matin, penaud et repentant. Il avait mauvaise mine et était accompagné de son médecin. Tous deux m'annoncèrent qu'un mal insidieux le rongeait qui lui faisait parfois perdre mesure et que, craignant de ne le point contrôler, il avait pris ses dispositions : céder le trône à Henri le Jeune.

Henri ne s'était jamais plaint auprès de moi d'aucune maladie. Ma surprise se perdit dans le souffle narquois d'Aliénor :

— Henri comptait sur mon soutien pour faire accepter au pape ce couronnement qui sacrifiait toutes règles, car, bien entendu, l'urgence excluait la présence de Becket en tant que primat d'Angleterre. « Si vous ne le faites pour moi, faites-le pour le Royaume », me lança-t-il avant de reprendre la route. Dès le lendemain, j'envoyais un courrier plaidant sa cause auprès de Louis, de Becket, furieux, et du pape. Considérant que le fils valait mieux que le père, ils en prirent leur parti. Henri le Jeune fut couronné et tous nous attendîmes qu'Henri se retire. Comme tu l'as pu constater, dix-huit mois plus tard, il ne l'a toujours pas fait.

— Tu veux dire qu'il s'est servi de ta caution pour imposer, selon ses règles, cette passation de pouvoir ?

— Oh ! mieux encore ! Il a fait de moi sa complice face à la chrétienté. Henri n'a jamais eu l'intention de céder place, tout au contraire. Voyant les amitiés et les soutiens de Becket se renforcer, il a jugé prudent de pouvoir se retrancher derrière son fils en cas de gros temps, c'est tout.

— J'en suis atterrée. J'ai cru que par ce geste il avait voulu empêcher l'usurpation du trône en cas de décès prématuré.

— C'est la version qu'il donne en effet et que ses chroniqueurs rapportent, mais la vérité tient en peu de mots, Loanna. Il se sert de son fils comme d'un pantin et l'humilie chaque jour davantage à le réduire ainsi à si peu de chose.

— Sous-entendrais-tu que la révolte gronde ?

Ses yeux s'étrécirent.

— Elle fait plus que cela, Loanna. Elle se prépare dans l'ombre et, l'avouerais-je, ma vengeance y trouve son content sans pour autant l'encourager. Voilà pourquoi j'ai cédé, moi, à Richard, les pleins pouvoirs sur l'Aquitaine, voilà pourquoi je les renforce depuis lors. Parce que je ne crois plus qu'Henri ait été un jour sincère. Son orgueil est trop grand, son ambition démesurée. L'heure viendra où, quoi que je fasse, Henri le Jeune fera valoir ses droits. Et ralliera ses frères à son combat.

Une image passa devant mes yeux, prémonition des premiers temps de son règne, douloureuse, brûlante.

— Une terre de feu et de sang, murmurai-je avec le sentiment que rien ne la pourrait laver.

Aliénor secoua la tête.

— Nul ne le souhaite. Et, je l'espère, Henri moins que tout autre. Qui ce jourd'hui le veut voir encore régner sinon toi ?

Un poignard se planta dans ma poitrine.

— C'est pour cela que je suis venue au monde, Aliénor.

Elle eut un sourire triste.

— Non, Loanna. C'est pour que règnent l'équité, la justice et l'intégrité dans une Angleterre aussi puissante que respectée pour ces mêmes valeurs, comme du temps d'Arthur. Crois-tu encore qu'Henri puisse les incarner ?

Je ne sus que répondre. Déchirée une fois de plus par ce constat et tout à la fois déterminée à empêcher que le sang coule, que tout ce qui justifiait mon sacrifice d'autrefois soit balayé.

Aliénor pressa plus fort mes doigts.

— Je ne souhaite pas la guerre, Loanna. Je ne l'ai jamais souhaitée. Henri a élevé ses fils dans son ombre, leur faisant miroiter la puissance sans les laisser en jouir, et pire, dans le culte de l'irrespect qu'il me vouait. Moi qui ai bâti cet empire à ses côtés, moi qui détenais le duché le plus convoité de l'Occident chrétien ! Ils lui en veulent. Infiniment. Je contiens leur colère parce que je les juge trop jeunes encore pour se dresser contre lui, mais aussi parce qu'Henri creuse sa propre tombe sans y penser. Il boit et mange plus que de raison, festoie sans mesure avec ses amis, des bardes chevaliers qu'un rien fait, désormais, prendre mouche. Sa nature est bien moins solide qu'il ne veut le laisser entendre, les derniers événements en témoignent. Et je veux croire que le temps, en ce sens, joue pour nous.

— Où veux-tu en venir, ma reine ?

— À une trahison.

Son œil s'était durci, féroce de détermination. Je hochai la tête pour l'inviter à poursuivre, même si déjà mon cœur serré s'accordait à ses pensées.

— Je l'ai compris à notre dernière rencontre, et ces corbeilles, ces vers le prouvent. Henri œuvre à notre rapprochement non parce qu'il s'est repris d'ardeur pour moi, mais parce qu'il sait que notre unité, avec le retour de Becket qu'il espère, représente son seul rempart contre ses fils. J'ai décidé de le lui laisser croire, sans pour autant me départir de cette distance qui me sied. Je voudrais te voir agir de même. Qu'il ne se doute de rien, mieux peut-être, qu'il pense avoir gagné. De sorte qu'au jour venu, s'il n'a pas été emporté de lui-même, il trouve inévitable de se retirer sans heurts, conseillé habilement et rassuré par notre affection.

— Une alternative au chaos…

— L'évidence du bon sens, Loanna. Henri est amoindri et la chrétienté tout entière le sait. S'il s'accroche plus que de raison à son trône, c'en sera terminé de la suprématie de l'empire Plantagenêt, malgré toutes les alliances que nous avons nouées. Et cela, ni toi ni moi ne le pouvons accepter.

— Tu as raison. Cela irait à l'encontre de ce pour quoi je suis née.

Aliénor tapota avec tendresse le dessus de ma main, un étrange sourire aux lèvres.

— Je ne crois pas que tu sois née uniquement pour cela, Loanna de Grimwald.

— Ah non ?

— Non. Plus depuis que je vois grandir l'amour de Richard et d'Eloïn. Plus, en vérité, depuis que je t'ai vue rebâtir Blaye aux côtés de Jaufré.

— Que veux-tu dire ?

— Que tu es née pour l'amour, car seul l'amour peut guérir toute plaie. Et celui que tu portes à Henri ne peut que te rallier à ma vérité.

L'espace d'une seconde, il me sembla entendre derrière elle le timbre de Merlin, comme un écho lointain. Un écho lointain qui me mit en paix.

16.

Tête rejetée en arrière, jambes légèrement écartées mais solidement ancrées dans l'herbe rase, les yeux plissés sous la morsure du soleil auquel il faisait face, Louis de France tendit son poing au rapace qui s'approchait. Comme chaque fois qu'il s'apprêtait à réceptionner un de ses éperviers, le silence s'était fait autour de lui. La chasse avait été bonne ce jourd'hui. Quatre lièvres qui échoueraient aux cuisines pour servir de pâté. Louis n'en avait jamais apprécié véritablement le goût, mais Aliénor avait su, du temps de leur hymen, lui donner celui de la fauconnerie. Le gant qu'il portait était encore celui qu'elle lui avait offert autrefois, d'un cuir épais renforcé de mailles de fer et marqué dans la paume des armes de l'Aquitaine. On les distinguait à peine désormais, mais lui savait. Il l'avait gardé en souvenir de cette terre perdue au profit de son rival, les premiers temps avec l'amertume qu'il en éprouvait, puis, au fil des ans, avec la tendresse qu'il avait retrouvée pour ces quelques moments de complicité avec sa duchesse, lorsqu'elle l'initiait à réceptionner un oiseau de proie sans vaciller, à le dresser pour qu'il réponde et le reconnaisse. S'amusant secrètement d'imaginer la surprise qui se peindrait sur ses traits si elle l'apprenait.

Pour l'heure cependant, alors que le rapace venait de laisser choir un lapereau à terre puis de refermer ses serres sur le gant, ce n'était pas à son ancienne épouse qu'il songeait, mais à Henri Plantagenêt, à cette colère qui lui tenait le cœur et dont le roi d'Angleterre était l'objet.

Le fauconnier s'approcha pour encapuchonner la tête de l'oiseau tandis que le valet de chasse récupérait le jeune lapin, agité de soubresauts, pour achever de l'occire d'une cognée de la tête contre le tranchant d'une pierre. Louis ne cilla pas devant le sang qui s'échappa du nez de la bête avant qu'elle ne finisse dans la besace de l'homme, un gaillard au poil aussi noir que les sangliers qu'il traquait. Il s'approcha de la cage solidement fixée à l'arrière d'une carriole et, d'un mouvement sûr du poignet, y déposa l'épervier. Alors seulement, la porte grillagée rabattue, ses courtisans, rompant la loi du silence, l'entourèrent pour le féliciter. Seul Thomas Becket demeura en retrait. À quelques pas des autres, les mains croisées dans le dos, un énigmatique sourire aux lèvres selon son habitude. Discret mais ne perdant rien des dires et des attitudes de chacun. Discret mais plus présent qu'aucun autre en cette lisière de forêt de Fontainebleau où ils se tenaient.

Louis laissa les compliments glisser sur lui avec la même indifférence que d'ordinaire. Il ne s'était jamais fait une gloire de quelques pièces de gibier, mais il était de bon ton de le laisser croire. Seul Thomas Becket avait, dès le premier jour de son arrivée, compris que le roi de France s'en distrayait. Ils étaient devenus amis. Presque inséparables, alors qu'hier, du temps où le primat n'était qu'un jeune clerc en étude dans la cité, il ne lui avait accordé que les regards appuyés qu'il octroyait aux protégés d'Aliénor. Si alors on lui avait dit que celui-ci deviendrait le bras droit de son pire ennemi, et plus encore qu'au jour de leur mésalliance il l'accueillerait et le soutiendrait, Louis en aurait ri sans doute, comme il aurait ri d'imaginer son épouse le trahir avec l'Anglais. Comme quoi, s'était moqué de lui-même le roi de France, il faut se méfier de l'apparence. Derrière les hardes peuvent parfois se dissimuler un tempérament trempé et la volonté impitoyable qu'il faut pour les conserver quand d'or et d'argent sont les plats qu'on vous promet. Becket et lui n'étaient pas si différents. Sous la couronne qui lui ceignait le front, Louis était resté le moine que le destin avait refusé. Et souvent, trop souvent encore il le regrettait.

— Votre élégance dans le geste, sire, force notre respect, s'emporta, obséquieux, le tout jeune baron d'Étampes.

Louis lui répondit d'un rictus avenant, blasé de semblables phrases, aussi creuses, aussi insignifiantes pour lui que tant d'autres entendues par le passé.

— L'élégance n'est rien, mon jeune ami, sans la discrétion qui lui sied.

Il lança sa jambe de l'avant pour les forcer à s'écarter, lui et ses pairs en quête de privilèges arrachés par leurs courbettes. En d'autres temps Louis les aurait accordés, dans la mesure des mérites réels de ces chevaliers, mais la chasse n'ayant point réussi à le guérir de ses préoccupations, il ne songeait qu'à se débarrasser d'eux pour s'entretenir avec Becket. Il se retourna vers eux alors qu'une quinzaine de familiers ampoulés faisaient mine de le suivre.

— Toutefois, puisque mes mérites vous semblent si grands, je vous invite à me précéder au château pour les vanter avant que j'y sois arrivé.

On se courba avec le même pincement des lèvres. Louis avait toujours eu l'art de chasser les importuns avec cette fameuse élégance que le baron d'Étampes venait de lui prêter. Il se détourna d'eux, les laissant se déliter vers leurs montures dans le grincement des roues de la carriole qui se mettait en branle sur le chemin forestier. Becket n'avait pas bougé. Il connaissait suffisamment le roi de France pour avoir déjà interprété dans son regard la nature de sa contrariété.

— Chevauchons de conserve, voulez-vous? servit-il au primat d'Angleterre en faisant signe au palefrenier.

— Ce me sera plaisir, Votre Majesté.

Plus par respect que par souci du protocole, Becket attendit que le roi soit en selle pour, à son tour, s'y hisser.

Derrière eux, la poussière soulevée amorçait le départ agacé des courtisans. Ils se retrouvèrent seuls sous la garde d'une petite escorte composée des proches du trône, ceux en qui Louis avait confiance, ceux qui ne jalousaient ni ne cherchaient à tirer profit de la royauté. Ils se comptaient sur les doigts de la main et se maintinrent deux en avant-garde, trois derrière eux, en retrait d'une conversation que dans l'instant Louis décida d'engager.

— Je me suis laissé dire que le roi d'Angleterre avait répudié sa maîtresse et qu'on lui prêtait la responsabilité du crime qui vous fit condamner. Est-ce vrai ?

— J'ai reçu courrier en ce sens, en effet.

— On prétend aussi que les derniers mots d'Henri, vous invitant au baiser de paix, vous auraient touché ?

— Je ne le peux nier.

Louis perçut une pointe de jalousie lui piquer la gorge. Il toussa légèrement pour la décrocher, laisser la lame remonter, assez pour qu'elle pique le primat à son tour.

— Seriez-vous repris de cette ambition servile ?

Becket lui accorda un sourire amusé.

— Si vous considérez comme telle la vengeance, cela se pourrait en effet.

Louis tourna vers lui deux prunelles étonnées.

— Me croyez-vous donc stupide, sire ? Je n'ai pas davantage confiance en mon roi que vous en ces charognards que vous entretenez. Cependant l'Angleterre m'est chère. Autant désormais que votre amitié. Et je les veux servir toutes deux par ce semblant de pardon qu'Henri entend me concéder. Pour autant, il lui faudra passer par ma volonté.

Louis sentit peser sur ses épaules une chape de tristesse.

— Vous perdrez la vie à le vouloir défier une fois de trop.

— Mais pas ma dignité. Or nous le savons tous deux. Un homme de bien n'est rien s'il ne peut regarder discrètement par sa fenêtre et lire dans le regard des siens les bienfaits qu'il a dispensés. Cette guerre n'a que trop duré. Pour l'Angleterre, pour la France et pour l'Église. Il est temps de la terminer.

Le roi hocha la tête. Il avait compris. Becket avait décidé de faire justice. Quoi qu'il puisse lui en coûter.

— Vous me manquerez, Thomas Becket.

Ce dernier éclata d'un rire clair.

— Gardez-vous-en bien, sire. Mon épitaphe est loin d'être composée et l'affection que je vous porte est gage d'une alliance dans laquelle nous saurons vous et moi nous retrouver !

17.

À l'heure où Thomas Becket se mettait en route pour répondre à l'invitation d'Henri à Amboise, se gardant bien de prévenir qui que ce soit pour éviter un quelconque traquenard en forêt, Eloïn s'approchait de moi qui ramassais des noix sous ma fenêtre. J'eusse pu sans peine laisser ce soin aux servantes, mais je n'aimais rien davantage qu'ouvrir les bogues, récupérer la coque, la briser puis manger le cœur fraîchement tombé. Chaque matin, je me rendais donc sous l'imposant noyer pour goûter ce plaisir simple de gourmandise, indifférente aux moqueries de ma reine.

— J'étais certaine de vous trouver là, s'amusa ma fille avant de tendre sa paume ouverte, comme lorsqu'elle était enfant.

J'y déposai un cerneau, glissai l'autre entre mes lèvres. La lumière du jour ruisselait le long des branches, s'enroulait autour des feuilles roussies par l'automne avant de pleuvoir en un miel doucereux sur nos épaules. Nos yeux se teintèrent d'un même plaisir, celui de la simplicité de nos origines. Le palais encore enveloppé d'une légère amertume, je m'attardai sur ce visage à la vingtaine superbe pour noter aussitôt qu'il était moins jovial qu'à l'accoutumée. J'enveloppai de ma paume noircie de brou sa joue naturellement rosée.

— Aurais-tu eu une prémonition, Eloïn ?

— Non, mère. Comme je vous l'ai dit il y a quelques jours, mes sentiments pour Richard troublent mes pensées au point que je me demande s'il ne me faudrait pas, comme vous hier et envers père, essayer de m'en guérir.

J'enroulai mon bras autour de ses épaules qu'un mantel de samit recouvrait. Le bleu lui seyait à ravir, de même que ces galons d'orfroi qui bordaient la capuche et faisaient ressortir l'or cuivré de ses cheveux, le violet de son regard. Elle était plus belle et plus délicate que jamais. Je l'entraînai vers un petit banc de pierre depuis lequel la vue s'ouvrait sur l'ensemble du verger.

— Le voudrais-tu, Eloïn, que tu n'y parviendrais pas. J'en ai fait l'expérience, crois-moi. Nos sentiments ne faussent pas notre jugement. Ils nous rendent seulement plus vulnérables aux attaques de nos ennemis, prêts à utiliser de nous la moindre faille. Or, d'ennemis tu n'as point. Suis mon conseil. Profite de ce qui t'est donné.

Nous nous assîmes. Elle me sourit.

— Vous avez raison, mère. La présence de Richard me comble tellement.

— Alors pourquoi ne regagnes-tu pas en légèreté ?

Tout en suivant le manège de ces valets qui, en contrebas, les uns juchés sur des échelles, les autres au pied pour en retenir le glissement, cueillaient les premières pommes, elle croisa ses mains l'une dans l'autre, signe chez elle, fort rare, de contrariété.

— Adélaïde de France…

— La promise de Richard… Oui, j'ai entendu la nouvelle hier soir.

Eloïn ramena vers moi son regard inquiet.

— Elle devrait arriver à la fin du mois et demeurer auprès de nous jusqu'à leurs épousailles.

Je recouvris des miens ses doigts noués.

— Je comprends ce que tu éprouves, Eloïn.

— Non, mère, ce n'est pas ce que vous croyez. Dès l'instant où j'ai compris que mon attachement à Richard était de la même nature que le vôtre pour père, j'ai admis de devoir me taire. J'ai admis de ne pouvoir l'épouser jamais. Et ce faisant j'ai accepté qu'une autre l'étreigne, l'embrasse, le désire et porte sa descendance parce que les alliances princières sont indispensables à la survie du royaume, du duché. Si Richard voulait s'en écarter, j'userais de tout mon pouvoir de persuasion pour l'y ramener.

— Alors quoi ?

— Alors rien. Je l'aime. Et cet amour-là est par lui-même une déchirure. Car, s'il ne s'est jamais déclaré, s'affirmant pour moi de pure amitié, je lis dans ses yeux la même intensité, le même besoin de ma présence que j'ai de la sienne. Il vous aurait fallu voir, hier soir, la détresse de son regard à l'annonce de l'arrivée d'Adélaïde, comme si soudain ce lion allait souffrir cage, condamné à me désirer depuis ses barreaux dorés. Il est sorti de la pièce sans mot dire, a enfourché son palefroi et a quitté le palais au grand galop, impulsif comme l'est son père. Ce matin, il était de nouveau lui-même, rieur, serein, mais, à l'instant de biser ma joue, il s'est repris, m'a coulé un long regard attristé, puis a courbé tête et s'est de nouveau éloigné. Je ne souffre pas qu'une autre me le prenne, mère, je souffre du carcan de bienséance dans lequel, je le devine, il va s'enfermer. Craignant plus que tout qu'il n'en étouffe, que sa musique ne s'éteigne et qu'il ne devienne aigri quand il est l'être le plus jovial que je connaisse.

— Et tu ne peux rien faire pour le soulager…

— Rien, non. Que lui dire qu'il ne sache déjà ? Qu'il ne sente déjà. Je me demande par instants si je ne devrais pas sous-entendre que je suis prête à me laisser courtiser, à me marier.

— L'es-tu ?

Elle me couvrit d'un œil horrifié.

— Non. Non, mère, je ne le serai jamais. Mais si Richard le venait à penser, si je m'y résolvais, peut-être s'éloignerait-il de moi…

Je la repris par les épaules pour l'attirer à moi.

— Ah ! ma fille. Ma toute petite fille, qui comme moi hier cherche des raisons de se convaincre que mal d'amour peut être traité par l'indifférence…

Elle accola sa tempe à la mienne.

— Vous n'y croyez pas…

— Non, Canillette. Plus j'ai repoussé ton père, plus j'ai tenté de le sauver de lui-même, de le guérir de moi, de le rendre à raison, plus je me le suis attaché. On ne peut séparer deux âmes sœurs sans qu'elles finissent par dépérir et s'éteindre. C'est ainsi. C'est pour cela que j'ai foi dans le pacte que nous avons échangé sur le tombeau d'Aude de Grimwald. C'est avec nos sacrifices à Jaufré, toi et moi que nous rachèterons les vies futures de ta grand-mère, que nous serons un jour tous réunis, qu'un nouveau cycle de vie pourra être créé.

— Et si ce jour-là vous ne parveniez à retrouver en vous l'amour que vous éprouvez pour mon père ?

Un frisson me parcourut tout entière.

— Nous mourrons et c'en sera terminé. Pour lui, pour moi, pour Aude et pour notre lignée. Mais, plus que tout, c'est la lumière des Anciens d'Avalon qui sera perdue à jamais.

— Mais Richard, lui ?

Je secouai la tête dans un geste de dénégation. Elle eut un pâle sourire.

— Promettez-moi, mère, de tout mettre en œuvre pour vous sauver, pour que je naisse et sois réincarnée. Que je puisse vivre avec lui ce que vous vivez avec Jaufré.

— Je te le promets, Eloïn… Oui. Je te le promets.

18.

Au lendemain de cet échange avec ma fille, un messager, arrivé au grand galop, me remit un bref d'Henri.

« Thomas Becket s'annonce à mes portes et je le veux recevoir de pleine tendresse et d'amitié. Or personne ne serait mieux placé que vous pour témoigner de nos retrouvailles. Vous m'obligeriez, Loanna de Grimwald, à venir dans l'heure. »

Granoë, ma vieille jument de trente-trois ans, ayant largement mérité repos, je l'avais définitivement abandonnée aux bons soins de mon fils en Blaye avant, avec Jaufré, de reprendre ma place auprès de la reine. Ce fut donc montée sur la fringante Alcave que je parcourus d'une traite la distance entre Poitiers et Amboise, servie par un froid sec qui piqua mes joues. Becket était déjà en les murs lorsque je mis pied à terre devant les écuries. Se doutant que je saurais interpréter son souhait comme un ordre, Henri ne s'était pas montré, laissant le soin au sire de Beaumont d'accueillir Becket et de lui offrir collation en sa qualité de seigneur du lieu.

Lorsque je pénétrai à mon tour dans le majestueux donjon rectangulaire qui surplombait la cité nichée sur la rive sud de la Loire, Beaumont m'annonça que Becket était toujours occupé, seul, à prier dans la chapelle, mais que le roi désirait m'entretenir sans plus attendre. Ma langue claqua dans ma bouche sèche.

— Il me verra, oui, mais après que j'aurai pris rafraîchissement.

Beaumont, teigneux petit homme aux jambes et aux bras trop courts, au timbre sifflant et au nez de corbeau, sembla vouloir s'envoler tant il bomba le torse. Il déploya ses piètres ailes pour me retenir.

— Tisane de menthe est déjà préparée à votre intention. Auprès du roi.

— Et la fosse d'aisances ?

Ses yeux s'arrondirent comme des soucoupes.

— Plaît-il ?

Je le toisai avec un sourire ironique.

— Dois-je aussi déféquer devant le roi ?

Il s'empourpra de confusion.

— Certes non, dame Loanna.

— En ce cas, mon ami, écartez-vous de mon chemin et prévenez Sa Majesté. Si elle m'a attendue jusque-là, je veux croire qu'encore elle attendra.

Lorsque je me présentai à Henri une bonne demi-heure plus tard, j'avais, escortée d'une servante, trouvé dans ma chambre boisson pour me désaltérer, eau de mélisse pour me débarrasser de ma sueur, et dans mon sac de voyage de quoi rajuster mon allure. Henri, bras croisés au dos et seul, tournait en rond dans cette petite tour circulaire qui surplombait les deux bras de la rivière et l'île qui y était nichée. Il me releva de ma révérence dans un soupir agacé.

— En as-tu mis du temps !

— Celui qui convenait, sire, pour satisfaire à vos ordres sans perdre ma dignité.

Il tordit la bouche. Battit l'air d'une main impérieuse.

— Je ne voudrais pas qu'il s'impatiente de trop, comprends-tu ?

« Il », c'était Becket évidemment.

— En a-t-il montré signe ?

— De quoi donc ?

— D'agacement...

Henri resta bouche bée, avant de grogner :

— Pas à ma connaissance.

— En ce cas, je ne suis point en retard.

Sur ce, le laissant ahuri, je m'assis sur un tabouret qui voisinait une harpe, ravie de pouvoir délasser mes jambes durcies encore par la tension de ma chevauchée. Il hésita quelques secondes puis, définitivement gagné par le sourire narquois que j'affichais, ses épaules retombèrent.

— Soit, Loanna, j'entends la leçon. Faut-il que je m'excuse de vouloir régler cette méchante affaire au plus vite ?

— Non, Henri. Seulement que vous admettiez une fois pour toutes que, si je vous dois allégeance, je ne suis pas une de vos servantes. Il suffit bien que je sois accourue séance tenante. Faudra-t-il en plus que je souffre votre égoïsme ?

Il piqua du menton devant la sécheresse soudaine et hautaine de mon ton.

— Pardonne-moi. Il me semble toujours agir pour le mieux, souvent, il est vrai, au mépris des convenances.

— Au mépris de ceux qui vous entourent serait plus juste, mon roi.

Ce fut à mon tour de balayer le vide d'une envolée de main.

— Allons, installez-vous à mes côtés quelques minutes et expliquez-moi ce qui justifiait à votre sens tant d'urgence.

Il accepta l'assise d'un second siège qui, adossé au mur de pierre, suivait l'arrondi de la pièce. À croire qu'elle était réservée à deux êtres, l'un jouant de l'instrument, l'autre écoutant. J'imaginais mal pourtant les doigts osseux du sire de Beaumont courir sur les cordes. Je l'imaginais mal en vérité être capable d'autre talent que celui de tempêter ou de médire. Détestable il m'avait paru dès le premier jour de notre rencontre quinze ans plus tôt, détestable il s'était avéré la seconde fois. Depuis, je m'efforçais de l'éviter. Henri fit jouer le fourreau de l'épée qui lui battait mollet puis croisa ses longues jambes.

— Rosamund est écartée et la rumeur circule ainsi que je l'avais espéré. On la pare de jour en jour de toutes les vilenies et on ne tardera pas à s'accorder à sa culpabilité. D'elle sera venu le complot pour perdre Becket.

— Vous passerez pour sot de ne l'avoir déjoué plus tôt.

— Un homme amoureux l'est toujours. On me le pardonnera, Loanna. Plus encore si Becket m'absout. Or je ne suis pas convaincu que cela sera.

— Le fait qu'il soit venu, escorté seulement de quelques hommes, semble prouver le contraire.

Henri croisa les mains autour de son genou.

— Certes, mais tu le connais aussi bien que moi. Rancunier et obstiné.

— Autant que vous l'êtes.

Il sourit.

— Autant que je le suis…

Nos regards s'unirent quelques secondes, dans cette complicité d'autrefois. Le voile d'un amour lointain passa dans le sien, les battements de mon cœur s'accélérèrent. En moi, pour lui, vibraient toujours ces sentiments ambigus nés de mon lien à l'Angleterre, à ma propre enfance. Un attachement profond mâtiné de peurs obscures. Nous étions seuls dans cette pièce. S'il venait à reposer ses mains sur moi… Un frisson d'angoisse me gagna qu'il tua en détournant la tête.

— Je voudrais que tu le voies, Loanna. Que tu lui parles avant que je ne le reçoive. Sonde ses intentions réelles, et, si elles sont conformes à mes espérances, à savoir une paix fraternelle et un pardon absolu, alors conduis-le à moi dans la salle d'audience. Je l'y attendrai avec mes barons pour lui ouvrir les bras et le biser au front.

— Et dans le cas contraire ?

Son œil, caressant l'instant d'avant, devint aussi froid qu'une lame.

— Mieux vaudra que tu l'escortes pour quitter ce toit.

19.

Becket se tenait agenouillé dans l'église, les mains jointes devant l'autel de marbre. Un rai de soleil traversait un saint Jean Baptiste ciselé dans le verre coloré d'un vitrail. Il caressait les épaules de mon vieil ami d'une lumière douce, ambrée. Becket était vêtu de sa défroque de jeune prélat, plus rapiécée encore qu'hier. Ses pieds étaient chaussés de simples sandales de corde, plusieurs fois ressemelées. Un nouveau défi à l'autorité royale, songeai-je, troublée par la menace que j'avais sentie poindre dans le dernier propos d'Henri. Je l'avais quitté là-dessus, me dressant trop brusquement, comme piquée par le tranchant de cette lame en son regard. Il l'avait adoucie d'un sourire, m'avait raccompagnée jusqu'à la porte. Le temps que je descende trois marches de l'escalier qui ramenait au rez-de-chaussée, les premières notes des cordes pincées de la harpe me parvenaient. Pour tromper son attente, Henri s'était mis à jouer. Mais la sensation de malaise, en moi, était demeurée.

Becket attendit que je m'agenouille près de lui pour tourner son profil anguleux vers moi. Malgré les faveurs du roi de France et son apparent détachement des agaceries des courtisans, cette guerre sournoise l'avait usé. Ses traits s'étaient creusés, son regard, délavé. Seule y demeurait vivante une flamme d'insoumission nourrie par un profond sentiment d'injustice et de rancune. Il l'avait mise au service des plus faibles, se rachetant dans ses actes de piété de ses gourmandises d'hier, à l'heure où, grand chancelier du royaume, il avait joui de faste et de pouvoir. J'en étais pourtant arrivée, au long des courriers que nous n'avions jamais cessé d'échanger, à comprendre à quel point cette période de sa vie lui avait valu de remords. Comme beaucoup d'autres, Becket avait caressé un leurre. Il lui avait fallu trois ans pour retrouver le goût de la réalité. Et au moins autant pour en payer les conséquences.

— Je suis heureux de vous revoir, ma petite sorcière, dit-il simplement avant de se signer.

Je fis de même. Par dérision, car ce Dieu hypocrite des chrétiens n'était pas parvenu à me détourner des miens, païens. Becket le savait. Longtemps cela avait été un jeu entre nous.

Son rire s'envola.

— Visiblement le temps ne nous guérit ni l'un ni l'autre. Notre impertinence, vous à l'égard du Ciel, moi d'un roi, nous perdra, Loanna de Grimwald.

— Le plus tard possible, mon père.

Il hocha la tête, voulut se relever. Sa paume trembla sur le prie-Dieu. Instinctivement, le croyant pris de faiblesse d'être demeuré trop longtemps dans la même posture, je passai mon bras sous son aisselle pour l'aider. Je l'ôtai aussitôt, piquée par des centaines de fines aiguilles. Je bredouillai un « pardon » à peine audible. Il acheva de se redresser, seul. Face à mon trouble, il haussa les épaules.

— C'est mon choix. Depuis longtemps. Avec l'habitude, le lin m'était presque devenu confortable. J'ai opté pour ce cerclage épineux sous ma gone d'étamine…

Comme autrefois, la dérision pour chasser ma tristesse.

— … J'en suis assez content, à dire vrai… Jamais cilice n'aura mieux rempli son office. Allons ma chère, si chère amie, quittez cette mine. Ne vous infligez-vous pas, vous-même, châtiment, en supportant le babillage insignifiant des compagnes de la reine ? Il me serait à moi autrement grand supplice, je vous l'affirme.

Je parvins à refouler, pour lui rendre son sourire, cette boule d'étranglement en ma gorge.

— Vous avez raison. À chacun sa croix. J'avais seulement imaginé que les cruautés d'Henri auraient suffi à votre repentance.

— Elles ont rempli leur office, Loanna de Grimwald. Je ne me mortifie plus pour racheter mes fautes mais pour me guérir de ma haine envers Henri. Sans cela, croyez-moi…

Il n'acheva pas sa phrase. Point n'était besoin en vérité. Le tranchant de son timbre, aussi affûté que celui des deux prunelles sombres sous ses paupières tombantes, ne laissait aucun doute sur sa violence contenue. Il la tempéra pourtant d'un soupir.

— J'eusse pu passer sur son acharnement à mon égard. Lors de mon départ précipité d'Angleterre, je m'étais presque rendu à la raison d'État. Mais en jetant l'anathème sur moi, il a condamné ma famille. J'ai appris il y a peu que Jean, mon plus jeune frère, avait été lapidé par des hommes de sa garde.

Je sursautai.

— En avait-il donné l'ordre ?

— Non. Non. Et je veux croire qu'il en fut malheureux derrière son masque d'intransigeance. Mais les faits sont là. Et les coupables impunis.

Il posa la main sur mon épaule. Henri avait raison de douter. Becket ne pardonnerait rien. Même s'il en donnait l'apparence.

— Henri s'imagine que c'est parce qu'il a répudié Rosamund que je baisse les armes. Il se trompe. Je n'accepte de regagner l'Angleterre que pour faire justice, pour laver l'honneur des miens. Je vous déçois, n'est-ce pas ?

— Non. Je comprends.

Il fouilla mon regard perdu dans le sien. Ne masqua pas sa soif de vengeance derrière l'affection réelle qui transparaissait. Mon cœur se serra de nouveau.

— Il attend de vous l'absolution…

Il sourit.

— Et vous a chargée de jauger sa vérité. Je m'en doutais, ma petite sorcière. C'est pourquoi je n'ai pas voulu vous mentir. Votre amitié m'est trop précieuse.

— La vôtre aussi, Thomas Becket.

— Paix doit être faite, pour le bien du royaume, c'est pourquoi je la lui donnerai, de fait sinon de cœur. À vous de me trahir… Ou non.

Je hochai la tête. Pour le bien du royaume, autant que pour le sien, contrairement à Aliénor, Henri ne saurait rien.

— Une fois vos fonctions regagnées, vous ferez ce que bon vous semblera. Pour moi cela ne changera rien.

Je le sentis soulagé et pourtant le timbre de sa voix se fit implacable, comme si, déjà, il avait admis d'avoir du sang sur les mains.

— Pour moi non plus, croyez-le bien…

À notre arrivée dans la vaste salle d'apparat de la forteresse, Henri, debout au mitan de ses familiers, lui ouvrit grands les bras. Je retins mon pas, laissai Becket s'avancer seul au-devant de lui, droit comme un if malgré les piques sous son aube.

— Mon ami, mon cher, si cher ami, s'emporta le roi, des larmes dans les yeux.

Becket se contenta de s'agenouiller en signe d'allégeance. Henri le releva, le pressa contre lui, puis, à l'inverse de leurs précédentes rencontres, lui délivra ce baiser de paix que Becket avait si longtemps espéré. Ensuite, seulement, il lui entoura l'épaule de son bras et fit face à ses gens.

— Que dans Sa grande miséricorde le Très-Haut entende mon repentir. J'ai failli. Accusé à tort. Châtié à tort. Le vrai coupable ayant été démasqué, j'entends que tous dans le royaume sachent ma faute et affranchissent l'archevêque de tout soupçon. Que ses biens lui soient rendus comme seront remis ceux spoliés à sa famille. Et qu'il puisse en temps et heure de son choix retourner à sa charge épiscopale. Pour la gloire de l'Angleterre.

— Pour la gloire de l'Angleterre, reprirent en chœur les chevaliers.

C'est alors qu'elle déferla en moi. La vague. Cette vague sanglante, qui m'avait submergée lors de visions passées. Elle inonda la bure de Becket, les mains de mon roi, puis avala l'Angleterre jusqu'à la rayer de toute carte. J'eus le sentiment qu'un cri jaillissait de moi, que les visages convergeaient, surpris, dans ma direction. Puis ce fut un noir d'encre, seulement troublé du rire dément d'une femme. Un rire que je ne reconnus pas.

20.

Je ne m'éveillai, dans la chambre qui m'avait été attribuée, qu'une bonne heure plus tard, comme si cette vision m'avait engloutie dans une brèche temporelle. En bout de lit, dans la lueur douce d'une bougie, la Franchelune achevait de me frictionner les pieds. Pour avoir, à plusieurs reprises et par le biais de nos précédents séjours ici, échangé avec elle quelques secrets médicinaux, je savais sa grande compétence. Henri de même qui, inquiet de mon évanouissement, avait dû l'envoyer quérir en la chaumière qu'elle habitait dans un coude de la Loire. Elle me laissa reprendre mes esprits après un sursaut qui me fit ouvrir grands les yeux puis les refermer sur la délicatesse de son toucher. Silencieuse. Sans âge. Un visage juvénile encadré par des cheveux que j'avais toujours vus blancs. L'iris étrangement parme. À Amboise, nul n'aurait eu l'idée de l'affubler du nom douteux de « sorcière » malgré ses incantations, ses décoctions, son allure sèche et voûtée. Quelle que soit l'heure du jour ou de la nuit, elle allait d'un pas égal vers qui la demandait, elle priait, imposait les mains, administrait des simples, guérissait neuf fois sur dix, se contentait de ce qu'on lui donnait. Jamais de sonnantes. Toujours des denrées. Ainsi, disait-elle, elle se trouvait à l'abri des brigands qui la savaient pauvre et malicieuse. Ceux de la région venaient s'y faire recoudre, les autres passaient leur route sans s'approcher. Elle m'appréciait. Autant sans doute que je la respectais. De là pourtant à lui raconter... J'étais à ces pensées lorsque sa voix profonde s'éleva dans le silence que perçait le carillon lointain d'une cloche à travers les vitres de la croisée.

— Il va falloir vous ménager, dame Loanna. Quatre heures de chevauchée dans votre état et à votre âge ne sont plus appropriées.

Je m'arrachai enfin à ma torpeur. Tandis qu'elle s'essuyait les mains à un morceau de toile, laissant dans la pièce réchauffée de braises des fragrances d'humus et de champignon, je me reculai sur la couche pour m'adosser à un oreiller. Seuls mes chausses et mon giron m'avaient été enlevés.

— Mon état? demandai-je.

Son œil s'éclaira.

— N'avez-vous point remarqué l'absence de menstrues?

Mon cœur s'emballa dans ma poitrine. Depuis combien de temps en vérité avais-je cessé de m'en inquiéter?

— Le retour d'âge, plaidai-je.

Elle eut un petit rire de souris.

— Sauf le respect que je vous dois, dame Loanna, je doute fort que votre bourgeon se contente de si piètre explication.

Refusant de comprendre, je m'entendis répéter une nouvelle fois, idiotement :

— Mon bourgeon...

— De deux mois tout au plus. Invisible au regard pour l'heure, mais, je vous l'affirme, bien présent.

Une vague de bonheur déferla en moi, telles ces lames de fond qui agitent à peine la surface. Mon visage pourtant en recueillit la trace. Deux mois. Notre première nuit dans la nouvelle Blaye. Je croisai mes doigts sur mon bas-ventre. J'avais cessé depuis longtemps d'espérer ce troisième enfant. Allais-je le perdre? Je me sentis soudain aussi désemparée que j'avais exulté la seconde précédente. La Franchelune achevait de rassembler ses onguents en sa besace. Elle aimait la vie. La magie blanche. Les puissances bénéfiques de la lune. Et savait en user pour le bien d'autrui. Mais, plus que ce savoir, elle possédait l'instinct. Elle me couvrit de son regard fleuri.

— Il est solidement accroché, à ce que j'ai pu juger. Mais votre malaise prouve qu'il est en les limbes encore, dans l'attente d'une âme. Prendre conscience de sa présence vous aidera à l'en arracher.

Elle s'approcha de moi, me prit la paume avec bienveillance.

— Aimez, dame Loanna. Ainsi que vous savez le faire. Mais si j'ai un conseil à vous donner, gardez secrète cette grossesse. Que personne ne puisse interférer dans votre lien à tous deux. Personne. Pas même messire Jaufré.

Je lui rendis la pression de ses doigts.

— Merci, ma bonne amie. Je me tiendrai à vos recommandations.

Elle me tapota le dessus de la main puis s'écarta pour ajuster à son épaule la bandoulière de son sac.

— Que voulez-vous en échange de vos bons soins ? demandai-je selon sa propre formule.

Elle haussa les épaules.

— Rien de vous. Sa Majesté m'a déjà grassement payée de deux poulets. Mais sachez-le, à votre chevet, je serais venue pour rien.

Je l'en remerciai d'un sourire, la laissai regagner la porte.

— Prenez soin de vous, Loanna de Blaye. Vous allez en avoir besoin.

Il me fallut quelques minutes après qu'elle fut sortie pour prendre conscience combien à ces mots ses yeux s'étaient teintés de tristesse. Cela me renvoya aux images que j'avais captées, à cet enfant en moi. Alors, comme lui dans quelques semaines, je me recroquevillai en boule, les deux mains en berceau sur mon ventre. En attente d'une âme, avait-elle dit... Elle aussi connaissait la première des lois. Tout se transforme, rien ne se crée. Qui devrait mourir pour qu'il vienne au monde ? Becket ? Était-ce là la signification de ma vision ? Une vague effroyable de panique me submergea qui vint se noyer dans un long sanglot. Jusqu'à ce que je finisse par me souvenir des prémonitions effroyables et sans fondement qui avaient jalonné mes précédentes grossesses. Pendant que j'attendais Eloïn, j'avais eu la vision monstrueuse d'un sanglier éventrant Camille, ma chambrière. Dix-huit années plus tard, elle était toujours en vie ! Quant à Geoffroy, neuf mois durant mes nuits avaient été hantées de gnomes grimaçants qui voulaient l'arracher à mon ventre pour le dévorer. Assise sur le lit, je finis par en rire entre deux sanglots. J'étais enceinte. Cette vision n'était que la réminiscence d'une plus ancienne, qui avait trouvé corps dans la guerre qu'Henri et Becket s'étaient livrée et dont leur réconciliation annulait les méfaits. Là était vérité. Pour chasser définitivement ces sottes pensées, je me levai.

Du temps que je me tourmentais, la Franchelune avait rassuré mes hôtes, prétextant que ces malaises étaient fréquents aux dames en retour d'âge lorsque leurs humeurs étaient trop longtemps ballottées par des chevauchées. Ils la crurent, avec cette méconnaissance des femmes que peuvent avoir les hommes, car, pour ma part, je ne me souvenais d'aucune à qui ce fût arrivé. Seul Becket me couvrit d'un œil plus appuyé lorsque je parus enfin au dîner, ma détresse épongée par le fard, mes yeux regagnés d'espoir. Becket et Henri semblaient au mieux. En mon absence, ils avaient peaufiné, par leur inquiétude commune à mon sujet, les bases de leur entente retrouvée.

La table avait été joliment dressée, les mets se révélèrent raffinés. Pâté en croûte de céleri et d'artichaut, cou de cygne farci aux noix en sauce d'orange, panais en beignets à la cannelle et au gingembre, lait caillé au miel safrané, tarte aux noix et aux amandes. Le tout servi avec un vin de Bordeaux épicé. Un délice qui me reconstitua assez pour prendre part aux discussions, apprécier à sa juste valeur la nouvelle maîtresse des lieux, épousée en secondes noces par le sire de Beaumont qui avait été si comminatoire à mon arrivée et avec lequel j'éprouvais si peu d'affinités. Curieusement, en ma présence, il se montra différent. L'amour l'avait-il transformé ? Les regards qu'ils échangeaient semblaient le laisser croire et je m'en réjouis, pour elle, car elle était fort délicieuse et il m'eût peinée de savoir qu'elle avait été donnée de raison à personne d'esprit si mal tourné. Les entremets me révélèrent aussi le talent d'un jeune troubadour gallois nommé Kralhri qu'Henri avait pris sous son aile et qui l'accompagnait dans tous ses déplacements. Avoir l'oreille bercée par ma langue maternelle me permit de retrouver ma bonne humeur.

Lors ce fut d'un pas léger qu'au sortir de table je montai me coucher, après qu'Henri, dans un éclat de rire, eut sonné la fin de la journée.

21.

Richard avait treize ans. Il était duc d'Aquitaine, portait belle stature, d'indomptables boucles rousses qu'il retenait par un ruban sur la nuque, des traits agréables, des yeux rieurs et un esprit vif, dominé autant par la réflexion que par la science du trobar, des armes ou des lettres. À se mirer dans cet habit que son valet d'atour achevait d'attacher, il se sentait assez sûr de lui pour entrevoir son avenir sous les meilleurs auspices. D'ordinaire, il se rendait aux joutes courtoises sans s'attarder devant son miroir. Sa prestance, son nom, son rang suffisaient à son paraître. Il ne se sentait jamais mieux habillé qu'avec un haubert et une épée. En cela il ressemblait à son père. Était-ce d'avoir tourné un an, entendu quelques-unes glousser sur son passage, sa mère évoquer ses futures épousailles avec Adélaïde, la dernière des filles du roi de France ? ou l'arrivée imminente de cette fiancée à la cour poitevine ? Il avait soudain saisi le regard de ses chevaliers sur Eloïn, compris le désir qu'elle suscitait chez d'autres. Or cette seule pensée le meurtrissait à un point qu'il se sentait capable d'occire qui la lui ravirait. Et il détestait cette impulsivité en lui, trop proche de celle qui avait, par l'attrait de Rosamund, perdu son père. Toute la nuit il y avait réfléchi. Ce matin-là, il s'était éveillé branlant de l'entrecuisse sur des ardeurs rebelles. C'était la première fois qu'il avait dû les faire taire, en solitaire, étonné lui-même du plaisir éprouvé. Certes il avait entendu ses frères en parler. Il avait même assisté à plusieurs reprises au bélinage de ses compagnons avec des prostituées, mais, s'il avait éprouvé quelques agaceries devant ces culs dénudés de garçons, ces gémissements de filles, il n'avait point eu envie de les soulager. Jusqu'à ce qu'Eloïn lui soit arrachée par l'incendie de Blaye, il avait cru que cela ne le prendrait jamais, que son âme était née trop pure pour se rassasier de si bas instincts. Avec le manque d'elle, sa condition d'homme l'avait ramené à plus de modestie. La raison était ailleurs. Les autres ne l'excitaient pas, voilà tout. Il était comme ces chevaliers de la légende arthurienne. L'homme d'une seule. Il avait langui d'elle deux années durant, s'occupant à conquérir le cœur des Aquitains à défaut du sien. Puis elle lui était apparue à Domfront, s'était inclinée joliment devant lui avec ce sourire qui l'illuminait tout entière, cette voix comme une caresse.

— Je suis bien aise de vous revoir, duc.

Il l'avait vérifié par ce gonflement en sa poitrine. Le souffle ne lui manquait plus. Le sang circulait gaillardement en ses veines. Jusqu'à embraser ses joues. Il avait eu envie de la presser contre lui lorsqu'il l'avait relevée de sa révérence. Gourd, il n'avait su que bafouiller un stupide :

— Moi aussi.

Depuis, et de la même manière qu'avant, il se pliait à ses commandements, révisait avec elle ce que ses précepteurs ne lui enseignaient pas. Ovide ne savait rien du vrai langage des arbres, Sénèque tendait l'oreille au chant d'un oiseau? Eloïn lui enseignait son trille. Juvénal et les autres perdaient leurs attraits devant la sagesse des préceptes druidiques. Lorsqu'il avait demandé pourquoi ce n'était pas Henri le Jeune qu'elle formait ainsi, elle s'était mise à rire.

— Tout ce que je vous transmets, votre père l'a reçu en son temps. Il le rendra à votre frère… s'il le juge utile.

— Mais n'est-ce point là enseignement de roi?

Avec impertinence, elle lui avait rétorqué :

— Et s'il me plaît à moi que vous soyez mon roi?

Lui qui trouvait toujours repartie à tout n'avait de nouveau plus su quoi répondre. Car, de fait, oui, il ne voulait que cela au plus secret de lui. Être roi en son cœur. Son seul et unique roi.

Il attendit que son valet d'atour ait ajusté la dernière agrafe à son épaule, puis les plis de sa garnache, sorte de pardessus sans manches que Richard avait voulu d'osterin, depuis qu'Eloïn lui avait fait remarquer que le pourpre de la soie s'accordait joliment avec le flamboyant de sa barbe naissante. Il accrocha lui-même le fourreau de son épée à sa ceinture de taille, rectifia celle, plus travaillée, de hanche, sur le bliaud brodé d'un lion dressé. Le miroir le confirma. Il était prêt. Une dernière inspiration.

— Vous lui plairez, duc, affirma le valet qui le servait depuis l'enfance et pour lequel il éprouvait grande affection.

— Je le crois, Benoît. Oui, je le crois...

Mais, en son for intérieur, il se contentait de l'espérer.

*

Eloïn n'était pas moins nerveuse que lui dans la grande salle réservée au fin'amor. Depuis la veille au soir, le bruit courait que Richard avait l'intention de donner aubade, ce que jusque-là il n'avait fait. Comme tous, elle se doutait que c'était pour elle qu'il allait chanter. Elle s'efforçait pourtant de ne rien montrer de son trouble malgré les remarques de ses amies Marie de France, sœur naturelle d'Henri Plantagenêt, Marie de Champagne et Alix de Blois, filles d'Aliénor et Louis. À leurs gloussements, elle répondait en haussant les épaules, mais son cœur bondissait chaque fois que la porte s'ouvrait. Richard tardait. Quelques autres comme Béatrice de Die, fille de Guillaume de Poitiers, Azalaïs de Porcairagues, ou encore la sémillante Pétronille d'Angoulême formaient une jeunesse qui ravissait la cour. Toutes, le regard pétillant d'impatience, étaient de sa génération et trobairitz. Près d'elles, invités coutumiers de ces joutes courtoises que la reine présidait avec ses propres dames de compagnie, les damoiseaux alternaient avec les chevaliers ou les troubadours. Les plus âgés donnaient le ton par leurs nouvelles œuvres avant d'inviter les plus jeunes à les imiter. L'un d'eux, justement, venait de se retirer pour céder place à un acrobate fameux du nom de Taillemine. Pourtant, Eloïn le voyait bien aux doigts d'Aliénor qui tapotaient sur l'accoudoir de son trône, la tension montait. Elle la percevait jusque dans les œillades discrètes que les hommes lui adressaient. Si le penchant de leur duc et ami n'avait été si évident, beaucoup se seraient déclarés déjà. Nul doute qu'ils espéraient la voir repousser Richard et, par ce renoncement, leur signifier qu'elle était prête à se laisser courtiser. Ils en seraient pour leurs frais ! Un sourire lui échappa, qu'on prêta au chuchotement de sa voisine, Pétronille d'Angoulême, laquelle lui faisait remarquer combien Guiraud de Borneil, natif de la Dordogne et prometteur trobar, avait de belles mains, fines et élancées. Qu'elles courent sur les cordes d'un instrument et voilà la belle en pâmoison. Eloïn ne les voyait pas ces mains qui, agiles témoins des agitations intérieures, suivaient les dialogues des uns et des autres. Depuis son grand retour à la cour, elle ne vivait plus que du souffle de Richard lorsqu'il s'approchait un peu trop près et qu'elle en percevait la chaleur sur sa nuque. À plusieurs reprises, elle l'avait senti sur le point de se déclarer, mais, au dernier moment, il s'esquivait, demandait si elle avait des nouvelles de son frère, si ses prémonitions étaient toutes avérées, si elle ne souffrait pas du froid à déambuler à ses côtés sur les bords du Clain… Si si si… Lui avouerait-elle qu'elle en avait fait cansoun ?

« Si bel amour tarde à venir
Si clair de jour tarde à mourir
Et bonne garde à demeurer
Mon cœur s'attarde à retenir
Le temps précieux mis au soupir

Faisant des "si" son échappée.
Que bel amour ne tarde point
Car point de jour m'est si lointain
Si tant aussi qu'il m'y embrasse
J'ai peur d'user si bon si bien
De sa présence au bord du Clain
Que j'en frissonne et trop m'en glace. »

Lorsqu'on annonça le duc d'Aquitaine, elle la fredonnait pour la dixième fois dans sa tête.

22.

Le cœur d'Eloïn se mit à battre au rythme des pas de Richard dans cette salle aux murs tapissés de scènes courtoises, aux fenêtres cernées de rideaux damassés et ponctuée de candélabres dès lors que la nuit les refermait. Une cheminée tenait un pan entier de mur dans laquelle deux coupes de chêne d'une toise et demie de long se croisaient. Pour l'heure, c'étaient leurs flammes douces qui entretenaient la chaleur, en cette maisonnée saisie par le soin qu'avait pris le duc d'Aquitaine à sa toilette. Le silence se fit dans le crépitement des braises. Le regard affirmé de Richard venait de capturer celui d'Eloïn comme s'il avait voulu taire la présence des autres, se donner cette fois le courage qui lui avait, jusque-là, manqué. Rompant avec son impassibilité, elle se mit à trembler. Instinctivement, ses compagnes s'écartèrent d'elle, se resserrant sur les marches recouvertes de coussins épais. Face à cette arène où chaque jour se mesuraient les plus grands des trobars, Richard, tel ce lion brodé sur son bliaud, glissait vers elle d'un pas félin, la main au pommeau de sa lame, l'autre au cœur. La lumière du jour lui coulait sur les épaules, auréolant d'or sa chevelure flamboyante. Il paraît plus souverain qu'il ne l'a jamais été, songea Eloïn, le cœur bondissant.

La place de Richard l'attendait sous un dais, aux côtés de sa mère. Il l'ignora. Vint poser un genou à terre devant elle, isolée à présent, comme si leurs amis avaient voulu leur creuser alcôve. Eussent-ils voulu se passer de serments que nul ne s'en serait étonné. Leurs visages parlaient d'eux-mêmes. Pourtant la voix de Richard, affermie par sa nuit de veille et de réflexion, s'éleva, emportée d'émotion et de musique :

— Quand le jour succombe à la nuit
Je reboutonne mon mantel,
Puis je guerroie mes insomnies,
Tel un cavalier immortel
Qui, entre l'ombre et la lumière,
Dirigerait âme trop fière.
Mais peu me chaut de ce pouvoir
Si doivent mourir mes espoirs
Au fil des heures et de ma guerre.
Dame, ma ville est prisonnière.
Dame, mon cœur est encerclé
D'avoir, de vous, osé rêver.
À l'heure où d'autres paient rançon
Je n'ai, moi, que cette chanson
Pour plaidoyer de noble cause.
C'est à vos pieds que je dépose
Le feu ardent de mon tourment.
Accordez mon cœur à l'assai
Et s'il vous plaît de le garder,
Je fais serment qu'il vous honore,
Que jamais ne viennent d'aurores
Sans que vos yeux les aient mirées...
Dame Eloïn, ma tant aimée.

Le temps demeura suspendu. L'assai. Richard réclamait l'assai. L'épreuve ultime. Par des questions insidieuses et des effleurements, elle permettait de déterminer si le prétendant convoitait sa dame de désir charnel ou de sentiment d'âme sœur. Dans le second cas, le lien noué entre eux s'apparentait à un hyménée. Tous, y compris la reine, pouvaient en mesurer la portée. Richard déclarait ouvertement que, même marié à la cadette de Louis, c'était Eloïn qu'il tiendrait à ses côtés. Le pire des affronts qu'il pouvait faire à sa fiancée ! Et par conséquent à la France ! Eloïn avait blêmi, malgré tout cet amour dont elle débordait. Tout cet amour qu'elle était prête à jeter à ses pieds et que, par ce seul discours, elle allait devoir refuser.

La voix d'Aliénor brisa le silence qui s'était installé sur la salle tel le couvercle d'un tombeau.

— Avant que damoiselle Eloïn ne consente à vous ouvrir son cœur, d'aussi jolie manière que vous le fîtes, mon fils, il me faut vous rappeler à tous deux qu'il m'appartient, seule, de décider des épreuves de fin'amor. L'assai possède ses règles. De par votre promesse d'épousailles envers Adélaïde de France, je me vois contrainte de vous le refuser.

Richard n'en parut pas étonné. Au contraire. Il sembla regagner de superbe et, ramenant son sourire vers Eloïn, reconnaissante à la reine de la sauver, entonna nouveau couplet :

— De tous les interdits d'un soir,
Ce qui ferait mon désespoir,
Serait de manquer de respect
À la seule qui saurait me voir,
M'aimer dans l'ombre du devoir,
Tel que je suis et non d'aspect.
Ma dame entendez dans ce chant
Que je m'embrase sans semblant
Quelles que soient mes infortunes.
Qu'on me marie puisqu'il le faut
À cette France sans défaut,
Je n'en souffrirai pas rancune.
Si je sais pouvoir dans vos yeux
Briller toujours de mille feux
Et vous garder à moi fidèle,
D'assai je suis déjà tenu,
De par cet aveu malvenu
Qui vous fait à jamais ma belle.

Aucune épreuve ne pouvait
Mieux me capturer en ses rets
Que celle de cette tribune.
Mon élan voulait, simplement,
Dire tout haut ce que dedans.
À vous d'en décrypter les runes.

Il se plia devant Eloïn en une révérence impeccable, puis salua sa mère d'un signe de tête et tourna les talons sur son impertinence. Le rire d'Aliénor explosa dans la salle avant qu'il l'ait quittée, saluant l'exploit de son fils qui avait su si joliment détourner les règles. Eloïn demeura immobile, bouleversée. Par le simple fait qu'il ne réclamait aucune promesse en retour, l'aveu de Richard était perdu selon la règle de fin'amor. Aux yeux de tous, sauf aux siens, il n'avait existé. L'honneur d'Adélaïde de France était sauf. À elle d'accepter ou non l'ombre qu'il lui promettait. Tous, elle le sentait, attendaient une réaction de sa part en ce sens. Elle profita de ce que la reine admettait à trober Bernard Marti pour regagner quelques couleurs, et rendre un semblant de vaillance à ces jambes qui tremblaient sous son bliaud de soie indigo. L'aurait-elle voulu qu'elle n'aurait eu la force de se lever.

— Qu'allez-vous décider? lui demandèrent en sourdine et d'une même voix ses amies rapprochées d'elle.

Elle ne répondit pas. Elle fixait Bernard Marti, le troubadour, le confident de Richard, tandis qu'il pinçait cordes à son luth, incapable de répondre seulement au sourire qu'il lui lançait. La voix monta, limpide, douce :

« Lanquan lo dous temps s'esclaire
E la novèla flors s'espan
Et aug als auzèls retraire
Per los brondèls lo dousset chan...
... Alors celui qui veut conquérir prix et valeur
Doit chercher et choisir un amour
Tel qu'il ne soit point rabaissé par les médisants...

Eût-elle douté encore que cette dernière strophe l'aurait définitivement convaincue et revigorée. Dégringolant l'estrade, elle releva le bas de son bliaud et, portée par le rythme de la cansoun, courut derrière son roi.

Elle savait où le trouver. Sur l'esplanade qui encerclait le baptistère Saint-Jean. Des chênes centenaires s'y déployaient, caressant les tuiles du bâtiment du lent balancé de leurs ramures. C'était, disait-on, le plus ancien de la chrétienté. Il exerçait chez Richard un attrait particulier depuis l'enfance. Eloïn n'en avait pas été surprise. Au croisement d'énergies puissantes, l'endroit conférait une sensation d'immersion entre le réel et le spirituel qui, au-delà de toute croyance, vous ressourçait au plus profond de vous-même. Eloïn en avait été imprégnée dès sa première visite. Depuis, Richard et elle s'y égaraient souvent pour deviser de ces points de théologie qui les ancraient, lui dans la religion catholique, elle dans la lignée d'Avalon. Pour, au final, ne laisser entre eux que les fils étroitement tissés d'une complicité sans âge.

Elle le trouva installé entre les racines d'un arbre, leur arbre, le dos calé au tronc, face à l'entrée du baptistère. Il l'attendait. Il se contenta de sourire, assuré, par sa seule approche et le trouble qui habitait ses traits, d'autant d'amour qu'il en éprouvait. Sans plus d'impatience, elle vint s'asseoir à ses côtés puis, brisant entre eux toute réserve, elle appuya sa tempe contre son épaule.

— Jouez, duc. Jouez pour moi comme pour nulle autre puisque à vous je suis. Puisque à vous je veux être, sans assai et sans raison, dans l'ombre de vos épousailles, mais de pleine lumière en votre âme. N'en doutez jamais, Richard. Mon cœur de lion. Je vous aime.

Elle s'écarta délicatement, planta son regard brûlant dans le sien tandis qu'il cueillait sa joue dans sa paume. Lorsque leurs lèvres, avec cette délicatesse des premières fois, se joignirent, Eloïn sut qu'elle ne regretterait jamais rien.

23.

Eloïn s'éveilla avec un sentiment de plénitude au cœur. À ses côtés, dans cette couche aux draps froissés, Richard dormait à plat dos, une jambe nue rejetée des couvertures, un coude replié au-dessus de sa tête. Son abandon la troubla, ramenant en elle des vagues sensuelles. Elle s'attarda sur ses traits piqués d'une barbe naissante. Chercha à y retrouver le nourrisson puis l'enfant d'hier. Elle n'y parvint pas. Comme si leur étreinte avait définitivement rejeté dans le passé cette part de lui. Un homme était né. De ses caresses, de ses baisers, de ses gémissements et de ses larmes de plaisir. Un homme dont elle savait qu'il serait le sien jusqu'à son dernier souffle. Elle se laissa submerger par le bonheur de sa présence. S'attarda de longues minutes à capter ses songes, rehaussée sur un coude, la tempe en appui dans sa paume. Un coq chanta, suivi d'autres. Le jour se levait. Avant longtemps le castel s'animerait. Les domestiques rallumeraient les feux dans les cuisines, puis dans les pièces à vivre. L'air s'emplirait des odeurs de pain et de brioche et il ferait bon descendre pour un matinel qui les ragaillardirait. Combien de temps avait-elle dormi ? Deux heures ? Trois à peine ? Passé l'embrasement de la première jouissance, trop rapide à son goût, Richard s'était étonné de voir son vit garder sa consistance, fort utile pour son agrément à elle. S'attardant avec délicatesse à s'enquérir de ses préférences.

Elle avait ri.

— Qu'en sais-je, mon duc ?

— Eh bien, apprenons...

Et d'oser des lenteurs exaspérantes, des va-et-vient de soudard, des retournements, des tâtonnements, ponctués de ses propres débordements. Mais chaque fois, insatiable de découverte, insatiable de marquer chaque parcelle de sa peau du sceau de son désir, il était revenu en elle. Elle en avait usé sa voix dans les oreillers, son entrejambe vierge, mais pour rien au monde n'aurait voulu voir se finir cette guerre. Ils s'étaient finalement rendus à la paix, éreintés l'un comme l'autre, dans les bras l'un de l'autre. Richard, les paupières tombantes, avait ronchonné :

— Je crois qu'il va nous falloir dormir...

Le temps qu'elle approuve, il se mettait à ronfler, la joue à la naissance d'un sein, une main encore sur son pubis en sueur. Elle avait attiré sur eux les couvertures. Il n'avait pas bougé. Elle non plus. Il avait pourtant fini par basculer sur le dos, la ramenant inconsciemment contre lui dans un réflexe possessif. Eloïn soupira de regret. Avant qu'il soit long, les convenances devraient l'emporter sur l'amour.

Une plume dépassait de l'oreiller. Elle acheva de la dégager de la percale puis la lui passa sur le visage. Il grimaça sous le chatouillement avant de gémir de mécontentement et de repousser d'une main molle ce qu'il prenait pour un piétinement de mouche. Eloïn laissa échapper un petit rire au contact de ses doigts. Alors, dans un sursaut, il ouvrit grands les yeux, les perdit dans les siens tel un enfant émerveillé et, béat, murmura :

— Ce n'était pas un songe...

— Si. Nous nous aimions dans le même, répondit-elle avant de prendre sa bouche.

Repris d'ardeur et réveillé pleinement de son contact, il la renversa sous lui. Elle ne trouva pas le courage de le repousser. Quelques minutes, se dit-elle en enlaçant ces épaules larges. Quelques minutes, après je le chasserai. Mais, à la première boutée en elle, elle ne pensa plus qu'à le retenir autant qu'elle le pourrait.

*

À Amboise, le matinel était gai. Hermeline de Beaumont estimait que tout repas devait être feste. À l'inverse de mes précédentes grossesses qui m'avaient vue plier en deux au lever, je me découvris un appétit d'ogresse devant la multitude de mets. Œufs coque, en gelée, en omelette, en crème de sucre, au lait d'amande, bouillons de poule, de légumes, massepains, beignets, pommes et poires, nature ou cuisinés, en tartes, en amandines. Reprenant en outre une coutume que son frère avait rapportée d'Orient, elle avait fait presser des citrons, affirmant qu'il n'était rien de mieux que leur jus au saut du lit pour nourrir une belle journée. Becket trônait face à Henri, en bout de table. Tous deux avaient assisté ensemble au premier office de la journée quand, plombée par un reste de fatigue, je m'étais attardée en ma chambre. Personne n'en sembla offensé, Henri et Becket moins que quiconque, car ils connaissaient mon peu d'attrait pour les messes. Traits que les années, l'expérience et les écueils des prélats avaient durcis plus encore, même si je me pliais au culte puisqu'il aurait été indécent et suspect de ne le pas pratiquer. Ne parlait-on pas sous cape de ces hérétiques cathares qui renforçaient leur influence dans le comté toulousain ? Le pape Alexandre III s'en disait offusqué et certains, dont je faisais partie, n'étaient pas loin de penser que la répression, une répression sanglante, finirait par rétablir l'ordre divin. Lors, comme m'avait appris à le faire Guenièvre, ma mère adoptive, je me mêlai au nombre de ces brebis bêlantes qui baissaient front à l'église. Au fond, je n'avais rien à reprocher à ce Dieu sinon son désintérêt des hommes !

Pour l'heure je m'en sentais bien loin, réconciliée avec la vie qui se façonnait en moi et m'accordant aux pitreries du fils de la maisonnée, un blondinet de quatre ans à peine qui s'essayait à la jonglerie avec un succès inégal. Il faisait pourtant la fierté de nos hôtes, le sire de Beaumont se révélant définitivement transfiguré, et ponctua agréablement ce moment.

Ce ne fut qu'au sortir de la table et alors qu'Henri s'était excusé, réclamé par un de ses chevaliers, que Becket me prit par le bras.

— M'accorderez-vous quelques pas dans le jardin ?

— Il y fait vif, mon père...

De fait, il avait gelé durant la nuit et les branches des arbustes comme celles des arbres se couvraient d'une blancheur qu'un soleil rasant faisait étinceler par endroits. Becket pressa un peu plus mon coude. Je me repris aussitôt.

— Toutefois avec une pelisse...

— Prenez la mienne, elle est doublée d'hermine, s'exclama, généreuse, Hermeline en me désignant le mantel abandonné quelques minutes plus tôt sur un dossier de chaise.

La dame aimait, tôt le matin et quel que fût le temps, se glisser au-dehors, s'approcher des remparts et porter son regard sur le fleuve. Elle s'était éprise du seigneur d'Amboise bien avant qu'il ne la convoite, aussi depuis leurs épousailles jouissait-elle de chaque instant auprès de lui et en leurs domaines, m'avait-elle confié. Je m'étais gardée de commenter cet attrait que, malgré la nouvelle attitude de Beaumont, je ne partageais pas... Je la remerciai chaleureusement, laissai Becket me recouvrir les épaules de la chape puis emboîtai le pas à ce dernier, curieuse. La porte franchie, le froid me piqua le visage et je resserrai davantage les liens du capuchon sous mon menton. Becket appuya son regard sur moi, comme pour m'encourager à braver la froidure. Je descendis les marches à ses côtés, puis, m'accordant à son apparent recueillement, enfilai une allée caillouteé au milieu d'une végétation en sommeil. Il attendit que nous fussions à l'écart de toute indiscrétion, y compris visuelle par les hautes fenêtres du castel, pour porter la main au saquet pendu à sa ceinture. Il fouilla à l'intérieur et en ressortit la bague marquée du sceau de Louis. Celle-là même que je lui avais remise quelques années plus tôt, au moment de sa fuite vers l'exil. Il me la tendit.

— Le roi de France a souhaité qu'elle vous revienne.

— Êtes-vous sûr, Thomas Becket, de ne plus jamais en avoir besoin ?

Son regard pétilla.

— Un autre sauf-conduit est en ma possession, pour le cas où on me trouverait d'autres griefs. Cela étant, j'ai confiance. Contrairement au mien, le repentir d'Henri est sincère. J'en ai sondé tous les méandres hier soir après que vous nous avez quittés. Je reprends mes droits avec toutes les compensations que je réclame. Y compris la tête des assassins de mon frère. Le temps de remercier mon protecteur en Paris et je regagnerai l'Angleterre...

— J'en suis heureuse. Croyez bien que les enfants royaux, Henri le Jeune à leur tête, sont impatients de votre retour. Ils n'ont pas davantage pardonné à Henri la présence de Rosamund que son acharnement à vous détruire.

— Je le sais, oui. Comme je sais de mon côté par les confidences d'Henri le Jeune qu'Aliénor espère pouvoir convaincre son époux de se retirer, sans heurts, du trône qu'il occupe et sur lequel il a déjà placé son successeur.

Je hochai la tête, un soupir au bord des lèvres :

— Je souhaite que cela se fasse sans heurts, mais vous connaissez Henri... Ses trois fils aînés sont très liés et d'un même tempérament. S'il s'entête de trop, ils n'hésiteront pas à lui déclarer la guerre.

Il prit ma main, y déposa un baiser avant de me rassurer.

— Cela ne sera pas. J'espère recouvrer assez de pouvoir et d'influence auprès d'Henri pour, le moment venu, aller dans le sens des intérêts du royaume. Et de ses fils.

— Une petite vengeance en somme...

— L'affirmation d'un espoir longtemps caressé. Henri le Jeune possède plus que son père encore la trempe d'un roi.

Et si, comme nous en avons débattu il y a fort longtemps, malheur voulait donner raison à la prophétie de Merlin, Richard, sur le trône, ne démériterait pas.

— Nous n'en sommes pas là...

— Non, nous n'en sommes pas là...

Nos yeux se nouèrent d'une même complicité. Il baissa les siens. Un peu plus vite que d'ordinaire.

— Oserais-je un aveu, ma petite sorcière ?

— Ne m'avez-vous pas ravie à cette chère Hermeline pour cela ?

Il se mit à rire.

— Sans doute... Bien qu'il soit déraisonnable.

— Vous? Déraisonnable? Je refuse de le croire, m'amusai-je en faisant crisser, comme lui, les cailloux sous mes pas, les laissant nous mener vers les remparts.

— L'amour ne l'est-il pas ?

Je me figeai. Tournai vers lui mon visage surpris.

— Diantre, mon ami, une dame vous aurait-elle ravi à la préférence divine ?

Il rougit, tomba de nouveau le regard.

— En vérité, vous vous partagez mon cœur depuis longtemps, Loanna.

Je demeurai sans voix. Il releva la tête, me couvrit de douceur avant d'enrouler sa main à mon coude et de m'entraîner.

— Sachant votre attachement à Jaufré, jamais l'idée ne m'est venue de vous embarrasser avec cela. Encore moins d'espérer de vous quelque retour. Votre affection me suffit et je n'en veux aucune autre. À dire vrai, je n'ai véritablement pris conscience de la profondeur de mes sentiments pour vous qu'avec cet exil. Si cet aveu m'échappe, c'est que votre malaise, hier, m'a fait craindre d'en être la cause par la mortification que je m'impose.

Je lui retournai un sourire chaleureux.

— Non point, je puis vous l'affirmer. Même si je continue de désapprouver le procédé.

Il s'accouda à un des créneaux, laissa son regard courir sur la Loire. Elle scintillait sous un ciel regagné de clarté par la levée des dernières nappes de brouillard givrant. Tournant le dos au fleuve, je m'adossai, moi, à la pierre. Il ramena ses prunelles de jais sur moi.

— Je ne saurais me plaindre de l'intérêt que vous me portez, chère, si chère amie. Mais je refuse que vous vous inquiétiez, et c'est là la raison de mon impertinence. Vous rassurer. Mon amour pour vous est d'une pureté telle qu'il a adouci plus d'une fois mes pénitences au lieu de les aggraver. Je lui dois d'être resté debout quand on me voulait plier. Et je le sais ce jourd'hui, je lui dois de m'être retrouvé au moment où, pris d'égarement et de faste par ma charge de chancelier, j'ai failli. Le Seigneur donne une étoile à chacun de nous pour qu'elle brille en nos cœurs et guide nos pas. Mon étoile, Loanna de Grimwald, sachez-le désormais et sans en craindre la moindre conséquence, ce fut, c'est et ce sera toujours vous.

Ce furent les dernières paroles que nous échangeâmes. Moi trop troublée pour y répondre, lui heureux de les avoir prononcées. Il quitta Amboise pour Paris. Je repartis pour Poitiers convaincue en chemin qu'Eloïn et Richard s'étaient trouvés.

24.

Dans sa nudité la plus parfaite, au cœur de ce grand lit aux rideaux relevés, Rosamund Clifford couvrit d'un œil narquois le vit trop mol de son amant. Le ton se fit sec, cassant :

— Thomas Antelburgh, vous me décevez !

Le chevalier, adossé aux oreillers, soupira de regret.

— Dame Rosamund, malgré tout l'attrait de votre beauté, je ne suis point un surhomme. Trois fois suffisent à me calmer.

Comprenant qu'elle ne lui arracherait pas davantage de jouissance, elle le toisa avec plus de morgue encore.

— Il en fallait cinq à Henri !

Refusant de s'en vexer, Antelburgh haussa les épaules.

— Loin de moi l'idée de concurrencer le roi.

— Vous vous nourrissez pourtant des mêmes mets !

Le chevalier, qui subissait ses reproches autant que son jeu de séduction depuis qu'il l'avait escortée en sa demeure de Maunffeld, recouvrit définitivement ses attributs, épuisés de caresses, d'un mouvement de drap.

— Et comme lui, ma chère, pourrais bien m'en lasser.

Elle blêmit. Se satisfaire d'un des chevaliers du roi coûtait à son orgueil au point de la rendre souvent exécrable, mais pour rien au monde elle n'eût voulu, s'il fuyait, se rabaisser au soulagement d'un valet. Force lui fut donc de tempérer d'un battement de cils.

— Je doute qu'Henri vous relève, mon ami. Ne suis-je point en prison depuis qu'il m'a si injustement salie de suspicion ?

— Une prison dorée, vous en conviendrez, et dont, à dire vrai, ma dame, je me demande lequel de nous deux est véritablement le captif.

Elle poussa un soupir à fendre l'âme, le temps qu'il lui fallut pour couvrir la distance qui les séparait d'un mouvement de reins et venir poser sa nuque sur le haut de ses cuisses. Elle releva le menton pour accrocher son regard baissé.

— Je me rends, mon bel amant.

Il sourit. En quelques semaines bien plus qu'en toutes ces années à la regarder évoluer auprès d'Henri, il avait appris à la connaître.

— À la raison ? Cela vous ressemble peu, ma chère.

— À l'évidence de ce que j'ai perdu... Mais aussi de ce que j'ai gagné.

Les doigts d'Antelburgh glissèrent une caresse dans les boucles soyeuses de sa maîtresse. Elle accompagna le mouvement pour mieux s'en apaiser.

— Et qu'avez-vous donc gagné sinon ma patience ?

— Votre délicatesse. Henri me troussait davantage, c'est vrai, mais sitôt après roulait sur le côté pour ronfler ou me quitter. Vous, à l'inverse...

De nouveau elle soupira, mais il ne sut si c'était d'aise ou de regret. Il laissa le silence retomber. À son corps défendant elle l'avait pris au piège et, quoi qu'il en prétende, il aurait peine à s'en séparer. Elle ferma les yeux, détendue par la douceur de ses gestes.

— M'aimez-vous, Thomas Antelburgh ?

— Vous le savez bien, Rosamund. Pourrais-je sinon supporter vos caprices, vos brimades, votre insupportable besoin de me dominer ?

Elle sourit.

— J'ai besoin que vous m'aimiez.

— Pour pouvoir me vider de semence chaque nuit, et parfois même en journée ?

Elle rouvrit les yeux et les planta dans les siens, plus ensorcelante que jamais.

— Non, chevalier. Parce que je souhaite rencontrer Thomas Becket et que sans votre accord je ne pourrai quitter ce palais.

Il tiqua.

— Et que lui voulez-vous donc ?

Elle eut un petit rire de gorge, le même qui lui fouettait les sens lorsqu'elle avait décidé d'être bélinée.

— Que pourrais-je vouloir sinon, moi aussi, faire la paix ?

Il en fut plus encore déconcerté.

— Pourquoi ?

— Parce que les rois passent, mon ami, et qu'il est le seul à pouvoir un jour ou l'autre m'innocenter.

Au 15 de ce mois de décembre 1170, bravant l'interdit d'Henri, elle se faisait donc introduire dans le cabinet du primat à Cantorbéry. Becket, regagné de superbe derrière son bureau, ne prit pas la peine de se lever à son entrée. Au contraire, il la toisa avec ce mépris qu'il avait toujours manifesté en sa présence.

— Vous me vouliez voir, dame Rosamund. J'y ai consenti pour mieux jauger votre déconfiture. N'attendez pas de moi que j'adoucisse votre condition auprès du roi. Il me suffit bien d'avoir à m'occuper de la mienne.

Le ton était donné. Elle ne se découragea pourtant pas. Il lui avait ouvert sa porte. À elle de le convaincre. Elle s'installa sur le siège qu'il ne lui offrit pas, et se contenta, le masque froid, de lui tendre, par-delà l'écritoire, le document qu'elle avait, dans l'antichambre, sorti de son corsage. Becket s'en saisit, les sourcils froncés et légèrement désarçonné par l'attitude de cette femme qu'il avait, au moment de son exil, connue enjouée et servile pour mieux obtenir ses faveurs. Visiblement la mante avait cessé de vouloir plaire. Tant mieux, songea-t-il en écartant les pans du parchemin. Le sceau de la reine lui sauta aux yeux. Le contenu de l'accord passé entre Aliénor et Rosamund était clair. Incontournable parce que établi en les règles devant témoin et notaire. Aliénor avait désigné Rosamund Clifford pour lui succéder *post mortem* sur le trône et auprès d'Henri, faute de quoi, si ce dernier récusait le testament, l'Aquitaine cesserait d'appartenir à la couronne d'Angleterre. Il s'attarda quelques secondes supplémentaires sur les déliés. Aucun doute n'était possible. Il connaissait trop l'écriture de Sa Majesté, la signature de Loanna de Grimwald, pour craindre la contrefaçon. Même s'il ne comprenait pas pourquoi Aliénor avait consenti telle faveur à sa rivale, le fait était acquis. Henri était pris. Becket s'assit le plus tranquillement qu'il put dans son fauteuil avant de déposer, tel l'argument d'une trêve, le document entre eux. Il darda sur Rosamund un œil égal, bien loin de l'agitation de son esprit.

— Le roi connaît-il l'existence de cet accord ?

Rosamund Clifford lui accorda un sourire cynique.

— Serais-je là en ce cas ?

— Quelqu'un à l'exception des signataires ?

— Les secrets cessent d'être des secrets si trop les partagent.

Il se sentit plus léger. Avança des coudes puis croisa les doigts sur la feuille.

— Qu'espériez-vous en me le présentant, dame Rosamund ? Que je vous lave des accusations dont j'ai moi-même souffert par votre faute ? Que je convainque le roi de trouver un autre coupable que vous dont la rumeur se délecte ? Que je devienne votre ami ?

— Non point, mon père. Je ne suis pas assez sotte pour imaginer un possible retour en arrière. Pour l'heure tout au moins. Contrairement à ce que vous pensez, je n'ai jamais voulu votre perte. Pas davantage votre exil. Et moins encore ce palais que m'offrit Henri en place d'une véritable reconnaissance de cœur. Je fus, comme vous, l'objet de son caprice, de ses attachements de feu de paille. Je ne crois pourtant pas plus que vous mériter l'opprobre et le rejet. Bien que je sois prête à m'y plier. À demeurer dans l'ombre...

— Alors quoi? demanda-t-il, plus inquiet de ce discours que de tout autre.

— J'entends faire valoir mes droits à la mort de la reine. Mais n'y pourrai prétendre si un lit de justice me condamne. Or, je ne doute pas qu'Henri le voudra invoquer malgré les clauses de ce contrat. J'ai besoin d'un allié. Un allié qui, comme moi, a faim de pouvoir et de reconnaissance. Un allié qui souffrit de ses manigances et qui, le moment venu, saura lui faire entendre raison.

Becket ricana.

— Vous me prêtez pouvoir plus grand que je n'ai, ma chère.

— Allons donc, Thomas Becket. Vous possédez, j'en suis convaincue, toutes les preuves de notre innocence à tous deux. Que vous ayez refusé de les utiliser pour vous, je le conçois, votre intérêt pour l'Angleterre ayant toujours été plus grand en vérité que vos ambitions personnelles. Quant à moi, je n'ai pas vos scrupules. Assurez-moi, par écrit, de les tenir à la disposition de mes juges et je regagne sur l'heure mes appartements pour n'en plus sortir qu'à l'heure de mon triomphe. Un triomphe dans lequel, vous pouvez m'en croire, je n'aurai pas pour vous l'ingratitude de la reine ou du roi.

Becket la jaugea en silence. Tout en elle trahissait une sincérité qui lui avait fait défaut jusque-là. Elle en avait même regagné de sa beauté perdue par l'intérêt et la fourberie. Il fut tenté de se rendre à ses arguments. Au fond, se dit-il, ma vengeance trouverait son compte dans la sienne. Son intégrité s'y heurta. La belle avait raison sur un point. Il eût pu à n'importe quel moment de son exil fourbir l'ordre signé de la main d'Henri de détourner une part du trésor au profit de sa maîtresse. Il s'y était refusé, malgré toutes les pressions exercées par le roi. À leur dernière rencontre encore, à Amboise, Henri lui avait demandé pardon d'avoir douté de sa loyauté au point de s'être acharné pour récupérer lesdites preuves, contre les siens. Becket les tenait encore au secret, dans un endroit dont il était seul à connaître l'existence. Même devant Henri, il avait prétendu les avoir détruites. Il baissa le regard sur la feuille de parchemin.

— Existe-t-il d'autre exemplaire que celui-ci ?

— Entre les mains de la reine.

Il s'allégea tout à fait. Crispa ses doigts sur le document pour le ramener à lui. N'attendit pas qu'elle interprète son geste rapace. Le récupérant en main, il le déchira par le travers d'un geste éloquent qui la liquéfia sur place. Elle bondit, recula devant la menace d'un poignard qu'aussi soudainement il avait extirpé de sa manche. Il acheva son œuvre en approchant le coin des feuillets d'une bougie posée sur son écritoire, près des plumes et d'un encrier. Rosamund s'embrasa avec ses espoirs avortés. Elle se rassit pourtant avec la lourdeur d'une roche tandis qu'il souriait de triomphe en lâchant le pacte, rendu inutilisable, dans un rince-doigts d'étain troublé déjà d'encre violette. La voix de Rosamund, vaincue, ne fut que gémissement :

— Pourquoi ? Je ne comprends pas. N'avez-vous pas souffert de lui autant que moi ?

— Sans doute. Mais vous l'avez fort justement souligné. J'ai toujours privilégié l'intérêt de l'Angleterre plutôt que le mien. Et ce serait la desservir que de vous placer à sa tête.

Elle manqua défaillir sous l'insulte. Se dressa cette fois avec toute la colère dont elle était capable.

— Vous rendrez compte de votre impertinence, Thomas Becket. Je m'en vais de ce pas m'en plaindre à la reine.

Cette fois encore, il la nargua :

— Et que croyez-vous qu'elle fera à présent que vous voici répudiée par le roi et privée de votre chantage ? Ne vous y trompez pas, Rosamund Clifford. Elle me remerciera.

Elle sortit, accablée par cette évidence. Fallait-il qu'elle ait été naïve pour miser sur la colère de Becket ! Elle l'avait connu puant de faste du temps de sa charge de grand chancelier du royaume, elle le retrouvait aussi gris qu'un rat !

Le soir même, sa décision fut prise. Si la reine lui battait froid, elle enverrait quelqu'un récupérer près d'elle le double de ce contrat, avant que de la faire taire.

Comme Thomas Becket.

Définitivement.

25.

Nous avions quitté Poitiers pour Bures afin de répondre à l'invitation d'Henri. Je ne l'avais pas revu depuis le retour de Becket en Angleterre. Aliénor non plus même si, fidèle à sa tentative de rapprochement, il multipliait les attentions à son égard depuis la Normandie où il résidait. Là c'était tel rapace d'exception envoyé pour grossir sa fauconnerie, ici une selle du meilleur cuir pour ses promenades, quand ce n'étaient bouquets de fleurs séchées, marrons, figues confites, ou cansoun qu'il chargeait un troubadour de lui chanter en son nom. Henri le séducteur fourbissait ses armes sans rien demander en retour. Nous n'étions dupes ni l'une ni l'autre. Nous savions, les rumeurs courant bon train, qu'il s'était remis à trousser et festoyer allégrement entre deux guerres de voisinage. S'il prenait son temps, c'était dans l'espoir de voir Aliénor regagner elle aussi sa couche. Ma reine, en retour, s'alanguissait plus encore dans les bras de Ventadour tout en retournant vers son époux les mêmes délicatesses. Elle lui avait fait livrer un anneau solaire semblable au sien, pour, avait-elle assuré, qu'aux mêmes heures leurs pensées se rejoignent. Trompe-l'œil. Trompe-cœur. Nous en avions reparlé à plusieurs reprises. Elle n'attendait que le moindre faux pas de sa part, la moindre défaillance pour s'effarer ou s'inquiéter ouvertement et lui enjoindre de se retirer du trône. Hélas, depuis son retour du Val Ténébreux, Henri se portait comme un charme ! Lors, jugeant que depuis trop longtemps la reine n'avait été vue à ses côtés, il avait insisté pour qu'elle le rejoigne pour la Noël. Une belle occasion de réunir leurs enfants et les nôtres. Lors de la cour plénière. Et de fait, depuis une semaine que nous étions dans son sillage, je devais le reconnaître, Henri se montrait aussi courtois envers elle qu'aux premiers temps de leur hyménée. Mieux, il ne passait pas un jour sans qu'il me demande conseil, comme s'il avait voulu balayer toutes ces années où il m'avait sciemment écartée. Une part de moi s'en réjouissait, l'autre était écartelée. À cause de cet enfant en moi, je voulais croire en la possibilité d'une véritable réconciliation qui maintiendrait la paix du royaume. Tout en devinant, dans le regard rancunier d'Henri le Jeune, que son père rabaissait de sa seule présence, que la guerre entre eux, déjà, grondait. S'il n'y avait eu les rires légers de Richard et d'Eloïn, le poids de la coalition des trois frères aurait alourdi profondément les échanges policés et faussement affectueux qu'avec le roi ils partageaient. Quand, à l'inverse, leur amour pour leur mère se buvait dans chaque parole qu'ils lui adressaient. Serait-ce me trahir, trahir les miens que de me dresser contre Henri à leurs côtés si cela devenait inéluctable ? Parfois je doutais. Chaque fois en vérité que le souvenir du serment de Vendrennes et de l'anathème qu'il avait posé sur mon lien à Jaufré revenait me hanter. Je ne regrettais rien. Je songeais seulement et égoïstement à tout cet heureux temps de vie que nous gâcherions si le sang devait couler. Ce temps heureux dans lequel ma fille s'épanouissait.

En ce 20 décembre, j'étais bien loin pourtant de ces pensées. Une lettre venait d'être remise à ma reine. Une lettre de Rosamund Clifford qui ramena en moi d'autres inquiétudes, alors qu'Aliénor, elle, me la lisant à haute voix, ne trouvait qu'à s'en amuser. Évoquant avec nostalgie les élans qui les avaient transportées toutes deux à l'heure où Aliénor s'était vengée du cocufiage d'Henri en partageant sa couche, l'ancienne maîtresse du roi lui réclamait la copie du testament rédigé en sa faveur, testament qu'Aliénor n'avait jamais eu l'intention de légitimer, sous le prétexte que dans son déménagement précipité son exemplaire à elle avait été perdu.

Dans cette antichambre où nous nous trouvions, le sourire d'Aliénor grandit plus encore sur ses lèvres tandis qu'elle repliait le parchemin sur la signature de sa rivale.

— Le crois-tu possible ? Un bien si précieux pour elle ?

Je secouai la tête.

— Il faut croire que quelqu'un le lui a ravi. Henri ?

Relevant avec naturel le bas de son long bliaud prune galonné d'orfroi, elle s'approcha de la cheminée pour y laisser tomber la lettre. Aussitôt les flammes s'enroulèrent autour de l'écriture de Rosamund. Récupérant le tisonnier, Aliénor veilla à ce qu'il n'en reste rien, gagnée par ma suspicion. Lorsqu'elle se retourna, plus aucune trace ne subsistait de la requête de l'infâme.

— Mon cher époux ne serait pas dans de si bonnes dispositions à mon égard s'il avait eu vent de mon petit arrangement avec sa belle. Non. Quelqu'un d'autre. Son père ? Ou sa mère peut-être, avant qu'elle ne passe. J'ai entendu dire que Rosamund était à l'origine de cette mélancolie qui l'avait emportée. Elle aura peut-être voulu se venger d'elle. Qui ne le voudrait en vérité ?

Elle s'étira, l'air satisfait, le dos réchauffé par le brasier que le parchemin avait revigoré.

— Quoi qu'il en soit, elle en sera pour ses frais. Je n'ai pas davantage l'intention de la plaindre que de lui répondre.

Elle s'attarda sur mon visage ennuyé.

— Quoi donc ? Ne te réjouis-tu pas de ce qui lui arrive ? N'a-t-elle pas eu ce qu'elle méritait ?

— Si fait, ma reine. Si fait. Je crains seulement sa vengeance. Contre toi. Contre Henri.

Aliénor éclata d'un rire frais.

— Tant qu'elle sera consignée sur ses terres, je n'en vois pas le danger ! Et crois-moi, Thomas Antelburgh n'est pas homme à la laisser filer ou comploter.

Je m'abstins d'autre commentaire, d'une part parce que la fidélité d'Antelburgh à Henri s'était toujours vérifiée, de l'autre parce qu'à cet instant la porte s'ouvrit sur le roi, un sourire léger aux lèvres, la barbe galonnée et l'œil de velours.

— Serait-il indélicat de ma part de demander aux deux plus belles dames de ce royaume d'arbitrer une querelle de chevaliers ?

Aliénor rosit de surprise sous le compliment inattendu et moi, connaissant Henri, je me demandai quelle contrepartie il allait pouvoir en retirer.

En vérité, Henri ne savait comment déterminer l'ordre de passage au grand tournoi prévu pour la fin d'année à Avranches. La fine fleur de la chevalerie du royaume y avait été conviée, ce qui sous-entendait autant d'Aquitains que de Bretons ou d'Anglo-Normands. Henri avait toujours été enclin à placer ses familiers en tête de liste, or, souhaitant marquer de fait sa réconciliation avec la reine, il aurait été de bonne diplomatie, cette fois, que les Aquitains soient les premiers. Comment satisfaire les uns sans froisser les autres ? Face à ce dilemme sur lequel il s'était penché plusieurs heures, il avait décidé de se retrancher derrière la volonté de son épouse que nul ne songerait à critiquer. Je dus lui reconnaître là habile manœuvre. Mais moins que celle de la reine qui tourna et retourna la longue liste des participants entre ses doigts, avant de planter avec défi ses prunelles dans celles de son époux.

— J'ai une bien meilleure idée, Henri. Que diriez-vous en ouverture de ce tournoi d'une passe à l'épée entre deux adversaires, l'un aux armes de l'Aquitaine et l'autre de l'Angleterre ?

— Pour déterminer qui commencerait ?

— Plutôt pour ramener l'équité. Car, à l'issue d'un vrai combat qui tiendrait la cour en haleine, l'un des deux déposerait lame.

Il tiqua.

— Aucun de nos chevaliers n'accepterait semblable affront.

— Si, Henri... Vous... Vous, vous l'accepterez.

Il blêmit.

— Que dois-je comprendre, ma reine ?

— Ce que vous avez déjà compris. Que je vous défie face à nos gens de me rendre le panache que vous m'avez volé.

Retranchée près de la croisée qui dominait les jardins, je me délectai de voir Henri se décomposer.

— Sauf votre respect, ma mie, vous n'êtes pas de taille à croiser mon fer.

— Volonté supplante bien des infirmités !

— Mais enfin, je risquerais de vous blesser !

— Plus que vous ne l'avez déjà fait ?

Il avança la main vers elle.

— Voyons, Aliénor, de quoi aurions-nous l'air ?

— Vous, je ne sais pas, Henri, mais moi de ce que je suis : la reine d'Angleterre ! Et je vous prierais désormais de ne plus l'oublier !

Les jours qui suivirent apportèrent à la reine le soutien de ses fils. Henri finit par se rendre à sa détermination. Dès lors, il afficha entrain et laissa la nouvelle courir le royaume. Si bien qu'au soir de notre entrée dans la ville d'Avranches Aliénor fut accueillie par une foule nombreuse massée le long des rues et fière du courage qu'elle montrait. Aucun ne se doutait que depuis longtemps la reine savait manier l'épée.

26.

Ce 29 décembre, donc, la cité d'Avranches se vit envahie par les marchands ambulants, certains de faire fortune. Dès l'aube, les abords de la cathédrale avaient été pris d'assaut par les curieux que la maréchaussée était parvenue à contenir. Sous les acclamations de la foule, nous avions quitté le vaste manoir de Gilbert de Subligny où nous étions logés, pour nous rendre aux lices, installées au pied de la cité. Le ciel était plombé. Les étendards de chacun des participants claquaient au vent. Abrité d'un risque de pluie par des dais colorés, tout ce que le royaume comptait de dames et seigneurs de haut lignage trompait son attente sur les bancs des échafauds en regardant évoluer les joglars et les fous qui se disputaient le champ clos. La feste tenait le cœur de tous mais plus encore celui des fils du roi, superbes et impatients de voir leur père plier genou devant leur mère, car eux savaient. Ils savaient que c'était un symbole qu'elle lui voulait arracher. Celui d'un roi dont l'heure était venue de se retirer. Celui d'un père qui les avait laissés grandir sans s'inquiéter vraiment de ce qu'ils étaient, pensaient ou souffraient.

Sous une des tentes où achevaient de s'habiller les participants du tournoi, Aliénor gardait les bras en l'air pour me permettre d'agrafer sur le côté droit de sa poitrine les attaches d'un haubert à triples mailles qui lui battait les genoux.

— Empresse-toi. J'entends sonner les trompettes.

— Ce n'est que la première salve, Aliénor, et je touche au bout. Et puis nul ne commencera sans toi !

— Hâte-toi tout de même. Je ne veux pas rater mon entrée.

Le rabat de la porte se souleva pour laisser s'encadrer la carrure massive d'Henri.

— Êtes-vous prête, ma mie ?

— Dans un instant.

Il resta immobile quelques secondes, surpris de sa prestance dans son accoutrement de guerrière, puis se racla la gorge.

— Vous pouvez encore renoncer…

Elle le foudroya du regard. Lors il s'inclina et disparut sans insister.

Tandis que je regagnais la place qui m'avait été réservée à côté de l'archevêque Robert de Thorigny, d'Eloïn et de Jaufré, Aliénor enfourchait son destrier pour rejoindre son époux déjà juché sur le sien. Ils échangèrent un signe de tête, puis, côte à côte, menant la procession des chevaliers qui, après eux, s'affronteraient, ils s'avancèrent le long de l'allée menant au champ clos. Sous les acclamations des invités, ils offrirent un premier tour d'honneur. Les fanions claquaient au vent, soutenant les envolées de trompette et scandant la voix des hérauts pendant qu'ils présentaient tour à tour les cavaliers immobilisés devant la tribune d'honneur pour saluer Henri le Jeune. La bonne humeur régnait sous les murailles de la ville, face à la baie du mont Saint-Michel. Et puis vint le moment tant attendu. Rejoignant les bords en deux camps distincts, celui des Anglo-Normands et celui des Aquitains, les rivaux immobilisèrent leurs montures en une ligne parfaite devant laquelle, au centre du champ clos, Aliénor et Henri mirent pied à terre. Une lice à merci, avait ordonné Henri le Jeune. Arrêtée à la moindre goutte de sang. Tous, depuis les tribunes, et moi la première, furent suspendus au silence de plomb qui s'abattit sur le salut qu'ils s'adressèrent. La seconde suivante ils arrachaient d'un même élan leur épée du fourreau. Ceux qui s'étaient attendus à voir ma reine prendre un cours de maniement d'armes en furent pour leurs frais. À la découvrir sereine dans la poussière, vêtue du haubert aux lions dressés, la garde solidement affirmée, il n'en fut pas un dans les tribunes pour douter qu'Aliénor avait bel et bien décidé de laver sur cette place l'affront passé. D'autant qu'Henri, ne sachant s'il devait attendre ou orchestrer cet étonnant ballet, demeurait planté, immobile et gourd, face à elle. Elle lui adressa un sourire entendu avant de lâcher un hurlement à glacer le sang et à durcir chacun sur son siège. La fraction de seconde suivante, dans une pirouette qui sembla la grandir et diminuer entre ses mains le poids de sa lame, elle frappa celle d'Henri.

Le combat était commencé.

Il dura de longues minutes, surprenant chacun de nous par la violence de leurs échanges. Si dans les premières passes, Henri donna l'impression de retenir ses coups, bien vite les suivantes l'obligèrent à ferrailler, tant Aliénor s'avéra un adversaire admirable. Garde haute, basse, estocade, feinte... Vive, souple et musculeuse malgré son âge, elle s'accroupissait, bondissait, tournoyait pour se garder des attaques d'Henri, mais cherchant à le blesser légèrement pour le contraindre à abdiquer. Rusée et féline, elle avait suffisamment suivi son jeu au long de toutes ces années pour savoir où et comment le surprendre. Force fut à Henri de reconnaître que, s'il avait l'avantage de sa haute taille et d'une puissance masculine, elle possédait toutes les roueries nécessaires pour s'en défendre. Et assez de détermination pour le piquer. L'idée donc de s'incliner devant elle, cette idée qui lui avait semblé détestable au premier abord, lui parut soudain justifiée. Il bondit de côté, recula de quelques pas. Elle leva le menton d'un air de défi, le souffle court, le front dégoulinant de sueur sous les mailles qui enveloppaient son crâne.

— En avez-vous assez, mon époux ?

Pour toute réponse, il posa genou à terre et, devant lui, le plat de son épée.

Une fois de plus, Aliénor d'Aquitaine avait gagné.

27.

Thomas Becket était satisfait. Grâce à de nombreux témoignages, il avait obtenu, la veille, le nom des assassins de son jeune frère. Comme il s'en doutait, avertis de son retour et de son intention de le venger, les quatre hommes avaient fui. Becket avait obtenu le soutien du nouveau grand chancelier du royaume pour les traquer et les juger. Ce n'était plus qu'une question de jours. Ensuite seulement il serait en paix avec lui-même et pourrait se rendre avec sérénité à ses fonctions retrouvées de primat d'Angleterre. Ce 29 décembre, il s'apprêtait à fêter l'épiphanie avec sa famille. Une famille éparpillée hier parce que contrainte par Henri de s'exiler aux quatre coins du royaume, et enfin réunie pour célébrer avec lui le passage à la nouvelle année. Il se sentait léger. Lui qui pratiquait le jeûne comme un complément nécessaire à sa mortification s'était laissé convaincre par ses sœurs d'y surseoir pour la soirée. Le repas se voulait en son honneur. Un honneur lavé. Il ne pouvait faire autrement que d'en goûter chaque morceau. Et pour avoir en son temps apprécié la bonne chère, il savait par avance qu'il s'en délecterait. Il avait même décidé, après le dernier office de la journée, de se séparer définitivement de ce cilice qui depuis trop longtemps lui tenait lieu de seconde peau. Il n'en avait plus besoin. Sa rancœur n'avait pas survécu à l'accueil chaleureux qu'on lui avait réservé à son arrivée. À croire qu'aucun, du plus petit au plus grand, du laïque au prélat, n'avait cru les accusations qu'on lui avait portées. À croire qu'ils n'attendaient tous que de l'en voir lavé. Loin de s'en rengorger, il s'était senti petit face à leurs yeux brillants de joie, leurs témoignages d'amitié, leurs présents de pommes de pin colorées, de confiture de châtaignes ou de ronciers.

En sa paroisse de Cantorbéry, il ne s'était pas trouvé un seul être qui ne soit venu le saluer. Oui, Thomas Becket était heureux et, pour la première fois depuis fort longtemps, il n'éprouvait aucune réserve à ce bonheur, aucun besoin de s'en punir. Il songeait à sa petite sorcière. Il songeait qu'en lui envoyant ses vœux de bonne année, il lui raconterait ces retrouvailles avec les siens, le goût des perdreaux rôtis, des pommes dorées dans leur jus, du délicieux potage de courge et d'épices, de la tourte aux morilles et au chou, des cous de canes farcis à la truffe, des écrevisses en sauce de verjus et des yssues de table, ces yssues auxquelles il avait si souvent rêvé. Ah ! les crémeuses saveurs de caramel et d'orange des œufs au lait, l'onctuosité des tartes aux pommes et à la cannelle ! Il pouvait déjà imaginer son petit rire léger, son écriture penchée pour lui répondre combien elle était heureuse de ces nouvelles, de ces décisions, de ces choix. Et derrière ces mots dont il détaillerait chaque inflexion de plume, il dégusterait l'affection réelle qu'elle lui portait et dont, jamais, elle n'avait varié.

C'était à tout cela qu'il pensait en refermant derrière lui la porte de sa cellule. Cellule qu'il avait retrouvée à son arrivée à Cantorbéry, nettoyée et rafraîchie, mais nullement changée. Le lit de cerisier était le même, la croix piquée au mur retenait toujours la même effigie du Christ, la tête penchée sous sa couronne d'épines. Bronze rougi aux mains et aux pieds, du sang qu'il avait versé. Becket avait reconnu le même broc, la même bassine, tous deux destinés aux ablutions, le même pot de chambre au couvercle ébréché. Et là, cette malle qu'il n'avait pu emporter en exil et qui contenait les trésors de son enfance. La bible de son père, le chapelet de sa mère, quelques essais d'enluminures, des livres. Il avait pris du temps pour chacun d'eux, les yeux usés à force de les caresser, car trop longtemps abandonnés à ce lieu qu'on lui interdisait. À la faveur de la nuit, il avait foulé de ses pieds nus les tomettes inégales avec le plaisir simple d'être de retour chez lui. Enfin.

En se rendant ce soir du 29 décembre dans la petite chapelle absidiale de la cathédrale où il avait coutume de prier jusqu'à une heure avancée de la nuit, il louait le Ciel d'être guéri de l'ambition du pouvoir, de la gloire et plus que jamais tourné vers la miséricorde et la compassion. Oui, il louait le Ciel d'être redevenu cet homme qui, dans les jardins de l'île de la Cité, échangeait de théologie et de paganisme avec une sorcière aux cheveux d'ambre et aux yeux gris-vert.

*

C'était à lui que je songeais en cette soirée de festoie qui s'achevait sur le rire d'Henri et la main d'Aliénor posée sur son poignet. À lui qui se serait réjoui comme moi des minutes qui avaient suivi l'affrontement des époux royaux. Réunissant ses deux mains, Aliénor avait levé son épée au-dessus de sa tête, rayonnante de victoire. Un à un les chevaliers aquitains, tous ses vassaux présents s'étaient dressés à leur tour, Richard le premier. Ils s'étaient mis à battre du soulier en cadence sur les gradins et j'avais vu le visage d'Henri se défaire. Avait-il compris qu'on venait de porter un coup sérieux à son autorité ? Il n'avait pas bougé pourtant, dans cette posture de chevalier en attente d'adoubement. Jusqu'à ce qu'Aliénor rejette au loin sa lame et lui tende la main. Alors seulement il était venu se placer près d'elle, avait enroulé son bras autour de ses épaules pour, en même temps qu'elle, s'incliner devant la foule. Geoffroy et Henri le Jeune, qui encadraient Richard, s'étaient levés à leur tour, entraînant leurs gens derrière eux, et tapèrent du pied. De longues minutes durant. Ensuite, le vacarme retombé, ils étaient remontés sur leurs destriers pour rejoindre leurs tentes respectives et Henri le Jeune avait annoncé que chaque lice verrait s'affronter les chevaliers qu'un simple tirage au sort désignerait. Une lice à merci de nouveau mais comme en Tintagel, autrefois, sans contrepartie sinon l'honneur de celui qui combattrait. Aucun n'avait trouvé à redire. Aliénor et Henri, rhabillés d'atours somptueux, avaient regagné leur place, sous un dais aux deux bannières, et je dois admettre que ce tournoi fut un des plus beaux et des plus nobles auxquels j'eusse assisté.

Le banquet qui avait suivi, servi sous les étoiles et bercé par le cri des cormorans de la baie du mont Saint-Michel, les commentaires joyeux des chevaliers, le rire clair de leurs dames, les chansons de geste ou celles à danser, avaient réconcilié bien plus que le roi et la reine. Au terme des quatre heures qu'il dura, Jaufré, à mes côtés, porta sur l'assemblée un œil grisé par le vin épicé. Eloïn, placée entre Richard qui ne la quittait des yeux et Henri le Jeune qui l'appréciait, savourait ses dernières heures avant l'arrivée d'Adélaïde de France. Tout entière à sa félicité, elle continuait de ne pas percevoir en moi cette vie qui s'épanouissait. Je ne lui en avais rien dit. Pas plus, comme me l'avait conseillé la Franchelune, qu'à Jaufré. C'était mon secret. Mon doux secret. Lors, sous cette voûte céleste qui me faisait porter sur chacun la lumière d'une tendresse sans âge, j'avais enfin vu s'éloigner mes démons passés.

Cette béatitude ne me quitta qu'au moment où, la tempe dans le creux de l'épaule de mon époux, dans cette chambre que nous avions regagnée, je laissai mes paupières trop lourdes se fermer.

Oui, Thomas Becket serait heureux, à la lecture de ma lettre, d'apprendre que l'alliance, cette alliance que Merlin avait présagée brisée, venait de se ressouder. Et que, peut-être, elle préserverait la paix autant que l'unité.

28.

Thomas Becket aimait cet instant où l'esprit, moins alerte, s'évade des rets de la prière pour atteindre les nuées. Il y avait toujours capté plus fortement l'omniprésence divine. Comme s'il fallait que l'homme s'abandonne totalement pour toucher à l'impalpable. Il laissa l'engourdissement le prendre, ses pensées s'effilocher, dissoudre son *Pater noster* dans les brumes du sommeil qui le gagnait. À plusieurs reprises par le passé, il avait fini par s'endormir tout à fait, s'éveillant melu par la posture inconfortable, la froidure des pierres que les cierges n'avaient réussi à réchauffer. Quelques jours de suite, il avait traîné dans les hanches, les genoux, des douleurs inconfortables qu'il avait acceptées comme une punition de n'avoir su attention garder. Ce temps-là était révolu depuis qu'il avait dû acquérir d'autres habitudes à Sens où, la messe terminée, il s'en allait se coucher. Il se signa donc, puis se leva, avec au cœur et sans remords l'envie de se glisser sous une chaude couverture, de laisser son corps s'enfoncer mollement dans l'épaisseur de son matelas de laine. Il s'étira puis se dirigea vers une des deux rangées de cierges pour les moucher. Il n'aimait pas gaspiller. Il allait éteindre le dernier de la rangée, un bâillement aux lèvres, lorsque le couinement de la porte derrière lui réveilla son attention. Il se retourna, surpris, le long manche du cône de fer servant à moucher les chandelles dans la main. L'un après l'autre, quatre hommes vêtus de noir pénétrèrent dans la petite chapelle absidiale de la cathédrale de Cantorbéry. Des soldats d'Henri, jaugea Becket, à leur allure, à leur épée courte pendue à leur ceinture. Le dernier referma derrière lui. Becket resserra instinctivement son poing sur l'outil, alerté autant par leurs mines sournoises que par l'incongruité de leur visite. Une demande d'audience, ou tout autre événement, auraient été annoncés par un des clercs de l'abbaye.

— Thomas Becket? demanda, en s'avançant, celui qui semblait le plus âgé.

En une fraction de seconde, réveillé tout à fait, Becket comprit que face à lui se trouvaient les assassins de son frère. Loin de s'en effrayer, il éprouva une jubilation malsaine. Il ne bougea pas, les laissa se déployer devant lui, lui barrer passage.

— Vous voici bien tardifs à vous rendre au jugement de Dieu, mes enfants.

Un second, au visage d'ange, fronça les sourcils.

— Vous savez donc qui nous sommes?

— Qui a le cœur en paix ne s'annonce pas de cette manière et à une heure si tardive. J'en conclus que le vôtre est plus noir que je n'imaginais. À moins que ce ne soit le remords qui vous ait poussés en ce lieu?

— Le service du roi ne souffre pas de remords.

Le regard de Becket se voila d'une ombre douloureuse.

— Est-ce à dire que c'est sur son ordre que vous avez lapidé mon frère?

Pour seule réponse, ils arrachèrent lame au fourreau. Becket se troubla.

— Iriez-vous donc jusqu'à souiller la maison de Dieu?

Ils avancèrent d'un pas en sa direction, imperturbables. Lors, Becket, pour se défendre, leva son bras.

*

Je me réveillai en sursaut, un hurlement de douleur en gorge qui fit se dresser Jaufré à mes côtés. Tout aussitôt je me mis à trembler. Je n'entendis pas les paroles que mon époux prononça dans la lueur douce des flammes de la cheminée. Je ne vis que ces images, ce poing brandi pour tenter de contrer les coups d'estoc, un, deux, dix. Puis seul le bruit du métal rendu aux tomettes du chœur de la chapelle emplit ma réalité. Le corps se voûta, tomba à genoux, percé encore et encore jusqu'à ce qu'il s'écroule et que les assassins, indifférents, se retirent sans se retourner.

Comme s'il avait capté ma présence impuissante à ses côtés, la dernière pensée de mon vieil ami fut pour moi. En forme d'excuses.

— Je meurs au service de Dieu.

De mon entrejambe s'échappa alors un sang épais. Je perdis mon enfant dans les minutes qui suivirent. Tout se transforme, rien ne se crée. Et Becket venait de refuser de se réincarner.

29.

La nouvelle de la fin cruelle de Becket bouleversa la chrétienté jusqu'en ses confins les plus reculés. Chez les Plantagenêts, elle tomba comme la foudre. Henri le Jeune s'effondra en sanglots dans les bras de sa mère pour la première fois de son existence. Tous firent bloc autour de lui, à l'exception de son père qui, sous le choc et à la perspective des terribles conséquences de cet assassinat, se tint reclus en sa chambre une semaine durant. Il me réclama à ses côtés, me dit-on. Je fus incapable de m'y rendre. Malgré la présence de Jaufré, sa compréhension, sa tendresse, une double part de moi s'était éteinte dans cette tragédie. Comme Henri, l'appris-je plus tard, la fièvre me prit. Elle me plongea dans des cauchemars terribles qui me firent revivre en boucle les dernières minutes du primat d'Angleterre. Chaque fois je m'en arrachais en hurlant, éventrée de même. Cherchant dans cet obscur égarement à mettre un visage sur l'ombre que je devinais derrière ce crime. Une ombre dont le rire démentiel accrochait l'ultime regard de Becket. Comme si c'était d'elle et d'elle seule qu'étaient venus son malheur et le mien.

Abandonnant Richard au soin d'accueillir sa promise qui venait d'arriver à la cour, Eloïn resta à mon chevet. Son père non plus n'avait rien su de ma grossesse. L'important désormais n'était pas de pleurer cet enfant perdu, mais de me sauver. Ma fille usa de tous ses pouvoirs médicinaux. Se découvrit même la faculté de pénétrer dans mes songes pour les lire et comprendre ce qui m'y retenait. Elle en ressortit dans un vomissement tant les images la broyèrent. Lors, elle s'en fut en forêt cueillir puis mettre en décoction un de ces champignons qui poussent aux racines des arbres. À doses infimes et quotidiennes, on lui prêtait la propriété de révéler les vérités cachées sans que son poison vous mette en danger. Au septième jour de mon enfer, l'ombre me révéla enfin sa face réjouie. En me redressant, libérée, dans ma couche trempée d'une sueur acide, je crachai son nom comme une injure :

— Rosamund Clifford.

Ensuite de quoi je sombrai dans un sommeil profond duquel je ne m'arrachai qu'au lendemain, pour trouver Jaufré et Eloïn abandonnés l'un comme l'autre dans un fauteuil, les traits tirés. Ils ne m'avaient pas quittée. Ma fièvre était tombée, pas ma rancune. Je réclamai collation, puis le secret absolu sur ce que j'allais leur révéler.

Succédant à Aliénor, Henri me vint trouver le soir même. Amaigri comme je l'étais, il m'enveloppa d'un œil triste. Je détournai le mien, frappée de cette évidence. L'amour que je lui portais s'était dilué dans le sang de Becket. Je n'eus pas besoin de l'accuser, sans doute se souvenait-il de cette menace qu'il avait proférée à demi-mot en m'envoyant au-devant du prélat au moment de leurs retrouvailles à Domfront. Car sitôt qu'il fut assis à mon chevet, après s'être déclaré désolé pour ma fausse couche, il chercha à se disculper :

— Je ne suis pour rien dans la mort de Becket, Canillette, je te le jure !

Je revins planter mon regard glacial dans le sien, voilé de larmes douloureuses.

— Qui le premier a jeté sa famille sur les routes ? Qui, par cet acte, a induit la curée contre son frère ? Qui n'a pas châtié les coupables ? Qui, après leur avoir donné l'immunité, a laissé entendre que Becket, de retour, recevait l'autorité pour les pendre ? Qui les a armés contre lui ? Qui ? Qui, Henri Plantagenêt ?

Il recouvrit son visage de ses mains, le secoua en gémissant, livide.

— Tais-toi, Canillette. Tais-toi...

Une douleur sans nom cassa le timbre de ma voix.

— Oui, je vais me taire désormais comme on garde silence sur une tombe. Celle de l'Angleterre. Elle n'a pas seulement perdu son primat, elle a perdu un roi digne d'elle. Digne de la lignée qui le nomma. Et cela, Henri, définitivement je ne vous le pardonne pas.

*

Thomas Antelburgh acheva dans un soupir de repousser à la mer le dernier des corps qui encombrait la charrette. La nuit était noire, le vent furieux. Il dut lutter contre une bourrasque pour se garder debout et achever sa méchante besogne. Ces quatre soiffards n'avaient pas fait plus de difficultés à s'enivrer qu'à accepter d'assassiner Becket. Ils avaient empoché leurs subsides et trinqué avec lui à la santé du roi dans cet entrepôt où il leur avait donné rendez-vous. Les bougres ne s'étaient pas doutés un seul instant que chacun de leurs gobelets contenait du poison. Pour autant, alors qu'il regardait disparaître dans les flots impétueux de la Manche la dernière preuve de sa culpabilité, il ne se sentait pas fier. Il avait compris trop tard avoir été joué dans ses sentiments par Rosamund Clifford.

Tout s'était passé vite. Trop vite. Au retour de son entrevue avec le primat d'Angleterre, dans la voiture qui devait les ramener tous deux à Maunffeld, dans la forêt de Sherwood, elle avait éclaté en sanglots.

— C'est terrible, Thomas. Becket a refusé mon pardon.

Il s'en était moqué gentiment.

— Le contraire m'eût surpris, très chère.

Elle avait levé vers lui ses grands yeux éplorés, avait secoué la tête.

— Vous obstinerez-vous donc à ne pas comprendre ? Il n'est que rancœur. Pas seulement pour moi mais pour le roi, pour vous !

— Pour moi ? s'était-il étonné tandis que la voiture se mettait en branle, la précipitant plus encore dans ses bras.

Elle s'était servie de ses propres aveux.

— Pour vous, oui. Il sait. Il sait que ce sont vos hommes qui ont tué son frère. Il sait que vous avez agi sur l'ordre d'Henri, pour le contraindre à lui remettre les preuves qu'il détenait de son innocence.

Antelburgh, un instant ennuyé, avait repris de l'assurance dans un haussement d'épaules.

— Et quand bien même, que voulez-vous qu'il fasse ? Becket n'est pas un assassin et, s'il l'avait pu, il aurait brandi ces supposés documents depuis bien longtemps. Croyez-moi, il n'est une menace pour personne.

Elle s'était redressée, cassante dans sa désespérance.

— Vous êtes un idiot, Thomas Antelburgh !

— Je ne vous permets pas, Rosamund.

— Et moi, je le répète. Vous êtes un idiot si vous persistez à voir dans le retour de Becket à Cantorbéry autre chose qu'un moyen de récupérer ces preuves.

— Elles n'existent pas, avait-il martelé.

— Si, elles existent. Il me les a montrées !

Il en était resté bouche bée. Elle en avait profité pour, de nouveau, se jeter contre lui à gros sanglots, prenant soin, entre deux, de se lamenter.

— Il a même eu l'audace d'affirmer que, ragaillardi de pouvoir, il allait les mettre au service de la justice. Que toute la chrétienté saurait à quel point le roi d'Angleterre était indigne de son trône. Qu'une fois châtiés les assassins de son frère, vous compris, il n'aurait plus aucun mal à soulever l'opinion, la papauté et à contraindre Henri à céder place à son fils. C'en est terminé, Thomas Antelburgh ! Oh ! Seigneur Jésus, que faire, que faire ? S'il s'était trouvé ne serait-ce qu'un seul d'entre vous, à Chinon, en mars dernier, pour répondre à l'appel d'Henri ? Mais non. Pas un, pas un seul !

Antelburgh avait revu la scène. Exaspéré par une nouvelle dérobade de Becket, un nouveau refus à se soumettre, Henri avait toisé ses chevaliers d'un regard furieux.

— Mais enfin, n'existera-t-il personne pour débarrasser l'Angleterre de ce traître ?

Comme les autres, il avait baissé le nez. Le courage invoqué par Henri et qui, alors, lui avait fait défaut, il l'avait cherché le restant du trajet. Par devoir envers le trône, il avait fini par le trouver. Personne ne douterait que c'était pour se sauver de la justice que les quatre soldats auraient tué le prélat. Nul ne songerait à accuser le roi. Pour autant, jamais il n'aurait imaginé que ces chiens le mettraient en pièces dans une église au point que l'autel en resterait souillé de sang. Non, jamais il ne l'aurait imaginé. Et moins encore que Rosamund recevrait la nouvelle de cette curée un sourire aux lèvres.

— Voilà qui est bien fait. Cet insupportable petit cancrelat n'avait pas à me défier.

Il s'était étranglé.

Elle avait porté ses doigts bagués à sa gorge, l'œil pétillant de gourmandise.

— Et si vous alliez terminer ce que vous avez si bien commencé, mon cher ? Comme vous me l'avez si justement fait remarquer, les preuves sont embarrassantes. Mieux vaut les éliminer.

Dans cette obscurité qui annonçait l'orage, il resserra les pans de son mantel, remonta sur la charrette et fouetta le cheval qui la tirait. Sa décision était prise. Il ne regagnerait pas la demeure de Rosamund Clifford. Dès le lendemain il traverserait la Manche et s'en irait tout raconter au roi. Adviendrait de lui ce qu'il adviendrait.

30.

En ce début de l'année 1171, alors que je reprenais force et vie pour mieux nourrir ma vengeance contre Rosamund Clifford, le vent souffla avec une telle fureur sur la chrétienté qu'il obligea chacun à rester enfermé chez soi. Non seulement cette tempête emporta toitures et cheminées, mais elle abattit des arbres par centaines, fit échouer plusieurs navires au large des côtes et deux qui tentèrent la traversée de la Manche. Dans l'un de ceux qui coulèrent à pic se trouvait Thomas Antelburgh. Personne désormais, sinon Rosamund, Jaufré, Eloïn et moi ne savait la vérité. Or, je n'avais aucune preuve pour accuser Rosamund. Ignorant même que j'avais été atteinte par ricochet, elle s'employa à sa rancœur. Becket et ses assassins expédiés, Antelburgh perdu, elle laissa traîner quelques remarques à proximité des domestiques, évoquant les propos de Chinon, les confidences d'Antelburgh qui y voulaient répondre, sa tristesse enfin à les deviner coupables de la mort de Becket, le roi et lui. L'un pour avoir pensé, l'autre pour avoir agi. Si bien que de bourrasques en tempêtes, la rumeur vola jusqu'au royaume de France où Louis, prêt à croire volontiers à ses envolées, en avisa le pape qui somma Henri de s'expliquer.

Lorsque le vent tomba, un froid polaire lui succéda, gelant étangs et mares en quelques heures et empêchant tout échange de courrier. Plusieurs semaines durant, la Manche se mit à charrier des plaques de glace tandis que des cadavres de dauphins s'échouaient sur les plages. Qui hasardait le nez dehors pour quérir du bois de chauffage le voyait geler sur sa goutte. On pria pour que le Très-Haut châtie au plus tôt les coupables, que l'âme de Becket trouve repos et que le pape, furibond, ne frappe pas les domaines d'Henri d'interdit.

Début mars, avec le redoux, les premiers miracles fleurirent sur la tombe de Becket. Ce fut un aveugle qui recouvra la vue, puis un impotent qui se mit à danser et enfin un lépreux qui vit ses plaies cicatriser. En quelques jours, ils furent des dizaines à se mettre en chemin pour prier ce saint homme martyrisé. La colère du Ciel apaisée, on pensa que celle des hommes le serait aussi. Pour la contrer, Henri écrivit une longue missive au pape dans laquelle il jura sur la très sainte Bible être innocent de ce crime qui le meurtrissait, même si, les assassins demeurant introuvables, il désespérait d'un jour voir triompher la vérité. La réponse d'Alexandre III fut brève :

« *Tout puits possède fond…* »

L'affaire était loin d'être réglée. D'autant qu'à la cour l'atmosphère demeurait pesante, au point que tous se demandaient s'ils n'avaient pas rêvé ce grand tournoi qui avait vu les cœurs s'envoler. Pour se distraire, on jasait de plus en plus sur la distance qui se réinstallait entre Aliénor et son époux. Au point qu'Henri finit par prendre ombrage de la présence de Ventadour. Pour s'en débarrasser, après s'être assuré qu'elle était seule, il s'introduisit un soir dans la chambre de son épouse, bien décidé à la convaincre de caresses.

Elle le cueillit d'un œil glacé.

— Êtes-vous venu satisfaire un orgueil imbécile ou renouer d'amour ce lit que vous avez défait ?

Son index, qui s'était délicatement enroulé dans une de ses mèches de cheveux, resta en suspens dans la boucle.

— Je suis votre époux…

— Cela signifie-t-il que vous attendez de moi que j'écarte les cuisses pour me rendre à un devoir éculé ?

— Voyons, Aliénor, ne croyez-vous point que le temps est véritablement venu de baisser les armes? Ma patience n'a que trop duré.

Elle recula d'un pas. La boucle se dénoua et Henri laissa retomber sa main.

— Et la mienne donc ! Nierez-vous que chaque nuit vous enlacez la belle Ermeline de Louens ?

— Parce que vous me repoussez !

— Fi Henri ! Fi ! Vous me trompez aujourd'hui comme vous m'avez trompée hier.

— Et que devrais-je dire, moi qui supporte votre amant sous mon toit ! Je me demande ce qui me retient de…

— … le fairc disparaître, comme Becket?

Il demeura bouche ouverte. Elle brandit un index menaçant.

— Qu'il lui arrive le moindre accident et je vous jure, Henri, que notre belle amitié volera avec autant d'éclat que ma colère !

Celle d'Henri monta d'un cran.

— Ainsi donc, vous aussi vous me condamnez !

Elle releva le menton de défi.

— Non, mon époux, je vous préviens. Pour le bien du royaume. Allez donc guerroyer pour assurer la succession de votre fils Geoffroy au trône ducal de Bretagne qu'on lui conteste, et forcez Henri le Jeune à réagir à son chagrin en lui donnant la gestion de Rouen. Occupez-vous du royaume au lieu de béliner et peut-être, je dis bien peut-être, parviendrai-je à oublier que vous avez un jour espéré la mort de Becket, assez pour que l'ensemble de la chrétienté soit assuré que vous l'avez commanditée !

Le poussant dehors, elle lui claqua la porte au nez.

Dès le lendemain, nous reprenions la route de l'Aquitaine. Comme moi, Aliénor était bien loin de pardonner à

Henri la mort du primat. Pour d'autres raisons pourtant. Non seulement elle n'admettait pas de subir la suspicion de tous par ricochet, mais elle ne se guérissait pas de la douleur de ses fils et d'Henri le Jeune en particulier. Pour ajouter encore à son souci, un courrier de l'abbesse de Fontevrault lui était arrivé qui réclamait sa visite discrète et urgente. À propos de Jean, ce fils qu'Henri lui avait arraché du ventre par le fil de l'épée après l'y avoir mis dans l'espoir qu'elle meure en couches. Pour satisfaire l'ambition de Rosamund Clifford. Jean qu'Aliénor, malgré tous ses efforts, n'était toujours pas parvenue à aimer.

31.

Mathilde d'Anjou n'était pas seulement la tante d'Henri Plantagenêt. Depuis une vingtaine d'années, succédant à Pétronille de Chemillé, elle était devenue la grande abbesse de Fontevrault. À ce titre, et après avoir été rejetée de longs mois durant par sa mère, Jean avait été placé sous son autorité, même si c'étaient les moines qui se chargeaient de son éducation. Depuis lors, toutes les deux semaines, ayant pris sur elle, Aliénor visitait son fils. Jean allait sur ses cinq ans. Taciturne depuis sa plus petite enfance, il lui venait à présent d'étranges manières qui embarrassaient l'abbesse. Jean ne semblait pas maîtriser toutes ses facultés mentales. Il n'en était pas responsable. Aliénor avait imaginé que dans cet environnement ecclésiastique, peu à peu les stigmates de sa naissance s'éloigneraient autant de lui que de son esprit de mère. Surtout, qu'elle finirait par l'admettre tel qu'il était, un enfant sans terre et sans titre, simple d'esprit sans doute, et destiné à la prêtrise pour racheter les fautes de son père. Mais les années passaient et elle repartait de Fontevrault chaque fois avec le même vide en elle, la même désespérance. Jean lui restait un étranger, comme si une autre qu'elle l'avait enfanté. Elle ne le lui montrait pas, au contraire. Elle agissait avec lui en mère attentive, l'écoutait, l'encourageait, le félicitait ou le sermonnait lorsqu'il le fallait. Elle caressait sa joue, le bisait au front, posait sur lui un regard doux et chaleureux mais dans lequel, quoi qu'elle fasse, l'amour était absent. Cet amour indispensable à la construction d'un enfant et dont Jean, peu à peu, apprenait à se priver, même si Richard, qui accompagnait invariablement sa mère, y suppléait.

Cette fois, jugeant ce dernier plus utile en Poitiers pour réaffirmer l'autorité ducale, nous partîmes seules affronter ce que je pressentais être la première incartade sérieuse de cet enfant rejeté.

Lorsque nous abandonnâmes escorte et monture devant les écuries de l'abbaye, la nuit tombait.

Les traits marqués, Mathilde d'Anjou ne nous fit guère attendre plus de quelques minutes. Les banalités d'usage échangées, elle nous invita à nous asseoir le temps qu'elle arrachât à un coffre cet élixir que les moines voisins fabriquaient et dont Aliénor était gourmande. Elle nous en servit trois godets puis s'installa face à nous, devant l'âtre qui crépitait. Son œil désolé nous balaya, avant de s'immobiliser dans celui d'Aliénor.

— Je suis marrie vraiment, duchesse, de vous avoir importunée de la sorte, mais je n'avais d'autre choix que votre diligence.

— Je vous écoute, ma mère. Qu'a donc pu faire cet enfant pour vous embarrasser de la sorte ?

L'abbesse se signa, accroissant mon inquiétude et crispant davantage les doigts d'Aliénor sur le hanap.

— Il y a deux matins de cela, un de nos convers est venu m'avertir que plusieurs poulets avaient disparu de la basse-cour. Trois pour être précise. Il avait tout d'abord cru à l'œuvre d'un renard, mais à y regarder de plus près il a trouvé des traces de pas. Des petites traces. Il les a suivies, avec plus de curiosité que de peur, espérant qu'un témoin lui confirmerait les faits.

Elle déglutit.

— Comme vous le savez, il existe une ancienne chapelle derrière le cloître…

Aliénor hocha la tête.

— Celle dont la crypte contenait deux sarcophages mérovingiens...

— C'est cela. Le convers y est descendu, son attention attirée par des plumes qui jalonnaient la travée...

Elle soupira lourdement.

— Jean se trouvait en bas, éclairé par plusieurs lampes à huile, les pieds baignés du sang et des entrailles de ces pauvres bêtes qu'il avait éventrées à l'aide d'un coustel de cuisine. Et s'il n'y avait eu qu'elles ! D'autres créatures, de mort plus ancienne, semblaient avoir subi même sort. Un lapin, deux furets, une effraie...

Devant notre visage décomposé, elle agita une main molle.

— Avisant le convers, il a souri, a posé son coustel à terre puis s'est essuyé les mains. Il n'a offert aucune résistance à le suivre jusqu'en mon bureau et, interrogé, m'a répondu d'un haussement d'épaules qu'il voulait voir si de l'intérieur aussi, elles étaient différentes.

— Une crise de démence ?

— Je ne crois pas, duchesse. Son précepteur m'a avoué l'avoir découvert penché sur quelques planches de botanique qu'il avait laissées sur sa table. A-t-il voulu juger par lui-même du caractère des êtres vivants ? À son âge cela me semble inconcevable, même si, dans certains domaines, ce garçon me surprend par sa curiosité. Quoi qu'il en soit, j'ai dû le punir sévèrement pour lui rendre la mesure de ses actes. Je l'ai fait enfermer au cachot.

Aliénor crispa ses doigts sur les accoudoirs.

— N'est-il point trop jeune ?

L'abbesse secoua la tête, l'air ennuyée.

— J'ai voulu l'en extraire le midi, convaincue que la leçon avait porté. Contre toute attente, il m'a tourné le dos, est retourné s'asseoir au fond de la cellule et m'a dit qu'il n'en sortirait que si vous le lui autorisiez.

Ma reine bondit.

— Est-ce à dire qu'il s'y trouve encore ?

— En effet, mais je doute qu'il en soit malheureux, et c'est là toute mon incompréhension.

— Que voulez-vous dire, ma mère ? intervins-je.

— Il passe ses journées à chanter.

Malgré la douce clarté des lampes dont on avait pris soin de garnir le cachot, Jean cligna des yeux lorsque, les reins brisés, nous en franchîmes l'une derrière l'autre le seuil. Son chant, d'une étonnante pureté, s'était tu lorsque nous avions écarté cette porte basse, laissée entr'ouverte depuis que la sanction de l'abbesse avait été levée. Pour autant, confirmant ses dires, Jean ne l'avait pas poussée. Il offrit révérence à sa mère et, pour la première fois, je vis Aliénor franchir l'espace qui les séparait pour s'accroupir devant lui et le presser dans ses bras. Il enroula ses bras autour de son cou et mon cœur se serra de cette étreinte inattendue, de cette communion soudaine de deux êtres en attente l'un de l'autre mais trop éloignés de souffrance pour seulement en avoir conscience.

— Jean, Jean, mon petit Jean, murmura-t-elle. Vous êtes glacé. Allez-vous bien ?

— Oui, mère.

Elle l'écarta d'elle, fouilla dans ce regard brûlant masqué d'une mèche brune. Une bouffée de tendresse la bouleversa tout entière.

— Je serais venue plus vite encore si j'avais su quel sort vous vous imposiez. Pourquoi, Jean ? Pourquoi ?

Son sourire lui mangea un peu plus le visage. Aliénor secoua la tête, désespérée de ne pas le comprendre.

— Vous ne devriez pas sourire. Vous avez tué…

Il fronça les sourcils, soudain inquiet.

— Vous croyez ?

— Oui, Jean. Je crois.

— N'est-ce point ce que vous faites, vous et père, à la chasse ? Ces poulets n'étaient-ils pas destinés à être mangés ?

Ni ma reine ni moi ne sûmes quoi répondre. Jean s'en troubla et ses yeux se mirent à briller, son menton à trembler.

— Vous ai-je déçue, mère ?

Elle le reprit contre elle.

— Non. Non, Jean. J'essaie seulement de comprendre pourquoi vous vous obstinez dans cette puanteur, dans cette humidité si ce n'est parce que le remords vous ronge.

— Pardonnez-moi. Je voulais savoir…

— Mais quoi, Jean, quoi ?

— Si vous m'aimiez assez pour me pardonner.

Pour seule réponse, Aliénor le broya dans ses bras à l'étouffer.

Nous ne repartîmes que le lendemain, après une nuit de veille où, prenant enfin conscience de l'amour qu'elle s'était, pour lui, refusé, Aliénor passa du sentiment profond de culpabilité à l'égard de son fils, à celui, plus optimiste, de temps à rattraper. Lorsque nous quittâmes la place, Jean était assis devant son précepteur, attentif de nouveau à ses études, certain, comme l'avait assuré l'abbesse, que ses méfaits ne seraient pas ébruités. Il semblait plus léger, apaisé par cette solitude qu'il s'était imposée, cet élan de sincérité qu'on lui avait témoigné. Pour autant, à l'instant des adieux, son œil se voila d'une lueur étrange. Une lueur qui nous dérangea, Aliénor et moi. L'impression définitive qu'une part de son esprit, née de folie, ne guérirait jamais et qu'il donnerait bien du fil à retordre à ses aînés.

32.

À peine fus-je de retour en Poitiers que j'entraînai Jaufré et Eloïn vers Blaye. La grossesse d'Agnès touchait à son terme, et, étaient-ce les conséquences de ma fausse couche, je ne pouvais concevoir qu'elle soit privée de notre protection. Eloïn elle-même ne l'envisageait pas. Elle quitta Richard sur la promesse de revenir vite, lui enjoignant durant son absence de prendre grand soin de sa promise.

En effet, dès son arrivée à la cour, Adélaïde de France s'était montrée discrète et somme toute assez compréhensive. Il fallait être aveugle pour ne pas voir la complicité des deux amants. Elle ne le fut pas. Pour l'heure, n'étant pas encore en âge d'épousailles, elle ne pouvait, sur Richard, revendiquer aucun droit. Elle avait donc décidé de ne pas se laisser prendre le cœur à sa présence, de manière à ne pas souffrir d'être exclue du sien lorsqu'ils seraient mariés. En outre, plus intelligente que jolie malgré une allure gracieuse et des traits réguliers, elle avait jugé que cette triangulaire pourrait finalement se solder à son avantage. Elle avait donc offert son plus séduisant sourire à Richard à l'occasion d'un de leurs apartés.

— Je n'aurai pas l'audace, messire, d'exiger de vous un attachement qui vous rebuterait. Votre cœur est pris. Le mien, à dire vrai, sommeille encore. Si, à l'instant de son éveil pour quelque autre et dans la mesure où notre descendance n'en serait pas affectée, vous lui accordez la discrétion que j'admets au vôtre, Eloïn Rudel sera la bienvenue en notre maisnie.

Richard, dans l'instant, et à défaut d'amour, lui avait consenti ce privilège avec son amitié. Adélaïde de France, rapprochée de ses demi-sœurs, Marie de Champagne et Alix de Blois, le fut tout aussi vite d'Eloïn et des autres damoiselles de la cour, de sorte qu'à l'instant de notre départ elles s'étreignirent avec la même émotion et tendresse, me laissant dans l'admiration de ce bout de femme, si grande déjà par la pensée.

À Blaye, les travaux venaient de reprendre en l'abbaye Saint-Romain, ses abbés ayant eu plus de mal à réunir subsides que leurs homologues de Saint-Sauveur ou que nous, pressés de rebâtir les habitations civiles, les murs d'enceinte et le castel, seule défense véritable pour tous en cas d'attaque. Bien que cette dernière hypothèse paraisse peu crédible pour l'heure, notre voisin du Vitrezais ayant eu toute possibilité de se rendre maître de la châtellenie en notre malheur, Jaufré n'avait voulu l'exclure. Ses fils semblaient animés de la même soif de conquête que leur grand-père avec lequel il avait eu maille à partir. En cas de succession anticipée, tout pouvait basculer. Notre arrivée fut donc ponctuée par le joyeux vacarme du chantier aux abords du pont-levis, tandis que bourgeonnaient les ramures des arbres et des arbustes replantés. Pour notre plus grand bonheur, c'est une Agnès pleine de vie, à tous les sens du terme tant elle était ronde et d'un teint frais, qui nous accueillit à notre descente de cheval. Le temps de confier nos montures au palefrenier et Geoffroy surgissait des cuisines dans lesquelles il venait de déposer les deux perdreaux qu'il avait chassés, pour nous rejoindre au mitan de la cour, près du puits.

— Quelle joie ! Oui, quelle joie de vous accueillir de nouveau, s'exclama-t-il en nous pressant tour à tour dans ses bras avec plus d'insistance à mon égard, comme toujours.

— Nous nous imposerons jusqu'aux couches d'Agnès, mon fils, le taquinai-je pour tromper cette émotion qui me tenait face à la réalité de cet enfant bientôt père.

Tandis qu'Eloïn caressait en riant le ventre rebondi de sa belle-sœur en la félicitant pour sa bonne mine, il s'écarta de moi, les yeux tendres, puis pinça affectueusement ma joue, rougie par la chevauchée.

— Vous imposer ma mère ? Venez donc voir par ici à quel point votre séjour nous coûterait...

Il enroula une main autour de mes épaules, puis, précédé par son père au sourire serein, m'invita à franchir les trois marches du perron pour pénétrer dans la pièce principale du château.

Je fus saisie aussitôt, et tout aussitôt bouleversée. Sur le seul mur conservé de la bâtisse d'hier, au-dessus du manteau de la cheminée, une tapisserie avait été accrochée. Elle nous représentait Jaufré et moi, de profil, tournés l'un vers l'autre et les mains nouées tandis que, sur sa butte surplombant l'estey, le nouveau château de Blaye se découpait.

— Que j'en sois devenu le maître n'y change rien, mes chers parents, cette terre est vôtre et à jamais, affirma Geoffroy, entre le rire et l'émotion.

Je ne sus que me précipiter dans ses bras tandis que Jaufré, immobile, fixait ses yeux embués sur ce témoignage de notre félicité.

— Nous voulions qu'il demeure une trace de votre amour, annonça Agnès, tout aussi émue qu'Eloïn, à ses côtés, une trace que vous puissiez retrouver dans cent ans, dans mille ans, au cours de vos réincarnations successives afin que, quoi qu'il advienne, vous sachiez d'où vous venez et à quel point pour nous tous vous comptez.

— Pour que jamais l'espoir ne meure, lâcha Eloïn, complice du cadeau, tandis que je me détachais de mon fils en tremblant.

Rejoignant Jaufré pour me nicher de quart contre sa poitrine, je les couvris de tout cet amour dont lui et moi nous débordions.

— Il ne mourra jamais, mes enfants. Non, jamais, affirmai-je.

Jaufré enroula ses bras autour de mon ventre, les yeux pétillants de voir les nôtres ravis du tour qu'ils nous jouaient. Il éclata de rire au milieu de ces larmes qui sur mes joues continuaient de dévaler.

— Et vous pouvez faire confiance à votre mère. Qui voudrait l'empêcher d'accomplir ce qu'elle a décidé ignore le bois dont elle est faite !

Je lui battis la main, une moue faussement marrie aux lèvres, ce qui eut pour effet d'amener un baiser de mon époux à la base de mon cou, le rire joyeux de nos enfants, puis le mien, par ricochet.

Comment, en cet instant, ne pas mesurer la chance, immense, que nous avions d'être tous réunis, d'être si proches !

Lorsque Jaufré me fit sienne la nuit qui suivit, mon cœur s'en renforça d'autant. J'avais aimé le troubadour avant de savoir l'homme qu'il était. Mais ce jourd'hui, c'était pour la complémentarité de nos corps et de nos âmes, la sérénité de sa présence, l'appui de sa sagesse, l'intégrité de sa patience, le respect de mes choix, la noblesse de ses attitudes, la justesse de son jugé que je l'aimais.

Et cela, rien ni personne, malgré l'anathème que nous avions lancé, ne pourrait le changer.

33.

Henri guerroyait pour oublier. Oublier qu'il portait en lui le poids de ses fautes, l'appel à l'assassinat de Chinon, la haine. Encore et toujours la haine. Il savait à partir de quel moment il s'était détourné des enseignements de Loanna. À partir de quel moment il avait laissé libre cours à la perversité de ses penchants, à sa soif de conquête et de faste, à son besoin de soumission des êtres qui l'accompagnaient. Il se souvenait de ce tombeau qu'il avait profané. Celui d'Arthur. De l'inscription sur la pierre.

« *Qui brisera le sceau brisera le roi, qui détournera l'épée se détournera du droit.* » Il s'en était moqué. N'était-il pas l'élu ? le successeur d'Arthur ? légitimé par la lignée d'Avalon ? Il se croyait devenu tout-puissant. De fait, quelle résistance lui offrit-on sur le terrain en ses jeunes années ? Aucune. Tous plièrent devant lui, tous sauf Loanna face à l'amour qu'il éprouvait pour elle. Cela seul avait justifié qu'il se perde, qu'il l'écarte du trône. Cela seul avait justifié qu'il courtise Rosamund Clifford, qu'il en fasse sa maîtresse. Cela seul avait justifié ses exactions d'hier contre Becket. Cela seul justifiait qu'il s'accroche encore à ce trône comme il avait défié la magie à Tintagel. Pour la forcer à sauver ce qu'il détruisait. Pour la contraindre à accepter la place qui lui revenait de droit. Près de lui. Mais ses calculs étaient tombés à plat. Il s'était lassé de Rosamund avant elle de Jaufré. Et la mort de Becket avait jeté entre eux une ombre bien plus grande qu'entre Aliénor et lui. Henri savait tout cela tandis qu'il pourfendait des poitrines, qu'il sabrait des têtes ou qu'il épuisait ses destriers sur les landes bretonnes. Mais aurait-il voulu faire marche arrière qu'il ne le pouvait pas. Il était allé trop loin dans sa dérive. Son pèlerinage au Val Ténébreux n'avait rien changé en lui, ni ses faux-semblants ni ses calculs. Henri n'était plus l'enfant chéri d'Avalon, plus le jouvenceau épris de justice des premiers temps de son règne. Il était devenu un jouisseur par la faute de cet empire qu'il avait érigé et qui lui avait offert tous les droits. Il était devenu un jouisseur et aimait cela. Lors il savait, au plus secret de lui et malgré ses remords, qu'il n'en guérirait que si Loanna, un jour, s'offrait à ses bras. Mais Loanna n'y viendrait pas.

Ce 27 avril de l'an 1171, alors que la nuit descendait sur une plaine de plus maculée du sang de sa répression, dans le repli de sa tente de campagne, assis sur sa couche, bottes éparpillées de chaque côté de ses pieds enfoncés dans le tapis qui recouvrait l'herbe rase, il roulait et roulait encore entre ses doigts ce cristal qui lui était sorti du vit et qui ne le quittait pas. Il avait entendu l'un de ses gardes chuchoter que ces pierres humaines possédaient des pouvoirs magiques, qu'on y pouvait lire l'avenir parfois quand elles ne portaient chance... Il eût voulu que ce fût le cas, mais celle-ci se contentait d'accrocher la lumière de sa lampe à huile. Il n'y voyait que la menace du pape appelé par le roi de France pour arbitrer les soupçons qu'on faisait porter sur lui. Nul ne pourrait rien prouver. Ses chevaliers lui avaient juré, tous, n'être pour rien dans la mort de Becket. Seul Antelburgh, à qui il avait autrefois confié le soin du jeune frère de Becket dans l'espoir de faire plier ce dernier, aurait pu agir dans l'ombre. Poussé par Rosamund? Henri ne voulait y croire. Pour autant que sa maîtresse ait été cupide, elle n'avait pas l'âme d'une meurtrière. Pas l'étoffe non plus. Quant à Thomas Antelburgh, sa fidélité à l'égard du royaume comme son intégrité l'auraient tenu éloigné de retranchements insensés. Et d'autant plus qu'il savait le prix qu'Henri avait accordé à réhabiliter Becket, son désir de réunifier le royaume. Non. Pour se défendre, Henri ne pouvait invoquer que la peur des meurtriers de Jean, des saoulards qui avaient autrefois fait du zèle en lapidant le cadet de Becket quand il avait seulement demandé qu'on le secoue un peu. Avertis que le primat d'Angleterre voulait leur peau, ils s'étaient garantis de lui en l'assassinant. Il soupira. Personne ne pouvait prouver quoi que ce soit. Mais il aurait bien eu besoin d'Antelburgh pour défaire ces rumeurs qui circulaient même au sein de ses troupes. Il frotta les poils de sa barbe d'une main agacée. Pourquoi avait-il fallu que cette tempête noie la seule personne capable de le défendre auprès de la chrétienté bouleversée ? Il ricana. Comme s'il pouvait ignorer encore que le Ciel autant que les Anciens d'Avalon étaient en colère contre lui. Comme s'il pouvait ignorer encore les accusations, les reproches de Loanna !

Il remisa avec amertume son caillou dans la petite bourse posée sur son chevet pour récupérer juste à côté le pichet de vin qu'un échanson y avait déposé quelques minutes plus tôt. Il pencha la tête en arrière et laissa le liquide couler dans sa gorge, dégouliner dans sa barbe. C'était comme cela qu'il appréciait les futilités de ce monde, dans la sensualité des parfums, l'onctuosité des mets, jusqu'à plus soif, jusqu'à plus faim, jusqu'à l'ivresse. Comme un rustre parfois.

Le pan de toile qui fermait sa tente se souleva alors qu'il s'essuyait la bouche d'un revers de manche.

— Nous avons la fille, sire, annonça d'une voix calme un de ses barons en s'inclinant devant lui.

Un rictus satisfait étira le visage tourmenté d'Henri tandis qu'elle entrait à la suite de son geôlier, maintenue solidement par deux soldats.

Le vit d'Henri durcit dans ses braies. Cette fois encore ses hommes s'étaient surpassés. Elle était telle qu'il les aimait. Rousse, les cheveux ondulés arrachés à ses tresses, la poitrine saillante sous le bliaud. Jeune. Quinze ans à peine. Il bondit pour s'avancer, félin, jusqu'à elle, relever d'un doigt gourmand cette frimousse baissée d'où des sanglots s'échappaient. Deux prunelles de mousse le gratifièrent de leur détresse. Comme Loanna le jour où il l'avait forcée.

— Pitié, sire, pitié.

Henri sentit son désir enfler plus encore.

— Ton nom ? demanda-t-il, la voix rauque.

— Her... Hermeline, hoqueta-t-elle, effrayée de cette autre main qui descendait sur sa gorge.

Il s'arracha d'elle pour pivoter vers le baron d'Étampes.

— Où l'avez-vous trouvée ?

— Dans une ferme des alentours que nos hommes ont pillée. Elle se cachait avec ses jeunes frères dans un grenier. Nous n'avons eu aucun mal à les faire prisonniers.

— Ne les tuez pas, sire, je vous en prie, hoqueta-t-elle en s'agitant.

Henri lui fit face de nouveau. Comme tant d'autres avant elle depuis des années, elle serait prête à tout pour gagner sa clémence. Il posa les deux mains de chaque côté de l'échancrure de son col, puis, d'un geste sec, en déchira la couture. Elle cria. Il fixa les deux seins ronds dénudés. Les prit à pleines mains puis, planta son œil lubrique dans le sien qui coulait.

— Je suis en guerre contre tes maîtres. Je suis en guerre et donc en droit de tuer qui se rebelle contre mon autorité. Leur vie est donc entre tes mains, ma belle. Es-tu prête à sacrifier ce que tu as de plus cher pour les sauver ?

Les sanglots redoublèrent. Henri ne s'en apitoya pas. Il y avait longtemps qu'il avait accepté cette cruauté en lui. Depuis qu'il avait compris que le seul moyen de laisser Loanna à Jaufré était de jouir d'autres qui lui ressembleraient.

Il resserra ses doigts autour des tétons, jusqu'à les pincer méchamment.

— Réponds ! Jusqu'où es-tu prête à te sacrifier ?

Elle hoqueta de douleur, l'effroi dans les yeux, la soumission aux lèvres.

— Où vous voudrez, Votre Majesté.

Il la lâcha, recula d'un pas.

— Gardes, vous pouvez vous retirer au seuil de cette tente. Quant à vous, baron, je vous confie ses frères. Vous les relâcherez avec elle dès que j'en aurai terminé.

Ils sortirent dans le merci à peine audible qu'elle s'arracha. Elle se retrouva fragile et tremblante face à lui. Il sourit, d'un de ces rictus pervers que l'ombre des campagnes, seule, lui voyait. D'une main impérieuse, il dégrafa ses braies gonflées.

— Approche.

Elle hésita, les jambes chancelantes, puis, comprenant que rien ne le ferait changer d'idée, vint jusqu'à lui. Il ramena sa longue chevelure ambrée sur sa poitrine, la caressa quelques secondes avant de prendre cette bouche qui frémissait de dégoût autant que de détresse. Il la fouilla avec la même soif que tout à l'heure alors que le vin y coulait, puis, attirant sa proie contre lui, contre ce vit qui le brûlait, il chuchota contre son oreille :

— À genoux Canillette. À genoux devant ton roi…

34.

Mon Geoffroy s'était déjà rongé au sang tous les ongles de sa main droite et attaquait sans remords ceux de la gauche lorsque la porte de la salle de musique s'ouvrit, le faisant bondir de son siège et avec lui Jaufré, qui égrenait quelques notes sur sa cithare.

— Oui?

— Il n'est point encore né, messire, s'excusa le valet qui venait d'entrer, mais l'abbé de Saint-Romain réclame de vous voir d'urgence.

— En plein cœur de la nuit? s'étrangla Geoffroy, paniqué.

Le valet resta stoïque. L'heure pour lui, dans la mesure où il veillait auprès de ses maîtres, était de peu d'importance. Cela en faisait quatorze à présent que la parturiente s'époumonait dans sa chambre, que les servantes se relayaient pour monter eau, bois de chauffage et linges. Père et fils s'étaient occupé l'esprit par une chevauchée aux confins de leurs domaines, puis un dîner, puis quelques jeux de trobar, mais, depuis deux heures, ils étaient là, seuls dans cette pièce, en proie à un sentiment d'inutilité et d'angoisse, incapables même d'une partie d'échecs. Ils échangèrent un regard douloureux. Les cloches étaient restées muettes, Blaye ne courait donc aucun danger. L'enfant était-il mort-né et ces dames rendues muettes par le chagrin?

Jaufré refusa de laisser le doute s'installer.

— Faites entrer, mon bon Clothaire.

Le valet s'effaça, les plantant tous deux, côte à côte, dans une attitude si semblable qu'on eût dit, l'âge écarté, deux jumeaux. Lui succéda Pierre. Un homme d'une quarantaine d'années à l'embonpoint conséquent et au visage noble bien que marqué par l'incendie de l'abbaye. Refusant de laisser aux flammes une bible enluminée offerte par Charlemagne, il était ressorti du bâtiment en flammes, l'oreille droite, les sourcils et les cils brûlés. Si la première avait cicatrisé, l'affligeant d'une boursouflure disgracieuse, les autres n'avaient pas repoussé. À l'émotion qui le tenait autant qu'à la pétulance de son regard, les deux hommes s'allégèrent.

L'abbé se courba devant eux.

— Pardon, mes seigneurs, d'oser une intrusion si tardive et en pareil moment, mais les miracles n'ont point d'heure.

Jaufré qui, depuis longtemps, connaissait le tempérament emphatique du brave homme, seul défaut qu'on lui pouvait reprocher, croisa ses bras sur sa poitrine, l'air soupçonneux.

— Tudieu, mon père, un miracle ? Rien de moins ?

D'ordinaire, cette attitude avait sur le prélat l'effet escompté. Il se ramenait à plus de modération quel que soit l'objet de son émerveillement. Une courge de dix livres ayant suffi, un matin, à donner l'impression que Diogène lui-même aurait pu l'habiter. Cette fois pourtant, il gonfla le torse, ravi jusqu'aux oreilles de pouvoir pérorer.

— Rien de moins ! Et si vous me voulez suivre, vous le verrez de vous-même. À condition toutefois de vous hâter. Avec les miracles, on ne sait jamais !

Considérant que cette distraction les guérirait de leur attente, les deux hommes, plus amusés que convaincus, lui emboîtèrent le pas. Un moine les attendait à l'extérieur de la bâtisse, une lanterne à la main, dansant d'un pied sur l'autre avec une impatience visible. Frère Anselme. Le cellérier. Jaufré tiqua devant son air illuminé. À l'inverse de l'abbé Pierre, qu'il reprenait d'ailleurs souvent dans ses débordements, c'était un être posé.

Jaufré se planta devant lui, prêt déjà à les guider hors de l'enceinte.

— Nous direz-vous de quoi il s'agit en vérité ?

À sa grande surprise, frère Anselme baissa la voix jusqu'à ce qu'elle ne soit plus que chuchotement, comme s'il avait craint qu'on ne les entende.

— Impossible, messire. Vous ne me croiriez ! Et puis mieux vaut ne rien ébruiter.

Geoffroy leva les yeux vers la chambre de son épouse qu'un rai de lumière découpait derrière les volets. Le seul miracle qu'il espérait cette nuit serait qu'un fils lui naisse et demeure, comme sa mère, en parfaite santé. Cependant, intrigué autant que son père et, à dire vrai, gagné par la fébrilité incompréhensible des deux moines, il tourna le dos à la façade, traversa la cour à la lueur de leur lampion, s'attarda sur le hululement d'une chouette, repoussa l'idée que c'était annonce de malheur, compta ses pas qui crissaient sur le gravier, donna au garde l'ordre de relever la herse, puis s'engagea derrière eux sous un clair de lune que les nuages venaient de dégager.

À l'autre bout du pont-levis pourtant, au lieu de tourner en direction de l'abbaye, les deux religieux obliquèrent vers la gauche pour emprunter le chemin abrupt qui ramenait au pied de la falaise et à la petite chapelle, dédiée à saint Romain, bâtie aux premiers temps de la chrétienté pour y accueillir sa sépulture. L'abbaye qui en portait le nom avait été construite de longs siècles plus tard pour le célébrer.

Une même interrogation fronça les sourcils du père et du fils tandis qu'ils prenaient garde, dans la maigre lueur du falot, à ne pas trébucher sur les pierres en saillie. Quel miracle pouvait bien se tenir dans ces murs que l'on venait tout juste de remonter ?

35.

Il leur fallut attendre de se trouver à l'abri de la bâtisse relevée sur les vestiges de la chapelle incendiée pour que l'abbé consente à lâcher dans un souffle :

— C'est la lumière qui nous a alertés frère Anselme et moi. Nous nous trouvions ici exactement.

Il désigna le pied de l'autel, tout juste cimenté de frais. Jaufré releva un sourcil.

— Et qu'y faisiez-vous ? à pareille heure ? alors que les maçons ont interdit le chantier ?

Frère Anselme s'embarrassa.

— Nous avons toujours prié en cette chapelle dans les heures cruciales de la vie de notre communauté ou de la ville. Alors avec ces couches qui s'éternisent…

Geoffroy sentit l'angoisse l'étreindre. Combien d'épouses passaient, épuisées par un travail interminable ?

Et si cela venait à se produire, si Agnès était mourante, si elle le réclamait en ultime réconfort ? Qui saurait où le trouver ? Il chassa ces pensées en redressant le menton, pressé soudain de quitter cet endroit pour rejoindre sa veille.

— C'est ici.

Ses yeux tombèrent sur des planches jetées en un damier épais, là où, suivant le mouvement des trois hommes, ses pas l'avaient mené. Il se troubla, comme son père à ses côtés.

Malgré l'effort qu'on avait visiblement fourni pour étouffer la clarté, des rais puissants perçaient la couche de bois à l'endroit de ses jointures. Frère Anselme joignit les mains. L'abbé Pierre ébaucha un signe de croix. Père et fils échangèrent un regard. Sous leurs pieds, ils le savaient tous quatre, reposaient trois sarcophages.

Tandis que Geoffroy s'accroupissait pour libérer l'espace, l'abbé Pierre se tourna vers Jaufré.

— Nous étions recueillis, dans la pénombre, lorsque soudain elle a jailli avec une telle intensité que nous avons été arrachés à nos prières et que nous nous sommes retournés. Notre première crainte fut qu'un des ouvriers ait eu l'idée de revenir pour s'emparer des reliques, mais nous l'avons repoussée. Cela faisait de longues minutes que nous étions là et pas un bruit n'avait troué le silence. De plus, l'escalier ayant brûlé dans l'incendie, l'accès de la crypte est devenu malaisé…

— J'y suis…

L'abbé se tut. Geoffroy dégageait la dernière couche, les aveuglant au point qu'ils durent plisser les paupières. Instinctivement, ils reculèrent d'un pas pour s'en garder. Semblant vouloir les épargner, le faisceau décrut régulièrement, n'éclairant plus enfin que les contours réguliers et disjoints, sans doute par la chaleur du précédent brasier, du couvercle d'un tombeau. Celui de Roland, neveu de Charlemagne et mort héroïquement à Roncevaux. La lumière provenait de l'intérieur.

— Il faudrait une échelle, avisa Jaufré, le premier à réagir.

Aussitôt, frère Anselme trottina jusqu'à un mur voisin contre lequel un ouvrier avait appuyé l'une d'elles. Le laissant ahaner d'embarras jusqu'à eux, Geoffroy sonda la petite salle souterraine, éclairée comme en plein jour. Rien d'anormal sinon quelques enchevêtrements de bois calciné. Pour pallier le risque de pillage, les ouvriers s'étaient refusés à dégager la crypte avant que la toiture ne soit reposée et les ouvertures verrouillées. Le déblayage avait eu lieu l'avant-veille. Il y avait assisté et n'avait alors rien remarqué de particulier. Pour autant, personne n'était descendu en la cavité, l'air y étant encore empuanti de fumée, les sarcophages noircis de cendres et de suie. Indifférent à la poussière, l'abbé vint s'agenouiller à ses côtés.

— Un miracle. Je vous l'avais dit, messire, c'est un miracle.

Il changea de ton en manquant être assommé par l'un des montants de l'échelle que frère Anselme venait de rapprocher.

— Attention, voyons !

— C'est lourd, s'excusa le cellérier, rougi d'effort, en basculant, aidé de Jaufré, une des extrémités dans le vide.

L'autre se cala entre deux restants de solives quelques pieds plus bas. Sans plus attendre, Jaufré vérifia la stabilité de l'ensemble puis enjamba la première traverse. Geoffroy attendit qu'il eût touché sol pour s'y percher à son tour tandis que l'abbé, aidé de frère Anselme, se dressait, le regard avide. Geoffroy y planta le sien.

— Mieux vaut que l'un reste ici pour assurer nos arrières.

L'abbé s'empourpra.

— Voyons, messire. Nous sommes sous la protection divine !

L'œil de Geoffroy se fit insistant avant de disparaître dans le passage. L'abbé se tourna de quart vers frère Anselme.

— Vous restez.

— Pourquoi moi ?

— Parce que je suis votre supérieur et qu'il convient que je prenne tous les risques...

— Ou les honneurs, grommela le cellérier.

L'abbé fronça le front, aussi lisse que son crâne.

— Comme s'il s'agissait de cela ! Donnez-moi plutôt votre poigne que je puisse, de l'autre, relever ma bure. Manquerait plus que j'y trébuche et me fracasse en contrebas.

Indifférents à leurs chamailleries qui voyaient l'abbé, gêné par son imposant tour de taille, enjamber le montant, poser sandales sur le barreau, vaciller puis, finalement, assurer sa prise, père et fils s'étaient approchés du sarcophage toujours serti de lumière.

— Écartons le couvercle, suggéra Jaufré.

— Attendez-moi. Je viens, je viens ! s'écria l'abbé prêt à toucher terre.

Mais déjà les deux hommes s'étaient arc-boutés, certains de rencontrer une résistance autant liée au restant de mortier qu'à l'épaisseur de la plaque. Elle pivota pourtant sans peine et en son axe, de sorte que l'abbé, aveuglé par le jaillissement de lumière bleutée, resta figé sur place. Durant quelques secondes, ils ne purent bouger, frappés par sa puissance. Puis, de nouveau, l'intensité diminua et ils la virent, scintillante au milieu des ossements, réduits pour les plus importants, calcinés pour les autres, du paladin.

Durandal.

Poussé par une étrange musique en sa tête, Geoffroy plongea le bras par-dessus bord et s'empara de la lame. Comme pressé par une main invisible, il la pointa vers le ciel de la crypte soudainement ouvert sur une nuée d'étoiles, comme si l'univers tout entier avait été contenu en elle, puis libéré en l'alcôve. Dans cette immensité, esseulé sous le regard des autres, il vit.

Il vit un petit être s'arracher du ventre d'une femme. Et cette femme, sa femme, pleurer de joie et d'épuisement mêlés. Il me vit moi, saisie par la perception de cette magie proche, m'attendrir devant lui puis le confier à Eloïn pour qu'elle puisse le laver. Il vit encore Blaye agrandie, embellie sous la protection de cette lumière bleutée. Lors il comprit.

Un bonheur sans âge gagna ses veines.

Il se tourna vers son père rejoint par l'abbé, hébété, et s'époumona qu'un fils lui était né.

Godefroy Rudel.

Le nouveau gardien de l'épée.

36.

L'enfant pesait un peu plus de cinq livres et sa mère avait eu l'impression qu'une force puissante l'avait arraché à son ventre au point de la déchirer. Pourtant, une heure plus tard, alors que Geoffroy découvrait son fils et nous l'épée Durandal, plus aucun stigmate de son accouchement ne marquait ses traits. Elle était heureuse. Nous étions heureux. Je leur révélai que l'olifant de Roland avait été offert par Charlemagne à la ville de Bordeaux. On me l'avait montré en l'église Saint-Séverin alors qu'Aliénor, aux premiers temps de mon séjour près d'elle, m'ouvrait les richesses de son duché. Plus tard, Jaufré m'apprit que la dépouille du paladin, altérée par le voyage depuis les Pyrénées, avait été finalement inhumée en Blaye. Mais nul ne savait pour Durandal. Selon les uns, le roi l'avait emportée et dissimulée en un lieu connu de lui seul, pour d'autres, elle était restée sur le champ de bataille. La légende se promenait entre ces deux versions dans les chansons de geste, chacun y inscrivant la sienne par touches infimes certes, mais qui avaient fini par égarer la réalité : Durandal n'avait pas quitté son dernier maître. Jamais pourtant je n'avais ressenti sa présence. Tout ce que j'en savais était ce que m'avait enseigné Merlin. Comme Caledfwlch, ou Marmiadoise, lame de Jason puis du duc Frolle qu'Arthur avait conquise en combat singulier avant de la remettre à qui elle était destinée, c'était une épée d'une grande noblesse, forgée aux premiers temps d'Avalon dans un fragment du monde originel des Anciens. Toutes trois possédaient les mêmes pouvoirs de résistance et de lumière. Toutes trois choisissaient leur détenteur pour une raison que mon aïeul lui-même ignorait. C'est pourquoi Caledfwlch n'était pas restée en possession d'Henri. Il s'était imposé à l'épée et nul, à ce jour, ne pouvait prédire quand, où et pour qui elle reparaîtrait. Il en était de même de Marmiadoise. La dernière fois qu'elle avait été vue, Merlin s'en souvenait, c'était en l'île de Mona, aujourd'hui Anglesey, lors de l'ultime réunion annuelle des druides de Bretagne où Kelchw, le plus éminent d'entre eux, avait été élu. Elle pendait à la ceinture de ce dernier dans son fourreau siglé de runes. Toutes trois avaient été forgées dans une même intention. Servir à l'unification et à la pacification des peuples en protégeant l'être au cœur pur qui la portait.

Tandis que la châtellenie de Blaye festoyait de la naissance de Godefroy, que mon cœur s'emplissait de la fierté d'être grand-mère, que discrètement le sarcophage de Roland était scellé et l'épée dissimulée dans une cavité creusée au sol de la cellule de l'abbé Pierre, tous, le cœur empreint de cette gravité qui préside aux grandes destinées, nous faisions serment de garder le secret et d'attendre. D'attendre l'heureux moment où mon petit-fils recevrait l'héritage consacré du paladin Roland. Et triompherait.

Les jours suivants virent la gloire de l'abbé Pierre à tenir le nouveau-né sur les fonts baptismaux et, malgré l'impatience de retrouver Richard, Eloïn, devenue marraine, ne manifestait pas plus que son père l'envie de quitter Blaye. Je n'étais pas pressée non plus en vérité. Cet enfant au visage d'ange me ramenait à la vie. Le prendre dans mes bras, le changer, m'assurer de son sommeil autant que de celui d'Agnès qui avait refusé de le confier à une nourrice, tout cela occupait mes journées dans une béatitude qui me faisait oublier un instant ces événements qui m'avaient déchirée. Loin de me sentir vieillie par cette génération nouvelle, j'en tirais une force supplémentaire face à ce temps qui, irrémédiablement, grignotait mon futur avec Jaufré. Comme lui je ne parvenais à m'en inquiéter. Peut-être parce que les miroirs que nous croisions indiquaient que le temps sur nous semblait s'être arrêté. Et puis, le printemps se faisait aussi doux que le regard d'Agnès sur son fils, que la complicité de Geoffroy et de son père. Lors, pour achever de me réconcilier avec ce destin qui m'avait griffée, retrouvant Granoë, ma vieille jument, je m'accordai quelques promenades en solitaire le long du fleuve. Le lent balancement des marées aux teintes du regard de Jaufré avait toujours aidé à guérir mes plaies. Elles étaient profondes. J'étais lasse. Lasse de me battre pour l'Angleterre, lasse d'Henri que je ne parvenais plus à comprendre. À retrouver. Où était le roi que j'avais adulé, ce roi puissant, fier mais juste, ce roi guerrier qui ne voulait conquérir de nouvelles terres que dans le seul but de rendre espoir à un peuple maltraité ? Depuis la mort de Becket, derrière chacun de ses gestes, de ses mots, de ses actes, je devinais désormais un calcul malsain, un manque de sincérité. Je ne l'avais condamné que dans ce but. Qu'il se reprenne si c'était possible encore. Qu'il aille au bout de ce qu'il avait décidé, qu'il affronte sa vérité et ses conséquences. Par égard pour ses fils au moins. Hélas, qu'il soit en campagne ou non n'y changeait plus rien. Je le percevais. Chaque jour qui passait l'éloignait davantage de son passé glorieux, et c'était en moi un écartèlement, tant je l'avais aimé. Lors, je n'avais qu'une crainte. Que cet amour si grand devienne haine. Au point de détruire en moi les derniers souvenirs qu'il m'en restait.

En ce matin du 1er mai, Geoffroy avait entraîné son père dans la Comteau sous le prétexte d'inspecter l'état des digues qui empêchaient les fortes marées de grignoter les terres. Eloïn se trouvait auprès d'Agnès à s'émouvoir des gazouillis de Godefroy et, pour tromper l'intuition d'une nuit peuplée de cauchemars, je ramassai du muguet dans la petite cour intérieure du castel. Sorties au lendemain de la naissance de mon petit-fils, les clochettes du bonheur semblaient vouloir envahir chaque coin d'ombre, longeant de leurs pieds les trois corps de logis et répandant leur parfum subtil dans les moindres recoins. J'achevai un bouquet lorsque le bruit d'un galop me redressa. La seconde d'après, déboulant du pont-levis abaissé, un des familiers de Richard immobilisait son cheval en sueur à quelques pas de moi.

— Vous voici bien pressé, seigneur Gontran !

— J'ai un message urgent à vous remettre, dame Loanna.

L'ayant arraché de son pourpoint, il me le tendit. Inquiétée par sa mine sombre, je déposai mon bouquet sur une pierre pour m'en saisir. Tandis que je le décachetais, il sauta à bas, confia bride au palefrenier qui s'était avancé et plongea ses mains dans le seau qui se trouvait sur la margelle du puits, à quelques pas.

Je le regardai se rafraîchir, mon bras retombé, le sang glacé.

« Ma mère se meurt... », avait simplement écrit Richard, me ramenant aux images de cette nuit que, rebelle désormais au malheur, j'avais refusées.

Moins d'un quart d'heure plus tard, laissant à Jaufré le soin de nos bagages et de nous rejoindre en Poitiers, Eloïn et moi quittions Blaye au grand galop, surprenant les passants par nos mises et chevauchées masculines. Désaltéré, Gontran de Hautefort avait été plus loquace que le duc. Aliénor s'était affaiblie de manière inexplicable en quelques jours. Elle avait pourtant refusé qu'on nous envoie quérir. Elle n'éprouvait pas de fièvre ou de douleur et n'avait voulu voir dans cette lassitude que son agacement face à cette rumeur qui culminait contre Henri à l'heure où les miracles se faisaient de plus en plus nombreux sur la tombe de Becket. Elle s'était pourtant évanouie la veille au soir, les battements du cœur ralentis à l'extrême et, depuis, n'était plus parvenue à se lever.

Tandis que j'étais furieuse contre moi-même de cet égoïsme qui m'avait fait trop tarder loin d'elle, Eloïn était tourmentée de découvrir une fois encore que son amour pour Richard l'avait empêchée de prémonition. Nous ne levâmes pas le nez de la poussière du chemin soulevée par le galop de nos destriers.

Chaque minute gagnée sur notre angoisse l'était peut-être aussi sur cette camarde qui s'était invitée.

37.

C'est donc vêtues en hommes que nous déboulâmes dans les appartements d'Aliénor, soulevant sur notre passage consternation et dégoût devant nos heuses maculées de boue, conséquence des ornières que nous avions traversées. Épuisées de tension nerveuse et physique, nous repoussâmes toute tentative des valets pour nous freiner. Je craignais, plus que tout, d'arriver trop tard. D'une poigne qui ne souffrit aucun appel, j'écartai la porte de sa chambre sans m'y faire annoncer. La pièce était sombre, empuantie d'encens et de fumée de cierges. Visiblement on lui avait déjà administré les derniers sacrements. Avec Alix, Marie et Jeanne, Richard veillait sa mère, dans un désarroi si profond qu'il nous plomba plus encore le cœur. Il bondit pourtant à notre entrée fracassante.

— Paix, Richard. C'est nous, dis-je simplement en m'avançant.

Il nous répondit d'un pâle sourire.

— Merci de vous être hâtées... J'ai bien peur pourtant...

Sa voix s'étrangla dans sa gorge. Nous résistâmes à l'envie de les étreindre, lui et ses sœurs, pour nous concentrer sur cette vision douloureuse que nous offrait ma reine. De sa superbe, il ne restait rien. Étendue sous un drap, les mains jointes sur sa poitrine, les paupières closes, bordées de cernes noirs, la peau collée aux os, elle semblait avoir passé déjà. Le souffle était à peine perceptible. Je m'accroupis près d'elle. Cherchai son pouls, le trouvai filant sous sa peau trop fraîche.

— Qu'on nous donne de la lumière…, exigeai-je. Non, la vraie, celle du jour, insistai-je en voyant Marie approcher un bougeoir.

Alix écarta les rideaux d'un coup sec. Leurs visages ravagés apparurent, aussi pâles que celui de leur mère. Eloïn ne les vit pas. Le nez au-dessus des remugles de la camarde, elle respirait cet air qu'Aliénor rejetait. J'avais déjà compris de quoi il retournait. Eloïn se releva, toussa pour s'affranchir de l'odeur puis me fixa avec autant de gravité que j'en éprouvais par-delà la largeur de la couche.

— Ellébore…

Sans appel.

— Qu'est-ce à dire ? s'étrangla Richard.

— Votre mère a été empoisonnée.

Nous ne pouvions rien qu'attendre. Et prévenir la dose mortelle qui ne tarderait. Car, au fil des explications que nous donna Richard sur la dégradation de l'état de sa mère, simples migraines, douleurs abdominales, nausées, vomissements, refroidissement des extrémités puis du corps tout entier, troubles du rythme jusqu'à, finalement, l'abattre de faiblesse, il devint évident que des doses infimes lui avaient été administrées chaque jour depuis une semaine pour laisser croire à une fin naturelle.

— Peut-on la sauver ? supplia la petite Jeanne en pressant ses mains l'une dans l'autre.

Écartée des jeux de fin'amor en raison de son jeune âge, elle n'était pas moins proche de sa mère, Aliénor consacrant tout le temps nécessaire à son éducation et lui prodiguant énormément d'affection. Avec grande fierté de surcroît, car Jeanne s'était montrée précoce en tout. Elle avait marché à quatorze mois, et parlé à dix-huit. À bientôt six ans, elle retenait tout ce qu'elle entendait, savait décrypter les lettres et les chiffres et reprenait d'une voix juste les cansouns des troubadours qu'on lui interdisait pourtant d'écouter, preuve indiscutable qu'une de ses oreilles était toujours occupée à traîner. Allié à tout cela qu'elle était le portrait de sa mère au même âge, selon le sénéchal de Sanzey, nul ne pouvait ignorer qu'elle serait de loin, avec Éléonore, la plus fine et la plus délicate des filles d'Aliénor. Son seul défaut – s'il l'était – résidait en une sensibilité exacerbée qui, ce jourd'hui, trouvait les raisons les plus légitimes de s'exprimer.

Évitant de la distinguer de ses aînés, j'attardai un œil rassurant sur chacun de leurs visages.

— Il existe un remède tiré de l'écorce du chêne. Je vais en préparer mais il ne sera pas disponible avant demain. Gardez espoir jusque-là. Depuis la naissance de Jean, mon sang coule en les veines de votre mère. Il a atténué les effets du poison et continuera de le repousser si l'on cesse de lui en administrer.

Richard serra les poings sur une bouffée de colère.

— Qui palsembleu, qui ? Qui lui voudrait nuire au point d'ainsi manigancer ?

Je remarquai que ma fille venait de tirer un fauteuil près de la couche pour s'y installer. Nous échangeâmes un regard discret. Comme moi elle ne doutait pas que Rosamund avait frappé, mais nous n'avions aucune preuve pour l'affirmer.

— Je l'ignore, mentis-je.

— N'ayez crainte, Richard, le rassura Eloïn. Je sais détacher la vibration de l'ellébore de l'eau pure. Faites-en monter. Beaucoup. Il faut lui en faire boire. Dût-elle mouiller les draps et le matelas tout entier.

Il hocha la tête, les mâchoires crispées, comme moi, sur des envies de vengeance. Je les chassai dans ce combat qu'il me fallait mener. D'autant qu'Eloïn ajoutait :

— Si son état s'aggravait malgré tout, je vous enverrais quérir pour vous saigner de nouveau, mère. Activez-vous efficacement jusque-là, nul ne viendra vous déranger.

Alix et Marie nous remercièrent d'une même voix. Richard profita d'un baiser sur ma joue pour me glisser quelques mots discrets à l'oreille. Lorsqu'il s'écarta pour entraîner ses demi-sœurs par les épaules, je m'accroupis devant Jeanne que la confiance peinait à regagner.

— Vous ne pouvez rien de plus pour elle ici. Voulez-vous m'assister à la préparation de sa médication ?

Ainsi que Richard l'avait supposé, elle s'illumina d'un « oui » franc.

Alors, sans plus attendre, les laissant à leur veille, je quittai la place avec la fillette, me promettant de tout faire cette fois pour que la culpabilité de Rosamund fût avérée.

38.

Ce fut, curieusement, ce petit bout de femme qui m'apporta les preuves que je cherchais.

Ma récolte d'écorce de chêne faite près du baptistère Saint-Jean, un petit alambic récupéré auprès de l'herboriste de l'hôtel-Dieu, je m'enfermai avec elle dans mes appartements pour extraire le principe dont les druides s'étaient longtemps servis pour contrer les effets de l'ellébore après que le coracium, petit arbuste dardé de piquants qui poussait uniquement en forêt des Carnutes et puissant contrepoison, avait disparu. C'est ce que je lui expliquai, sur sa demande, tandis qu'elle pelait consciencieusement l'écorce pour ne garder que la partie molle. Pincettes en main, j'achevai, moi, de placer à l'intérieur de la chaudière de cuivre, posée sur une des pierres plates de l'âtre, deux brandons incandescents, seul moyen véritable d'assainir la cavité avant d'y glisser les simples.

Au moment où j'adossais les tenailles à un des montants de la cheminée, je l'entendis s'exclamer dans mon dos :

— Je sais où j'ai déjà entendu ce mot !

Je me retournai, surprise.

— Quel mot ?

— Ellébore.

L'attention captée, je m'approchai d'elle.

Elle me sourit. Agir avait chassé de ses traits ce masque de tourment qui m'avait écorché le cœur. Sa confiance en moi avait fait le reste. Sa peur s'en était allée et je retrouvais la petite Jeanne, aussi forte de caractère et aussi vive d'esprit que sa mère l'était. Laissant entre nous la largeur de la table, je m'installai sur une chaise, face à elle. Mon cœur dansait la carole.

— Et où donc, damoiselle ?

— Dans le corridor qui mène aux appartements des servantes.

Je tiquai.

— Qu'y faisiez-vous ?

Elle tordit la bouche, ennuyée.

— Je me cachais de Renaud de Chazères qui me voulait embrasser.

La vision du personnage de trois ans son aîné, et fils d'une des dames de compagnie d'Aliénor, m'amusa.

— Tiens tiens ! Renaud de Chazères. Ce grand échalas boutonneux dont le nez pourrait servir de perchoir à moineaux.

Elle se laissa aller à un petit rire frais. Renaud n'aimait rien mieux qu'agacer les fillettes, au grand désespoir de sa mère, une rouquine aux taches de rousseur et à la mine ingrate qui s'était consolée de sa disgrâce en épousant un baron très argenté. Leur fils avait, hélas pour lui, attrapé les laideurs de sa mère et les vices de son père. Ajouter à cela une bêtise indigeste, je comprenais sans peine que Jeanne ait voulu lui échapper.

Je croisai les mains sur la table, dans l'attente d'autres révélations que je devinais bien plus importantes. Elle sembla le remarquer, car elle reprit son coustel pour achever sa tâche, tout en me glissant, l'air satisfait :

— Il ne m'a pas trouvée, alors il s'en est pris à Roseline. Le lendemain, je l'ai menacé de m'en plaindre s'il recommençait.

— L'a-t-il fait ?

— Oh ! non. Il craint bien davantage la colère de Richard que celle du comte de Chamard.

— Bien… pour en revenir à l'ellébore ?

Elle prit un air de conspirateur.

— J'étais dans le placard à balais mais comme il y faisait noir et que j'avais peur de rester bouclée, je n'avais pas complètement rabattu la porte. Elles étaient deux et se sont arrêtées devant. L'une a dit…

Elle se concentra quelques secondes sur ses souvenirs avant d'adopter l'accent gallois :

— « Prends soin de bien dissimuler la fiole, que personne ne puisse l'utiliser. » L'autre a demandé ce que c'était. Et c'est là que j'ai entendu ce mot : « De l'ellébore »…

Une excitation vengeresse affleura le long de mes doigts. Pourtant je ne voulais rien précipiter.

— Êtes-vous sûre de ne pas vous tromper, Jeanne ?

— Oh oui ! dame Loanna. Je me souviens que ce nom m'a fait penser à mon amie Élénore de Castaing. Ellébore, Élénore. C'eût été jolie rime pour une des cansouns de Richard. Si je n'avais craint qu'il ne me gronde, je la lui aurais donnée.

Un soupir emporta sa légèreté.

— Si je l'avais fait pourtant, mère ne risquerait pas de succomber.

— Ne vous reprochez rien, damoiselle. Richard n'aurait pas su mieux que vous le danger que cette plante représentait.

Soucieuse d'alléger son remords, je saisis à mon tour une des écorces afin de la peler. Jeanne s'accorda à mon silence pour s'appliquer à sa tâche. Quelques secondes passèrent ainsi avant que je ne me raccroche à un détail.

— Vous singiez l'Angleterre. Était-ce par jeu ?

— Point. C'était ainsi qu'elle s'exprimait. Je n'ai pu voir leurs visages, mais la dame curieuse nasillait. Comme la nouvelle dame d'atour de mère.

— La nouvelle dame d'atour ? Qu'est-il arrivé à Brunehilde ? Aliénor ne s'en séparait jamais.

Jeanne se signa et un voile de tristesse passa sur son fin visage.

— Une méchante chute dans l'escalier, quelques jours après votre départ en Blaye. Elle y a succombé. Mère en a eu grand chagrin. On a même pensé que c'était lui qui sournoisement l'avait amoindrie.

Contrant ma tristesse et refusant de la voir sombrer de nouveau dans la morbidité, je détournai son attention sur d'autres sujets.

Au soir venu, Jeanne partie au lit après avoir longuement regardé se distiller l'écorce au travers du long canard de cuivre, je repassai en les appartements de ma reine. Son état était inchangé. Léthargique, elle ne voyait ni n'entendait rien. Tous s'étaient retirés pour dîner et je pus rapporter à Eloïn, restée seule, les confidences de la fillette. Elle me confirma qu'un bouillon venait d'être monté dans lequel elle avait reconnu l'ellébore. La servante l'avait pris dans les cuisines et ne s'était arrêtée en chemin que pour donner des nouvelles de la reine à sa nouvelle dame d'atour. Privée des informations que je détenais, et persuadée de la bonne foi de la servante, connue de nous depuis fort longtemps, Eloïn avait préféré ne rien précipiter. Encore moins en parler à Richard, impulsif de nature. Désormais nous savions à quoi nous en tenir. Je regagnai ma chambre avant qu'il ne revienne avec ses demi-sœurs. À présent que l'alambic avait rempli son office, il me restait le plus délicat à accomplir. Mêler au contrepoison quelques gouttes de mon sang sous un rayon de lune. Or, par malchance, celle-ci se devinait à peine sous une épaisse couche de nuages.

Je passai donc la nuit à la fenêtre, à guetter une furtive apparition, l'esprit galopant de Becket à mon enfant perdu, de mon enfant perdu à Brunehilde, de Brunehilde à Aliénor et d'Aliénor à Rosamund.

Lorsque enfin, peu avant l'aube, je pus accomplir mon rituel, les yeux plombés de fatigue, ma décision était prise, dans cette haine qui m'avait tenue éveillée. Comme autrefois Béatrice de Campan, cette garce qui à la cour de France avait tenté de me briser, je châtierais l'infâme. Moi. Et moi seule.

39.

Rosamund Clifford poussa un soupir d'aise. Les dernières nouvelles de Mary Telms en cour de Poitiers avaient donné la reine mourante et pas un instant elle n'imagina que je pouvais m'être dérangée jusqu'à elle pour une autre raison que lui annoncer son trépas. N'était-elle pas devenue légitimement incontournable ? Débarrassée de Brunehilde par un croc-en jambe bien ajusté, il n'avait pas fallu deux semaines à la petite Morgane, déguisée en chambrière, pour découvrir l'exemplaire tant convoité du testament d'Aliénor dans une des caches secrètes de la chambre. L'après-midi même, Morgane le remettait à Mary et récupérait en contrepartie la petite fiole de poison si longtemps gardée par Rosamund à cet effet. C'était à cet échange que Jeanne avait assisté. Mais cela, à l'heure où je m'annonçais, Rosamund l'ignorait.

Malgré mon impatience à me dresser devant elle, j'avais tout mon temps. Les jardins étaient en fleurs, l'air doux, le soleil radieux et je découvrais que la demeure de ma chère ennemie était à la hauteur de la souffrance de Becket. Ces derniers jours m'avaient épuisée et, pourtant, jamais je ne m'étais sentie aussi déterminée. Une fois les paupières d'Aliénor relevées et son rythme cardiaque régulé, je m'étais empressée de bousculer Morgane puis, sur les indications de cette dernière, Mary Telms en sa chambre de l'*Auberge du Roi*. L'Anglaise n'avait pas été longue à tout avouer, y compris la trahison d'Antelburgh, la destruction du testament par Becket et la fin de ce dernier. Si ces confidences lavaient Henri de toute implication dans le meurtre, elles n'effacèrent pas le sentiment de Richard et d'Aliénor qu'à défaut d'être coupable le roi était responsable du malheur qui frappait l'Angleterre. Du malheur qui avait failli les frapper. Décision fut donc prise de le tenir écarté de cette vengeance qu'ils me confièrent le soin de mener. Escortée par Guillaume le Maréchal tout juste revenu d'une expédition victorieuse contre Limoges, reprise de velléités d'indépendance, j'avais traversé la Manche, puis chevauché jusqu'au couvent de Godstow où j'avais trouvé l'appui de son abbesse qui ruminait depuis longtemps grief contre Rosamund. Ne me restait plus qu'à précipiter cette dernière dans le piège que j'avais tissé.

Tandis qu'elle me faisait patienter, j'en profitai pour déambuler le long des allées. Des centaines de roses s'y épanouissaient. Certaines, au couchant de leur beauté, exhalaient un parfum capiteux. J'en récupérai au creux de ma paume quelques pétales d'un rouge sang pour les frotter à mes joues et mon cou. C'est à leur contact que je pris conscience de ma mise pitoyable. Je me sentis soudain crasseuse, décoiffée, affadie par ces vêtements d'homme que j'avais repris pour mieux chevaucher. Loin de me désoler, ce constat me fit sourire. Rosamund n'y verrait là qu'un signe de plus de mon affliction à la mort de la reine. De mon impatience à servir ses dernières volontés. La colère me tenait tant contre elle que je m'en délectais à l'avance !

— Chère Loanna ! Quel plaisir de vous revoir !

Je me retournai d'un bloc. Elle venait à ma rencontre, sa voix portant haut dans l'azur balayé d'un vent léger. Fardée et apprêtée avec la même somptuosité qu'elle arborait lorsque je l'avais quittée trois ans plus tôt, elle fit sur moi l'effet d'une injure. Immobile au mitan d'une allée, je dissimulai ma rancœur sous un masque de gravité. À mon approche, elle tiqua, comme je m'y attendais.

— Doux Jésus, mon amie, avez-vous donc battu campagne en toute hâte pour vous montrer si négligée ?

— Si fait. En toute hâte, répétai-je. Ainsi que je le devais.

Forçant sa répugnance et la mienne, elle glissa sa main sous mon bras.

— Et moi qui vous fis attendre ! Si l'on m'avait avertie... Venez, venez, très chère, à l'ombre de ce cornouiller.

Je la laissai m'entraîner, s'enfermer dans sa supériorité, nous isoler. Muette, devant l'excitation qui la gagnait et qu'elle dissimulait derrière une fausse empathie.

— Vous a-t-on bien reçue au moins ? servi collation ?

Je ne répondis pas. Un banc se détachait sous une tonnelle proche de l'arbuste. À l'abri des regards. Je pressai le pas, l'obligeant à trottiner sur ses chausses à talons. À s'essouffler sans y paraître. Une toise, deux. Trois. Je me libérai près d'un des piliers de soutènement. Avec plus de violence que je ne l'avais souhaité. Elle le remarqua. N'y tint plus.

— J'imagine que vous ne seriez pas ici si la reine...

Je hochai la tête. Une brève lueur dans son regard avant qu'il ne s'emplisse de larmes. Elle se laissa choir sur l'assise de pierre, se couvrit le visage à pleines mains. Je demeurai debout face à ces hypocrites sanglots, repoussant l'envie de me jeter sur elle et de l'étrangler. Mais c'eût été mort trop douce. Bien trop douce. Je reculai de quelques pas pour achever de m'en convaincre, m'adossai au pilier encerclé de lierre, les bras croisés, un genou replié derrière moi, écrasant sans remords les feuilles sous ma heuse. Je la laissai renifler puis m'offrir son visage ravagé.

Elle couina :

— C'est une si grande perte...

Je détournai la tête, brisai ma voix :

— J'ai embarqué sur l'heure. Selon sa volonté.

Elle récupéra un mouchoir dans le saquet de soie pendu à sa ceinture. Se moucha avec élégance avant de balayer l'air printanier d'une main molle.

— Vous faites sans doute allusion à son testament.

— Moi seule ai désormais autorité auprès d'Henri pour le faire valoir. Or il semble, de prime abord, que parmi d'autres documents, celui-ci ait été dérobé à la reine.

Elle marqua l'étonnement.

— Vraiment ?

Je poussai un soupir à fendre l'âme.

— Sans cet acte qui vous légitime, je ne peux rien pour vous, Rosamund, et j'en suis navrée, car je sais à quel point la reine tenait à vous voir lui succéder.

— Et vous ?

Je haussai les épaules.

— Si je n'y avais consenti, aurais-je contresigné ? Aliénor en était consciente, Henri vous a injustement chassée. Pour une intrigante d'ailleurs...

Elle s'empourpra. J'enfonçai mon poignard.

— ... Une jouvencelle d'une beauté aussi grande que la vôtre au même âge. Il est tant épris qu'il serait bien capable de l'épouser.

Elle manqua s'étrangler, toussota derrière sa main, puis darda sur moi un œil inquiet.

— Que suggérez-vous ?

— Que vous m'accompagniez, scéance tenante, au couvent de Godstow. Henri se trouve au castel voisin et la mère supérieure est disposée à arbitrer notre rencontre. Ma présence et celle de Guillaume le Maréchal dont la vertu est devenue légendaire vous sont un gage. Nous n'aurons, lui comme moi, de cesse que de voir la justice triompher.

Un sourire éclaira son visage tandis qu'elle se redressait, ragaillardie.

— Je ne saurais admettre que vous vous présentiez devant le roi en cette tenue, Loanna de Grimwald. Accordez deux heures à mes dames d'atour pour y remédier. Ensuite, oui, pour le bien du royaume, je vous suivrai.

Je m'inclinai devant elle en une révérence qui lui arracha un gloussement de dinde.

— Point encore, ma chère. Attendez pour cela que je sois couronnée.

Je me glissai dans son pas, faussement servile.

Cette couronne dont elle rêvait serait d'épines jusqu'à son jour dernier.

40.

Le couvent de Godstow dans lequel je m'étais arrêtée avant de rejoindre l'infâme possédait pour me servir deux atouts particuliers. Le premier résidait en un donjon construit sur une fort ancienne crypte qu'une herse refermait, le second en son abbesse. C'était Becket lui-même qui m'avait parlé de cette dame. Veuve depuis cinq années, elle s'était retirée au couvent pour vaincre en elle une détresse muette. Une de ces détresses qui vous prennent à la mort de votre fils unique et se transforment en haine au fil du temps. Elle eût pu basculer dans la folie et s'en prendre au meurtrier de son garçon, elle s'était donnée à Dieu pour tenter de lui pardonner. Si elle avait eu le choix, sans doute la première option l'eût-elle emporté, mais que pouvait-on lorsque le roi lui-même avait porté la colée ?

Rosamund Clifford avait depuis longtemps oublié qu'elle avait été un jour fiancée au fils de cette baronne, fiancé qu'Henri avait jalousement écarté. Elle ne se souvenait même plus de son nom. Et ne pouvait se douter que la mère supérieure avait autant de raisons que moi de la vouloir châtier.

Il lui fallut une bonne minute pour descendre l'escalier à vis qui s'enfonçait dans les profondeurs de la tour avant de s'étonner que le roi la veuille recevoir en bas. À sa décharge, Guillaume le Maréchal s'était montré vis-à-vis d'elle, et durant tout le trajet en voiture, aussi cérémonieux et empressé que je l'avais été. Insistant sur le secret de cette rencontre alors que la mort de la reine n'avait pas encore été annoncée.

Lorsque Rosamund comprit que le silence s'était refermé progressivement sur ses pas, que l'humidité entretenue par la rivière toute proche lui piquait le nez, l'abbesse venait d'atteindre la crypte et nous y attendait, sa lampe à huile levée vers le dernier quart de l'escalier pour faciliter notre descente. Enfin atteinte d'un sentiment de danger que nous avions pris soin jusque-là de détourner, Rosamund fit volte-face. Elle rencontra aussitôt, pointée vers elle, l'épée de Guillaume le Maréchal qui la suivait. Elle blêmit, se colla au mur, les deux mains en arrière, la gorge si nouée de s'être laissé piéger qu'elle en oublia de parler. Mon regard par-delà l'épaule du chevalier, rendu terrifiant par la mouvance du falot que ma main avait levé, acheva de la renseigner sur nos véritables intentions. Je n'eus besoin de rien imposer. Rasant les pierres à s'en écorcher les mains et le mantel, incapable de me quitter des yeux et liquéfiée de terreur, elle continua de s'enfoncer dans ces profondeurs glacées.

Ce ne fut qu'arrivée dans cette salle aux contours obscurs, près de l'abbesse qui fixait sur elle un œil rancunier, qu'elle bafouilla :

— Qu'est-ce à dire, doux Jésus ? Qu'est-ce à dire ?

Une gifle balaya sa joue. Depuis combien de temps la moniale attendait-elle de la porter ? Depuis qu'elle avait appris la vérité de la bouche de Becket venu, près d'elle, espérer un asile durant sa fuite ? C'est ce qu'elle m'avait déclaré froidement, lorsque je lui avais annoncé vouloir emprisonner Rosamund en la place. Elle aurait tout le temps. Tout le temps pour la regarder dépérir derrière les grilles, rendue à la bestialité d'une paillasse puante, sous un crucifix, dans l'obscurité la plus totale trouée seulement deux fois par jour, à l'heure d'un gruau ou d'un bouillon clair. Elle aurait tout le temps de se repaître de ses suppliques ou de son renoncement. Autant qu'elle en avait eu elle-même pour mourir à petit feu, de chagrin.

L'ordre fusa de sa bouche sèche :

— Silence, catin ! Silence ou je te fais fouetter jusqu'au sang jusqu'à ce que tu n'aies plus la force d'un seul mot !

Rosamund recula, nous balaya d'un œil hagard. Elle ne comprenait pas. Laissant Guillaume la maintenir à merci de la pointe de sa lame, je lui fis face.

— Grâce à mon contrepoison, la reine a survécu. C'est terminé, Rosamund. Trop de crimes vous accablent. Vos complices croupissent déjà comme vous l'allez faire, ici, jusqu'à votre heure dernière puisque, au regard de vos anciens privilèges, nous avons écarté l'idée d'une pendaison.

— Non, fit-elle. Non. Henri ne permettrait pas cela.

Ma bouche se tordit en un rictus cruel.

— Henri ne sait pas.

Frappée de panique, son souffle s'accéléra. Elle secoua la tête puis, alors que je m'attendais à la voir se jeter sur moi ou sur la lame, tomba à mes pieds, les deux mains jointes.

— Pitié ! Pitié, Loanna ! Je ne veux pas croire que vous ne puissiez m'absoudre. Pas après ce que le roi vous a fait subir.

Je m'écartai. Il n'y avait pas le moindre regret en moi.

Elle s'agrippa au bas de mon bliaud, insista :

— C'est lui le responsable. Lui seul. Pas moi…

Je voulus me dégager d'elle. Elle suivit mon mouvement de recul. Ma voix s'emplit de rage sourde :

— De la pitié… En avez-vous eu pour Thomas Becket ?

— Et pour mon fils, votre promis d'avant Henri ? cracha la moniale.

Alors seulement elle comprit. Elle comprit que, quoi qu'elle fasse ou dise, elle était perdue. Elle ne chercha plus à nier. Elle lâcha prise, le nez contre le sol, soulevée de sanglots. Nous reculâmes, l'abbesse et moi, tandis que Guillaume actionnait une antique manivelle scellée dans le mur, à droite des degrés. Rosamund entendit le couinement de la grille qui, lentement, descendait, nous séparant d'elle. Elle ne bougea pas. Pas davantage lorsque les pieux s'enfoncèrent dans le sol. Je cherchai en moi un semblant de pitié pour cet être dont j'avais, en son tout jeune temps, à Tintagel, loué le rire, la beauté et la générosité. Je n'en trouvai pas. La grossesse meurtrière de Jean, la mort de Becket, la perte de mon enfant, la tentative d'assassinat d'Aliénor, à quel crime devrais-je encore assister si je la laissais exister ? La lumière parfois peut n'être qu'un leurre. Rosamund Clifford s'en était servie, elle ne l'avait pas donnée. Désormais elle en demeurerait privée.

L'abbesse remonta les marches, écrasant la pierre d'un pas plus léger qu'à l'aller. Guillaume suivit. Je fis de même. Apaisée.

Au même instant, le pape rendait son verdict. Henri était coupable de la mort de Becket, sinon par le geste, du moins par la pensée. La chrétienté se dressa contre lui. Il fut excommunié. Il l'apprit en Irlande qu'il venait de rallier pour, écrivit-il à la reine, achever de mettre au pas un peuple que le paganisme continuait de distraire des chemins de Dieu. Dans l'espoir de convaincre l'Église de lui pardonner ? Quoi qu'il en soit, cette part de moi qui l'avait placé sur le trône se sentit humiliée.

Quelques semaines après son incarcération, Rosamund écrivit deux lettres, recopiées jusqu'à ce que son écriture ait cessé de trembler et ses yeux de couler. L'une à l'intention de son père, l'autre pour Henri. Toutes deux annonçant son retrait de la vie civile en le monastère de Godstow dans lequel, disait-elle, elle souhaitait ne plus recevoir de visite. Elle rendait à la couronne tous ses biens en échange d'une petite pension pour son entretien. Ses adieux, contrairement à ce qu'elle imagina, n'amenèrent aucun regret de la part de ces deux hommes. Elle avait éteint en eux le goût de la pleurer.

Si Aliénor se remit sans que nul sache quel mal l'avait affectée, Henri le Jeune et Geoffroy de Bretagne furent avertis de ce que Rosamund avait fait. Comme Richard, ils en conclurent que l'heure était venue d'agir. Pour le bien du royaume et le salut de la chrétienté.

41.

Durant les mois qui suivirent et alors qu'Henri s'affairait à la conquête de l'Irlande, méprisant pour plaire au pape la lignée d'Avalon qui l'avait institué sur le trône, la rumeur enfla de telle sorte qu'il ne fut plus une seule auberge, une seule masure où l'on prononçât le nom du roi d'Angleterre sans se signer d'effroi. Pour tous, par la sanction papale, il fut assimilé au diable. Qui d'autre que Satan lui-même aurait pu souhaiter la mort de Becket ? Un homme qui manifestait chaque jour sa sainteté par ses miracles ! On prêta au roi tous les vices, les plus noires intentions. Devant leurs enfants récalcitrants, les mères agitaient même un index menaçant en ajoutant qu'elles pourraient bien demander conseil au roi d'Angleterre pour les aider à filer droit. Cela suffisait à transformer les loups en agneaux ! Depuis Poitiers, Aliénor et Richard s'activaient à rassurer leurs barons et à s'attacher leur fidélité, renforçant les cours d'amour et les tournois. Si Henri était désigné coupable, eux ne l'étaient pas ! Changer les habitudes nous aurait, au mieux, rendus complices. Qui était surpris à l'envisager était aussitôt gourmandé. Aliénor surveillait cette affaire avec la gravité nécessaire mais en refusait les excès. Nous ne devions pas donner l'impression de nous sentir atteints par ricochet, de baisser museau. Sans quoi, à notre tour, la rumeur nous aurait condamnés. Raymond V de Toulouse l'utilisa pour, de nouveau, lorgner avec envie nos frontières. Il n'était pas le seul. Tous ceux qu'Henri avait malmenés par le passé, blessés d'orgueil ou raillés de suffisance se rengorgeaient aujourd'hui de l'opprobre dont on le couvrait. Tous persuadés que cette fois le léopard ne se relèverait pas. De sorte qu'à l'heure où Henri le Jeune s'avança à leur rencontre ils virent d'un œil nouveau ce jouvenceau altier, bien décidé à rendre à son royaume la superbe d'antan que son père lui avait spoliée. Mais plus encore. Ils furent séduits. Séduits par sa prestance, son intelligence, son sens tactique mais surtout, séduits par l'idée, en le soutenant contre son père, de se débarrasser de ce dernier.

Lorsque la rumeur atteignit Henri sur les champs de bataille irlandais, il n'eut d'autre choix que de confier la prise des dernières places fortes à ses barons et de rentrer. Dès lors, depuis Rouen, il multiplia les tentatives auprès du pape pour se disculper. Rien n'y fit. Le 21 mai 1172, à bout d'arguments, il entra en pénitence, à Avranches où s'étaient, sur sa demande, réunis les membres les plus éminents du clergé normand. Debout sur les marches de la cathédrale Saint-André, torse nu face à une foule innombrable de petites gens et de barons, le visage grave, il posa sa main sur la bible que l'archevêque lui tendait.

— Moi, Henri Plantagenêt, duc de Normandie et roi d'Angleterre, déclare solennellement renoncer aux constitutions de Clarendon et entretenir deux cents chevaliers à la défense de Jérusalem.

Il prit une profonde inspiration, enroula un regard douloureux sur l'assemblée puis, dans le mutisme qui les tenait, continua, haut et clair :

— Je jure, sur l'Évangile, n'avoir jamais souhaité ou commandité l'assassinat de Thomas Becket. Que les lanières me cinglent, que leur feu me pénètre afin que dans la douleur je rejoigne celui que je pleure, cet ami que, malgré les différends qui nous opposèrent, je n'ai jamais cessé d'aimer.

Il y eut un bruissement dans la foule tandis que, lui tournant le dos, il s'agenouillait face au portail, les mains jointes.

Quatre moines s'avancèrent, munis de fouets. Les uns après les autres, ils frappèrent. Chacun compta les coups en frémissant. Dix. Vingt. Au trente et unième, Henri tomba face contre terre, ensanglanté. Il n'avait pas poussé le moindre gémissement. Deux de ses bourreaux le prirent chacun sous une aisselle pour le relever et le ramener, inconscient, à l'intérieur. Lors seulement, la place commença à se vider. Lentement, en silence, dans un signe de croix face à ces ruisseaux vermillon qui dégoulinaient des marches en réponse à ceux arrachés à Becket. Comme ses frères qui avaient encadré le roi, Henri le Jeune s'attarda longuement à les regarder imprégner la pierre, les mâchoires crispées.

— Ce ne sera jamais assez, grinça-t-il en ébauchant un signe de croix.

Richard d'Aquitaine et Geoffroy de Bretagne hochèrent la tête, aussi douloureux qu'il l'était.

Le 30 mai, en la salle capitulaire de l'abbaye Saint-Étienne à Caen, le corps brûlant encore de fièvre, le dos croûté, Henri renouvela son serment avant de réclamer même pénitence. Au quinzième coup, cette fois, il s'écroula en tressautant de douleur, mais sans plainte lâcher.

Son courage et sa souffrance eurent raison des dernières réserves. Tous furent convaincus de son innocence. Sauf ses fils. Aucun d'eux n'avait l'intention de pardonner.

Mieux, ils se soudèrent autour de cette colère qui les tenait. Ils avaient atteint l'âge des révoltes, l'âge du discernement, et savaient, du plus profond d'eux, de quelle perversité était capable leur père pour obtenir ce qu'il souhaitait.

Pour preuve, à peine remis de ses blessures, Henri recommença de festoyer. Le pape levant son interdit, ses détracteurs baissant le nez, il jubila. N'avait-il pas en plus du reste fait la preuve de sa vaillance, de son courage ? Il reprit le chemin de l'Irlande, se porta au-devant des châteaux avec un sentiment accru d'invincibilité.

— Pour l'honneur de Dieu ! hurlait-il en fauchant les vestiges d'une religion déchue.

Chaque pierre qu'il renversait était une dont il me frappait. Lors, emplie de tristesse mais convaincue de mon devoir envers Avalon et l'Angleterre, je m'activai auprès de ma reine, entre deux séjours à Blaye pour visiter mes enfants, à préparer la chute du traître qu'il devenait.

En août, nos alliances s'étant renforcées, Henri le Jeune jugea qu'il était temps de frapper discrètement le premier coup d'estoc. Il réclama d'être couronné de nouveau, cette fois avec son épouse, Marguerite de France, en l'abbaye de Westminster. N'y voyant que l'occasion de se réconcilier enfin avec Louis, Henri accepta. Il venait de rentrer de campagne, satisfait d'avoir vu s'agenouiller les derniers résistants. Aliénor et moi le reçûmes en Poitiers, le cœur glacé mais arborant un masque de civilité.

— Alors quoi, Canillette ? N'est-il pas temps de regarder devant ? Tu étais la dernière des grandes prêtresses d'Avalon, ne peux-tu comprendre qu'en m'emparant de l'Irlande, en balayant ces vieux mythes je te libère enfin du fardeau que tu portais, à l'heure où il deviendrait dangereux, au regard de l'Église, d'encore l'exhiber ?

— Sans doute, mon roi. Sans doute, répondis-je, poignardée par son rire alors qu'à table, avec notre proche maisonnée, je venais de lui reprocher d'avoir mis tant de fougue à servir la chrétienté.

Quelques minutes plus tard, profitant de l'entrée d'un joglar et prétextant une migraine, je me retirai. Lorsque Jaufré me rejoignit, j'étais devant la croisée à fixer le croissant de lune. Il enroula ses bras autour de mes épaules réchauffées d'un mantel de nuit. Je nouai mes mains aux siennes de part et d'autre de ma poitrine, le cœur lourd.

— De sang et de larmes, Jaufré. Voici ce que seront nos dernières heures sur cette terre. Nous sommes revenus auprès d'Aliénor et d'Henri pour tenter d'empêcher l'avènement de cette prophétie. Pour tenter d'empêcher l'alliance de se briser. Or je la sers en refusant d'abdiquer ce que je suis. Ai-je tort ?

— Non, Loanna. Viendra ce que viendra, mais tu ne dois pas renier la magie qui est en toi. Tu ne dois pas renier ce que nous sommes.

— Nous en mourrons peut-être.

— Nous en mourrons sûrement.

Je frémis. Il m'embrassa dans le cou. M'étreignit plus intensément.

— L'âge nous caresse, Loanna, malgré les pouvoirs que nous possédons et qui en retardent les effets. Alors avançons dans ce qui est juste. Dans ce qui est légitime. Avançons sans trembler et jusqu'au bout. Quelle qu'en soit l'échéance. Je n'ai pas peur de te perdre.

— Malgré le serment échangé à Vendrennes ?

— Malgré le serment échangé à Vendrennes. Je t'aime et serai toujours à tes côtés. Qu'Henri cède place de son plein gré à son fils ou qu'il faille guerroyer.

Je pivotai contre ce rempart solide que depuis tant d'années déjà il m'offrait. Nouant mes bras autour de son cou tandis qu'il m'enlaçait plus étroitement encore, je lui offris avec mes larmes de résignation le plus brûlant des baisers.

Le 27 août, alors qu'Eloïn apprenait à Richard, fou de joie, qu'elle portait son premier enfant, nous labourant le cœur d'une émotion partagée, Henri le Jeune recevait de nouveau la couronne d'Angleterre à son front, sa jeune épouse à ses côtés.

Tout à sa superbe et croyant encore faire son propre jeu, Henri ne se douta pas un seul instant que son fils légitimait ce jour-là son alliance avec la France pour mieux le briser.

En cette fin d'année 1172, je me préparais à une guerre. Une guerre contre mon roi, celui qu'enfant j'avais choyé, convaincue qu'il serait pour moi le seul, l'unique. Mais peut-être alors n'avais-je pas véritablement compris, bien qu'on me l'eût cent fois répété, que l'Angleterre admettrait toutes les trahisons dès lors qu'elle se trouverait en danger.

42.

Ce fut au tout début décembre, à Angers où il avait rejoint son père, qu'Henri le jeune se dressa ouvertement sur son chemin pour la première fois, au beau milieu d'une cour empressée.

— Une revendication, fils? s'étonna Henri en le voyant s'incliner devant lui le poing sur le pommeau de son épée.

— Une légitimité, père...

Assis sur son trône, les paumes encerclant l'arrondi des accoudoirs, Henri fronça les sourcils. Son fils le cueillit d'un rictus amer.

— Je réclame ce jour, et puisque me voilà en âge de gouverner, ce qui me revient de droit. La Normandie et l'Angleterre conférées par mon sacre.

Henri sursauta. Quelques secondes durant, surpris, il ne sut que dire, puis, comme toujours lorsqu'il était en position délicate, il éclata de rire. Henri le Jeune serra plus fort son poing sur le pommeau. Levé tout aussitôt, Henri descendit les marches, puis, se plantant devant lui avec commisération, lui tapota la joue.

— Régner demande du courage. Vous n'en manquez point, c'est indéniable, mais je doute que vous en ayez assez pour m'assassiner. Or, sans cette condition, mon fils, il vous faudra attendre que le Très-Haut lui-même décide de l'heure de ma succession. Et, de vous à moi, je ne suis pas pressé. Si nous allions plutôt ripailler ? C'est ce qu'en votre jeune âge l'on fait de mieux, non ?

Refusant l'accolade que le roi lui offrait, Henri le Jeune le foudroya du regard avant de lui tourner le dos en direction de la sortie. Son père avait raison. Il n'aurait pas davantage eu le cran que le cœur de dégainer son épée.

— Jeunesse, impétueuse jeunesse ! l'accompagna-t-il d'un timbre clair et amusé jusqu'à la porte.

Quant à lui, il garda les poings serrés.

Curieusement, Henri ne lui en voulut pas. Au contraire. Cette fougue l'amusa et renforça son sentiment que son fils serait un grand roi à son heure s'il était ainsi capable de braver l'autorité, fût-elle paternelle.

Sur les conseils de sa mère qu'il rejoignit dans la foulée, Henri le Jeune s'adoucit. Si l'heure approchait, elle n'était pas venue. Certains de nos alliés n'avaient pas encore ratifié nos traités, et mieux valait ne pas courir le risque qu'ils se dédisent en voyant Henri gronder. Tout au contraire, il fallait endormir le léopard pour mieux le capturer.

— Je connais bien votre père, Junior. Donnons-lui ce qu'il attend de nous tandis que nos émissaires s'activent. Avec la nouvelle année, je vous l'assure, il sera acculé.

— Je ne veux vous faire courir aucun danger, mère, s'inquiéta Henri le Jeune en la couvrant de tendresse.

Ce fut à mon tour de rire, dans cette salle d'armes du palais ducal qui nous avait réunis en petit comité pour quelques passes, ainsi que nous en avions l'habitude. La pointe au sol, je secouai mes boucles ambrées.

— Votre mère a plus d'un tour dans son sac, mon garçon. Ce ne sera pas la première fois qu'elle mouchera son époux.

— Quelle que soit la morve qui lui coule du nez, ajouta Aliénor en se mettant en garde pour défier ses trois fils.

Le lendemain, avec dames d'atour, de compagnie, troubadours et courtisans, nous partions pour Chinon retrouver Henri, conscients que ce serait la dernière fois qui nous verrait à ses côtés. L'heure était à l'hypocrisie, et, s'il m'en coûtait, forte des encouragements d'Eloïn et de Jaufré, je m'y rangeai en saluant mon roi d'un sourire crispé. Nous y gagnâmes de retrouver pendant quelques jours un monarque jovial, semblable à celui qui nous avait accueillis avant la mort de Becket tandis que, peu à peu, en vue de la cour plénière, les invités nous rejoignaient. La veille, Geoffroy et Agnès s'annoncèrent avec le petit Godefroy, joufflu et rieur. L'occasion pour mon fils de retrouver ses amis d'enfance et de se distinguer lors des tournois en gagnant quatre manches sur six, prouvant que son retrait sur nos terres n'avait point amolli sa garde et son bras. Il les offrit à Richard, dans une accolade, pour le cas où il devrait, demain, guerroyer à ses côtés. Mon roi n'y vit, là encore, que le signe de notre fidélité.

Il avait de fait toutes les raisons de s'y laisser prendre. Le rire de chacun autant que les manifestations d'affection réjouirent ces dix jours de festes. La grande foire qui se tenait aux portes de la ville ramena plus de monde qu'à l'ordinaire, tant la levée de l'excommunication prononcée contre le roi soulageait chacun. De l'Irlande dont il venait de ceindre la couronne aux Pyrénées, Henri était certain de l'unification de son royaume. Pour ajouter encore, durant le banquet de l'épiphanie, Aliénor n'eut de cesse de lui envoyer œillades, lui donnant à supposer qu'à l'exemple du pape elle lui avait pardonné. N'avaient-ils pas, avant la mort de Becket, amorcé les bases d'une réconciliation ?

Lorsqu'elle poussa la porte de sa chambre quelques heures plus tard, alors qu'il s'apprêtait à se coucher, il oscilla entre la surprise et le réconfort.

— Vous, madame ?

Elle posa sur le dessus d'un coffre la lampe à huile qu'elle tenait en main, un sourire enjôleur aux lèvres.

— Attendiez-vous quelque autre ?

Une bouffée d'orgueil ramena en lui un désir oublié. Il s'avança vers elle qui délaçait son mantel, leva une main pour emprisonner sa joue que l'âge avait à peine affaissée. Il sonda ce regard regagné de tendresse, planté dans le sien, et murmura sur ses lèvres offertes :

— C'est vous que je n'attendais plus.

Cette nuit-là, Aliénor prit un plaisir étrange. Un de ceux qui s'apparentent aux victoires autant qu'aux adieux. Elle l'aima. Elle l'aima de tout son corps, de tout son cœur et d'une partie de son âme. L'autre ne lui appartenait plus depuis que ses enfants étaient venus au monde. Elle aima Henri avec le sentiment d'une dernière fois. Lui comme une première. Rompu aux délices de chairs fermes et jeunes, il s'était rendu à la certitude que son épouse, malgré ses efforts après la naissance de Jean, n'offrait plus aux caresses de Ventadour que le plissement des peaux vieilles, et que ses seins autrefois durs et haut perchés n'étaient plus désormais que masses tombantes et sans attraits sous le bliaud. Elle l'en détrompa sitôt le mantel abandonné à terre. Elle était belle, presque autant qu'hier, quand il accusait lui quelques lourdeurs de taille. Lors, tandis qu'il la bélinait avec toute l'attention des premiers temps de leur hyménée, il se disait qu'il avait été sot de se détourner d'un trésor bonifié avec l'âge quand il s'était si vite lassé de Rosamund.

Au petit jour, il s'endormit sur la certitude de l'avoir reconquise, comme tant d'autres choses cette année. Elle n'avait pas cherché à le détromper. Pourtant, sitôt qu'il se mit à ronfler, couché de flanc, elle quitta la couche sans bruit. Elle coula vers lui un ultime regard, s'étonnant à peine de n'y plus trouver la trace de cet amour dont, à l'aube, une part d'elle rayonnait encore. Puis, son mantel ramené sur ses épaules, elle repassa la porte, tout son être en paix. Elle voulait vérifier. C'était fait. Avec cette étreinte, elle avait rendu à Henri tout ce qu'elle lui devait. Elle était définitivement guérie de lui.

Lorsqu'il se leva de longues heures plus tard, surpris de ne point la trouver à ses côtés, il apprit qu'elle avait quitté Chinon avec sa maisonnée.

43.

Louis de France s'amusa de sa propre nervosité. À croire que les années n'avaient point abîmé en lui ces effets de jeunesse qu'Aliénor avait suscités. Les troubadours qui la chantaient célébraient toujours cette prestance, cette lumière, cette force dont il avait autrefois subi le joug. Se pouvait-il qu'elle les ait préservées à cinquante ans passés ? Depuis combien de temps ne l'avait-il vue ? Quatorze ans ? La dernière fois c'était en Normandie, alors qu'il avait traversé les terres d'Henri pour son pèlerinage au mont Saint-Michel. D'autres occasions avaient avorté. Ou peut-être sciemment les avait-elle écartées. Il inspira un grand coup. Fixa ce battant derrière lequel elle patientait dans le secret qu'elle avait réclamé. Quatorze ans. Il pouvait s'attendre à tout. Les plus belles des fleurs finissaient toujours par se faner.

Au moins, songea-t-il en allongeant son pas, je serai délivré de l'avoir trop et si mal aimée.

Mais sur le seuil, sitôt qu'elle se leva de son siège pour lui faire révérence, il put juger de son erreur. De tous les arguments chantés par les trobars, c'était de beauté mature qu'Aliénor était le plus joliment parée.

Elle se réjouit discrètement de le découvrir au rosissement de ses traits, à cette gorge qu'il racla avant que de l'inviter à se redresser. Tout en se faisant la remarque que, pour sa part, Louis de France accusait solidement le temps passé. Elle lui fit face, consciente que leur dernier tête-à-tête avait eu lieu vingt ans auparavant, juste avant qu'elle ne rejoigne Henri. Étrange comme les situations pouvaient s'inverser.

— Je suis heureux de vous revoir, Aliénor.

— Moi aussi, Louis.

L'espace de quelques secondes, ils cherchèrent d'autres mots. Aliénor avait quitté un prêtre dans l'espoir d'un roi. Il s'était séparé d'une femme dans l'illusion d'une reine. L'un comme l'autre étaient devenus ce que l'un et l'autre en attendaient. Il était juste trop tard. Face à ce silence qui s'éternisait, à leurs pieds qui dansaient l'un sur l'autre, Aliénor dodelina de la tête, un rire aux lèvres.

— Nous voici bien embarrassés, Votre Majesté. Oserais-je suggérer que vous nous serviez de ce petit alcool de prunelle dont je sais que vous avez gardé l'habitude ?

Il s'anima aussitôt.

— C'est une merveilleuse idée. Reprenez siège et, sans détours, dites-moi ce qu'il me réjouirait d'entendre…

Elle le laissa gagner un petit coffre, attendrie malgré elle de voir que le flacon, régulièrement rempli, était toujours à sa place dans ce cabinet où rien n'avait vraiment changé, sinon la couleur des tentures aux fenêtres. De fait, à l'exception de cette cathédrale toujours en chantier mais résolument somptueuse en place du quartier Sainte-Geneviève, l'île de la Cité l'avait à peine étonnée. Quant au vieux palais, s'il avait subi quelques transformations, cette aile dans laquelle le roi avait conservé ses différents cabinets était conforme à ses souvenirs. Elle les chassa dans un soupir.

— L'attitude d'Henri à mon égard a déjà dû, depuis longtemps, vous consoler de mes crimes contre vous, non ?

Il revint avec deux hanaps, lui tendit le sien avant de s'installer face à elle dans un second fauteuil. À quelques pas, l'âtre crépitait. Un chat, au pelage d'un roux flamboyant, était couché à même le dallage, indifférent à leur joute. À leur tendresse déguisée.

Il leva son verre avant de le porter à ses lèvres et de regagner, par l'abrupt du breuvage, la splendeur de sa charge. C'était un roi qu'elle était venue trouver, non un ancien époux. Il ne devait pas l'oublier. Elle laissa couler une lampée de liquide au fond de sa gorge, capable, en place d'hier, d'apprécier sa brûlure comme un coup de fouet. Ragaillardi autant qu'elle, il s'abandonna au dosseret, les avant-bras sur les accoudoirs, le récipient vidé dans le prolongement d'un poignet cassé.

— Ah… l'attitude d'Henri… Elle me demeure un mystère, ma chère. Autant que le cœur des femmes, à dire vrai.

Elle baissa les yeux.

— Trouveriez-vous incongru qu'aujourd'hui, enfin, je vous demande pardon ?

Il pencha la tête de côté pour étudier ses traits.

— Inutile surtout. J'ai longtemps pensé que la haine était un bon remède à l'amour. Jusqu'à ce que je vous voie à Rouen. Et que je me rende à l'évidence que, pour ne pas vous perdre, il eût fallu peut-être, simplement, que je comprenne à quel point vous comptiez. Si je devais en vouloir à quelqu'un, ce serait à Suger. Mon cher Suger qui me convainquit du danger que vous représentiez pour le royaume. Mais peut-on en vouloir à un défunt ?

La légèreté de son ton lui fit retrouver sa contenance.

— Ce serait déplacé, j'en conviens.

Il sourit, heureux soudain de ce moment improbable et pourtant si souvent espéré.

— Il me suffit ce jourd'hui de constater ce que vous avez apporté à l'Angleterre pour tuer nos vieilles querelles et les voir sans objet. J'étais jeune, influencé. Vous rêviez d'un roi à la hauteur de vos ambitions. Mon seul regret, somme toute, c'est que ni Henri ni moi n'ayons su vous le donner. Car c'est bien de cela qu'il s'agit, n'est-ce pas ?

— Et vous prétendiez ne rien connaître du cœur des femmes…

— Disons qu'à toute compréhension l'observation est plus facile que l'implication.

Elle retint un rire. Il sentit brûler en lui un feu ranimé, comme hier, chaque fois – trop rares fois – qu'il lui avait arraché cette expression si particulière.

— Je suis le suzerain de Richard pour l'Aquitaine. À ce titre, il me trouvera à ses côtés contre son père. Votre aîné aussi. Pas pour vous être agréable, ni par souci de vengeance, mais parce que la France y a intérêt. La chrétienté y a intérêt. Vos fils le savent.

Aliénor hocha la tête.

— Ce n'est pas leur cause que je suis venue défendre, mais la mienne.

Il laissa son hanap rouler sur le sol, se leva, tomba genoux à terre devant elle et enleva cette main, qui sous cet aveu s'était mise à trembler. Il la porta à ses lèvres. Elle ne se déroba pas, acceptant son regard brûlant dans le sien, troublé.

— Elle est entendue depuis longtemps déjà. Même si les feux d'hier ne sont que cendres en vous, les miens, enfouis, ont gardé leur chaleur. Vous trouverez asile si besoin est, sans contrepartie et en chaque endroit du royaume. Que l'Aquitaine soit derrière vous ou que vous en soyez privée.

— Merci, Louis.

Elle se pencha vers lui, effleura ses lèvres des siennes, délicatement. Puis s'écarta. Quelques secondes passèrent sur eux. D'émotion partagée. Louis la brisa en se relevant.

— C'est moi qui vous remercie, Aliénor. Jamais baiser de paix n'aura été plus doux et espéré.

Il se courba devant elle et sortit d'un même élan là où Henri, comme un soudard, l'aurait basculée. Peut-être justement pour ne pas y succomber.

44.

En cet instant, je me trouvais face à mon roi, qui, privé de nouvelles de sa femme depuis que nous avions quitté Chinon deux semaines plus tôt, avait poussé un galop vif jusqu'à Poitiers. Ne pouvant lui révéler que son épouse, après s'être offerte à lui, avait chevauché en cour de France, je n'avais eu d'autre choix une nouvelle fois que de feinter. Mais cela me coûtait. Assez pour qu'Henri ne soit pas dupe. Pour preuve, renfoncé à l'autre bout de la pièce, il venait de croiser ses mains au dos et de se planter devant la fenêtre alors même qu'il n'y avait rien à voir. Des trombes d'eau tuaient toute visibilité.

— En voyage. La reine est en voyage. Sans vous et par ce temps…

— Ne l'avez-vous bravé ?

— J'avais mes raisons.

— Elle a les siennes.

— Mais doit en rendre des comptes.

— Elle l'a fait. Au duc, son fils, qui l'a accompagnée. Quant à moi, vous l'avez pu constater à la cheville bandée d'Adélaïde de France, Eloïn étant dans le sillage de Richard, moi seule ici possède pouvoir de réduire les entorses. Et la sienne, pernicieuse, justifiait que je reste à ses côtés.

Il pivota, agacé, l'œil noir.

— Assez, Loanna. J'exige de savoir où elle est allée.

Je haussai les épaules.

— Visiter une abbaye. Laquelle, je ne le saurais dire. Fontevrault peut-être. Elle s'y rend régulièrement pour voir Jean. À moins que ce ne soit Noirmoutier. Vous le savez mieux que quiconque, Raoul de Faye est incorrigible.

Deux ans plus tôt, Richard s'était montré intransigeant avec l'oncle d'Aliénor lorsque ce dernier avait voulu extorquer des redevances illégitimes aux religieux de Vendôme. Henri ne pouvait reprocher à son fils de faire preuve d'autorité si, une fois de plus, le protégé d'Aliénor avait récidivé.

Désemparé, il céda. Ses reins le faisaient souffrir. Jusqu'ici il avait toujours fini par vaincre la douleur. Plus difficilement ces derniers mois. Conséquence de son sentiment de culpabilité à l'égard de Becket, de sa contrariété et plus sûrement des coups, excessifs, de fouet? Sa grimace tandis qu'il s'étirait dans le silence retombé me fit prendre conscience de la raideur de sa jambe, de son léger déhanchement. Sa souffrance s'était aggravée. Pour autant que mes griefs à son égard fussent justifiés, la guérisseuse en moi ne pouvait que proposer de le soulager.

Je m'approchai de lui, adoucie.

— Pourquoi ne profiteriez-vous pas de son absence pour vous reposer quelques jours? Le temps pour moi de préparer de l'onguent. J'ai employé toute ma réserve pour soigner Adélaïde.

Au lieu de se détendre, il se raidit. En vérité, j'aurais dû m'en douter. S'il espérait retrouver mon affection, Henri n'avait que faire de ma pitié.

— Quelques jours... Combien? Deux? Trois? Dix? Croyez-vous que je n'aie rien à faire qu'attendre? Le mois qui s'annonce m'invite à deux rencontres d'importance pour le royaume et je dois m'assurer que mes ordres ont été bien exécutés.

Dans le contexte de la haute trahison qui se préparait, cette annonce suscita mon intérêt. Avant de quitter Poitiers, nous nous étions entendues Aliénor et moi sur la conduite à tenir vis-à-vis d'Henri. Elle se voulait garder discrète et lointaine après cette nuit d'amour échangée, lui laissant croire que tout était encore possible sinon consommé. Ainsi, si de méchantes rumeurs de trahison lui venaient, il oscillerait entre le doute et le ricanement, suffisamment longtemps, elle l'espérait, pour qu'il campe sur ses positions et y soit encore lorsqu'Henri le Jeune s'imposerait. Je ne pouvais lui garantir la même réserve. Déjà à Chinon, il m'avait fallu composer, me mordre la langue lorsqu'il m'avait dédié la couronne d'Irlande pour ne pas lui rétorquer qu'il n'en était pas plus digne à mes yeux et ce jourd'hui que de celle d'Angleterre. Henri me connaissait trop pour ne pas prendre conscience des efforts que je faisais pour paraître joviale en sa compagnie. Si je trichais avec moi-même, son instinct lui dicterait que quelque chose se tramait. Face à cette évidence, je lui tournai résolument le dos en haussant les épaules.

— Forte tête vaut médecine, dit-on, et la vôtre, à ce que je constate une fois encore, n'a que faire de la mienne. Souffrez donc. Il m'est indifférent.

Comme je m'y attendais, il explosa :

— Forte tête ! Moi ! C'est trop, vraiment ! Après, de ta part, tant de courroux injustifié sous de feintes révérences !

Je fis volte-face, l'index brandi comme une menace.

— Trouvez-le, une fois encore, injustifié, Henri, et je jure de vous achever au lieu de vous soigner.

Il était pivoine. Ma voix se brisa, cette fois, de sincérité :

— Alors quoi ? N'avez-vous su implorer le pardon d'une Église honnie hier, à défaut du mien ? N'aurez-vous de cesse de bafouer ce que je suis, ce qui vous servit plutôt que de vous incliner ? N'y aura-t-il donc que l'intérêt pour dicter vos lois plutôt qu'un repentir sincère ?

Il tressaillit mais, emporté de fierté, ne faiblit pas.

— Becket m'a donné son pardon ! Les miracles qu'il accorde, chaque jour plus fréquents sur son tombeau, en témoignent. Cela devrait te suffire, non ?

Le lui laisser croire. J'en fus incapable.

— Non, Henri. Non. Ce n'est pas de pardon que ses miracles sont faits mais de justice. Une justice qu'une fois encore il m'a fallu appliquer, seule, dans l'ombre, tandis que vous vous contentiez, hypocritement, de l'invoquer.

Ses sourcils se froncèrent.

— De quoi parles-tu ?

— Croyez-vous sincèrement que de simples soldats auraient trouvé le cran d'abattre le primat d'Angleterre à même le sol de son église ? sans un ordre venu de suffisamment haut pour les assurer d'avoir conscience gardée ? péché absous ? Si vous ne l'avez donné, alors qui ? Qui dans le but de vous nuire et, par le même biais, de se venger de vous comme de lui ?

Je le vis se décomposer. Je me rapprochai d'un pas, les yeux levés vers les siens, aussi froids qu'une lame.

— Avez-vous vraiment pensé que Rosamund Clifford s'était retirée d'elle-même à Godstow ?

Il hoqueta :

— Des preuves… Je ne saurai croire sans preuves.

Je soufflai des narines comme un cheval en colère.

— Puisque ma parole ne suffit plus là où vous l'avez autrefois encensée, suivez-moi, Henri Plantagenêt. Lors, soyez-en sûr, c'est à genoux que vous tomberez. À genoux que cette fois vous me supplierez de vous pardonner.

Il y tomba malgré la douleur rendue plus vive par la descente puis la remontée d'interminables escaliers. Il y tomba, en silence, dès que nous fûmes de retour dans ce cabinet où je l'avais reçu à son arrivée. Après avoir entendu la confession de Mary Telms qui, plus lentement que Morgane exécutée par pendaison, se mourait dans sa cage de fer suspendue, les poumons atteints par l'humidité excessive des oubliettes du château ducal. Henri, qu'on avait tenu à l'écart de l'affaire du poison, l'avait découverte. Autant que sa maîtresse déchue, Aliénor avait été sans pitié. Il courbait la tête devant moi, les mains jointes, les yeux fiévreux de ce repentir que cette fois j'avais réussi à arracher. J'eusse pu m'en contenter. Je m'y refusai.

— Qu'imaginiez-vous, Henri, en serrant Aliénor dans vos bras ces jours derniers ? Que le temps seul avait fait son œuvre ? Il eut un maître. Moi ! Moi ! Toujours moi ! Car ne vous faites pas d'illusions. On ne renaît pas de ses cendres. On les balaie pour ranimer quelques étincelles. Aliénor eût pu s'en servir pour vous brûler vif après cette tentative de meurtre, elle préféra s'en réchauffer. Pourquoi à votre avis quand vous vous conduisez en despote irresponsable dans votre famille, dans vos États ? quand vous humiliez votre aîné en lui promettant un règne que vous ne céderez jamais ? Parce que j'ai fait le nécessaire. J'ai choisi à sa place qui condamner. Rosamund ou vous.

Il se mit à pleurer. Brusquement. Comme l'enfant d'hier qui, devant moi seulement, tombait la carapace qu'il s'était forgée. Je m'accolai à lui. Le laissant écraser sa joue contre mes cuisses, je caressai ses boucles emmêlées et humides, surprise de n'éprouver plus rien sinon une satisfaction malsaine à son chaos. Ma voix s'adoucit à peine :

— Ne vous y trompez pas, Henri. C'est l'Angleterre que j'ai sauvée d'une alliance brisée. Pas vous.

— Pardon. Pardon pour tout, Canillette. Pardon pour tout, hoqueta-t-il enfin.

— Que je n'apprenne jamais que vous lui avez rendu visite à Godstow ou tenté par quelque moyen d'adoucir sa captivité. Sinon...

Il releva la tête, me livra son visage mangé de barbe et de morve.

— Jamais, dit-il.

Je m'écartai, écœurée par sa faiblesse comme je l'avais été par son intransigeance.

— Jusqu'à ce que, physiquement, vous soyez en état de répondre à vos obligations, vous resterez au repos. C'est un ordre et j'entends que vous vous y soumettiez. L'Angleterre n'a que faire d'un roi diminué.

Sa voix se fit murmure :

— Oui, Canillette.

Je consentis à sourire. Brisé par son inconfortable posture, il tendit sa main vers moi pour que je l'aide à se redresser. Crut-il m'avoir regagnée ? Je le lui laissai croire pour mieux découvrir ses intentions cachées et servir la cause des coalisés. Car, quoi qu'il fît, j'en étais plus que jamais persuadée, Henri n'était plus à la hauteur du règne que je lui avais apporté.

45.

Le crépuscule tombait sur Paris avec une telle débauche de couleurs qu'Eloïn n'avait pu s'empêcher de grimper dans le grenier de l'ancienne demeure de Denys de Châtellerault pour s'en éblouir. Comme chaque soir depuis qu'Aliénor et Richard étaient les invités du roi de France, elle attendait son amant à l'abri de toute médisance. Il eût été inconvenant que le duc d'Aquitaine, promis à la dernière des filles de Louis, s'affiche chez ce dernier avec sa maîtresse, plus encore depuis qu'elle portait gros ventre. Eloïn avait choisi l'ombre, et cette ombre lui seyait d'autant mieux que pour la première fois elle se retrouvait seule, véritablement seule avec Richard, lorsque la nuit les tenait en ses rets. En cette fin janvier de l'an de grâce 1173, couverte chaudement par une chape de fourrure, les bras croisés sur le rebord de la fenêtre ouverte malgré le froid vif, elle laissait son regard s'embraser du couchant avec un sentiment serein de plénitude. L'enfant, par instants, portait de petits coups à la peau tendue de son ventre, l'assurant de sa vitalité en ces heures où toute magie semblait l'avoir quittée. Malgré cela elle se voulait confiante. Les engagements du roi de France que Richard lui avait rapportés la veille, le ralliement des grands vassaux aquitains, bretons ou normands à la cause d'Henri le Jeune, affirmaient sans réserve que le roi ne serait plus très long à se retrouver confronté à sa vérité. Fût-elle cruelle pour lui. Eloïn avait toujours éprouvé grande admiration pour son parrain, ce monarque qui, tandis qu'elle grandissait, redonnait prestige à l'Angleterre. Même si ce jourd'hui elle partageait le jugement de ses détracteurs, elle l'imaginait encore assez lucide et noble pour passer la main avec superbe dès lors qu'il y serait contraint par l'évidence. C'était le seul point qui l'opposait à Richard, convaincu, lui, que seules les armes viendraient à bout de l'obstination de son père. Elle eût aimé le convaincre du contraire par une de ses prémonitions, alléger la tension de ses épaules autrement que par ses massages et ses onguents. Hélas ! se refusant, à cause de l'enfant, à user de champignons ou d'écorces réputés pour favoriser les transes, elle ne pouvait que lui opposer l'amour qu'Henri avait toujours eu pour ses fils. N'avait-il pas conquis d'autres royaumes pour grossir leur héritage ? Elle ne voulait pas croire qu'à défaut de raison il choisirait la guerre.

Pour l'heure, elle en était bien loin. La maison à colombages, prisonnière de ses semblables dans cette rue étroite qui ouvrait sur le parvis de l'église Sainte-Geneviève, l'avait bouleversée à son arrivée des souvenirs qu'elle contenait et que sa mère, en lui donnant les clefs, avait achevé de lui conter. Elle les avait apprivoisés pour en créer d'autres, avec Richard. Loin de s'ennuyer d'être ainsi écartée des négociations et des festes, elle trouvait son content depuis deux jours à regarder vivre le petit peuple de Paris, à surplomber leurs querelles, une circulation improbable, les échanges des usuriers, les jeux des enfants, ou l'attrait que pouvaient exercer quelques belles de jour sur les notables du quartier. Elles se transformaient en belles de nuit en cette heure où, refusant de rabattre ses volets comme toute dame respectable, Eloïn laissait monter jusqu'à elle les conversations douteuses ou aguichantes. Jusqu'à ce que Françoise, qui régissait la maison, vienne la quérir pour le dîner, elle s'amusait à imaginer les visages de ceux et celles qui, comme elle, rendus à l'ombre, complotaient, bélinaient pour quelques sous, se perdaient. Rien n'était plus rassurant alors que de savoir, au plus profond d'elle, à quel point Richard l'aimait.

Les dernières lueurs d'ambre et de pourpre caressaient les toitures. Le contrebas sombrait dans un noir d'encre. Le petit porteur d'eau qui habitait trois maisons plus loin achevait sa journée de quelques appels sans conviction. Françoise ne tarderait plus. Eloïn se redressa enfin pour s'étirer, autant que le lui permettait la hauteur des solives, un sourire léger aux lèvres. Il flottait au-dessus de Paris et jusqu'à elle un parfum de rôti et de pain. Elle avait faim. De bonne chère et d'amour. Lorsqu'elle entendit un cheval enfiler la ruelle, puis passer du trot au pas sous le porche de la cour intérieure, son cœur bondit dans sa poitrine. Richard s'invitait plus tôt que prévu à son festin. Sans plus attendre, elle dégrafa sa chape et l'abandonna au dossier d'une vieille chaise pour s'en resservir au lendemain.

Le temps qu'il mît pied à terre, donnât bride au palefrenier et fît refermer les portes sur la cour intérieure, elle descendit l'escalier en colimaçon, regrettant de ne pouvoir prendre le risque de le dévaler. Elle parvint en bas comme il remettait son chapel et son manteau à Françoise. Il n'eut qu'à ouvrir ses bras pour qu'elle s'y précipite. Tendre ses lèvres pour qu'elle les recouvre des siennes. Lorsqu'ils consentirent enfin à reprendre souffle, le brasier qui les tenait l'un et l'autre avait chassé d'eux la morsure du froid. Elle planta son regard dans le sien.

— Point de feste ce soir ?

— Vous me manquiez. Trop. Et puis nous repartons demain.

Elle lui rendit son sourire.

— J'en conclus que votre entrevue avec Thibaud de Blois a été fructueuse…

— Depuis qu'Alix a convaincu notre mère que son époux était bien moins détestable qu'elle ne le croyait, il fait des efforts pour préserver la paix.

— En s'offrant à votre guerre ?

Il se mit à rire.

— C'est cela même, mon amour. Nous avons son soutien plein et entier. Contre quelques concessions cela va de soi, mais rien qui ne sera acceptable au nouveau roi d'Angleterre.

— Avez-vous eu de ses nouvelles ?

— Pas moi, Louis. Junior continue sa tournée des places normandes pour sonder le terrain. Hélas, si beaucoup respectent son indignation, peu le suivront je le crains. Mon père exerce sur ses barons une influence de longue date. Je doute qu'ils l'abandonnent.

— Le contraire m'eût étonnée.

Eloïn le laissa enrouler son bras autour de ses épaules pour l'entraîner derrière Françoise qui venait de franchir le seuil de la pièce principale avec un pot de soupe entre les mains.

— Vous persistez à penser que père cédera ?

Elle posa une main sur l'arrondi de son ventre.

— Sans mes pouvoirs je ne peux rien, Richard. Lors j'espère. Il suffira bien à cet enfant d'être illégitime, je ne veux pas le voir grandir dans le fracas des armes.

Il la ramena vers lui au seuil de cette salle où table avait été dressée en hâte d'un second couvert.

— Jamais, Eloïn. Jamais cet enfant ne sera illégitime.

Elle blêmit.

— Que voulez-vous dire ?

— Que je n'ai pas davantage l'intention d'épouser Adélaïde qu'une autre.

— Mais enfin, Richard, vous...

Il posa un index sur ses lèvres.

— Chut... Chut, ma douce. Je connais vos arguments, mais cette fois vous n'y changerez rien. J'y ai réfléchi suffisamment. Je ne veux d'autre héritier que ceux que vous me donnerez. Je ne veux d'autre compagne que vous.

Elle se mit à trembler.

— Ce serait un affront au roi de France, à Adélaïde même. Vous ne pouvez vous le permettre. Ce jourd'hui moins qu'hier, Richard. Et puis... votre fiancée ne le mérite pas.

Il la couvrit d'un œil brûlant avant de l'embrasser au front.

— Nous avons tout le temps pour régler cette question. Oui, tout le temps. Je ne veux pas le gâcher en vous contrariant. Mais l'amour que je vous porte ne laissera jamais s'abîmer dans l'opprobre les preuves que vous me donnerez du vôtre. Cet enfant ne vivra pas dans l'ombre. Il est, il sera toujours le mien.

Elle revint se nicher contre sa poitrine, entre le contentement et l'affliction.

— Alors priez, Richard. Priez pour que tout se passe sans heurts. Priez pour que Louis ne se doute de rien, car, sinon, c'est un nouvel ennemi que vous aurez à défaut d'un soutien.

Il n'eut qu'un rire, léger.

— Vivement que vous redeveniez vous-même, Eloïn Rudel. Trembler ne vous ressemble en rien. Allons venez. Je meurs de faim !

Elle retint un soupir tandis que le regard de Françoise s'accordait au sien. Quel homme pourrait comprendre qu'une mère s'inquiétât à vie du devenir des siens ?

46.

Je n'avais pas menti à Henri. J'étais bel et bien restée en Poitiers pour m'occuper d'Adélaïde de France. Chute banale s'il en était. Une servante un peu simplette avait lessivé l'escalier qui, de sa chambre, ramenait vers le premier niveau du castel ducal par une petite tourelle. Pour être certaine que ce serait sec à la descente de la promise du duc, elle n'avait rien trouvé de mieux qu'ouvrir la fenêtre qui remplaçait l'ancienne meurtrière. Adélaïde avait glissé sur la troisième des marches gelées, et ne s'était arrêtée que grâce au coude de l'escalier. Elle eût pu se rompre le cou. Seule sa cheville avait souffert.

En ce matin du 24 janvier, ce n'était pourtant pas auprès d'elle que je me trouvais, mais auprès de Jaufré. Depuis quelques jours, son front se perlait de gouttes de sueur, anormales par cette froidure. Lors, reprise du souvenir de cette infection qui avait failli me l'arracher quelques années plus tôt, je demeurais vigilante et venais de lui enjoindre de ne rien me cacher.

— Inutile de t'inquiéter, mon amour. Ce n'est qu'un léger coup de froid dont je me sens déjà dégagé, se moqua-t-il en me pressant dans ses bras pour taire mes craintes.

Je m'y pelotonnai avec tendresse.

— Voudrais-tu me refaire, Jaufré de Blaye ?

Il planta un baiser sur mon front.

— Seulement te rendre à la raison. Je vais bien. Occupe-toi plutôt de tes protégés.

— C'est fait. J'ai débandé le pied d'Adélaïde hier soir, et la douleur d'Henri s'est suffisamment estompée pour qu'il quitte la place cet après-midi même. À dire vrai, j'en suis soulagée. Outre que je ne supporte pas sa présence, tant il s'abaisse de faux-semblants pour me regagner, je n'aime pas la manière dont il regarde ma petite blessée.

Jaufré m'écarta de lui, les sourcils froncés.

— Ainsi donc tu as remarqué aussi…

— Oui. Il ne la lâche pas d'une semelle, se montre anormalement empressé, délicat et séducteur. Elle lui plaît. Trop. Beaucoup trop.

— Il n'oserait tout de même pas…

Je plantai dans celui de mon époux un œil amer.

— Prendre le prétexte de l'attachement de Richard à Eloïn pour s'en faire aimer? Je ne sais pas, Jaufré. Henri n'est plus l'homme que je connaissais. Je n'ai pas voulu t'inquiéter, mais, depuis la mort de Becket et la perte de notre enfant, mes visions semblent me fuir, comme si une part de moi portait en elle trop de haine et de rancœur encore pour que la magie puisse la traverser. Je croyais que, Rosamund punie, tout s'apaiserait. Je me suis trompée.

Il me ramena contre son torse. Contre lui seulement je me détendais. Contre lui seulement je me sentais en paix.

— Porter le monde sur ses épaules n'est pas rien, Loanna de Grimwald. Mais je te connais bien. Ce qui te ronge n'est autre qu'un sentiment de culpabilité. Tu aimes Henri. Tu l'as toujours aimé et, quoi que tu fasses ou dises, vous vous appartenez l'un à l'autre depuis trop longtemps pour que tu ne t'en veuilles, au fond de toi, de l'abandonner, de le trahir. Ta colère à son égard n'en est rien d'autre que le reflet.

Je soupirai bruyamment dans le silence de cette chambre.

— Sans doute as-tu raison. Mais cela ne change rien à ma décision de le voir destitué. Et son attrait pour Adélaïde ne fait que la renforcer.

On toqua à la porte. Nous nous écartâmes l'un de l'autre pour laisser entrer Camille, ma fidèle chambrière dont l'embonpoint, depuis la naissance de ses deux enfants, n'avait cessé de s'accentuer. Elle n'en paraissait que plus joviale.

— Le roi vous réclame, dame Loanna, nous annonça-t-elle avec sa chaleur coutumière.

Je volai un baiser léger sur les lèvres de Jaufré.

— J'y vais, mais ne vous croyez pas sauvé pour autant, mon bel amour. Je reste attentive, et, si ce soupçon de fièvre se confirme, je vous examinerai de la tête aux pieds.

Son œil se teinta de légèreté.

— N'est-ce point ce qu'à l'aube tu as déjà fait ?

— Oh ! messire Jaufré ! s'empourpra Camille, avant de se rendre à l'éclat de rire qui m'avait emportée.

Henri m'attendait dans le jardin, les pieds chaussés de ses bottes, son court mantel de samit fourré sur les épaules, la tête protégée par un chapel de renard. Comme à son habitude, malgré la fine pellicule de neige qui recouvrait la contrée, il gardait les mains nues. La peau y était devenue si épaisse que plus une seule engelure ne la traversait. Je ne pus m'empêcher, en voyant sa main posée sur le pommeau de son épée, de me rappeler cette réflexion amusée d'Aliénor à son retour de Chinon :

« À moins d'être contrainte un jour à porter cilice, je préfère la soie de Ventadour au lin d'Henri sur ma peau nue ! »

M'occuper d'Henri durant ces trois jours m'avait rendue à son avis. Les manières du roi, son tempérament excessif, la rigueur des campagnes militaires avaient ceinturé son corps d'une carapace. J'avais dû allonger d'eau de rose mes onguents et amplifier la force de mes massages pour la pénétrer. Enfin, Henri se tenait plus droit qu'il n'était arrivé. Je doutais pourtant d'être la seule à l'avoir guéri. L'œil dont il couvrait Adélaïde de France, emmitouflée de la tête aux pieds dans sa chape de fourrure au point de ressembler à un petit animal, me convainquit de ce doute que Jaufré partageait. La superbe d'Henri avait été regagnée aussi par le désir interdit de posséder Adélaïde. Je chassai l'écœurement que j'en éprouvais pour m'approcher d'eux. Mon pas crissa sous la neige sitôt que j'eus descendu les trois marches qui ramenaient vers la tonnelle aux bois noueux et blanchis. Les joues et le nez rouges, Adélaïde riait à un trait d'esprit du roi, sans mesurer, je le savais, l'étendue de son intérêt. Sans se douter de sa convoitise. Pour elle, j'en étais certaine, Henri ne la voyait que comme sa bru et à ce titre apprenait à la mieux connaître.

— Loanna, ma chère Loanna! s'époumona le roi en m'apercevant.

Son sourire fleurissait jusqu'à sa barbe. Cédant au protocole, je lui offris une courte révérence.

— Pardonnez mon retard, Votre Majesté.

— Je ne saurais vous en vouloir. J'étais en la plus délicieuse des compagnies.

— Je n'en doute pas, sire. Damoiselle Adélaïde…

Elle me retourna mon sourire avec la même chaleur.

— … Je vois que vous avez bravé le gel, j'en déduis donc que votre cheville est guérie…

— Elle l'est, dame Loanna. J'ai pu me chausser sans difficulté et plus aucune douleur ne subsiste. Vous avez accompli un vrai miracle !

— Inutile pourtant de courir le moindre risque. Appuyez-vous à mon bras, ma chère, que nous poursuivions cette promenade.

Sans attendre l'accord de la demoiselle de France, Henri avait déjà enroulé sa main droite autour de son coude, la gauche autour du mien. Précautionneusement, il nous entraîna par l'allée, sous ce soleil d'hiver qui, faisant miroiter les cascades de givre accrochées aux arbustes, nous obligeait à plisser des paupières.

— Nous quittez-vous toujours tantôt? lui demandai-je tandis qu'il s'amusait du jeu de deux chiots, près d'un tilleul aux branches alourdies de flocons.

Prétexte, je le devinai, pour garder tête tournée du côté d'Adélaïde et jouir de la délicatesse de son profil.

— À mon grand regret oui, car il m'aurait plu d'attendre le retour de la reine.

Menteur ! songeai-je. C'était plus sûrement la fiancée de son fils qu'il avait peine à quitter ! Pour preuve, il coula un regard de biais dans le décolleté pourtant fort sage de la damoiselle de France et cueillit, en relevant l'œil, son sourire navré.

— Nul ne vous contraint, sire. N'êtes-vous point chez vous ici comme ailleurs ?

— Si fait, damoiselle Adélaïde, si fait, mais à toute quiétude un roi doit s'arracher lorsque l'intérêt du royaume est en jeu.

Depuis qu'il m'avait suppliée de lui pardonner, Henri n'avait eu de cesse, en plus de l'attention de sa voisine, que de regagner mon amitié. Nous avions évoqué sa jeunesse, la conquête du royaume, le chemin parcouru, ses désillusions, mais en aucune façon ses projets politiques, malgré mes questions discrètes pour l'y inciter. Comme il était distrait par ses sens, peut-être aurais-je une chance de les percer ?

— Je ne vois rien qui ne puisse être remis à demain, sire, tentai-je pour faire son jeu et l'obliger à se dévoiler.

Il consentit enfin à reporter son attention sur moi alors que la fine pellicule de neige, amollie par les rais du soleil, n'était plus que pluie froide sous la semelle de nos souliers.

— Vous vous trompez, Loanna de Grimwald. Je me suis levé ce matin comme un homme neuf, ce grâce aux soins que vous m'avez prodigués et dans lesquels j'ai pu retrouver le signe de l'affection que vous me portez. J'en suis fort aise, car de nouvelles alliances se dessinent pour le royaume. Une en particulier, qui va vous esbaudir, vous et la reine, et dont la surprenante nouvelle m'a été portée à l'aube.

— Vraiment, sire ? gloussa Adélaïde alors que mon cœur s'étranglait d'angoisse et de méfiance.

Henri eut pour moi ce sourire de conquérant qu'il prenait toujours à la veille d'une prévisible victoire.

— Raymond V de Toulouse vient de se soumettre à mon autorité.

Je sursautai. Il éclata d'un rire clair, satisfait de son annonce. Pressant plus fort mon bras autour du sien, il ajouta, comme cet enfant d'hier ravi d'un mauvais tour joué :

— Je crois, ma chère Loanna, que l'heure est venue pour moi de vous révéler ce que j'ai pris tant de soin, ces jours derniers, à vous dissimuler.

Lorsqu'il eut achevé, me laissant atterrée derrière le masque que je fus contrainte cette fois de me dessiner, je me précipitai auprès de Jaufré pour lui rapporter toute l'inquiétude que j'en ressentais. Il n'eut qu'une phrase pour souligner ses poings crispés :

— Il faut alerter Aliénor de toute urgence et lui dire de se presser. L'heure n'est plus à composer.

Henri n'était pas encore remonté à cheval qu'un messager empruntait la poterne nord pour nous la ramener.

47.

Rattrapés sur la route, Aliénor, Eloïn et Richard furent de retour en Poitiers deux jours plus tard. Henri n'avait pas menti. Il avait de nouvelles et grandes ambitions pour l'empire Plantagenêt. À la vérité, et bien inconséquemment de la part d'Aliénor, c'étaient leurs retrouvailles de lit qui les lui avaient inspirées. Aliénor se laissa choir sur son trône, sous un dais griffé aux lions d'Aquitaine, dans cette petite salle de justice où nous avions l'habitude d'échanger nos points de vue sur la politique à mener. Comme elle, Eloïn et Richard accusaient les faits.

Dans son bliaud de cendal vert, l'éclat des yeux de ma reine reflétait deux gemmes aux eaux troublées. Elle secoua la tête comme pour s'arracher d'un mauvais rêve, avant de la tourner, désorientée, vers son fils.

— Que votre père veuille marier Jean avec l'héritière de Maurienne et lui offrir ainsi la Savoie, je m'en réjouis, Richard ! Cela comble quelques injustices en apportant de jolis subsides à votre frère. Mais lui donner l'Irlande en dot ! L'Irlande qui a besoin d'un roi pour la mener, je ne peux y croire ! N'a-t-il pas entendu les inquiétudes de sa tante, les miennes ? Refuse-t-il de se rendre compte que cet enfant a l'esprit perturbé ?

— Ce n'est pas tout, hélas, assenai-je encore, debout à quelques pas d'elle. Henri veut ajouter dans ce mariage plusieurs châteaux placés au centre de l'Angleterre ainsi que Mirebeau, Chinon et Loudun.

Richard sursauta, piqué au vif.

— Impensable ! Ce sont des places stratégiques, des relais pour sillonner le royaume. Que cherche-t-il ? À diviser ses fils pour mieux régner ?

Je fixai Aliénor. Elle s'était plus encore décomposée. À cet instant, je sus que, comme moi, elle avait compris. Henri voulait faire de Jean, ce symbole de la discorde, celui de leurs retrouvailles. En le couvrant d'importance, c'était à elle qu'il en rendait. Intention louable en soi, mais qui risquait de détruire le royaume tout entier. Depuis cette affaire de bêtes éventrées, Aliénor avait pu, à chacune de ses visites, mesurer l'évolution du caractère de son fils. Si elle s'était mise à aimer Jean, à lui apporter de la tendresse, un regain de légèreté et de sérénité, l'inconstance se percevait dans chacune de ses attitudes, de ses gestes, de ses réactions. La grande abbesse de Fontevrault le lui avait confirmé. Jean faisait toujours montre envers les animaux d'une cruauté et d'une perversité injustifiables. Qu'adviendrait-il si, en grandissant, il obtenait assez de puissance et de pouvoir pour en user ? Ne risquait-il pas de retourner ses penchants vers les petites gens, ses frères, sa maisonnée ?

Je la vis crisper les poings.

— Il me faut retarder cette alliance. Convaincre Henri de réfléchir. Lui donner à revoir ses prérogatives à l'égard de Jean.

— Je crains que ce ne soit trop tard, ma reine. Henri s'est précipité à Montferrand à la rencontre du comte Humbert de Maurienne. Il entend lui verser cinq mille marcs d'argent pour le garantir de ses engagements.

Aliénor bondit de son siège, se mit à marteler les tomettes de terre cuite d'un pas vif, indifférente aux personnages de fil qui la contemplaient du haut des tapisseries murales. Elle finit par se planter devant moi, entre la colère, la déception et le désespoir.

— Mortebleu, Loanna ! n'as-tu donc rien tenté pour le dissuader ?

— Si fait, ma reine. J'ai opposé tous les arguments que vous venez de citer, y compris le danger de discorde entre Jean et ses frères. Il m'a répondu que c'était au contraire une cohésion qu'il entendait créer, selon le vieil adage que l'union fait la force. Qu'il serait injuste en outre que Jean reste sans terre.

Eloïn, demeurée muette jusque-là poussa un profond soupir.

— Pardonnez-moi, mère, Votre Majesté, mais Jean ne me semble pas le fond du problème dans l'immédiat. Il n'a que sept ans et, comme ses frères, ne pourrait jouir des largesses du roi qu'à l'heure du trépas de ce dernier. Or nous connaissons tous l'humeur changeante d'Henri. Si la folie de Jean se confirmait, il aurait tôt fait, d'une pirouette, de rompre ces engagements d'épousailles comme il l'a déjà fait par le passé entre la fille du comte de Narbonne et Richard.

— Elle a raison, intervint ce dernier.

— Alors quoi ? Où veut-il en venir ? s'emporta plus encore Aliénor.

Cette question, je me l'étais déjà posée. Et comme ma fille, je le devinai, la réponse m'avait glacée.

— Henri a toujours servi ses propres ambitions, Aliénor. Je crois que cette promesse de mariage lui est un prétexte pour obtenir, avec la Savoie, le passage exclusif des Alpes vers le Piémont et la Lombardie ! Deux royaumes qui, comme l'Irlande, sont malmenés par des monarques aussi détestables que sans envergure. S'il s'impose là-bas en sauveur des petites gens, des barons, des corporations et des chevaliers, comme il l'a déjà fait ailleurs, sa puissance retrouvée sera telle que nul ne pourra plus plier son autorité. Pas même Henri le Jeune, alors que le droit est de son côté.

Aliénor s'empourpra de colère. Devinant à quel point, hélas, j'allais la voir culminer, je sortis de mon corsage le billet que j'y avais glissé.

— Henri a tenu à ce que je vous le remette, m'en excusai-je presque, sachant ce qu'il contenait.

S'en emparant comme un aigle d'une proie, elle arracha le cachet et parcourut l'écriture masculine.

« Ma déception, ma reine, fut grande de votre départ précipité de Chinon et plus encore de votre silence depuis. Sans doute faut-il du temps, malgré la douceur de notre étreinte, pour que refleurisse en vous cet attachement qui, moi, me transporte déjà. Une heureuse nouvelle vous y ramènera, mon aimée. Vous n'avez sans doute pas oublié que j'ai porté soutien au comte de Toulouse voici quelques années contre Louis de France. Il s'en souvient ce jourd'hui et vient de me concéder la suzeraineté de ses terres, sans contrepartie. Je tenais à vous en informer au plus tôt et... »

La fureur étouffa Aliénor tandis qu'Henri terminait par un incompréhensible *« ... je vous en espère comblée ! »*. Comme si elle avait pu, elle, en retirer le moindre avantage ! Quand le comté de Toulouse aurait simplement dû lui être remis à elle et elle seule, en sa qualité de descendante légitime ! En place, son époux étendait son influence, récupérait des soutiens et pérorait ! Et tout cela à cause de quoi ? D'une troussée ! Une troussée qu'elle avait commis l'erreur de lui accorder en guise d'adieu.

Son exaspération muée en froide détermination, elle se tourna vers Richard qui, amèrement songeur près d'Eloïn, blême, serrait du poing sur le pommeau de son épée.

— Il faut nous y préparer. Avec ce jeu, le roi nous renvoie à sa vérité. Jamais il ne se retirera du trône. Jamais sans combattre. Et alors même, le nantissement de Jean le prouve, qu'il n'a plus assez de bon sens pour régner ! Faites prévenir vos frères. Je vais de mon côté alerter Louis de France. L'heure est venue de nous armer.

48.

Henri était content. Non seulement Humbert III de Maurienne, comte de Savoie, lui avait accordé la main de sa fille pour Jean, mais, fort des cinq mille marcs d'argent remis, il l'avait autorisé à aller et venir sur ses terres comme et quand bon lui semblerait, ajoutant que, s'il avait besoin d'une armée pour intervenir dans le Piémont ou en Lombardie, il lui prêterait la sienne ! L'affaire ne pouvait mieux se conclure et Henri s'était aussitôt empressé de faire notifier leurs accords devant notaire. Après avoir embrassé chaleureusement son nouvel allié et quitté Montferrand dans la foulée, Henri convoquait une assemblée solennelle, à Limoges cette fois. Bien décidé à prévenir ses aînés et ses principaux barons de ses nouvelles dispositions. Car, sur sa lancée, il entendait marier la petite Jeanne au jeune Guillaume, roi de Sicile, qui en avait fait la demande.

Tandis qu'il préparait cette entrevue, les courriers de Richard à ses frères faisaient mouche. Henri le Jeune s'indigna du morcellement de son royaume en faveur de Jean autant que Geoffroy de Bretagne. Ils ne pouvaient plus laisser leur père prendre des décisions qui allaient à l'encontre des véritables intérêts du royaume. Si encore Jean avait été comme eux, prévenant, intègre, sain de corps et d'esprit, attentif à souder l'empire Plantagenêt autour d'un même idéal de chevalerie ! Mais chacune des visites qu'ils lui avaient faites, guidés par l'idée d'une fratrie unie, s'était terminée sur le même sentiment de malaise. Il était différent d'eux. Pas par l'éducation qu'il recevait, Henri le Jeune ayant eu sensiblement la même, pas par la distance qu'on lui avait imposée, aucun des fils d'Aliénor, sinon Richard, n'ayant véritablement joui de la présence de sa mère ou de son père. Non, cette différence se terrait dans le fond de l'œil, comme une fêlure. Une fêlure profonde qui, malgré l'attachement fraternel qu'ils lui portaient, suscitait en eux frissons et inquiétude. Ils s'étaient rangés à l'avis de leur mère. Lui donner puissance et pouvoir, de même qu'augmenter ceux d'Henri, n'était pas une bonne idée. Or le seul qui pût encore s'opposer à l'application de l'accord signé avec Humbert de Maurienne était Henri le Jeune. En arrachant à son père ce règne fantôme qu'il faisait mine de lui avoir concédé.

En Poitiers, nous nous étions resserrés autour de la certitude de ne pouvoir éviter la guerre. Si Henri avait dû céder un jour, il l'aurait déjà fait. Pour autant, mieux valait qu'Aliénor se tienne en retrait de la rébellion de ses fils. Quant à moi, j'étais prête à assumer mon choix. Face à Henri, à quelques minutes de son départ de Poitiers, j'avais laissé entendre que son obstination à nantir Jean était un non-sens pour l'équilibre du royaume. Qu'il était peut-être temps pour lui de prendre la mesure de ce mal qui affadissait l'esprit de son fils. Henri avait éclaté de rire.

— Voyons, Loanna de Grimwald, serais-tu devenue sotte au point de confondre maladie et stratégie ? Je suis le roi d'Angleterre et qui voudrait le réfuter se heurterait sur-le-champ à mon épée. Cela étant, je ne risque rien puisque tu es revenue à mes côtés.

Je n'avais pas insisté. À quoi bon ? Je connaissais trop bien Henri. Comme autrefois, il cassait son jouet avec cette certitude qu'un autre plus somptueux encore le viendrait remplacer. Régner n'avait été que cela pour lui. Un jeu. Un jeu dans lequel, servi par la chance, la détermination autant que le courage, mes enseignements druidiques, la dot d'Aliénor, ma prescience et mon abnégation, il avait grandi de superbe, de morgue et d'insolence. Un jeu pour lequel il avait sacrifié des êtres de valeur et tué la foi de ceux qui, comme moi, l'avaient cru engagé. L'emperesse Mathilde l'avait été. Son fils, lui, je le découvrais aujourd'hui, n'avait acquis ce royaume que par fierté. Et c'était par fierté encore qu'il s'obstinerait à le garder.

Ce 20 février 1173, devant l'autel de la cathédrale de Limoges où quelques temps plus tôt Richard avait accepté l'anneau de sainte Valérie et avec lui le duché d'Aquitaine, Henri, entouré de ses fils au masque faussement réjoui, laissa s'agenouiller devant lui, l'un après l'autre, les plus grands de ses vassaux. La messe achevée, il affichait un sourire de conquérant. Son dos avait cessé de le taquiner, son royaume était plus que jamais prospère, son intégrité regagnée, son épouse avait pardonné, sa famille était unie autour de ses intérêts, le mien, pour lui, lui avait été rendu. Et là, au premier rang de la travée, près de Raymond V de Toulouse, sa fille Éléonore et son époux le jeune roi de Castille, en visite, semblaient véritablement épris l'un de l'autre. Somme toute, il était heureux. Plus qu'heureux. Comblé. Malgré cette épine que Rosamund lui avait plantée et dont, grâce à moi, la purulence se guérissait. À aucun moment il ne s'aperçut des regards furtifs qu'échangèrent Richard avec les Aquitains, Geoffroy avec les Bretons, Henri le Jeune avec les Normands qu'il avait convaincus à sa cause. Henri ne voyait que son triomphe. Et quel triomphe ! N'avait-il pas obtenu en moins de une année tout ce qu'il avait espéré ? Il achevait de s'en féliciter devant une assemblée d'apparence réjouie lorsqu'Henri le Jeune se tourna vers lui, sous le Christ en croix.

— Je proteste, père ! Je proteste contre cette décision de nous arracher, à nous vos aînés, les meilleures places fortes du royaume.

Saisi dans son élan, Henri s'empourpra.

— Vous protestez, mon fils ? Au nom de quoi ?

— Au nom du roi d'Angleterre que je suis !

Henri manqua d'air. Il le reprit dans une profonde inspiration.

— Après moi, je vous le rappelle.

— Non, père, ce jourd'hui ! N'ai-je pas été couronné deux fois ? À moins que ce n'ait été qu'amuserie ?

L'injure amena un souffle d'inquiétude dans l'assistance, suspendue à la joute entre le père et le fils.

— Les mots dépassent votre pensée...

— Ils la servent au contraire. Prenez-en note. Je réclame ici, devant docte assemblée, la souveraineté effective et les droits afférents. Y compris celui de reconsidérer cet héritage à mon cadet.

Henri, ébranlé par la détermination farouche avec laquelle, cette fois, son fils le défiait, laissa s'installer le silence quelques secondes avant de comprendre qu'il serait malvenu, face à la légitimité de cette requête, de se braquer devant les plus grands féaux du royaume. Pour autant, il n'avait pas l'intention de céder. Il choisit de temporiser.

— Soit, mon fils. Accompagnez-moi en Aveyron où j'avais prévu de prendre quelques jours de repos. Nous y préparerons calmement les modalités de votre règne.

Henri le Jeune ne fut pas dupe. L'œil de son père laissait trop transparaître sa pensée. S'il acceptait, il cesserait d'être son fils pour devenir son prisonnier. Pourtant, malgré la diligence avec laquelle il avait rassemblé une petite armée, il lui faudrait quelques jours encore pour que ses alliés, ceux de ses frères et du roi de France se regroupent. Ses traits se détendirent tandis qu'il se pliait légèrement devant son père.

— Ce sera avec joie, dit-il avant de reculer d'un pas.

On fit de même dans les travées. Cet accord ne valait-il pas congé ? L'évêque le donna et le roi d'Angleterre ne put que le respecter. Le cœur douloureux de voir Henri le Jeune encadré par ses deux cadets.

Alors qu'il allait, à son tour, quitter la nef de la cathédrale, Raymond V de Toulouse s'approcha de lui. L'âge avait tant distendu ses bajoues qu'il affichait à présent un regard de hulotte et deux simples traits en guise de lèvres. Petit, trapu, il incarnait avec plus d'évidence encore l'être sans scrupules qu'il avait toujours été. Henri n'avait aucune confiance en lui, sinon la certitude qu'il avait une forte conscience de ses intérêts. Il retint pourtant son pas.

— Puis-je de vous, et dans l'urgence, solliciter entretien privé, sire ?

L'esprit oscillant entre l'envie de réprimer et celle de pardonner une fois de plus à ce fils si empressé, Henri hocha la tête. Les avantages que lui avait consentis le comte souffraient bien quelques propos, fussent-ils dépourvus d'attraits. Leurs pas marquant le silence, ils gagnèrent côte à côte une petite porte qui ouvrait sur la chapelle absidiale en laquelle reposaient les reliques de sainte Valérie. Seule la lumière d'un vitrail haut perché éclairait l'autel et la double rangée de chaises, réservées aux seigneurs de la ville qui s'y trouvaient. Raymond V referma le battant sur eux.

— Je vous écoute, indiqua Henri en croisant ses bras sur son court mantel de siglaton émeraude.

— Sauf votre respect, sire, quel châtiment comptez-vous donner à votre aîné ?

Henri tiqua.

— Qui parle de châtiment ?

Le comte de Toulouse écarquilla tant les yeux qu'ils lui mangèrent la face.

— Mais enfin, ne voyez-vous point ce qui se trame ?

Henri haussa les épaules.

— Querelle d'ambitieux. Il ne serait pas mon fils s'il n'était de fierté.

Raymond V s'emporta de colère.

— Votre fils et celui de la duchesse Aliénor ! Morbleu, seriez-vous à ce point aveugle de son influence ? La rumeur court depuis quelques mois en Aquitaine, en Poitou, jusqu'à mes portes. De partout on se prépare à vous trahir ! Et ne croyez pas que la révolte s'arrête à ces provinces-là.

Henri sentit de nouveau une pointe s'insinuer en ses lombaires. Faudrait-il toujours que cette chienne s'invite à ses contrariétés ? Il lui refusa asile en brassant l'air imprégné d'encens.

— Quand bien même vous auriez raison, je saurais mettre au pas mes vassaux, comme tant d'autres, déjà, qui se sont dressés contre moi.

— Ne présumez pas trop vite de la détermination de votre épouse.

Henri, définitivement, éclata de rire.

— N'ayez aucune inquiétude pour Toulouse. Ma promesse tiendra. Aliénor ne mettra jamais le nez en nos accords. Je l'ai déjà réduite à merci et, s'il le faut, le ferai encore. Ne suis-je pas le roi le plus puissant de toute la chrétienté ?

Il suffit, quelques minutes plus tard, à Raymond V de pénétrer dans la salle du banquet qu'Henri avait pris soin de faire dresser de vaisselle d'or et d'argent, sous les scènes courtoises des tapisseries les plus fines et les plus colorées, pour n'en plus douter.

Son nouveau suzerain avait les moyens de tenir sa maison en respect.

49.

Bien que peu convaincu par les propos du comte de Toulouse qui exécrait Aliénor, Henri s'abandonna au doute. Au fond, il ne savait plus grand-chose de son épouse depuis ces sept dernières années, sinon que sa gestion de l'Aquitaine avait été rigoureuse. La seule certitude qu'il possédait était qu'Aliénor ne se serait pas donnée à lui sans lui avoir pardonné. À plus forte raison après l'attaque de Rosamund. Elle était trop fière. Patrick de Salisbury, à qui il avait donné l'ordre de la distraire, le lui avait affirmé quelques semaines avant sa mort tragique. Seul l'amour rendait la reine ardente. Or cette nuit-là à Chinon, il le pouvait jurer, Aliénor l'avait aimé. Comme aux premiers temps de leur hymen. En ce qui le concernait, cet embrasement qui l'avait surpris puis troublé avait fini par retomber. La faute en incombait à la jeune Adélaïde de France. Dès le premier regard qu'il avait posé sur la fiancée de son fils, sa douceur, sa compréhension à l'égard de la grossesse d'Eloïn, son intelligence, la finesse de son esprit, tout en elle en vérité lui avait donné envie de se l'attacher. D'autant, il avait cru le remarquer, qu'elle n'était pas insensible à son intérêt. À cause de cette ressemblance physique entre Richard et lui ? S'offrait-elle à rêver du père à défaut du fils ? Henri n'aurait aucun scrupule à le vérifier. Il ne prendrait rien à Richard une fois qu'Adélaïde lui serait mariée, sinon ses ardeurs de femme. Mais celles-ci, son fils n'avait aucune envie de les partager. Quant à la descendance du couple, dans la mesure où son sang serait celui des Plantagenêts, Richard n'y pourrait voir de quoi s'indigner. Cette cause entendue ne l'empêchait pas de vouloir étreindre de nouveau son épouse. Il était prêt à passer sur sa discrète infidélité avec Ventadour, convaincu que la posséder, l'afficher à ses côtés, rétablirait très vite l'unité du royaume. Car il n'était pas question pour lui de céder à la requête d'Henri le Jeune. Non que ce dernier n'ait pas eu les capacités pour régner ! S'il en avait douté, il ne l'aurait pas couronné, mais il n'était guéri ni du pouvoir, ni de ses fastes, ni du prestige qu'il en retirait ! Il saurait bien trouver d'autres raisons, bien plus nobles, si Henri le Jeune s'obstinait, pour convaincre Aliénor. N'avait-elle pas tout pouvoir de persuasion sur ses fils ?

Non, définitivement, Raymond V de Toulouse se trompait. Aliénor était une grande reine, mais plus que cela encore : une femme d'honneur. Elle n'aurait pas perdu le sien à s'offrir si, contre lui, elle avait comploté.

Lors, l'esprit allégé d'amertume et de doute, il accorda à Henri le Jeune, venu le rejoindre en Aveyron, toute son affection. Une semaine durant, dans les forêts giboyeuses qui cernaient leurs domaines, il chassa et chevaucha avec lui, espérant le regagner dans ces éclats de rire spontanés qui les lièrent l'un à l'autre, dans ces discussions sur l'avenir du royaume, dans ces larmes communes qui leur échappèrent au souvenir de Becket. À plusieurs reprises, il dut reconnaître à son aîné des vues pertinentes sur la question de l'Irlande ou de l'Écosse qu'il avait acquises en suzeraineté. En échange, se retrouvant définitivement dans le bouillonnement de la jeunesse rebelle de son fils, il prit soin, faussement, de justifier sa décision concernant la dot de Jean. Contrairement à ce qu'Henri le Jeune imaginait, son père ne se voilait pas la face au sujet de Jean. Au contraire. Mais élevé loin de ses aînés, fragile, perturbé, son tout jeune frère ne méritait-il pas de jouir de leur protection ? Jean ne quitterait jamais Fontevrault. Pour autant devait-on le priver de revenus? De quelques châteaux qui lui donneraient l'illusion de son importance au sein de la fratrie? Quant à l'Irlande, sa peur viscérale de l'eau lui interdirait de s'y rendre et ce serait à lui, Henri le Jeune, roi d'Angleterre, de l'administrer.

— Croyez-moi, mon fils. Je ne veux rien que la pérennité de cet empire que je vous ai bâti. Je ne veux rien que me réjouir de votre entente à tous et me dire, à l'instant de mourir, que j'ai accompli ce pour quoi je suis venu au monde. Ne le pouvez-vous comprendre ?

Henri le Jeune leva ce hanap qui sur la table, face à celui de son père, vide, espérait sa soif. Il en but une gorgée, lentement, l'œil dans celui, presque suppliant, du roi d'Angleterre. Le vin épicé coula en sa gorge, adoucissant l'amertume qu'il éprouvait de ces paroles. Non qu'elles fussent dépourvues de sens ou de raison, mais il les savait prétexte et non vérité. Depuis trop longtemps son père le rompait à ses mensonges, à ses promesses dont son inconstance, le jour suivant, effaçait l'effet. Au point qu'il se demandait si cette tare dont souffrait Jean n'était pas simplement l'exacerbation du caractère de leur père.

Il reposa son hanap et lui sourit.

— Oui, père, je le peux comprendre, si vous admettez qu'à ma place vous auriez depuis longtemps pris les armes pour vous tailler cette part de gloire que vous m'interdisez.

— Je l'admets, fils, je l'admets. Ne voyez pas dans mon obstination à vous maintenir au respect, orgueil ou suffisance. Vous brillez auprès de vos compagnons, vous dépensez sans compter...

Henri le Jeune tiqua.

— Auriez-vous vérifié mes comptes ?

Henri haussa les épaules.

— Il suffit de vous voir vivre. Il ne se passe pas un jour sans que le castel de Rouen soit animé de feste. Je ne vous reproche rien, au contraire. J'ai trop souffert de votre chagrin à la mort de Becket...

Il répondit à la crispation douloureuse des mâchoires de son fils par un sourire affectueux.

— ... Et puis, c'est de votre âge. Si vous saviez combien j'aurais aimé, en mes jeunes années, jouir de tournois au lieu de vraiment guerroyer. Il est un temps pour tout. Le vôtre, croyez-moi, n'est pas encore de régner. Parce que j'ai bâti cet empire, je sais à quel point, ce jourd'hui, il demande d'attention, d'abnégation. Vous y perdriez cette joie de vivre regagnée et dont je suis si heureux. Vous vous perdriez vous-même. Apprenez encore à mes côtés. Apprenez ce que votre bouillonnement vous masque. Apprenez pour éviter les erreurs que j'ai commises, les épreuves que j'ai traversées. Lors, au jour venu de mon déclin, l'Angleterre aura le plus grand des rois, celui qu'elle mérite.

Ébranlé une fraction de seconde par ces accents de sincérité, Henri le Jeune ne fut pas long à les repousser dans le sentiment que son père, décidément, ne changerait jamais. Pour parvenir à ses fins, il était prêt à tout. Henri le Jeune le savait. Becket lui-même avant de regagner l'Angleterre ne lui avait-il pas affirmé que le roi l'avait menacé ? qu'il avait fait lapider son jeune frère pour tenter de lui arracher ce document qui prouvait son acharnement injustifié ? Puisque c'étaient ces mêmes soldats qui avaient assassiné le primat, Henri le Jeune ne pouvait s'empêcher de penser que Rosamund avait été le bras de vengeance de son père. Qu'elle n'avait été répudiée que dans ce but. Éliminer discrètement ceux qui s'opposaient à eux. Détourner l'attention du roi. Si Loanna n'avait déjoué le complot, si la reine s'était éteinte – Henri le Jeune en était persuadé –, son père se serait publiquement réconcilié avec sa maîtresse et un autre coupable aurait fait les frais de leurs manigances. Thomas Antelburgh peut-être, qui s'était fort opportunément noyé ? Non, il n'aurait aucun remords à le destituer. Aucun remords à lui laisser croire, ce soir, à son allégeance pour, demain, lui échapper.

Emmurés dans leurs pensées respectives et le silence de cette pièce où, sans entremets ni compagnons, ils s'étaient isolés, les deux hommes, regard baissé, s'appliquaient à ronger le pilon d'une cuisse de poularde dont le jus avait imprégné la mie de leur tranchoir. Henri en dégustait chaque morceau avec gourmandise, laissant son fils apprivoiser son discours, se rendre à la raison, comme chaque fois qu'il en avait usé. Un long moment s'écoula, empli seulement des bruits de leurs mastications respectives et du ruissellement du vin que deux échansons versaient dans leur hanap.

Puis, jugeant qu'il avait suffisamment donné l'illusion de sa réflexion, Henri le Jeune leva sur le roi un regard chargé de tendresse.

— Vous avez raison, père. Oui, vous avez raison en tous points. Si je m'en remets à votre volonté, me pardonnerez-vous ?

Un éclair de triomphe, furtif, passa dans l'œil d'Henri. Son fils ne sembla pas le remarquer. Pour achever de le masquer, Henri tomba la voix :

— Si ce n'était déjà fait, croyez-vous que nous partagerions ce repas ?

Forts de leur entente retrouvée, chevauchant d'un même rythme, ils regagnèrent la Normandie. Au soir venu de ce 7 mars 1173, ils firent de nouveau banquet commun au castel de Chinon, riant pareillement des pitreries d'un bouffon puis, comme à l'accoutumée, partagèrent la même couche, chacun de son côté.

— Que le sommeil vous soit doux, mon père.

— Et votre réveil léger, mon fils.

Henri s'endormit sur cet espoir.

Au lendemain matin, comme Aliénor avant lui, Henri le Jeune n'était plus à ses côtés.

— Cela devient manie, maugréa Henri, de méchante humeur, en le faisant chercher.

On finit par lui apprendre qu'au point du jour le pont-levis avait été baissé, son garde assommé. Repris d'un doute détestable quant à la sincérité du repentir de son fils, Henri fit battre campagne, se refusant, lui, à quitter le castel vers lequel tour à tour ses chevaliers revenaient, bredouilles. Au fil des heures passées à ruminer, son inquiétude devint certitude. Henri le Jeune l'avait berné. Comme sa mère? Car, de fait, accolade et embrassades ressemblaient fort à cette étreinte sans suite qu'elle lui avait donnée. Après quelques secondes d'abattement, un sursaut d'orgueil fit exploser sa colère. D'autant que le couperet venait de tomber. Henri le Jeune avait été vu traversant la Loire à gué. Il se dirigeait vers le nord, sur un cheval si rapide qu'on ne pouvait que le lui avoir, de longue date, préparé. Par ce simple détail, le complot, suspecté par le comte de Toulouse, était avéré. Furibond, le roi enfourcha son cheval et s'élança sur ses traces, bien décidé à le rabattre avant la fin du jour. Il ne put y parvenir. Pas davantage le lendemain. Les alliés d'Henri le Jeune avaient visiblement prévu pour lui les meilleurs coursiers! Au soir du troisième jour, en posant pied sur les terres du comte de Dreux, il se mettait sous la protection de Louis de France, comme Becket avant lui. La gifle était cinglante. Henri en demeura les joues couperosées. Il tourna bride, épuisé, le court mantel et les heuses maculés de boue et de poussière. La rage au cœur. Il lui restait une carte à jouer. Celle de la diplomatie. Si elle échouait, sans la moindre hésitation ni le moindre regret, il châtierait.

50.

Il y avait fort longtemps que le roi de France n'avait été de si agréable humeur. Dans la grande salle du conseil du palais de la Cité où un valet venait de les introduire, les envoyés d'Henri se tenaient debout, main sur le cœur, au bas des marches de l'estrade sur laquelle il siégeait. Embarrassés par la présence d'Henri le Jeune, drapé de dignité et assis à ses côtés, ils n'avaient su que s'attarder à révérence, le temps visiblement de trouver les mots propres à obtenir ce qu'ils voulaient. Se déhanchant légèrement sur son trône pour croiser ses jambes sous son bliaud d'osterin, Louis tapota des doigts sur l'accoudoir, un sourcil relevé, la moue narquoise.

— Je suppose que vous n'avez pas parcouru tant de chemin pour seulement demeurer là à dodeliner tels des coqs sur du fumier. Vous avez demandé audience, parlez.

Raoul de Diceto, l'un des chroniqueurs d'Henri les plus respectés, avança d'un pas.

— Il s'agit de votre invité ci-présent, Votre Majesté…

— Oui ? s'amusa plus encore Louis en le voyant déglutir sans oser affronter le regard de l'intéressé.

— Il serait bon que vous acceptiez de vous en séparer…

— Et pourquoi donc ?

— Parce qu'on l'attend en Normandie.

Louis prit un air faussement surpris.

— On ? Qui cela, on ?

— Le roi d'Angleterre.

Louis releva un index aux ongles soigneusement limés.

— Sieur de Diceto, si je ne vous connaissais de longue date autant que de réputation, je jurerais que vous avez perdu la raison !

— Plaît-il, Votre Majesté ? s'étrangla le chroniqueur.

Louis écarta les bras en signe d'incompréhension.

— Enfin mon ami, ce roi d'Angleterre dont vous vous prétendez l'envoyé, ne le voyez-vous pas ici même, à ma dextre, dans cet invité que vous me réclamez ?

Il y eut quelques secondes de flottement dans la délégation normande. Henri le Jeune s'en amusa assez pour leur offrir le plus narquois de ses sourires, tandis que Louis penchait la tête de côté, comme si le souvenir lui revenait.

— Ne vous revendiqueriez-vous pas plutôt d'Henri Plantagenêt, mon vassal, l'ancien roi ?

Gambert de Rouen avança à son tour, la main rabattue sur le pommeau de son épée, les sourcils froncés, le masque froid.

— Si, Votre Majesté. De celui-là même, mais toujours roi proclamé.

Louis feignit plus encore l'étonnement.

— Ah là, chevalier, vous me surprenez ! Comment cela se pourrait-il ? N'a-t-il pas passé couronne à son fils ci-présent ? Et devant ma fille encore de mieux ? Vous ne trouverez personne dans toute la chrétienté qui n'en ait été informé.

— Devons-nous en conclure que vous gardez votre invité ?

— Il se garde tout seul. Le nouveau roi d'Angleterre n'est point mon prisonnier. En foi de quoi, s'il veut vous suivre…

Il se tourna vers Henri le Jeune qui retenait difficilement son envie de rire devant leur exaspération rentrée.

— Le voulez-vous, Majesté ?

— Non.

Louis haussa les épaules avant, d'une main baguée, de balayer l'air devant la délégation anglaise.

— Eh bien, messires, puisque je ne peux rien pour vous, il ne vous reste plus qu'à vous en retourner.

Il les laissa saluer, pivoter puis traverser la moitié de la salle avant d'ajouter, le timbre éclairci de détermination cette fois :

— Afin que vous ne soyez pas venus jusqu'en terre de France pour rien, soyez assez aimables pour dire à ce cher Henri que, si la mémoire de ses actes persistait à lui manquer, nous serions nombreux à l'aider à la retrouver. Comme il se doit, bien évidemment, de pure amitié.

Henri, comme Louis s'en doutait, fulmina au rendu de ces paroles. D'autant plus que les nouvelles arrivaient des quatre coins du royaume. Mauvaises. Richard et Geoffroy s'étaient eux aussi mis en route pour Paris. Quant à l'Aquitaine, à l'exception du seigneur de Thouars, de ceux de Gascogne et d'une bonne partie du Limousin, elle s'embrasait de place en place, expulsant *manu militari* tous les hommes qu'il y avait installés, qu'ils soient civils ou ecclésiastiques. En moins de quinze jours, presque tout le Poitou, la Bretagne, et nombre de seigneurs anglais dont les comtes de Leicester et de Norfolk se rejoignaient sous la bannière des insurgés. Il ne lui restait guère que la Normandie pour lui jurer fidélité. À l'heure où il mesurait enfin l'étendue de la rébellion, il fallut encore que le roi Guillaume d'Écosse lui signifie s'y être rallié, au nom, écrivait-il, *« de la légitimité des sacrements qui, sinon, n'auraient plus de sens dans toute la chrétienté »*. Non seulement on le voulait voir abdiquer, mais personne ne comprenait qu'il ne l'eût pas déjà fait. Et chacun de reprendre en riant qu'à prêter tant d'amuserie aux actes sacrés il se pourrait bien remarier sans avoir divorcé ! L'allusion à Rosamund était claire. On ne lui avait pas pardonné l'offense d'avoir exhibé sa maîtresse. De son côté, Aliénor demeurait silencieuse, semblant en retrait de cette guerre. Sa cour de Poitiers accueillait toujours les troubadours et au courrier que lui envoya son époux pour lui réclamer d'intervenir en sa faveur sur ses terres, elle répondit d'un ton affligé qu'elle ne pouvait rien, ayant elle-même abandonné ses droits sur l'Aquitaine au profit de Richard. Bien entendu, elle se désespérait de cette situation mais : « *N'avez-vous, mon mari, entretenu vos fils dans l'idée du pouvoir, les élevant pour vous succéder en tous points et caractères ? Il ne me surprend guère qu'à l'âge où vous-même guerroyiez pour régner ils se réclament du droit que vous leur avez donné. Je ne vois, quant à moi, qu'une solution pour le royaume. Vous retirer. Comme je l'ai fait déjà. Les couches d'Eloïn sont proches ici, en Poitiers. À l'âge d'être grand-père, ne croyez-vous pas qu'il serait temps d'abaisser l'épée ? Rien ne me comblerait plus que de retrouver près de moi l'homme que j'ai aimé. À mes yeux, il aura toujours trône gardé.* »

Henri tourna cent fois le parchemin à l'écriture altière entre ses doigts crispés, incapable d'en dégager le cynisme de la sincérité. Pour l'heure pourtant, et malgré les allégations du comte de Toulouse, il ne pouvait rien lui reprocher. Richard et Geoffroy, en réponse à ses accusations contre leur mère, lui avaient répondu qu'ils étaient bien assez grands pour prendre conseil d'eux-mêmes selon l'exemple qu'il leur avait donné.

Et Henri, la rage au cœur, avait dû reconnaître que c'était vrai.

51.

Le comte de Toulouse attendait patiemment, un sourire de triomphe aux lèvres, qu'Henri eût achevé de prendre connaissance des messages qu'il avait fait intercepter.

— Vous vouliez des preuves de la manigance d'Aliénor, les voici, sire, lui avait-il servi en lui tendant deux brefs de parchemin saisis sur un courrier en route pour Poitiers.

Dans le premier, Richard, qui y venait prendre des nouvelles d'Eloïn, faisait état à sa mère du nombre de leurs alliés et terminait en l'assurant qu'Henri le Jeune, Geoffroy de Bretagne et lui l'embrassaient d'une même bouche. Dans le second, le roi de France lui renouvelait ses amitiés et sa promesse de l'accueillir quand bon lui semblerait.

Cette fois, Henri ne put douter. Les sceaux n'étaient point contrefaits. Décomposé, il se tourna vers son vassal, avec l'envie de percer de sa lame cet oiseau de malheur. À l'inverse, il le remercia.

— J'ai pris sur moi de lever une armée pour grossir celle de vos mercenaires, car j'imagine que vous en avez déjà engagé, se délecta l'homme, servile, ravi d'avoir enfin une occasion de se venger d'Aliénor.

— Vingt mille. J'ai mis en gage jusqu'à ma propre épée d'apparat incrustée de diamants pour les payer somptueusement. Routiers ou chevaliers, ceux-là me seront fidèles, croyez-le.

Le comte de Toulouse se frotta les mains, réchauffé à ces mots malgré la brise qui battait les bords de la Loire devant laquelle Henri s'était attardé pour jouir d'un printemps qui explosait.

— Voulez-vous que je me charge de la reine ?

Le roi se retourna avec la vivacité d'un félin, l'œil noir.

— C'est moi et moi seul qui la punirai, et quiconque s'y essaiera à ma place sera le premier à trépasser, suis-je clair ?

— Limpide, Votre Majesté, déglutit le comte, cramoisi.

Henri suivit des yeux une corneille détachée d'un prunier.

— Jusque-là, le pape s'est refusé à prendre parti. Avec ces preuves il sermonnera mes fils, les obligera à plier.

— N'est-ce point trop tard ?

Henri n'éprouva à cet instant que dégoût pour cet homme. Il le toisa avec suffisance.

— Il n'est jamais trop tard.

Il se trompait.

*

La cellule qu'avait occupée Thomas Becket à Cantorbéry avait été laissée telle qu'à sa mort, comme si personne ne voulait risquer de profaner davantage sa mémoire. Il suffisait bien que la pierre de l'autel demeure imprégnée de son sang. Il suffisait bien de devoir le remplacer au siège épiscopal. Henri le Jeune était arrivé la veille au soir pour se recueillir sur la tombe de son vieil ami. Il n'espérait pas de miracle. Ce gisant sur lequel, la nuit durant, il s'était laissé aller à pleurer symbolisait trop l'arrogance de son père. Il savait qu'il ne pourrait réussir là où Becket n'avait pu. Ses frères l'avaient accompagné, décidés à faire de ce pèlerinage bien plus que l'occasion de marquer l'avènement du nouveau roi d'Angleterre. Dans quelques heures, un autre porterait le pallium, un autre deviendrait primat d'Angleterre et archevêque de Cantorbéry. Semblant vouloir laisser entendre qu'il était prêt à abdiquer, Henri n'avait pas jugé utile de se déplacer. Son aîné, lui, l'avait fait. Pour, officiellement, s'indigner de cette élection établie sans son consentement et marquer chacun de sa nouvelle autorité.

Sans faillir malgré la poignante tristesse qui persistait en son cœur, il poussa la porte de cette salle basse, voûtée, foula les tomettes de terre cuite que Becket avait chatouillées de ses pieds nus. Dans un silence recueilli, ses deux frères, Richard d'Aquitaine et Geoffroy de Bretagne, entrèrent à sa suite. Le premier portait lanterne, le second rabattit le loquet et s'adossa contre le battant. Une nouvelle nuit était tombée sur l'abbaye. Une nuit de conspirateurs. Face à ce lit pourtant, ce parfum de musc dont Becket ne s'était jamais départi et qui avait imprégné les draps et les murs blanchis, Henri le Jeune marqua un temps d'arrêt, la mâchoire frémissante. La main de Richard s'abattit avec chaleur sur son épaule.

— Voulez-vous que je m'en charge ?

Henri le Jeune secoua la tête.

— Non. Non, c'est à moi qu'il en a laissé le soin. Je le lui dois. Je le dois à l'Angleterre.

Richard n'insista pas.

Il recula d'un pas, croisa ses mains devant lui et attendit que son frère regagne cette force en lui, cette force pour laquelle il éprouvait autant de respect que de tendresse. Henri le Jeune n'y mit guère longtemps. Il s'avança jusqu'au lit et tira à lui le pied de bois, jusqu'à décoller la tête du mur. Ensuite de quoi, craignant que le bruit ne se soit répercuté suffisamment loin dans l'abbaye pour réveiller l'un des moines et le ramener là, il se planta devant le christ en croix accroché au mur. Il l'ôta à son attache, le retourna et fit jouer la plaquette de bois de l'axe de la croix. Une feuille de parchemin soigneusement pliée apparut dans la cache. Sans prendre la peine de la lire, il la fourra dans sa heuse puis remit tout en place. Puis, d'un pas lourd, il s'en fut ouvrir le coffre des effets de son ancien précepteur, récupéra la bible usée et enluminée qu'il contenait.

Ni Richard ni Geoffroy de Bretagne n'avaient bougé d'un pouce lorsqu'il se retourna vers eux. Mais la gravité de leurs traits s'accordait à la sienne. Il amorça un pas dans leur direction. Geoffroy s'écarta du battant pour lui céder passage. Ils quittèrent la pièce. Ensuite, dans ce même silence qui l'avait vu enfiler dans la serrure le double de la clef autrefois remise par Becket, Henri le Jeune referma la porte derrière lui.

Le lendemain, il imposa sa présence à la cérémonie d'investiture, appela les barons présents à se rallier derrière lui puis, ayant enfin accompli ce qu'il devait, enfourcha son palefroi aux côtés de ses frères et quitta la place.

Au même instant, un incendie se déclara dans l'ancienne cellule de Becket. Tout y brûla sans que personne s'explique comment le feu avait pris et surtout pourquoi il s'était arrêté aux limites de la porte bouclée. Certains en déduisirent que Becket avait donné par ce nouveau miracle son accord quant à sa succession. D'autres, partisans d'Henri, qu'il s'était indigné de voir Henri le Jeune affirmer à Cantorbéry son irrespectueuse présence. Seuls ce dernier, Richard et Geoffroy se doutèrent de la vérité. Becket avait nettoyé la place, refusant que quoi que ce soit lui survive sinon cette preuve de son innocence qu'Henri Plantagenêt avait, par tous les moyens, essayé de lui reprendre. Henri le Jeune l'avait promis au primat avant son retour triomphant en Angleterre. Il ne s'en servirait que si nécessité faisait loi.

L'heure était arrivée.

52.

Eloïn connaissait les douleurs de l'enfantement pour avoir accompagné déjà nombre de parturientes. Par conséquent, loin d'en être effrayée, elle s'y offrait avec soulagement, pressée de retrouver en elle cette magie qui lui faisait défaut depuis trop longtemps et que des cauchemars remplaçaient. Comme si l'approche, inévitable, de cette guerre dont elle avait si longtemps rejeté l'évidence les avait décuplés. Ces trois dernières nuits, des images terrifiantes s'étaient succédé dont elle eût été incapable de décrire les tenants et les aboutissants, rien dans les décors ou les personnages n'ayant de réalité.

« Comme si, m'avait-elle confié, c'était un autre monde que j'avais visité. »

En ce 8 juin 1173, elle n'y songeait plus, requise à ce travail qui depuis cinq heures la tenait tantôt accroupie, tantôt agenouillée sur des coussins de sol, les cuisses ouvertes. Elle souffrait sans une plainte pourtant, l'esprit tourné vers son enfant, autant pour l'aider à rompre ses fers que pour l'accueillir. Allant même, dans ses moments de répit, jusqu'à fredonner ou nous sourire à toutes trois, attentives à ses côtés. Car si Aliénor s'était refusée à manquer cette naissance, pour rien au monde Adélaïde n'aurait supporté d'en être écartée. Plus le temps passait et plus la damoiselle de France me surprenait par son attitude qui garantissait à ma fille sa place de cœur auprès de Richard. Comme si cet enfant à venir était devenu le sien par procuration, comme si elle avait pressenti que Richard se refuserait à lui en donner. À dire vrai, elle était aussi défaite qu'Eloïn, lui tamponnait le visage et les bras d'eau de cannelle et ne cessait de répéter, d'avantage pour elle-même que pour son amie :

— Ça va aller... Ça va aller...

Ce qu'Eloïn confirmait en se remettant à souffler bruyamment.

Alors que, répondant aux premières lueurs de l'aube, un coq se mettait à chanter sous les fenêtres de la tour, je vis ma fille brusquement se tasser sur elle-même.

— Il vient, mère, grogna-t-elle avant de gonfler ses joues et de s'empourprer sous l'effort, les paumes en appui solide sur ses genoux fléchis.

Aliénor qui se tenait derrière elle, la mise protégée par un tablier de servante, resserra prise à ses hanches pour la soutenir. Quant à moi, agenouillée devant elle, je plaçai mes mains en coupole sous son bas-ventre. L'enfant se présentant par la tête, nous ne pouvions que laisser la nature à son œuvre.

— Ça va aller, ça va aller, répéta encore Adélaïde, livide.

Une poussée, deux. À la troisième, la tête apparut dans ma main. Je tirai délicatement vers l'arrière. Le reste du corps glissa le long de mon avant-bras.

— C'est un garçon, murmurai-je en l'élevant délicatement vers sa mère.

Adélaïde le découvrit en même temps que nous. Émotion ? Fatigue trop grande ? Ou angoisse devant ce petit être ensanglanté à la crinière abondante et aux yeux clos ? Elle laissa échapper un « Oh ! » de surprise, puis, comme une fleur coupée, tourna de l'œil.

— En voilà une qu'il faudra fortement assister quand viendra son tour, éclata de rire Aliénor.

Elle allait lui tamponner les joues. Je m'interposai.

— Laissons-la s'éveiller seule. Cet instant nous appartient, à toutes trois, comme le symbole vivant de nos destins, de nos sangs mêlés. Je n'ai pas envie de lui expliquer à quel point il est important pour nous.

— Tu as raison, céda-t-elle en revenant à nos côtés.

Comme s'il avait voulu signifier son assentiment, le nouveau-né se mit à hurler dans les bras de sa mère à qui je venais de le confier.

L'émotion nous emporta toutes trois. Durant quelques secondes, agenouillées devant lui, nous ne pûmes prononcer un seul mot. Puis, les joues ruisselantes de larmes de joie, Eloïn murmura :

— Philippe. C'est ainsi que Richard le voulait nommer. Croyez-vous que nous puissions trouver un abbé pour, ainsi, le baptiser ?

— À présent que les Aquitains ont repris les rênes de l'évêché, je n'ai aucune raison d'en douter, ma fille, affirma Aliénor en croisant mon regard.

Une tendresse infinie passa entre nous. Quelques secondes durant lesquelles, plus que jamais, nous fûmes l'une à l'autre, liées par toutes ces années de lutte, d'amour, de courage, d'abnégation ou de vengeance. Je pris les ciseaux d'or posés sur un coussin près de moi. L'héritage de Guenièvre de Grimwald, ceux-là mêmes qui avant les enfants de ma reine et les miens avaient délivré Henri Plantagenêt. Je les lui tendis.

— À vous l'honneur, Majesté.

Elle hocha la tête. Affirma son geste.

— Longue vie à toi, Philippe, et grande destinée, lui souhaita-t-elle avant de couper le cordon qui le reliait à sa mère.

Une page de notre histoire à toutes les trois venait de se tourner. Une autre s'annonçait.

*

En cette heure où la maison d'Aquitaine s'éveillait sur l'annonce de cette naissance, Richard était en Paris avec ses frères, fort de l'appui de Louis qui, en plus d'avoir offert un nouveau sceau à Henri le Jeune, avait ouvert les portes du palais de la Cité aux anciens vassaux d'Henri Plantagenêt. Outre les fidèles comme le comte de Champagne, Guillaume le Maréchal ou Patrice de Salisbury, les loups étaient sortis du bois, autant pour se voir nantis que pour prêter hommage au nouveau roi d'Angleterre. Ainsi, Thibaud de Blois avait reçu des mains d'Henri le Jeune quelques fiefs tourangeaux, le roi d'Écosse une bande au nord de l'Angleterre, et le puissant Philippe de Flandres, le comté de Kent ainsi que le château de Douvres. Henri le Jeune voyait de jour en jour grossir ses troupes. Même si le pape, après avoir confirmé l'investiture de Richard de Douvres, le successeur de Becket à Cantorbéry, appelait à la tempérance depuis qu'Henri avait fourni la preuve que ses fils agissaient dans un esprit de vengeance nuisible à la chrétienté. Personne, par intérêt personnel, profit, amitié ou sens de la justice ne voulait contester la légitimité de la requête du jeune roi.

Tandis qu'ils s'affairaient de leur côté, Henri ne décolérait pas. Il continuait de vider le trésor, vendant jusqu'à ses biens immobiliers pour grossir encore ses troupes de routiers impitoyables. Il gardait pourtant espoir que le pape finirait par ramener ses fils à la raison. Pour l'y aider, il multipliait les courriers dépêchés en terre de France, promettant, avec son pardon, d'importants subsides à ses fils et ajoutant qu'il ne tiendrait pas rigueur à leur mère de les avoir entraînés si la guerre était avortée. Tout en sentant bien que, derrière eux, c'était mon ombre qui planait. Une ombre qui s'obstinait comme ses fils ou sa femme à ne pas répondre à ses lettres.

53.

Dans la salle de réception du château de Blaye, Geoffroy Rudel attendait avec impatience son visiteur. À l'heure où par l'obstination d'Henri il allait devoir guerroyer dans le sillage de Richard, un nouveau péril menaçait la cité. Or il ne voyait que cet homme pour la sauvegarder. Un homme qui avait déjà compté à l'heure du grand incendie. Le souvenir qu'avait conservé Geoffroy de cette nuit cauchemardesque était intact. Tandis que les dames de Blaye se chargeaient d'évacuer le castel, avec son père il avait gagné la ville basse, espérant ordonner l'évacuation des habitants. La fumée rasait leur nez, effrayait leur monture. Les gens d'armes rabattaient les égarés vers le fleuve. Les abbés, eux, tentaient vainement d'encadrer des groupes d'enfants hurlants. Une vision d'apocalypse. Traversée par les allées et venues de ce géant : maître Patelin. Indifférent à ses cheveux pétillants de flammèches, à sa peau roussie, ce dernier jouait de sa stature pour ramasser un vieillard tombé, près d'être piétiné, forcer une porte léchée par les flammes, s'enfoncer dans la fournaise et en revenir avec un grabataire, un enfançon ou une femme dans les bras. Il courait déposer ces êtres larmoyants de reconnaissance sur la berge puis repartait à l'assaut des flammes, sans discontinuer. Jaufré et Geoffroy s'étaient trouvés là à l'instant où la poutre d'un encorbellement s'était détachée, deux enfants terrorisés, esseulés, arrachés à la ruelle, en travers de leurs montures. Ils avaient entendu le hurlement près d'eux, senti la poussée de leurs chevaux vers l'avant, deviné que l'homme les avait claqués violemment au cul. Le temps qu'ils se retournent sur la selle, ils l'avaient vu disparaître dans le fracas du bois enflammé. Geoffroy avait réagi le premier, sautant à bas pendant que Jaufré s'allait délester de leurs deux fardeaux non loin de là, auprès d'un abbé gesticulant. Il était revenu sur ses pas, avait aidé son fils à tirer maître Patelin, assommé, de dessous les décombres. Puis ils l'avaient emmené sur une des dernières gabarres dans l'île du mitan du fleuve. Là-bas, les dames de Blaye avaient apaisé ses brûlures, avaient sauvé sa jambe fracturée en de nombreux endroits, mais n'avaient pu le guérir des séquelles qu'il en avait gardées. Geoffroy et Jaufré le savaient bien. Cette nuit-là, maître Patelin leur avait sauvé la vie, comme il en avait sauvé beaucoup d'autres. Ils avaient voulu l'en récompenser. Le gaillard avait éclaté de rire.

— Je n'ai fait que ce que je devais. M'argenter en gâterait le mérite. Et puis avez-vous oublié ce que je vous dois moi-même, messire Jaufré ?

Devant son étonnement, l'œil de maître Patelin avait pétillé.

— C'était au moment des vendanges, à Saint-Ciers-de-Canesse. Vous étiez garnement encore dans les jambes de votre père. Et moi, à peine plus haut en vérité. Mais je m'étais juché sur le rebord d'une cuve pour en voir l'intérieur qu'on m'interdisait.

Jaufré avait hoché la tête, rattrapé par la vision de ce garçonnet qu'il n'avait pu empêcher de basculer de l'avant. Ce jour-là, il avait hurlé, ameuté autour de lui. À temps. Quelques secondes de plus, et si une corde pendue ne l'en avait arraché, Artémise Patelin se serait noyé dans le jus de raisin. À Geoffroy qui s'interrogeait, il avait rappelé les faits. Maître Patelin les avait ponctués d'une main sur son cœur et d'un hochement de tête.

— Vous ne me devez rien, prince de Blaye. Sinon la faveur de cette amitié dont vous m'avez toujours couvert et qui a fait mon enseigne.

Jaufré lui avait pressé l'épaule.

— Je l'entends pour moi-même, mais ma dette court pour mon fils. Alors point de manières, mon ami. Acceptez cette bourse et les acres de terre qu'il veut vous concéder. Vous les transmettrez comme j'ai transmis Blaye.

— Soit. Mais à une seule condition. Je n'ai pas votre talent pour conter les histoires et point ne veux qu'on m'interroge sans cesse sur celle-ci. Gardons-en le secret. Il n'en aura pour moi que meilleur prix.

Ils y avaient consenti. Maître Patelin n'était pas de ceux qui s'enorgueillissent de leurs actes. Sa modestie était aussi grande que son cœur et c'est pourquoi, ce 8 juillet de l'année 1173, Geoffroy le vit avec soulagement franchir l'encadrement de la porte qu'il venait de toquer.

— Vous m'avez fait mander, seigneur Geoffroy ?

— Entrez, maître Patelin, entrez, lui sourit-il en même temps qu'Agnès, droite à ses côtés.

Le maître de chai de la petite paroisse de Saint-Ciers-de-Canesse vint courber son large front devant eux, son bonnet sur le cœur. Lorsqu'il releva la tête, ce fut pour constater que leurs regards sur lui étaient empreints de bien plus de chaleur qu'à l'accoutumée.

— Maître Patelin, une grave menace pèse sur Blaye.

Le maître de chai fronça les sourcils.

— Je n'en ai point entendu parler.

Geoffroy soupira.

— Le seigneur du Vitrezais s'est éteint hier au soir. Inutile, j'imagine, de vous brosser le portrait de ses deux fils. Cupides, cruels, belliqueux et stupides.

— Cela leur ressemble bien en effet, approuva maître Patelin dans un sourire.

Agnès leva vers lui ses grands yeux noirs.

— On les prétend aussi teigneux que leur grand-père avec lequel messire Jaufré se colleta. Vous vous en souvenez, je pense.

— Fort bien, dame Agnès. M'avez-vous fait venir pour que je vous raconte cette fois où il voulut prendre Blaye ?

— Non, maître Patelin, plutôt pour que vous nous sauviez si, de nouveau, cela devait arriver.

Il arrondit des yeux comme des soucoupes.

— Moi, dame Agnès ?

Avant que Geoffroy ait pu le lui confirmer, la porte s'ouvrit sur Bertrade, les bras chargés d'un plateau garni de massepains et de lait de chèvre frais. Maître Patelin sembla rougir. Elle, trembler légèrement, amenant chez les Rudel la certitude que leur intuition était fondée. Depuis l'incendie de Blaye, ces deux veufs se plaisaient.

— Bien le bonjour à vous, dame Bertrade, se fendit le brave homme en s'inclinant de nouveau.

— À vous de même, maître Patelin, lui répondit-elle avant de lui tourner le dos pour se débarrasser de son fardeau sur une table qu'elle avait dressée d'une nappe blanche.

— Maître Patelin, reprit Geoffroy, vous êtes au fait de la querelle entre le roi d'Angleterre et ses fils. Mon attachement à ces derniers m'interdit de n'y point participer. Je pars dans quelques jours avec une dizaine d'hommes sûrs, de sorte que Blaye se verra sans autre défense que l'abri de ses murailles, la quinzaine de soldats des tours de guet, les fourches de ses habitants, les prières de ses abbés et la garde de sa dame. La mort de Girard Mestre le mois dernier me prive d'un intendant de valeur. À dire vrai, mon ami, je ne vois que vous en qui je puisse compter pour le remplacer.

Maître Patelin demeura sans voix, autant de cette annonce que du sourire qui venait d'éclairer le visage de Bertrade planté devant lui.

— Acceptez-vous ? insista Agnès.

Il s'arracha enfin à son trouble, un godet à la main remis par Bertrade et empli d'une mousse épaisse.

— C'est un grand honneur pour moi. Mais je doute d'en être digne. Ma jambe abîmée dans l'incendie ne fait guère de moi un combattant émérite.

— Certes, mon ami, mais ce n'est pas cela que j'attends de vous.

— Ah non ?

— Non. J'ai besoin d'avoir l'assurance, en cas de siège ou d'attaque, que les miens resteraient en sécurité. Les miens et dame Bertrade, cela va de soi.

Maître Patelin attendit que Geoffroy et Agnès soient servis à leur tour pour lever sa tasse.

— En ce cas, je suis votre homme.

Ce à quoi Bertrade répondit par un gloussement discret.

Quelques jours plus tard, il prenait ses quartiers au château et Geoffroy, le cœur lourd, s'apprêtait à le quitter.

— Je reviendrai. Sauf. Je vous en fais serment, Agnès de Blaye, murmura-t-il en pressant son épouse dans ses bras.

Elle eut ce petit rire léger qui faisait sa force.

— Oh ! je n'en doute pas, mon époux. Et cessez donc de vous en faire. Au cas où vous l'auriez oublié, votre mère m'a très efficacement appris à manier l'épée.

— Justement, ma mie, c'est bien de cela que je suis inquiet, se moqua-t-il en retour avant d'enfourcher son destrier.

54.

Henri courba un instant le front devant cet homme pour lequel il n'avait jamais éprouvé d'amitié. Comme ses prédécesseurs d'ailleurs. Les papes pouvaient se succéder, il n'admettait toujours pas l'ingérence de l'Église dans les affaires de l'Angleterre et ne se servait d'elle que pour satisfaire ses ambitions. Cela faisait longtemps qu'il avait cessé d'espérer le pardon divin pour ses fautes, même s'il avait prétendu le contraire, même s'il se rendait à la confession, même s'il priait. Dieu était invisible. Et Henri ne craignait pas l'invisible. Peut-être parce qu'il avait été bercé de deux cultures différentes, de deux cultes différents. Il avait puisé dans l'un comme dans l'autre les arguments de son règne et avait compris que le blasphème n'entachait qu'une seule règle, celle des hommes qui n'étaient pas assez trempés pour s'en moquer.

Lorsque, au matin, on était venu lui annoncer qu'Alexandre III était arrivé à Chinon, il avait cru à une farce. Il n'était pas dans les habitudes du Saint-Père de se déplacer. Force lui avait été de l'accueillir pourtant avec une délégation si mince qu'Henri avait dû se rendre à l'évidence : le pape tenait au secret de leur rencontre. Le roi venait de le recevoir avec chaleur, de l'inviter à prendre siège et de lui proposer collation. Pour toute réponse, sans un mot mais le visage fermé, Alexandre III lui avait déplié sous le nez ce document dans lequel il exhortait Thomas Becket à détourner des fonds destinés aux abbayes et aux œuvres, à l'heure où la disette affamait le royaume et dans le seul but de satisfaire le caprice de Rosamund Clifford. Ce document qu'il avait par tous les moyens tenté de récupérer jusqu'à ce que Becket lui affirme l'avoir brûlé. L'Église tenait là le moyen idéal de le réduire à merci. Jamais, décida Henri Plantagenêt en lui rendant le parchemin, comme il l'aurait fait d'un vulgaire billet.

— Sont-ce là toutes vos excuses, toute votre justification, mon fils ? trembla la voix du pape, de colère contenue.

Les yeux d'Henri brillaient non de repentir comme l'avait imaginé le Saint-Père, mais d'orgueil, ce détestable orgueil dont Becket avait souffert le joug.

— J'ai déjà demandé pardon.

Alexandre III tiqua.

— Point à l'Église, il me semble !

Henri le toisa de plus haut encore.

— Seul celui qui souffrit ma vilenie pouvait m'en absoudre. Avec l'aide de Dieu, il l'a fait.

Le Saint-Père manqua s'étrangler.

— Oseriez-vous insinuer que les miracles accordés par Becket vous lavent de vos crimes ?

— Je ne l'insinue pas, je l'affirme.

Le Saint-Père recula d'un pas, comme repoussé en arrière par la menace d'une épée. Il hoqueta.

— Vous ne manquez pas d'audace, Henri Plantagenêt !

— Je ne serais pas roi d'Angleterre si je ne l'avais cultivé !

En quelques secondes Henri avait jaugé la situation. Il était coupable et, s'il s'en morfondait, n'obtiendrait que représailles à l'heure où il avait besoin d'alliance, selon ce vieil adage qu'il valait mieux être craint que respecté. Il saisit le hanap qu'un échanson lui offrait sur un plateau. Vieille eau-de-vie. Il l'avala d'un trait. Le pape resta immobile, le bref au bout de son bras ballant, entre la consternation, la colère et l'incrédulité. Le valet se présenta à lui, demeura quelques secondes dans l'attente qu'on le remarque, puis, se jugeant de trop dans le combat de ces deux hommes, retourna se poster dans un coin de ce petit cabinet dont une des fenêtres, à peine plus large qu'une meurtrière, dominait la Loire.

Un rictus amer marqua la commissure des lèvres d'Henri.

— Vous ne possédiez pas ce document au moment de la mort de Becket, sans quoi vous n'auriez pas levé l'excommunication dont vous m'aviez accablé. Puis-je savoir qui vous l'a remis ?

Le ton s'était adouci mais point l'éclat de l'œil. Comprenant que son adversaire ne s'amenderait pas, le pape n'avait qu'une alternative, quitter les lieux et frapper l'Angleterre, ou, comme il l'avait promis au nouveau roi, agir en faveur de la paix. Il fit signe à l'échanson de le servir. Il avait grand besoin finalement d'un remontant après tant de cynisme. De remontant et de vérité.

— Votre fils, lâcha-t-il sans détours.

Henri fronça un sourcil broussailleux et épais.

— Henri le Jeune ?

Le pape hocha la tête. Henri se détourna pour ne pas lui montrer sa déception. Son regard s'attarda dans les fils d'une tapisserie accrochée au mur de moellons. Elle le représentait avec la reine et leurs huit enfants. Tous souriaient. Tous, alors, étaient tournés vers un même but, son triomphe. Que restait-il de cette famille, de cette ambition ce jourd'hui ? Un simulacre. Non, pas même un simulacre, songea-t-il avec amertume avant de pivoter vers le Saint-Père qui levait coude, le nez chatouillé par les effluves alcoolisés. Henri le laissa s'emplir la bouche d'une rasade, le temps pour lui de tendre son hanap au valet. Il le vida une seconde fois qu'Alexandre III déglutissait à peine sa gorgée. Ces élixirs, vigoureux, l'avaient toujours aidé à analyser ou anticiper les réactions de ses ennemis puis à réagir promptement. Cette fois encore. Son menton se redressa, sa voix se réaffirma :

— Je ne céderai pas le trône, Votre Sainteté, quand bien même vous brandiriez cette lettre devant le restant de la chrétienté, quand bien même il me faudrait guerroyer aussi contre votre armée, quand bien même je devrais, jusqu'à ma mort, être excommunié.

— Est-ce une menace ? s'empourpra le pape.

— Un constat. Mes fils ne se rebellent que parce que leur mère, avide de vengeance, les a dressés contre moi. Qu'elle se rétracte et je ne leur donne pas huit jours pour plier. Vous voulez la paix ? Servez-la. En vous rangeant à mes côtés et non aux siens. En la forçant à s'agenouiller !

Le pape souffla des narines, incrédule devant tant d'impudence.

— Sinon ?

— Sinon ce sang que je ferai couler pour regagner mon autorité entachera vos mains comme celui de Becket a entaché les miennes.

— Je ne vous permets pas !

En deux longues enjambées, Henri fut sur cet homme qui lui arrivait au menton.

— Et moi je me permets. Vous m'avez accusé d'avoir souhaité la mort de Becket à défaut de l'avoir commanditée. Vous aviez raison. Cent fois je l'ai espérée avant qu'elle ne survienne. Mais il ne se passe plus un seul jour depuis sans que le remords me ronge, sans que son affection perdue me renvoie à ce temps, pour moi, de médiocrité. Vous voudriez me voir abdiquer, là, sur ce champ de ruines ? Vous voudriez que je laisse dans les mémoires cette seule image ? Celle d'un roi empreint de luxure et de blasphème ? Jamais, vous entendez ? Jamais ! Dussé-je ne laisser que cendres pour mieux reconstruire ce royaume ! Dussé-je jeter au cachot mes propres fils et leurs alliés ! Alors je vous laisse le choix, Votre Sainteté. Mais ne vous y trompez pas. Je serai sans pitié.

Alexandre III recula d'un pas face à cette haleine aux relents de prunelle, face à l'exécrable détermination d'un roi devant lequel tant d'autres souverains s'étaient déjà inclinés. Son œil, détourné, tomba sur les flammes dans l'âtre. Il déglutit, avança d'un pas titubant et coupable vers elles. Henri ne bougea pas, la main crispée sur le pommeau de sa lame. Il ne renierait aucune des paroles qu'il venait de prononcer, pas plus qu'il ne les adoucirait. Le Saint-Père demeura de longues secondes interdit, le visage caressé par la chaleur intense du foyer. Une brûlure. En lui. Faudrait-il qu'il touche à l'enfer pour renouer avec la parole de Dieu ? qu'il pactise avec le diable pour racheter le salut des peuples ? Il avança la main au-dessus des flammes, cette main resserrée sur le document.

— Puissiez-vous, Thomas Becket, me pardonner, murmura-t-il d'un timbre à peine audible avant de le lâcher.

S'il avait pu voir s'embraser avec ce parchemin le regard d'Henri Plantagenêt, sans doute aurait-il compris à quel point il se fourvoyait.

55.

Henri le Jeune était à Paris lorsqu'il reçut courrier du Saint-Père lui annonçant qu'aucune menace n'ayant réussi à plier la volonté du vieux roi, mieux valait, dans l'intérêt du royaume et de sa mère, qu'il se rende à la raison avec ses frères. Pompeusement, Alexandre III ajoutait que le temps viendrait pour chacun de répondre de ses actes, mais que le peuple ne devait pas payer le prix de l'orgueil des Plantagenêts. Louis de France crispa les poings sur cette trahison, Henri le Jeune, à ses côtés, sur son évidence. Le roi d'Angleterre avait réussi une fois de plus à retourner l'Église. Justice ne serait jamais faite. Martelant d'un pas agacé le long couloir du vieux palais, Louis de France entraîna Henri le Jeune à sa suite. Prier d'abord, s'armer ensuite. Puisque Henri Plantagenêt ne voulait reculer, ils attaqueraient.

Ce même jour, le fracas d'un cavalier franchissant au grand galop la herse du château ducal arracha de son siège ma fille qui le vit mettre pied à terre par-delà une des fenêtres de la salle de musique. Nous étions jusque-là occupées autour de Ventadour, de Jaufré et de quelques autres fameux troubadours à débattre du devenir des planhs que les plus jeunes décriaient. Si l'affrontement semblait inévitable, en Poitiers la légèreté primait encore et avec elle les cours d'amour, plus vivaces que jamais.

Richard n'était pas entré dans le palais qu'Eloïn se précipitait au-devant de lui, le bas du bliaud relevé à pleines mains pour courir plus vite. Elle le lâcha pour saisir celles que le duc lui tendait, les presser avec ardeur dans ce face-à-face qui les maintint immobiles dans le vestibule, les yeux brûlants d'un même désir d'étreinte.

— J'ai galopé sitôt reçu votre courrier, ma mie...

— Venez...

À contrecœur leurs doigts se délièrent, puis ensemble, dans ce silence ému qui les tenait, ils gravirent les marches du grand escalier.

Dans la chambre d'Eloïn, le petit Philippe dormait sur le dos, veillé par sa nourrice. Espérant recouvrer au plus vite ses pouvoirs de divination en hâtant ses relevailles, Eloïn l'allaitait une fois sur deux. La brave Clothilde dont la poitrine gonflée révélait la récente maternité salua le duc d'une courbette avant de se retirer, les laissant seuls face au berceau qu'un rai de lumière enveloppait. Le bras de Richard s'enroula autour des épaules d'Eloïn. Elle se pressa contre lui, bouleversée autant de son contact, de l'odeur forte de sa chevauchée que de cet instant, imaginé cent fois depuis la naissance de l'enfant.

— Un fils... notre fils, murmura-t-il, la voix nouée.

— Philippe...

— Oui, Philippe...

Il la ramena contre lui, enfouit son nez droit dans sa chevelure, avide de son parfum, de sa présence.

— Nuit et jour je n'ai pensé qu'à vous. Malgré les alliances dont il m'a fallu m'assurer, malgré cette rage qui ne me quitte pas de voir mon père s'entêter. À vous et à cet enfant, comme une promesse de paix.

— Moi aussi, Richard.

Il s'écarta, elle leva vers lui ses yeux humides. Leurs lèvres se joignirent, lentement, comme une gourmandise que l'on approche avant de s'en régaler. Lorsqu'ils reprirent souffle, le corps tendu, ce fut dans un même sourire.

— Je vous aime. Dieu que je vous aime, Eloïn ! Et plus encore pour cet héritier que vous m'avez donné.

Il la serra dans ses bras à l'étouffer avant de l'entraîner vers le lit aux rideaux refermés.

Ce même soir, mon Geoffroy nous rejoignait. Il était accompagné des meilleures lames du Blayais et fut heureux de savoir qu'un neveu lui était né, bouffée d'espoir en ces heures sombres. Si nous fûmes, Jaufré et moi, ravis d'entendre que le petit Godefroy et sa mère se portaient bien, que la châtellenie était plus que jamais prospère et désormais sous la garde de maître Patelin, l'annonce de la mort de Girard Mestre, fidèle d'entre les fidèles depuis tant d'années, comme celle de notre voisin du Vitrezais – mais pour d'autres raisons –, nous troubla autant que Geoffroy pouvait s'y attendre. Même si rien ne prouvait que les deux frères, pour l'heure occupés à leur succession, fussent décidés à rompre la paix que leur père avait signée.

— Maître Patelin a de la famille en Vitrezais. À la moindre velléité d'attaque, il serait prévenu et vous enverrait quérir, nous affirma notre fils.

— Je préférerais alors être sur place, grinça Jaufré qui s'était déjà vu éconduire par Richard lui refusant de venir grossir les rangs de ses chevaliers sous le prétexte, légitime, qu'il le voulait voir veiller sur sa mère, son fils et son aimée.

Geoffroy lui coula un œil empli de fierté.

— Je l'imagine bien, père, mais vous seriez plus utile à ramener des renforts en nombre si Blaye était menacée. Comme mon duc, je ne peux compter que sur vous pour vous occuper des miens.

Aliénor nous ayant assuré qu'elle nous les procurerait, Jaufré avait fini par en convenir. Ici, en Poitiers, nous serions parmi les premiers à jauger la tournure de l'affrontement contre Henri. Et, par là, à prendre les dispositions qui s'imposeraient. Lors, au banquet qui célébra ces retrouvailles, nous laissant bercer par le chant des troubadours, par les pitreries des joglars, la délicatesse des mets de la cour poitevine, et la présence de nos deux enfants, nous oubliâmes ce qui nous chagrinait.

Les jours qui suivirent nous entraînèrent dans une légèreté exacerbée, comme si chacun de nous voulait profiter du moindre éclat de rire, du moindre regard, de la moindre étreinte, du moindre accord pincé, du moindre vers déclamé. Il régna sur le Poitou un vent de fausse insouciance servi par un printemps d'une douceur presque estivale. Pique-nique au bord du Clain, chevauchées rieuses dans les sentiers forestiers, cueillette de fleurs des champs. Le tout bercé par l'amour d'Eloïn et de Richard, la délicatesse d'Adélaïde à l'égard du petit Philippe, la complicité entre Aliénor et Ventadour. Assuré une nouvelle fois par Richard que sa vivacité de lame avait, auprès de la reine, toute son utilité, Jaufré s'était enfin rendu à la raison et comme moi savourait les échanges entre Eloïn et son frère, leur rapprochement qui, ces derniers mois, leur avait fait défaut sans pour autant abîmer leur complicité.

— Si seulement mes pouvoirs revenaient, si seulement je pouvais anticiper l'avenir, vous mettre en garde, vous et Richard, contre une blessure, un coup bas, un ennemi caché, se lamenta ma fille auprès de son frère alors que, la veille de leur départ, après une belle journée à deviser, chanter, puis lentement glisser vers les dernières nouvelles de nos alliés, nous nous étions assis, Aliénor, Ventadour, Jaufré, Adélaïde, Richard, Geoffroy, elle et moi, sous un vieux chêne dont la ramure surplombait la rivière.

Alangui contre une racine protubérante, Richard mâchonnait un brin d'herbe sans la quitter des yeux. Il éclata d'un rire frais.

— Voici donc comment sont nos dames, mon ami. À vouloir nous surprotéger, elles changeraient nos guerres en tournois et nos batailles deviendraient pur ennui !

Personne ne fut dupe, pourtant tous nous nous accordâmes à sa moquerie, même Eloïn qui ourla vers son amant un regard faussement courroucé. Parce que nous savions, tous, qu'au lendemain une part de nous-même s'attendrait à être brisée.

Roide entre son père et moi, Eloïn tenait Philippe dans ses bras lorsque mon fils et Richard, entourés des lames blayaises, franchirent la barbacane du palais ducal. Face à son désarroi, j'invoquai de toutes mes forces cette magie qui continuait de me bouder. Il était temps, plus que jamais, qu'elle revienne. Oui, il était temps, plus que jamais, que je redevienne celle que j'avais été. Ce fut au mitan de la nuit que les images tant espérées surgirent. Au fil des années elles m'étaient devenues si familières que j'avais fini par les admettre comme immuables. Scènes de batailles, ventres ouverts, corps criblés de flèches, de carreaux d'arbalète, bannières brisées. Léopard contre lion. Henri contre Aliénor. La dernière était nouvelle pourtant. Mais d'emblée je la refusai, car elle me montrait Jaufré enseveli par un éboulis de pierres. Malgré tous mes efforts, je ne pus savoir s'il en était délivré sain et sauf. M'interdisant d'en douter, je vins me coller à son dos, le presser contre moi, respirer son parfum de lys jusqu'à me rassurer assez de sa présence tranquille pour décider de vivre le moment. Le reste, tout le reste, je le pressentais cette fois avec certitude, il me faudrait le regagner.

Ce 29 juin, Henri ayant répondu par le refus à une dernière sommation d'abdiquer, nos troupes se déployaient. Henri le Jeune devant Neuf-Marché, Philippe de Flandres devant Aumale, Louis devant Verneuil, Geoffroy de Bretagne avec le comte de Chester devant Dol. Quant à Richard et Geoffroy, ce fut en Normandie auprès de Guillaume le Maréchal qu'ils fourbirent leur épée.

Cette guerre dont la prémonition m'avait désespérée un matin de 1154, au point de m'arracher à la sérénité de ma vie en Blayais et de me ramener auprès de ma reine pour tenter de l'empêcher, oui, cette guerre sans merci était commencée.

56.

Henri reçut la nouvelle de cette offensive générale au surlendemain. Il se rendit en la cathédrale de Rouen, et, conformément à ses accords avec le pape, chargea l'archevêque Rotrou de Warwick d'avertir la reine que si ses fils ne s'étaient pas rendus sous huitaine elle serait condamnée pour haute trahison. Puis il enfourcha son destrier, cria « haro » et entraîna chevaliers et routiers, vingt mille hommes au final, dans une chevauchée digne des premiers temps de sa royauté. Bien déterminé à regagner tout ce que ses fils lui enlèveraient.

Je reçus sa semonce en même temps qu'Aliénor celle de l'Église. Loin de ses précédents courriers qui faisaient état de sa tristesse à l'égard de cette situation et de son espoir de nous voir, moi apaiser Aliénor, Eloïn tempérer Richard, il ne me demandait pas de choisir mon camp. Il me l'imposait.

« … *Au nom,* écrivait-il, *de ce qui fut votre devoir au regard de mon règne. En foi de quoi, j'accepterai d'admettre que vous ayez été abusée par mes erreurs passées, au point de n'avoir vu ce qui se tramait dans l'ombre ou de n'y avoir porté crédit, étant entendu que vos derniers actes ont pour sens la sauvegarde du royaume et non, bassement, celui d'une quelconque vengeance.* »

Le ton était clair. La menace implicite. Elle me laissa froide. Aliénor aussi. À ma suggestion pour elle de gagner la France, elle haussa les épaules.

— Trop de gens nous soutiennent, mes fils et moi, pour que cette guerre ne finisse à notre avantage. Pour autant, elle va s'éterniser et je refuse de me priver de mes cours d'amour. As-tu oublié la triste couleur des murs de Paris ?

— Non, ma reine. Je n'ai rien oublié.

— Alors festoyons ! Festoyons des belles avancées des nôtres.

Et d'un pas de danse, la voix en canso, elle m'entraîna à son poignet.

Quelques jours plus tard, semblant conforter ses dires, des courriers nous apprenaient que de nombreuses places étaient tombées dans nos filets, sur tout le territoire des Plantagenêts, Angleterre comprise. Et Aliénor ne trouva rien de mieux que d'organiser un tournoi de dames pour juger de la valeur de ses « épées ». Ce fut un joyeux moment qui me rappela ceux d'autrefois, à l'heure où Denys de Châtellerault, chargé de former les dames de France aux manières guerrières en vue du départ à la croisade, s'arrachait les cheveux à les voir se tortiller ou se pâmer. Pas plus que celles d'hier, avant qu'il ne les redresse, nos amies de ce jourd'hui ne seraient capables de défendre leur honneur ou leur vie. Le serions-nous toujours nous-mêmes, qui avions abandonné les exercices de passes d'armes depuis le grand incendie ? Lors, les laissant s'accorder comme d'un jeu aux leçons de la reine, je me remis avec Jaufré et Eloïn à l'entraînement. Le véritable, celui qui nous avait toujours assurés de remporter les batailles auxquelles nous avions été mêlés.

Le 1er août, alors que justement Eloïn et moi, face à face, nous nous trouvions dans le champ clos de la première enceinte du palais ducal, à affirmer nos prises sur des épées longues, Jaufré vint nous apprendre qu'Henri avait enlevé deux victoires d'importance. La première grâce à un méchant coup du sort à notre égard. Mathieu de Boulogne avait été fauché par un carreau d'arbalète sous les murailles de la ville de Driencourt, décidant Philippe de Flandres, son frère jumeau, bouleversé, à cesser toute offensive. La seconde, Henri la devait à son esprit de stratège. Voulant porter un coup décisif au moral de ses fils, il avait décidé de prendre en tenaille Louis qui piétinait devant Verneuil. Ce dernier en avait été averti et, devant le nombre des Brabançons qui fondaient sur lui, avait jugé la bataille perdue d'avance. Il s'était retiré sans combattre après avoir ordonné par esprit de vengeance le pillage et l'incendie des faubourgs de la ville.

Aliénor n'avait su que hausser les épaules en affirmant qu'il fallait s'attendre que son époux riposte de la manière dont il l'avait toujours fait. Mais que cette fois pourtant, il avait contre lui ceux-là mêmes qui l'avaient aidé autrefois à vaincre. Qu'il ne fallait pas s'inquiéter. Nous nous rendîmes à ses arguments, d'autant qu'une seconde lettre était arrivée. De notre Geoffroy. Jaufré avait attendu que nous soyons réunis pour la décacheter.

Nos armes à terre, le front en sueur sous ces cottes de mailles qui nous assuraient lors de chaque entraînement de frapper sans nous blesser, nous nous adossâmes à un des créneaux du rempart pour le laisser nous la lire.

Nous espérions qu'elle nous ragaillardirait. À l'inverse, nos cœurs se serrèrent dès les premières lignes.

« Partout le sang, mère. Il ruisselle dans les tranchées, le long des barreaux des échelles apposées contre les murailles, il encercle les pieux piqués autour des enceintes, souille les hauberts, les lames, les boucliers. Sans cesse catapultes, balistes, scorpions ou arbalétriers à l'abri des tours d'assaut pilonnent nos ennemis. La violence des coups de bélier est à la mesure de la haine qui anime le cœur de nos soldats, de nos chevaliers, décidés à en terminer au plus vite. Et une fois les murs sapés en leurs fondations, il faut encore enjamber les corps de ceux qui ont ouvert les brèches, nous garder sous le bouclier du piquant des lances ou des flèches, traverser l'éboulis pour faire face à des désespérés, usant leurs dernières ressources avant que de tomber à leur tour, de nous laisser à nos amis d'hier, nos ennemis de ce jourd'hui. Ceux avec lesquels, il n'y a pas si longtemps encore,

nous singions la guerre au cours des tournois, ceux avec lesquels nous avions ri, joué aux échecs ou festoyé. Certains baissent les armes, en souvenir de ce temps-là, vaincus, d'autres serrent les poings et il faut en découdre. Les occire. Avant de tourner bride, sans un regard en arrière pour ces femmes, ces enfants, ces vieillards cloîtrés et apeurés dans les églises, d'abandonner les cadavres aux rapaces et les vivants à ceux, plus charognards encore, de nos arrière-troupes de mercenaires.

» Toute guerre est souffrance, injustice et sauvagerie, m'avez-vous affirmé, père. J'en souffre tous les maux ce jourd'hui, le premier pourtant en ligne, m'endurcissant de jour en jour, tuant pour ne pas être tué et au nom d'une querelle qu'aucun Dieu ne semble vouloir arbitrer. Vous aviez raison, tous deux, parents chéris, nul ne sort indemne d'un champ de ruines, nul ne sort indemne de l'estocade qu'il a portée. Là où gloire et honneur emportent mes compagnons, je ne ressens que tristesse à brandir l'étendard, colère à l'égard d'Henri Plantagenêt. Comment un père peut-il ainsi contraindre ses fils à semblable procédé ? Comment peut-on faire passer son orgueil devant l'intérêt d'un royaume ? Lors je vous bénis, tous deux, pour vos enseignements, votre amour, votre complicité et votre confiance réciproque sans lesquels, pourtant convaincu de droit et de raison, face à ces charniers, j'aurais déjà eu garde baissée. Prenez soin de vous, de ma femme, de ma sœur, de son fils et du mien et puisse Blaye, toujours, de trobar et d'épée, être épargnée d'une telle curée…

Geoffroy Rudel, prince de Blaye, quelque part en terre normande, ce 23 juillet de l'an de grâce 1173. »

L'horreur venait, par les yeux de notre fils, de nous rattraper de plein fouet.

Elle ne s'arrêta pas là, hélas.

Poursuivant son avancée, d'autant plus fulgurante qu'au lieu de s'encombrer il utilisait sur place les tours d'assaut, les tranchées ou les engins de guerre de ses prédécesseurs, Henri fut bientôt devant Dol, en Bretagne. Sans même attendre que son campement soit dressé, que ses hommes se soient reposés, il lança l'assaut en promettant double solde aux Brabançons s'ils lui remettaient la ville avant l'aube.

Ainsi fut fait.

Aux premières lueurs du jour, impitoyable, Henri se faisait amener Conan de Haignaut, l'un des plus fidèles amis d'Henri le Jeune laissé en garde de la cité. Il le força à s'agenouiller devant lui, en place publique, au pied de l'église.

— Vous servirez d'exemple, lui dit-il.

— Je n'ai pas peur de mourir.

— Tant mieux, répondit Henri avant d'affirmer lame au poing et de le décapiter froidement, arrachant stupeur et effroi parmi la foule et les prisonniers solidement encadrés. Ensuite de quoi, impavide face aux abbés qui se signaient depuis le parvis, Henri se pencha au-dessus du renégat, écroulé sur lui-même, la tête projetée plus loin sur les pavés, et essuya sur le mantel épars le fil sanglant de son épée. Après l'avoir ramenée au fourreau pendu à sa ceinture, pardessus le haubert à triples mailles, il se tourna vers son secrétaire, Pierre de Blois, qui se tenait, livide, à quelques pas.

— La reine a-t-elle répondu à sa semonce ?

— Pas que je sache.

— Loanna de Grimwald ?

Pierre de Blois secoua la tête.

— Fort bien. Suivez-moi.

Sans un dernier regard pour Conan de Haignaut qui, tressaillant, achevait de se saigner sous la pluie fine qui s'était mise à tomber, il enfourcha le destrier qu'on lui présentait pour regagner le castel dévasté.

Avant que de ravager la Bretagne, il avait une lettre à rédiger.

Henri le Jeune la décacheta sans attendre, dans le fracas de la bataille qui faisait encore rage à moins de une lieue de son campement. La victoire leur étant acquise, il avait tourné bride pour recevoir, sous sa tente, l'envoyé de son père. Ce dernier lui proposait, comme à ses frères, une trêve, le temps d'une rencontre à Gisors ce 24 septembre et sous l'arbitrage du roi de France.

« Si vous doutez de sa nécessité, ceci devrait vous en convaincre. »

Ainsi terminait Henri pour toute formule de politesse.

Henri le Jeune leva la tête vers le messager rapproché d'une table formée d'un plateau de chêne et de deux tréteaux. L'homme en écarta d'un revers de main ce qui l'encombrait puis y déposa précautionneusement la besace bombée qu'il portait à l'épaule. Ensuite de quoi, un sourire narquois aux lèvres, il s'écarta. Henri le Jeune s'aperçut alors que l'odeur âcre perçue à son entrée sous la toile provenait du sac. Intrigué, il en rabattit le couvercle de cuir. Il fut aussitôt pris d'un haut-le-cœur. Il plongea tout de même ses mains à l'intérieur entre la colère, l'indignation et le chagrin. Il en ressortit la tête de Conan de Haignaut, le vaillant, l'ami fidèle, réduit à des traits maculés de poussière et de sang caillé.

57.

Cette trêve n'était en réalité pour Henri qu'un prétexte. Si rien, jusque-là, n'avait fléchi la détermination de ses enfants, les arguments qu'il s'apprêtait à leur servir n'y feraient guère. Il avait besoin de temps pour reconstituer son armée, décimée par les pertes humaines. Elles étaient nombreuses, conséquence de la brutalité et de la rapidité de ses attaques. Il se souciait peu de ces morts par centaines. Les uns remplaçaient les autres sur les champs de bataille sans grever davantage son trésor, et la prime qu'il versait aux routiers enrôlés était suffisamment importante pour justifier qu'ils y restent. Il n'avait jamais eu d'états d'âme face à ces brutes sanguinaires dont la seule ambition était de croquer dans une pièce d'or. D'ailleurs aucun d'eux ne se plaignait, plus prompts à dépouiller un comparse dans la fange rougie de son sang qu'à espérer jouir d'une vie de famille. Et il n'était pas loin de penser lui-même, face à la trahison des siens, que c'était aussi bien.

Du temps, donc. Trois, quatre jours suffiraient. Durant lesquels il pourrait enfin mesurer les véritables motivations de ses fils, jouer avec eux et Louis comme un chat de souris. Ce n'était pas pour rien qu'il avait choisi Gisors comme cadre à ces négociations. Gisors arraché à Louis par le mariage anticipé de sa fille Marguerite à Henri le Jeune, Gisors arraché en son temps avec la bénédiction du pape, même si, depuis que les épées s'entrechoquaient, ce dernier demeurait muet. Oui, ce château était un symbole. Un symbole destiné à rappeler à ses fils comme au roi de France qu'il obtenait toujours ce qu'il désirait.

Il laissa le parchemin, dont le contenu satisfaisait à sa requête, s'enrouler sur lui-même. Un sourire déforma ses traits. Ces sots pissaient encore du lait par le nez. Il allait leur donner une leçon, une leçon dont ils se souviendraient. C'était son devoir de roi.

Non. Son devoir de père.

Comme il s'y attendait, il les trouva affaiblis par la violence de sa riposte. Quand bien même ils n'en montrèrent rien, il les connaissait assez pour le deviner à leurs traits tirés. Il répondit à leur hochement de tête par un froncement de sourcils, le même qu'autrefois, lorsque, averti d'une sottise, il s'apprêtait à les punir. Puis, entre deux de ses chevaliers, dans cette grande salle du conseil et autour d'une table ronde dressée d'eau, de fruits secs et de vin cuit, il vint s'asseoir face à eux trois, négligeant volontairement de regarder Louis de France chargé d'arbitrer leur rencontre. Après quelques secondes durant lesquelles il laissa le silence peser sur eux, il poussa un profond soupir, puis, branlant de la tête, comme si une profonde affliction le tenait, il se lança dans le discours qu'il avait soigneusement préparé.

— Je suis venu vous proposer la paix. Trop de sang a coulé, de part et d'autre. Sans doute fallait-il qu'il irrigue les sillons, qu'il dessine de nouvelles routes sur nos terres, qu'il se mêle à celui de Thomas Becket. Afin que nous puissions tous, comme en celui du Christ, y voir nos erreurs, nos faiblesses et nos doutes. Nous en guérir. Nous pardonner. Rien n'est irréparable à bonne volonté, car pas un seul jour je n'ai tremblé de la peur de perdre l'un de vous dans cette guerre…

Il les couvrit tour à tour d'un regard aimant. Il ne récolta que glace. Bien que préparé à cette évidence, son cœur se serra. Il baissa les yeux, toussota derrière son poing refermé puis, prenant appui des deux mains sur la table, repoussa son siège devant le mutisme persistant de ses fils.

— Pardonnez-moi. Je croyais pouvoir vous entendre, là, maintenant, et traiter d'égal à égal. Je le découvre avec vous. Face à tant de distance et de froideur, j'en suis incapable. Demain sera un autre jour.

Il se leva. Trouva le regard cynique de Louis, ne s'y attarda pas. Tout au contraire, laissant ses fils se remettre de leur étonnement face à ses traits défaits, il quitta la pièce d'un pas lourd.

Revenu dans ses appartements, il se fit monter collation et y resta enfermé. Seul le baron Clifford avec lequel il se mesura aux échecs put vérifier que le roi était bien moins éteint qu'il n'y paraissait.

— Il se joue de vous, gronda Louis face aux trois frères.

Henri le Jeune hocha la tête.

— Nous ne sommes pas dupes, Votre Majesté. Mais cette rencontre est de son fait. Dès lors, il lui revient d'en décider les modalités. Attendons demain.

— Mais point sans agir, ajouta Richard en tendant à Geoffroy de Bretagne un long étui cylindrique.

La trêve instaurée les assurant de ne point être attaqués, ils avaient regagné leur campement à trois lieues de là. Sous cette tente piquée des quatre bannières, Aquitaine, France, Bretagne et Angleterre, ils tirèrent poignard de l'étui et le plantèrent aux coins de la carte sortie par Geoffroy pour la maintenir déroulée sur la table. Ils avaient d'autres batailles à préparer, d'autres places à assiéger pour saper l'autorité d'Henri.

Au lendemain, Henri ne se montra qu'après le déjeuner. Comme la veille, à la suite de ses fils et de leurs alliés, il confia ses armes à l'entrée de la salle, un espace clos, à peine éclairé de huit meurtrières au sommet de la plus haute des tours rondes. Une pièce vaste, aux murs épais, avec pour seul ornement d'antiques torchères inusitées depuis que les lampes à huile les remplaçaient avec moins d'odeur et de fumée. Comme la veille aussi, la table ronde, qu'Henri avait fait réaliser de nombreuses années plus tôt pour affirmer sa parenté d'esprit avec le roi Arthur, avait été dressée. Cette fois, l'œil repris de vivacité, il s'y installa avec un sourire dont il ne se départit qu'en fin de journée, après avoir écouté tous les arguments, les revendications et les espoirs de ses fils. Sans sourciller et sans surprise, le dos solidement appuyé au dossier de son siège et les mains croisées. Son aîné, comme hier, réclamait de jouir pleinement de ses donations et privilèges, en foi de quoi il se donnerait le droit de revoir ceux de Jean à la baisse. Malgré son immobilisme, Henri manqua s'étrangler lorsqu'il s'entendit promettre une confortable pension. Comme s'il pouvait se satisfaire d'aumône ! Il se leva, décidé, bien plutôt, à la leur donner.

— Tout cela demande réflexion, comme vous l'imaginez. Nuit valant conseil, nous nous verrons demain.

Chacun rentra dans son campement avec la même amertume.

Au troisième jour, ayant appris de Raymond V de Toulouse que ses rangs étaient consolidés, il assura ses fils de son pardon total, de ne les point châtier puisque les combats les avaient déjà punis de la mort de nombre de leurs compagnons. Il s'excusa aussi auprès d'Henri le Jeune de celle, tragique, de Conan de Haignaut, puis, ragaillardi de superbe de le voir blêmir d'une colère rentrée, lui accorda comme à ses frères non cette destitution qu'ils avaient réclamée mais le partage des revenus de leurs terres en apanage, qu'il gardait jusque-là pour lui.

Autant dire rien.

Louis, qui rongeait son frein depuis le premier instant, bondit de son siège, les poings refermés sur le plateau de la table.

— Injure ! Tout cela n'est qu'une injure au bon droit !

— Voyez-le comme il vous plaît ! Le droit, c'est moi ! lui objecta Henri, dressé subitement de même.

Ils s'affrontèrent d'une même rancœur, exposée enfin après ces vingt années de faux-semblants.

Pendant quelques secondes, nul ne bougea, puis, jugeant que tout était dit par ces simples mots, Henri le Jeune quitta la pièce le premier, en silence, dans le grincement des pieds de sa chaise. Richard suivit puis Geoffroy, le regard baissé. Ils se devaient d'étudier la proposition de leur père ainsi que le voulait la coutume, mais déjà tous savaient qu'elle ne leur convenait.

— J'ai appris votre connivence avec Aliénor, gronda Henri sitôt que les deux rois furent seuls, pétrifiés dans leur affrontement. Que vous a-t-elle promis en échange de votre soutien ? Sa couche ?

Louis devint écarlate. Il brandit un index menaçant.

— Je vous interdis...

Le rire d'Henri explosa, amer, tandis que, d'un pas vif, il gagnait la porte à son tour. Il s'arrêta sur le seuil, les yeux étrécis de morgue.

— Ni hier ni ce jourd'hui, Louis de France. Vous n'êtes qu'un freluquet à la lance trop courte. Pas plus que moi elle ne s'y empalera !

— Nous n'en resterons pas là ! promit Louis, ulcéré.

L'œil d'Henri pétilla.

— J'y compte bien, croyez-moi.

Il repartit dès le lendemain, pas davantage surpris par la réponse de ses fils que par celle de son rival. Triste seulement de n'avoir d'autre issue que de continuer à ravager son empire pour les rendre à la raison. Péché d'orgueil, sembla murmurer la voix de Becket à son oreille. Il la fit taire en talonnant sa monture.

Droit sur l'Aquitaine.

58.

Nous nous étions attardés dehors, Jaufré et moi, sur le chemin de ronde, pour jouir d'une exceptionnelle nuit de douceur au cœur de cet automne sanglant. Un vent tiède balayait nos visages par-dessus les créneaux sur lesquels nous nous étions appuyés, les yeux dans la nuée étoilée qui nous recouvrait de son mantel scintillant. Le couvre-feu maintenait le castel dans l'obscurité, et les gardes s'étaient éloignés pour nous laisser seuls. J'aimais cet endroit. Jaufré et moi y venions souvent profiter de l'éclat métallique de la lune sur les eaux tranquilles du Clain. Chaque fois que la nostalgie de Blaye nous tenait.

Jusque-là, les courriers d'Agnès s'étaient voulus rassurants. Des rumeurs allaient et venaient, imprécises, car, de fait, les deux fils du seigneur du Vitrezais semblaient s'être mis d'accord pour jouir de leur héritage. Ils passaient les dernières journées d'octobre à festoyer, à se complaire d'oisiveté et de vin servi par des putains. Épuisant le trésor de leur père, avait noté Jaufré, soucieux. S'il n'avait tenu qu'à lui, il se serait déjà mis en route, mais les nouvelles qui nous parvenaient étaient mauvaises. Henri progressait vers Poitiers où les épouses de ses fils Geoffroy et Henri le Jeune s'étaient, elles aussi, réfugiées. Fidèle au serment qu'il avait prêté à Richard, Jaufré ne pouvait quitter Aliénor sur la foi d'une simple intuition.

Je me rapprochai de lui instinctivement. Il s'empara de mes doigts pour les porter à sa bouche. L'air chaud de son souffle à leurs extrémités me fit du bien. J'étais tendue, inquiète pour Agnès, pour Godefroy, inquiète pour Geoffroy qui guerroyait avec ses amis, pour Eloïn qui désespérait de ne pouvoir, par la pensée, suivre le cours des batailles. Inquiète pour ma reine dont l'assurance faiblissait. Inquiète pour mon troubadour, enfin, que ma prémonition avait fait disparaître sous une coulée de pierres. Et cette inquiétude était si nouvelle en mon cœur que, malgré la beauté de la nuit, l'air doux, j'étais oppressée à étouffer. Jaufré l'avait perçu même si, pour ne pas ajouter à son propre tourment, j'avais préféré n'en rien dire. Au bout de quelques minutes à nous bercer des bruits de la nuit, il enroula un bras autour de mes épaules.

— Viens là.

Je me nichai contre sa poitrine, cherchant l'apaisement dans son parfum de fleur de lys. Je ne le trouvai pas. Tout au contraire, des images vinrent, imprécises, douloureuses qui m'écartelèrent. Je finis par ne plus pouvoir contrôler ces battements désordonnés dans ma poitrine.

— J'ai peur, Jaufré, avouai-je contre son mantel.

Il soupira.

— Je sais, ma douce. Je sais. Mais qui n'aurait peur? Combien de combats avons-nous menés? Combien en avons-nous gagnés? Autant que de perdus je crois, et pourtant chaque fois nous nous sommes relevés. Plus forts, plus unis.

— C'est différent cette fois.

— En quoi?

— Nos enfants étaient à nos côtés. Nous les pouvions protéger simplement en étendant nos bras.

À son étreinte resserrée de tendresse, je devinai l'esquisse d'un sourire.

— Geoffroy est l'un des plus vaillants chevaliers du royaume et Eloïn possède plus de pouvoirs que tu n'en avais à son âge, même si pour l'heure ils lui font défaut. En quoi, dis-moi, leur serions-nous encore utiles ? Bien plutôt, ce sont eux qui nous tireraient ce jourd'hui d'embarras.

Ce constat m'allégea un peu. Il avait raison. Cent fois. Fallait-il que je fusse aveugle pour en refuser l'évidence quand ma fierté pour eux n'avait cessé de grandir.

— Il faut croire que la mère en moi les voudrait toujours enfançons et fragiles ! Je ne suis qu'une sotte !

— Mais je t'aime.

Sa bouche glissa vers la mienne. J'allai à sa rencontre, emplie d'un désir de lui intact.

Ce fut la lueur d'une lanterne qui nous arracha à notre étreinte. Elle devançait un des gardes de faction, sa guisarme à la main.

— Dame Loanna, sire Jaufré, un messager vient d'arriver pour vous, de Blaye.

La peur revint en moi. Plus prégnante qu'avant tant l'heure tardive excluait de bonnes nouvelles.

— Une mère demeure indispensable à ses enfants, chuchota une petite voix à mes oreilles.

Celle de Guenièvre, comme un murmure porté par le vent. Un murmure que je désespérais d'entendre parfois. La main de Jaufré dans la mienne, nous allongeâmes notre pas.

Dès les premiers signes belliqueux, les habitants de la ville basse, poussés par les abbés et leur châtelaine, avaient gagné la sûreté de l'enceinte. Ceux de la ville haute leur avaient offert l'hospitalité, et grande provision de vivres avait été remontée en hâte. La cité avait déjà été assiégée, jamais prise, les ravitaillements se faisant par l'estey dans la plus grande discrétion. Cette fois c'était différent. Non seulement le nouveau seigneur du Vitrezais et son frère, un chien fou né borgne, étaient résolus à la prendre, mais, se revendiquant du roi d'Angleterre pour couvrir leurs ambitions, ils invoquaient leur bon droit au titre des liens étroits des Rudel avec la reine. Ils s'étaient férocement armés, avaient recruté tous les coquins excités de rapine et s'étaient bruyamment installés dans les habitations désertées en même temps qu'ils piquaient sur une fourche le corps du premier messager qu'Agnès nous avait envoyé. Fort heureusement, s'ils avaient eu vent du souterrain, ils n'en connaissaient pas l'embouchure sur l'estey et, jusque-là, les marées avaient été suffisamment hautes et agitées pour leur interdire de le chercher. De nuit, les risques étaient trop grands de se fracasser contre la roche ; le jour, ils étaient si vitement repérés que les embarcations se voyaient criblées de traits d'arbalète. Une tentative avait suffi pour leur enjoindre la patience, les persuadant que, s'ils ne pouvaient entrer, personne ne sortirait de crainte de leur en dévoiler l'accès. C'était ce que nous expliquait Agnès dans son nouveau message qu'un jouvenceau avait réussi, à la faveur d'une marée et en contournant la ville par l'estey, à nous porter.

À l'heure où elle l'avait rédigé, les chacals avaient été arrêtés dans leurs ambitions par la férocité des habitants qui, suppléant au manque de gardes, récupéraient les carreaux d'arbalète intacts pour les renvoyer. Aucun ne voulait tomber entre les mains de nos voisins. Guillaume et Arnaud le Borgne s'étaient déjà acquis bien trop mauvaise réputation du temps de leur père et tous savaient que, débridés, ils useraient leurs serviteurs à les voir s'écrouler. Ils préféreraient encore mourir sur place plutôt que d'abdiquer. Ils ne tiendraient pas longtemps néanmoins avec si peu de moyens. Les deux frères le savaient. Pour preuve, ils narguaient les habitants en consommant leurs denrées, en épuisant les fûts de vin, en festoyant au point de perdre toute décence. L'aîné, Guillaume, s'était même amusé à baisser ses braies sous la protection d'un recoin de muraille pour y déféquer, la voix portant clair.

— Voici ce que m'inspirent les traîtres ! Matière à les conchier !

Agnès terminait son appel au secours d'un poignant :

« Puisse Blaye, mes chers, si chers beaux-parents, ne jamais tomber sous le joug d'un tel dégénéré. »

Dégénérés, les deux frères l'étaient bel et bien de consanguinité puisque nés de l'union de deux cousins germains. Et nous le savions Jaufré comme moi, il est plus difficile de faire entendre raison à des fous qu'à des ambitieux. Les premiers sont aussi imprévisibles que les seconds avisés.

Laissant Jaufré donner ses ordres, je m'en fus sur-le-champ toquer à la porte d'Aliénor.

59.

Le matin suivant, alors que nous nous affairions aux préparatifs du départ, forts de cette trentaine de soldats qu'Aliénor nous avait alloués, Pierre de Blois, le secrétaire d'Henri, se présentait au palais. Malgré une méchante migraine qui la tenait, Aliénor le reçut sans tarder dans la salle du conseil.

Elle l'invita à s'asseoir, ayant eu depuis longtemps l'occasion d'apprécier cet homme discret, efficace, au physique ingrat mais doté d'un tel charisme qu'aucune des femmes sur lesquelles il avait porté son regard n'avait résisté. Henri ne l'avait pas envoyé par hasard auprès d'elle, elle le savait. Il espérait sans doute encore qu'elle plierait.

Elle décacheta le parchemin qu'il venait de lui remettre et lui tourna le dos pour le déchiffrer.

« Les places tombent, les unes après les autres. Avant la Noël je serai redevenu maître de mes contrées et qui se sera dressé contre moi n'aura plus assez de larmes pour pleurer. Comme pour ces traîtres, sachez alors, madame, qu'à votre encontre je n'aurai de pardon.

» Votre époux, Henri Plantagenêt, roi d'Angleterre. »

Aliénor replia la missive, brève mais ô combien explicite, en retenant le tremblement de ses mains. En quelques semaines Henri avait écartelé des forteresses, piétiné des bannières, fait pendre des chevaliers, emprisonné des seigneurs, promettant plus grande solde encore à ses Brabançons s'ils lui rapportaient des têtes. Grâce à cette impitoyable détermination, il avait déjà réduit à merci plusieurs des barons normands montés contre lui, contraint les plus grandes places bretonnes à s'agenouiller et ensanglanté une grande partie du Poitou malgré les assauts continus de ses fils, de leurs alliés, du roi de France. Les troubadours l'avaient bien senti, qui, effrayés des avancées d'Henri, s'étaient peu à peu éloignés. À l'exception des anciens, qu'Aliénor avait nourris de sa lumière et qui, fidèles, resteraient jusqu'à la fin, une fois que nous aurions tourné bride elle serait seule avec Ventadour, Adélaïde et Marguerite de France, Constance de Bretagne, Eloïn et le petit Philippe. Il suffisait à Aliénor de se rappeler comment par le passé Henri avait emporté des places réputées imprenables pour ne point douter de l'issue des combats. Elle l'avait cru fini, mais, tel le phénix, il s'était nourri des dernières chaleurs de ses cendres pour flamboyer de nouveau à tout va.

Elle se contraignit à la sérénité avant de pivoter. Fidèle à son roi, Pierre de Blois ne regrettait pas moins la manière dont s'étaient envenimées les choses, elle en cueillit l'évidence sur ses traits. Elle balaya l'air d'une main molle, les tempes oppressées. À quoi bon feindre. Le secrétaire de son époux n'était pas homme à se réjouir du chaos.

— J'ai reconnu votre écriture, mon cher. Vous savez donc de quoi il retourne.

— En effet, Votre Majesté, et, croyez-le, je le déplore.

Elle lui accorda un sourire contrit.

— Tel que je vous connais, je n'en doute pas. Raoul de Faye a cru bon de me signaler avant de fuir à Paris que le roi était en passe d'assiéger sa ville. Est-ce vrai ?

— Faye-la-Vineuse est tombée avant-hier.

Elle hocha la tête.

— Ainsi donc, c'est imminent…

— Oui, Votre Majesté. Si rien ne ralentit sa marche, votre époux sera aux portes de Poitiers dans moins de une semaine.

Elle se tordit la bouche.

— Je vois. Une mère se doit à ses enfants. Si c'est condamnable, alors je le suis. Dites-le-lui.

Il s'inclina. Elle glissa le bref dans un anneau de soie passé à son poignet, avalant la colère d'Henri sous sa manche d'orfroi. Se reprit.

— Non. Finalement ne lui dites rien. Au vu de ses actes, je crois qu'il ne le comprendrait pas.

Elle lut dans ses yeux qu'il partageait son sentiment, même si son serment d'allégeance le contraignait à demeurer au service de son roi. Il hésita quelques secondes, sans doute aux prises avec sa conscience, puis, tuant sur ses lèvres le congé qu'elle s'apprêtait à lui donner, murmura :

— Si j'avais un conseil à vous donner Votre Majesté…

— Oui ?

— Ne l'attendez pas…

Aliénor sentit son cœur s'écarteler. Lors, pour ne point le gêner davantage, elle se détourna.

Quelques minutes plus tard, elle nous réunissait auprès d'elle. Ventadour, Eloïn, Adélaïde de France, Jaufré et moi. Ce 30 octobre voyait une brume épaisse envelopper le castel. Comme si les dieux avaient voulu, de la même manière qu'Avalon autrefois, le perdre, l'effacer de la réalité. Ou nous y emprisonner. Un semblable froid nous serrait le cœur tandis que nous portions une tasse d'infusion de verveine à nos lèvres. Près de nous, cercle immobile espérant dans la chaleur du breuvage trouver la force de l'adieu, Philippe babillait dans son berceau.

Reposant sa tasse sur le plateau que promenait l'échanson, Aliénor rompit la première ce silence qui s'éternisait.

— Allons. Il est inutile de prolonger plus avant les décisions qui s'imposent. Pierre de Blois a raison. Demeurer encore ici serait folie. Il faut nous séparer. Dès que mes belles-filles, Eloïn, Bernard, Philippe et moi serons en sécurité sur les terres de Louis, Henri n'aura plus aucune raison d'avancer jusqu'à Blaye.

— Sinon la vengeance, grommela Jaufré.

— Certes, mon ami. Mais pour l'heure il espère davantage notre capture. Il a besoin d'otages pour briser ses fils. Il veut Poitiers ? Qu'il la prenne ! Non seulement nous serons loin mais pas un seul soldat ne sera là pour l'arrêter !

Mon cœur se gonfla face au sourire déterminé de ma reine.

— Vous ne songez pas...

— Si, Loanna. À expédier tous ceux qui sauront chevaucher, derrière vous, nettoyer vos terres. Ensuite, forts de cette armée, avec Agnès et Godefroy qu'il vaut mieux mettre en sécurité, vous nous rejoindrez. Mais avant, festoyons, une dernière fois, de bouche et de cansouns. Deux heures, pas davantage, pour nous remplir les yeux et le cœur, pour nous donner le courage de l'exil, de la guerre. Je vous en prie, Jaufré, insista-t-elle devant ses sourcils froncés.

Il hocha la tête, vaincu autant par mon regard vers Eloïn que par l'évidence. Malgré son empressement à gagner Blaye, une armée ne se dressait pas en quelques minutes. Il faudrait bien ce temps-là pour que les cavaliers de la ville soient prêts à s'élancer, pour que les effets les plus précieux de la reine soient chargés sur son destrier.

Au milieu du branle-bas de cette maisonnée retournée par ce départ précipité, nous nous accordâmes donc cette trêve. Dans les derniers accords des troubadours, dans les chants les plus beaux, dans les mets les plus raffinés que recelaient encore les cuisines du palais. Mais une plaie s'était ouverte en moi cette nuit. Une plaie avivée par chacun des regards de ma fille. Derrière le masque courageux de son sourire, c'était ma propre peur que je lisais. Et je n'y pouvais rien. Sinon, lorsque, trop vite, l'heure vint de nous étreindre, de nous séparer, nicher mon nez dans sa chevelure parfumée.

— Je serai toujours là, Canillette. De près ou de loin, mais à jamais à tes côtés. Aie confiance. Nous nous reverrons bientôt.

— Bientôt, mère. Oui. Bientôt.

Nous nous arrachâmes l'une à l'autre. Tandis qu'elle se jetait dans les bras de son père, j'enlaçai de même ma reine.

— Tout ira bien, Loanna de Grimwald. Tu le sais. Je le sais.

Je hochai la tête. Nous enfourchâmes nos montures d'un même élan. Traversâmes le pont-levis puis la ville silencieuse. Puis nous nous séparâmes, Aliénor et son escorte vers le nord-est, nous vers le sud-ouest. Nous n'avions pas couvert trois lieues que mes larmes enfin glissaient sur mes joues au rythme du galop qui nous emportait.

Comme Aliénor, comme Eloïn, parce que parfois l'instinct est plus fort que toute prémonition, je savais que nos promesses de rapides retrouvailles étaient illusoires.

60.

En quelques heures, balayant la douceur poitevine, de gros nuages s'étaient amassés au ponant, faisant chuter la température. Une chance pour les serviteurs de l'ombre que nous étions. La nuit enveloppait Blaye tel un linceul lorsque nous abandonnâmes le frêle esquif qui nous avait transportés au pied de sa falaise. La marée basse ayant élargi la frange de plage, il nous fallut patauger dans le limon pour atteindre la petite enclave dans le roc qui masquait, de l'estey, l'accès au passage souterrain. Jusqu'à l'incendie qui nous avait contraints à l'emprunter, hormis ceux chargés d'en transmettre le secret, nul n'en connaissait l'existence. Nous n'avions qu'une crainte en y parvenant. C'était que nos ennemis n'aient trouvé le moyen de s'y infiltrer. Mieux valait le vérifier avant de lancer l'assaut, au risque de voir un des deux frères se planter sur les remparts et promener sa lame au cou d'Agnès pour nous contraindre à capituler. Tandis que la soldatesque menée par le chevalier de Tauzan prenait discrètement position autour de la ville basse, je gravis derrière Jaufré les trois marches qui remontaient le roc, grelottant dans mes vêtements boueux qu'un vent d'ouest glacial durcissait sur mes cuisses. L'obscurité était totale. Le silence seulement troublé du battement du ressac. Pourtant je me sentais mieux. Dans l'action j'avais toujours trouvé ma place, ma force. La peur me tenait encore le ventre, mais cette épée à mon poing me donnait le sentiment de pouvoir vaincre, regagner le destin des miens. La main de Jaufré ramenée vers l'arrière m'arrêta. Je tendis l'oreille. Le timbre étouffé d'une voix me parvint. Rien d'anormal. Un coude encore et nous entrerions dans la salle de garde souterraine d'une des tours de guet qui dominait la Gironde. Restait à savoir qui nous y trouverions. J'affirmai ma prise. Jaufré avança. Je le suivis. Et soudain une voix de femme éclata :

— Voyons, maître Patelin, vous n'y pensez pas !

Alors, sans plus craindre ni douter, Jaufré reprit sa marche. Je fis de même. Avant de m'immobiliser à ses côtés dans la cavité, ravie de constater que rien ne pouvait tuer l'amour. Bertrade, sur la pointe des pieds, riait, les deux bras autour du cou du nouvel intendant de Blaye.

— Je suis confus, vraiment, s'embarrassait-il pour la troisième fois tandis que nous leur emboîtions le pas le long du souterrain qui débouchait près du puits, dans la cour intérieure du château.

L'instant de surprise à nous voir paraître passé, l'idée que nous amenions leur délivrance les avait précipités au-devant de nous avec chaleur. Mais, désormais rassurés, la crainte que nous ne nous courroucions de leur secret reprenait ses droits.

— Voulez-vous bien vous taire, maître Patelin, le gronda de nouveau Jaufré.

Gênée plus encore de s'être laissé surprendre, Bertrade renchérit :

— N'allez pas vous imaginer des folies, dame Loanna.

— Et quand bien même, m'en amusai-je, vous vous aimez, n'est-ce pas ?

— Ça ! soupira Patelin dans l'obscurité du passage.

— Croyez-moi, rien ne pouvait nous combler davantage après les tourments qui furent nos compagnons de voyage.

— Puis-je espérer en ce cas que vous bénirez nos épousailles ?

— Oh… Artémise Patelin…, trembla d'émotion la voix de Bertrade.

J'y répondis par un éclat de rire, ragaillardie par cette vie qui continuait malgré tout; Jaufré, en montant les marches qui nous ramenaient à la surface, leur offrit un simple mais chaleureux « oui ».

Nous n'avions pas plus tôt revêtu vêtements secs qu'Agnès, avertie par Bertrade, se jetait dans nos bras. Malgré ses traits tirés, les cernes noirâtres sous ses yeux, stigmates inévitables de l'angoisse qui ne la quittait pas, elle nous apparut forte et vindicative. De sorte que j'eus toutes les peines du monde à l'empêcher de prendre lame pour délivrer sa ville. Il fallut que je me résolve, moi, à la poser et à demeurer près d'elle pour l'en convaincre.

— Montons dans le donjon. De là, nous suivrons en pensée, et dans le fracas des épées, le cheminement des nôtres.

— Puisque nous ne pouvons mieux, soupira Agnès. Au moins vérifierons-nous au passage que Godefroy dort en paix.

Tandis que Jaufré et Patelin nous quittaient pour préparer l'offensive avec la soldatesque laissée à la protection du castel, Bertrade nous coula un œil suppliant.

— Puis-je me joindre à vous?

— Cela va de soi, lui concéda Agnès.

— Et d'autant plus que vous avez, je crois, grande nouvelle à annoncer à votre dame, ajoutai-je en empruntant l'escalier qui ramenait vers les étages du corps de logis principal puis, de là, au sommet de la plus haute des tours.

Agnès, qui me suivait, se fendit d'un sourire en direction de Bertrade.

— Maître Patelin se serait donc enfin déclaré?

— Oh! mieux que cela, ma chère Agnès, mieux que cela…

Bertrade, rouge de confusion une nouvelle fois, murmura comme une enfant prise la main dans le sac :

— Ce n'est pas bien, non pas bien, dame Loanna, de vous moquer de moi…

Mais, telle que je la connaissais, elle ne le pensait pas.

Sitôt la flamme d'une lanterne promenée sur le rempart qui faisait face à la cité, l'affaire fut vite conclue. Jaufré ayant eu soin de leur tracer le plan du lieu, les fantassins rampèrent jusqu'aux sentinelles qui ceinturaient la ville et qui bâillaient d'ennui, lourdement appuyées des deux mains sur leurs guisarmes. Elles furent estourbies avant d'avoir compris qu'on les réduisait. Dès lors les Poitevins se mirent à avancer, de maison en maison, d'arbre en arbre, silencieux tels des loups, pour prendre les assaillants par le revers. Côté château, Jaufré mena l'attaque avec seulement une poignée d'hommes, laissant maître Patelin assurer la garde du pont-levis. Au lieu de l'abaisser, ce qui aurait donné l'alerte, il se servit de la profondeur de la nuit pour faire glisser une corde à nœuds depuis la coursive de la barbacane le long du panneau de bois. Il descendit le premier dans la ravine, puis, accompagné des autres, prit appui sur les renforts transversaux des piliers de soutènement pour escalader le moignon de pont. Épée au poing, ils attendirent quelques minutes avant de remonter sur l'autre rive, craignant une éventuelle ronde. Nul ne se présenta, tant on était certain, en face, qu'aucun homme du castel ne serait assez fou pour tenter une percée. Maître Patelin leur avait appris que seuls quelques routiers assuraient la garde, à l'abri du portail de l'abbaye Saint-Romain. La petite troupe s'avança avec prudence pourtant, le dos courbé, progressant d'arbre en buisson pour s'en approcher le plus possible, le pas étouffé par une herbe grasse que les brebis, rôties par leurs assaillants, n'avaient plus tondue depuis dix jours. Assis autour d'un feu à perdre ou gagner leur solde aux dés, les routiers ne les virent surgir que trop tard de derrière le mur nord qu'ils avaient longé discrètement. Un seul fut assez prompt pour bondir et dégainer sa lame tout en beuglant afin de donner l'alerte. Jaufré le fit taire par deux feintes et trois estocades. La dernière qu'il porta piqua le cœur du Brabançon, le forçant à lâcher braquemart. Ce fut le signal d'un « haro » général, mené par François de Tauzan d'un côté et Jaufré de l'autre. Amollis à force de voir les jours se succéder, les mercenaires enrôlés par les deux frères sur le restant du trésor de feu leur père ne furent pas assez vifs. Le temps que les plus courageux portent la main à leurs lances, à leurs piques, à leurs dagues, les hommes d'Aliénor enfonçaient les portes, avertis qu'il n'y avait aucun civil à épargner. Les autres prirent leurs jambes à leur cou. En ces situations, ils ne s'estimaient jamais assez payés pour croupir en cul-de-basse-fosse et préféraient de loin aller se vendre ailleurs. Si bien que, lorsque le bruit de la bataille parvint à nos oreilles attentives, à nos cœurs serrés, elle était déjà quasiment terminée. Aux premières lueurs de l'aube, Blaye était sauvée et le pont-levis abaissé. Sous les acclamations de joie de la population réveillée par le fracas de l'acier et grimpée sur les chemins de ronde, lanterne au poing, Jaufré le franchit à pied, devant ses hommes. Les deux frères avaient fui sur deux palefrois, mais on venait de lui annoncer que Tauzan les avait rattrapés. Ils ne tarderaient plus.

Je redescendis en hâte du sommet du donjon avec Agnès et Bertrade pour le rejoindre dans la cour du château. J'ouvrais la porte lorsqu'il y parut, sa lame remise au fourreau, une estafilade légère à la joue, suant de l'ardeur du combat, mais le sourire de la victoire aux lèvres. Soulagée de le retrouver sauf, je courus me jeter dans ses bras.

L'aube s'invitait lorsque le chevalier de Tauzan nous amena les seigneurs du Vitrezais solidement ligotés, la fureur aux traits. Jaufré n'avait pris que le temps de se rincer les mains et le visage, de donner ses ordres à maître Patelin pour que collation soit offerte aux soldats, puis de boire un vin chaud tout en nous brossant le déroulement des opérations passées. Nous sortîmes du corps de logis pour réceptionner les fuyards, la même colère au cœur, Agnès n'étant pas la moins rancunière de nous trois. En nous voyant paraître, l'aîné, Guillaume, envoya un crachat s'écraser à quelques pas, près du puits. Arnaud se contenta de nous toiser méchamment de son unique œil de jais.

— Qu'allons-nous faire d'eux? avait demandé Agnès à Jaufré quelques minutes plus tôt.

— Que voudriez-vous qu'on en fasse?

Elle avait baissé les yeux.

— Ce qu'il faudra pour que la paix ne soit plus menacée.

Je n'avais pas sourcillé. Face à cet exil qui nous attendait, nous ne pouvions courir le risque de jeter ces deux-là au cachot pour qu'Henri un jour les libère et leur offre la cité.

Avisant la trappe du souterrain relevée à quelques pas de lui, Guillaume se reprit de rage. Espéra-t-il se libérer et l'atteindre? Ou comprit-il à notre mutisme qu'il était déjà condamné? Il se tortilla comme un diable entre les poignes fermes des deux soldats qui le maintenaient. Laissant Jaufré s'avancer jusqu'à lui, Agnès se rapprocha de moi à me frôler.

— Que je sorte d'ici, troubadour, et je te découpe avec les cordes de ta mandore!

Je vis Jaufré extraire calmement son poignard de son étui. Tout aussi tranquillement, se presser contre son ennemi, brusquement tétanisé. Je n'entendis pas les mots qu'il prononça à son oreille. Je ne vis que la lame s'enfoncer dans le tissu, à la hauteur des côtes. Il la tourna comme Denys de Châtellerault le lui avait autrefois appris, comme il l'avait fait au flanc du cavalier noir, sur le petit pont.

— J'te vengerai, Guillaume! Pour sûr, j'te vengerai! ragea Arnaud le Borgne devant les hoquets de son frère.

Sa promesse mourut dans un gargouillis détestable. À la vue de cet homme qui se vidait à grandes giclées dans la cour du castel, égorgé d'une main sûre par le chevalier de Tauzan, Agnès pressa mon bras. Elle détourna les yeux. Pas moi. Jaufré retira sa lame. Autour de nous l'aube embrasait le ciel. Aussi écarlate que ce sang versé. Aussi écarlate que mon cœur apaisé. Agnès s'était mise à pleurer, entre le soulagement et l'horreur. J'oscillai entre la fierté et la tristesse. Fierté de voir que mon troubadour n'avait, une fois de plus, pas hésité à tuer froidement pour nous protéger, tristesse de savoir que ce serait une croix de plus qu'il lui faudrait porter.

Le lendemain, la pluie ayant balayé les plaies de Blaye, nous la quittions pour rejoindre ma reine que nous espérions arrivée sur les terres de France. Même si le chevalier de Tauzan restait pour garder la cité avec maître Patelin et Bertrade, même si elle était délivrée de ses fers, ce fut le cœur lourd que nous nous en éloignâmes, convaincus que le temps serait long avant que nous puissions y revenir.

61.

Chartres n'était plus qu'à quelques lieues et Aliénor sentait la confiance la regagner. Avant la fin du jour elle serait sous la protection de Louis et ils pourraient tous, enfin, se reposer. Sans ralentir son allure, elle jeta un œil de part et d'autre. Eloïn était comme elle et ses belles-filles vêtue en écuyer. Elle tenait son fils dans un linge enroulé autour de sa taille, sous son bliaud, pour donner l'illusion d'une bedaine et lui épargner le plus possible les secousses de la chevauchée. Fort heureusement c'était un enfant calme, de constitution et de caractère heureux. Il n'avait pas seulement poussé un braillement depuis qu'ils s'étaient mis en chemin. À la discrétion d'une halte dans un relais, sa mère s'isolait pour lui donner la tétée qu'il prenait d'une traite avant de se rendormir contre elle. À son exemple, ces dames se sustentaient des fruits secs emportés, prenant force dans une gorgée de vin épicé, bue à la gourde. Adélaïde semblait la plus éreintée d'elles trois mais avait mis un point d'honneur à n'en rien montrer, forçant l'admiration de la reine. Même si elle regagnait les terres de son enfance, la fiancée de Richard avait été peinée de ce départ précipité. Aliénor le comprenait sans mal. Qui avait connu Poitiers ne pouvait regretter Paris ! L'inverse en revanche ! Cinq autres chevaliers les escortaient. Des hommes sûrs, fidèles. Et Bernard. Son cher troubadour. Elle l'avait invité à la quitter, à gagner le Sud avec ses comparses. Il l'avait enlevée dans ses bras d'une poigne autoritaire, celle qu'il adoptait toujours dans leurs moments d'intimité, tuant l'amour courtois dans celui de sa flamme.

— Loin de vous ? Plus jamais...

— L'exil, Bernard...

— Je l'ai déjà vécu à vous regarder me battre froid pendant des années. Je sais de quoi il est fait et je le peux assurer. Il n'est point à vos côtés, ma reine, ma dulcinée.

Ils s'étaient aimés, trop vite, embrasés par l'urgence du départ, par l'incertitude d'autres matins avant que d'être de nouveau en sécurité. Il avait gardé sa mise. Il était courant qu'un chevalier aille avec ses écuyers et son troubadour. On ne le remarquerait.

Combien leur restait-il, se demanda Aliénor en talonnant sa monture au cœur d'une châtaigneraie, dix, vingt lieues ? S'il n'y avait eu cette pluie qui leur collait habit au corps, cette boue qui alourdissait les sabots des chevaux depuis le début de l'après-midi, ils auraient été déjà rendus, au chaud devant un feu nourri, la panse repue d'un repas savoureux, l'oreille frôlant la volupté d'un oreiller de plume. Allons, rien ne sert d'y penser, se refréna-t-elle. Mieux valait attention garder. En chemin, la rumeur lui avait appris qu'Henri avait attrapé froid et, bronchiteux, avait dû se rabattre quelques jours à Chinon au lieu de poursuivre en direction de Poitiers. S'il pouvait en trépasser ! s'était-elle réjouie. Mais elle le connaissait assez pour le savoir capable de s'en remettre, tant la colère en lui prenait le pas sur la fièvre. Les pensées tressautant au rythme du galop, elle en était à se remémorer sa fuite, vingt ans plus tôt, lorsque, quittant le roi de France, elle avait dû déjouer les pièges de ses ennemis pour gagner ses terres, quand elle aborda ce coude du chemin que la pousse d'un vieux chêne plusieurs fois centenaire avait imposé. La stupeur l'emporta sur la crainte lorsqu'ils virent se dresser devant leur équipage trente hommes solidement armés. Elle tira sur le mors, laissant un de ses chevaliers se détacher du groupe pour leur demander de s'écarter. Un cavalier s'avança au-devant de lui et Aliénor, le reconnaissant pour un des familiers d'Henri, baissa le nez. Ensuite de quoi elle se mit à prier pour qu'il n'ait pas l'idée de le lui relever.

Cinq minutes plus tard, pourtant, sans avoir rien pu tenter, ils étaient faits prisonniers.

Henri s'impatienta tant devant la lenteur de son valet d'atour qu'il le repoussa d'une main agacée pour achever lui-même de s'agrafer le col. Pour sa défense, le pauvre homme avait été tiré du lit en pleine nuit. Henri aussi. L'un s'en désolait, l'autre, au contraire, exultait. Pris d'une quinte de toux, il dut pourtant suspendre son geste. Durant quelques secondes, il fut plié en deux avant de retenir son souffle. Il en devint cramoisi mais parvint à tuer l'irritation. Le front couvert de sueur, il se redressa dans une aspiration bronchique pour foudroyer de l'œil le valet qui s'était rapproché.

— Ne reste pas là, planté, porte-moi du vin ! Du vin ! grogna-t-il d'un timbre altéré en agitant la main en direction de la table dressée quelques heures plus tôt pour son dîner.

Un pichet qu'il avait eu l'heureuse idée de garder s'y trouvait toujours. Le valet s'empressa. Lui rapporta un fond de hanap. Henri s'en gargarisa puis avala le breuvage avant d'exiger :

— Encore…

— Il n'y en a plus, Votre Majesté.

— Eh bien, de l'eau. De l'eau ! Cela sera-t-il donc si difficile à trouver ?

— Non, Votre Majesté.

Le bon Guiraud, habitué depuis dix-sept années à être houspillé par son maître au caractère détestable, se précipita sur l'aiguière qu'il avait négligée, puis revint à ses côtés. Henri se délaya la glotte, se fit resservir jusqu'à ne plus souffrir de grattée. Le voyant soupirer d'aise, mais anticipant l'impatience qui n'allait pas tarder à reprendre le roi, Guiraud enleva d'un portant le court mantel que son roi avait exigé à son lever précipité. Il le lui tendit. Henri l'enfila, peinant à retrouver son souffle.

— Vous ne devriez pas tant vous agiter, votre fièvre va remonter.

— Comment faire autrement quand je te vois si empoté !

— Je vous en demande pardon, Votre Majesté.

Henri ne répondit pas. Ses pensées s'étaient déjà détournées de lui pour revenir à cette nouvelle que, sans attendre, on était venu lui annoncer. Un sourire cruel s'afficha sur ses lèvres. L'heure des comptes était venue et il se réjouissait d'avance d'en réclamer les intérêts.

Aliénor ne tremblait pas. Jamais elle n'avait tremblé devant son époux. Était-ce la malchance qui avait placé cette troupe en travers de leur chemin, si près du but? Elle en doutait à voir la manière dont, sans même la découvrir, le baron Clifford l'avait interpellée pour la sommer de se rendre sans résister. Cela lui était indifférent. Cinq chevaliers, deux écuyers, cinq femmes, un troubadour et un bébé. Contre quarante hommes solidement armés. Qu'auraient-ils pu faire d'autre que tomber les armes et se laisser emmener?

La porte s'ouvrit sur Henri, dans cette pièce éclairée de chandelles où on l'avait bouclée, l'isolant de ses compagnes. Elle se roidit davantage pour l'empêcher de jouir d'une victoire trop facile. Son sort lui importait peu en vérité. Elle ne songeait qu'à ce dernier instant partagé avec Bernard de Ventadour. Un adieu qui l'avait brisée. Elle devait prendre sur elle pour n'en rien montrer.

Elle afficha un sourire contrit que son regard, insoumis, démentait.

— Je suis navrée de vous arracher du lit à pareille heure… et dans votre état.

Il s'en amusa, comme d'une joute de laquelle il était déjà désigné vainqueur.

— Ne le soyez pas, ma femme. Rien ne m'est plus agréable en cette heure que de vous retrouver enfin.

— J'ignorais que vous m'aviez perdue.

— Moi aussi, la dernière fois que de ce lieu vous m'avez quitté.

La fatigue de ces dernières heures à chevaucher s'abattit d'un bloc sur ses épaules, tuant en elle l'envie de jouer davantage. Elle croisa les doigts sur le devant de son habit d'écuyer.

— Cette nuit-là me fut heureuse, Henri. Je tiens à ce que vous le sachiez.

La sincérité de son timbre le surprit tant qu'il se rapprocha d'elle et releva d'un doigt son visage baissé. L'espace d'une seconde, l'amant trahi remplaça le roi bafoué.

— Alors pourquoi ? Pourquoi n'y être pas restée ? Pourquoi m'avoir défié ?

Elle eût pu invoquer mille raisons. À quoi bon ? Elle avait perdu et se sentait trop lasse soudain pour composer. Plus rien entre eux ne pouvait être sauvé.

— Parce que au matin de cette étreinte je n'étais plus qu'une mère. J'avais cessé de vous aimer.

Il recula, surpris d'en éprouver douleur quand il s'était préparé au triomphe. Faudrait-il que, comme Louis de France, il se découvre épris d'elle à l'heure de la rejeter ? Non. Il ne laisserait pas sentiment si pervers lui ronger le cœur, l'emplir de doute. Point de pardon. Point de salut. Il le lui avait affirmé dans sa missive. Il s'y tiendrait. Il affermit son timbre.

— Loanna ?

Aliénor haussa les épaules.

— Elle se rendait à Blaye, assiégée, lorsque nous avons quitté Poitiers. Je n'en sais pas davantage. Serait-il de trop de vous demander, pour l'heure, vos intentions à mon égard ?

— Vous enfermer, dans le donjon de ce castel.

Aliénor étouffa élégamment un bâillement au dos de sa main, puis d'un pas las se dirigea vers la porte.

— Bien… Car, voyez-vous, Henri, je suis éreintée… Je ne vous demanderai qu'une seule faveur. Celle de ne pas vous venger de moi sur Bernard de Ventadour dont l'immense talent serait trop tôt à regretter.

Elle n'attendit pas la réponse pour sortir. C'eût été un crève-cœur s'il avait refusé sa demande.

62.

Bernard de Ventadour n'était pas dupe du sort qui l'attendait. Il s'était condamné à mort le jour où il avait serré Aliénor contre son cœur. Pour autant il ne regrettait rien, sinon d'avoir été, comme les autres, empêché d'agir au moment de leur capture par la présence du petit Philippe. Cette réserve à tirer lame leur avait été fatale. Il soupira dans ce cachot où, avec égards pourtant, le baron Clifford l'avait fait entrer. Aurait-il pu empêcher quoi que ce soit s'il avait ferraillé ? Même en poussant monture, Aliénor aurait été vitement rattrapée. Il n'y aurait gagné que de mourir là, dans la boue de ce chemin, le front entre deux racines d'arbre. Il n'y aurait gagné que les sanglots de sa reine tandis qu'on l'aurait emmenée. Non. Somme toute ils avaient bien fait. Il allait périr. Soit. Elle l'apprendrait. C'était inévitable. Mais au moins ne garderait-elle en mémoire de lui que le souvenir de leurs étreintes et non son cœur transpercé. Il en était là de ses réflexions, assis à même la paille du cachot. Sans peur parce que préparé de longue date à cette fin. Sans peur parce que sans Aliénor la vie n'avait déjà plus le goût de rien.

C'est le moment que choisit Henri pour se faire ouvrir la porte basse et, précédé d'un porteur de lanterne, entrer. Bernard se leva. Il y avait fort longtemps qu'il n'éprouvait plus de respect pour ce roi devenu indigne à son sens des valeurs qui l'avaient placé sur le trône de l'Angleterre. Comme beaucoup de ses semblables, Henri Plantagenêt s'était laissé aveugler par la soif du pouvoir, de la conquête. Il avait fait passer son profit devant celui de son peuple et même de ses enfants. Bernard ne lui en voulait pas. D'une certaine manière il y avait trouvé son content puisque, sans cette dérive, il n'aurait pu regagner, lui, le cœur de sa reine. Mais l'admiration d'autrefois qui lui avait fait baisser le nez et se réjouir, malgré le manque d'elle, de l'amitié dont le couvrit le roi, oui, cette admiration n'était plus là. Il n'en demeurait, tandis qu'il s'inclinait devant lui, que de la bienséance.

Henri ne fut pas dupe. Son front ruisselait de fièvre et le bon sens aurait voulu qu'il s'en fût se recoucher. Mais il craignait, à l'intense douleur dans sa poitrine et dans ses reins, de ne pouvoir quitter le lit au lendemain. De manquer ce rendez-vous avec son rival.

Il se planta devant lui.

— Dois-je vous rappeler notre première rencontre, à Bermonstey, peu après mon couronnement ?

— Ce ne sera pas utile, Votre Majesté. Je suis prêt.

Dans la pénombre qui les entourait, trouée difficilement par la lueur de la lampe à huile, la gorge irritée par des odeurs d'urine et d'excréments de rats, Henri s'agaça de ne lire dans les traits du troubadour que le reflet de cette vérité. Fallait-il donc qu'il aime Aliénor, lui, cet insignifiant joueur de cithare ! Fallait-il donc qu'elle l'aime aussi pour s'inquiéter de son devenir plus que du sien ! Une pointe de jalousie inattendue lui perça la poitrine, amenant une quinte de toux qui l'obligea à reculer de quelques pas.

Immobile, les mains au dos bien que déliées, Bernard de Ventadour s'autorisa un sourire. Comme soudain il se sentait fier d'être à sa place et non à celle d'Henri ! Fier de ce qu'il avait reçu d'Aliénor et que son roi n'avait connu. Fier de mourir pour elle quand Henri passerait seul, tôt ou tard, privé à jamais de l'amour sincère des siens. Il bomba le torse pendant le dernier spasme d'Henri regagnant son souffle.

— Vous vous nuisez inutilement à cette pestilence, Votre Majesté. Sortez votre lame et finissons-en. Je vous l'ai dit. Je suis prêt.

Henri secoua la tête, le timbre éraillé encore, gâté dans sa détermination par ce trop-plein d'assurance, d'acceptation.

— Non, Bernard de Ventadour. Ma décision est prise. Vous vivrez. Mais en exil, à Toulouse où j'ai promis au comte, bien avant votre capture, de vous laisser exercer votre chant. Vous vivrez. Mais comme tout voleur. Sans vos mains.

Bernard se décomposa et Henri jouit enfin de sa vengeance.

— Vous partirez demain.

Bernard déglutit.

— Quand ? Quand me les ferez-vous trancher ?

— À votre arrivée là-bas. Je ne voudrais pas que vous vous vidiez en chemin.

L'idée de ne plus pouvoir caresser les cordes, de ne pouvoir seulement écrire à la reine obligea Bernard de Ventadour à baisser enfin son regard.

— Elle m'a demandé votre salut, Bernard de Ventadour, alors louez-la. Car votre malheur ce jourd'hui vient d'elle, ajouta cyniquement Henri, satisfait de sa sentence.

Le grincement des gonds tira Bernard de sa détresse. Il accrocha les épaules voûtées du roi qui, irrité de nouveau et n'ayant plus rien à ajouter, s'apprêtait à le quitter.

— Et elle, Votre Majesté ? Quel sort lui réservez-vous, à elle ?

Henri ne se retourna pas. Sa main battit l'air dans ce halo de lumière qu'il emporterait avec lui.

— La captivité. Jusqu'à ce que mort s'ensuive. De mon côté... ou du sien...

La porte se referma sur le mutisme du troubadour. Et son sourire regagné. Aliénor épargnée ne demeurerait pas longtemps prisonnière ! Trop de gens y veilleraient. Lors, se rasseyant, il enveloppa ses épaules de ses mains, ces précieuses mains douces dont elle avait fait son refuge. Comme s'il la tenait encore, là, dans ses bras, il se mit à bercer le silence. Un silence puant, un silence de tombeau mais qui, pour l'heure, lui interdisait de penser qu'il serait privé de toucher, demain.

La fièvre et la migraine avaient tant regagné Henri qu'il parvint à peine à atteindre sa couche. Refusant que Guiraud le déshabille, il s'y laissa choir de tout son long, à peine capable de se réjouir des instants précédents. Il s'éveilla en toussant, au point du jour, dans une quinte si longue et si violente qu'il crut s'étouffer et passer. Le médecin, accouru à son chevet, ne sut que lui recommander, comme la veille, des inspirations de feuilles de mauve pour lui adoucir les voies respiratoires, du suc de saule en boisson et un bain froid pour faire chuter sa température. Un sursaut de lucidité poussa le roi à le jeter dehors. Ensuite de quoi Henri, comprenant qu'il ne profiterait pas longtemps de sa vengeance s'il ne demandait conseil avisé, envoya son valet d'atour en ville, quérir cet apothicaire chez lequel Loanna s'était servie à maintes reprises lors de ses séjours ici. Guiraud sorti, il se laissa choir sur l'oreiller et se mit à prier pour que cet homme au passé douteux se soit approprié quelques-uns de ses secrets.

Il se nommait Aristophane Bec. *Aristophane* comme le Cordouan qui l'avait découvert nourrisson, abandonné derrière une tannerie. *Bec* à cause de cette malformation de la lèvre supérieure qui, conjuguée à un nez crochu, lui dessinait un faciès de rapace. Certains prétendaient que ce curieux aspect donnait du crédit à ses médecines, et son officine, qui ne relevait d'aucune aumônerie, désemplissait d'autant moins qu'il avait guéri plus de gens qu'il n'en avait tué. Il se présenta devant le roi l'œil brillant, non pas de son importance, car c'était, contre la rumeur, un brave homme, mais du sentiment que sa gloire serait définitivement acquise s'il le guérissait. Henri s'était fait monter un matinel volumineux pour tromper sa faiblesse et le dévorait à son entrée. Agitant cette cuisse de lapin rôtie dans laquelle il s'apprêtait à mordre, il lui fit signe d'approcher.

Tout en déposant avec précaution, sur le lit, le gros sac de cuir épais qu'il tenait en bandoulière, Aristophane ne quitta pas le roi des yeux. La porte se referma sur eux. Henri avala sa bouchée.

— Assieds-toi, l'ami, le temps que je regagne un peu d'ardeur… Es-tu barbier ?

— Je sais davantage recoudre les chairs que tailler le collier.

Henri sourit, reposa l'os soigneusement curé puis essuya ses mains à un carré de toile, y imprimant de larges traînées de graisse. Ses doigts claquèrent, réveillant l'échanson qui se tenait, immobile, à quelques pas, un pichet de vin dans la main. Aristophane ne refusa pas ce hanap qu'on lui remplissait. Il le leva en réponse à celui du roi. Comme lui, Henri but une gorgée puis le reposa, le sourcil levé face à cet examen qui n'avait cessé.

— Ton œil est perçant, Aristophane Bec. Cherches-tu le malin dans le mien ?

— La maladie seulement, Votre Majesté.

— Ah.

— Plus ouvert, je vous prie…

Henri écarquilla les yeux.

— Quoi donc ?

— Le « A ».

Henri nettoya la béance entre ses incisives de la longueur d'un ongle puis ouvrit la bouche à se décrocher la mâchoire :

— Aaaaaaahhhhhhhh…

En foi de quoi, la toux le saisit. Il s'y abîma quelques secondes, la face cramoisie, le nez ramené dans la serviette. Aristophane attendit qu'il la repose et reprenne son souffle pour y jeter un œil curieux.

— Point de sang, Votre Majesté. C'était tout ce qu'il me fallait savoir. Vous serez remis avant la fin de la semaine.

Regagné de confiance et de teint, Henri essuya son front perlé de sueur d'un revers de manche.

— Palsembleu, mon ami, si tu y parviens, je louerai ton talent dans tout le royaume.

Un étrange sourire se dessina sur la face de l'apothicaire.

— Rompre les humeurs d'une froidure ne demande que la maîtrise de quelques simples. J'ai bien mieux à vous proposer, Votre Majesté.

Curieux de nature, Henri tiqua, accentuant le sourire de son vis-à-vis.

— J'ai ouï dire qu'une douleur persistante vous tenait la hanche. Une douleur née de tonnerre et de foudre.

— Tu es bien renseigné. Posséderais-tu de quoi m'en guérir ?

L'homme se leva et s'en fut fouiller dans sa besace. Il en revint porteur d'un linge qu'il démaillota devant le roi. Henri vit apparaître entre les mains d'Aristophane Bec le plus étrange flacon qui soit. Lourd, visiblement, il semblait entièrement d'or. Triangulaire à la base, il s'effilait jusqu'à l'embout, pointu. Il l'enleva des mains tendues de l'apothicaire, dévissa délicatement le bouchon et renifla le parfum capiteux qui s'en dégageait. Presque aussitôt, il eut la sensation qu'une vague de sérénité se glissait en lui.

— Qu'est donc ce nectar, mon ami ?

— Une prodigieuse médecine, Votre Majesté, que j'achetai à grand prix il y a quelques années à un vieux chevalier désargenté. Il l'avait saisie à Constantinople.

— L'as-tu montrée à dame Loanna ?

— Pas celle-ci, Votre Majesté, mais sa sœur. Elle m'en apprit les propriétés et je sais qu'elle l'utilise toujours, bien qu'avec parcimonie, pour soulager les douleurs tenaces.

Il suffit à Henri de se souvenir des bienfaits de ses onguents pour ne point douter de la parole du sieur Bec. Un sourire confiant lui étira la face.

— Aristophane Bec, lui dit-il, je veux tout savoir de cette potion. Tout, entends-tu ? Et pour commencer, son nom.

L'apothicaire s'inclina devant son roi.

— De la liqueur d'opium, sire. Quant à son usage, il est simple. Une goutte sous la langue pour abattre la douleur, de quelque nature qu'elle soit, deux pour favoriser l'endormissement et trois… trois pour frapper d'oubli celui qui les boira.

63.

— Aliénor est captive ! Aliénor est captive ! répéta le crieur avant de talonner sa monture sous les fenêtres de l'auberge où nous nous étions attablés.

Mon sang ne fit qu'un tour. Repoussant mon tabouret, je bondis pour ouvrir grande la croisée, passer la tête à l'extérieur. Dans cette ruelle étroite de Tours où toute vie semblait soudain suspendue, je le vis tourner à l'angle d'une bâtisse, le timbre cadencé tel un glas.

— Aliénor est captive ! Aliénor est captive ! Oyez, oyez, le roi l'a enfermée !

Il disparut à mon regard sur des battants qui s'écartaient, une foule qui se compactait, des visages qui se fermaient, des passants qui se signaient. Partout le même visage, partout la même incompréhension, la même peur. Partout, les mêmes questions qui fusaient. Où ? Quand ? Comment ?

La main de Jaufré, refermée sur l'arrondi de mon épaule, me tira vers l'arrière. Dans l'auberge, le silence s'était fait. Les clients s'étaient jetés dehors, suspendus à l'écho pour s'assurer d'avoir bien entendu, de n'avoir pas rêvé. D'autres secouaient la tête, comme hébétés.

J'étais de ceux-là quand, assise encore à la table que j'avais si promptement quittée, Agnès avait les larmes aux yeux en donnant à boire au petit Godefroy. L'aubergiste, un brave homme qui nous avait reçus en s'excusant de si maigre chère – les soldats d'Henri ayant tout ravagé le mois précédent et empêché, depuis, le bon ravitaillement des villes favorables à la reine –, se tenait à quelques pas, le pichet de vin qu'il s'apprêtait à nous donner dans la main. Il dodelinait de la tête en nous prenant à témoin.

— Foutredieu ! c'est pas de chance. Non, c'est pas de chance.

Un marchand de saisons qui se tenait au comptoir à cervoise, coude appuyé sur un tonnelet, marmonna qu'au moins cette fichue guerre allait pouvoir se terminer. Les regards qui le fauchèrent furent si noirs qu'il repiqua du nez dans son gobelet. D'un bras protecteur, Jaufré me ramena à mon tabouret. Il le releva. Je m'y laissai choir, acculée par la fatalité. Le vin coula dans mon hanap, d'un grenat profond. L'aubergiste s'éloigna. Le brouhaha creva le silence pour commenter l'événement, nous isolant, Jaufré, Agnès et moi. Alors seulement je trouvai le regard de mon troubadour retourné à son siège, face à moi. Les brumes de ses yeux avaient pris cette teinte si particulière du fleuve sous l'orage. La force du ciel. Le tourment de la terre. L'impénétrabilité de l'onde. Il n'eut que ces mots pour m'obliger à réagir dans cette douleur muette qui me broyait :

— Il faut nous hâter.

Nous sortîmes de cette bâtisse longue aux encorbellements marqués sans avoir terminé notre brouet, repris d'un semblant de courage par le vin chaud de l'aubergiste que nous avions bu sans soif ni envie. Juste par nécessité. Il m'avait redonné des couleurs, pas la force de parler. À une soixantaine de pas de là, en remontant la rue, se trouvait une forge. Nous y avions laissé notre escorte. Un des chevaux avait perdu fer sur la route et, ne pouvant changer de monture comme nous le souhaitions, les terres dévastées que nous avions traversées manquant cruellement de nourriture et de bêtes, nous avions jugé plus prudent d'économiser les nôtres par des haltes plus fréquentes et autant de soins qu'il en faudrait. Nous avions profité de ce que le maréchal-ferrant officiait pour nous restaurer à l'*Auberge des ducs d'Aquitaine*, faisant porter pitance aux soldats poitevins qui patientaient. Nous les trouvâmes remis en selle, alertés par le crieur en même temps que nous. Le temps de régler la note, d'enfourcher nos propres palefrois et nous repassions le porche en courbant le front, le pas des chevaux résonnant sur les pavés de la cité.

Je ne desserrai pas les dents jusqu'à ce que nous ayons atteint les terres du frère de Louis de France, jusqu'à ce que nous soyons en sécurité en Dreux. Je ne parvenais à détacher mes pensées de ma fille, de ma reine. Non que les damoiselles de France me soient soudain devenues indifférentes, mais je savais que la colère d'Henri les épargnerait. Eloïn, Aliénor et Bernard de Ventadour en revanche... Semblant répondre au fracas de mon âme, les stigmates des représailles d'Henri contre l'Aquitaine jalonnaient notre parcours. Paroisses aux murs fumants encore, éventrés; fosses communes fraîchement creusées, file de charrois, de gens de chaque côté du chemin, les traits creusés, un maigre balluchon sur l'épaule. Vieillards, femmes, enfants, hommes claudiquant sur des béquilles ou soutenus par leurs proches. Épargnés mais ayant perdu leur maigre bien dans la rapacité des routiers. Tous marchant en direction des villes, des castels aux remparts forcés, aux soldats piqués de traits, aux pendus qui se balançaient aux branches décharnées. Les charognards de toute espèce tournoyaient. Et j'avais mal. Mal de ces images que j'avais prédites tant d'années auparavant. Mal de n'avoir pas su, pas pu les empêcher. Mal des miens. Des conséquences que ma trahison, celle de la reine avaient imposées à cette terre que nous avions vue rire, s'enjoliver, s'enrichir, croire. Croire à la paix. Abattue. L'Aquitaine l'était. Je l'étais. Les soldats d'Aliénor l'étaient. Et, pire que tout, Agnès l'était. Seul Jaufré regardait droit devant lui, les mâchoires serrées, poussant le galop et nous entraînant derrière lui. Il me fallut du temps. Tout le restant du trajet, jusqu'à l'épuisement de nos montures, jusqu'à l'épuisement de nos corps et les cris de l'enfançon, jusqu'à l'épuisement de nos larmes pour comprendre que le troubadour était mort à Tours. Qu'il ne rejouerait plus avant d'avoir tué Henri Plantagenêt et repris ce qu'il nous avait enlevé.

Alors seulement je décidai de me battre. Jusqu'à la mort. À ses côtés.

Lorsque, parvenus enfin à Paris sous la protection du comte de Dreux, et ayant repris allure, nous pénétrâmes dans la salle du conseil du vieux palais de la Cité, introduits par les gens d'armes qui en sécurisaient l'accès, Louis de France était entouré des puissants de son royaume, mais aussi de Geoffroy de Bretagne, d'Henri le Jeune et de Richard d'Aquitaine qui, en hâte et dès l'annonce de la capture de leur mère, s'étaient précipités pour décider de la conduite à tenir. Ils se levèrent d'un même élan, un franc sourire illuminant leurs visages fermés. M'interdisant toute révérence, Louis de France me tendit une main amicale.

— Heureux de vous revoir, dame Loanna… Nous avions craint…

— Blaye était assiégée. Nous avons laissé Aliénor partir devant.

Richard demanda, blême :

— Eloïn ?

Je secouai la tête, le cœur de nouveau serré. Il baissa les yeux un instant, avant de les relever, plus vindicatif que jamais. Je me détournai de lui pour reporter mon attention sur le roi.

— Savez-vous où ? Comment ?

— Une embuscade, à quelques lieues de…

Je tiquai.

— Comment serait-ce possible ? Notre décision de partir fut soudaine et non préméditée…

— La question se pose en effet, lança, suspicieusement, Thibaud de Blois en me fixant.

Je le foudroyai du regard. Les fils d'Aliénor de même. Il haussa les épaules.

— N'a-t-elle pas déjà par le passé trahi la couronne de France en faveur du Plantagenêt ?

Devançant toute réaction, je fondis sur lui. Le temps qu'il réalise, le piquant de mon poignard était contre sa gorge.

— Un mot de plus, un seul, et je vous ferai avaler pour toujours cette langue si mal tournée !

Un silence de cathédrale accueillit ma réaction, puis, contre toute attente, Louis laissa échapper un petit rire.

— Paix, dame Loanna. Paix. Et vous, comte de Blois, je vous somme de vous excuser.

Nous nous affrontâmes du regard quelques secondes, vieux ennemis soudain réunis. Il finit par le baisser.

— Les mots ont dépassé ma pensée, marmonna-t-il.

Je retirai mon fer, mais non pour le remettre au fourreau. D'une poigne que la croisade m'avait autrefois forgée, je le piquai dans le bois de la table autour de laquelle le conseil était réuni. Mon œil, brûlant de colère, balaya leurs visages étonnés. Le comte de Champagne et Henri le Jeune s'écartèrent et Louis de France, d'un geste élégant du poignet, m'invita, comme Jaufré, à y siéger.

La nuit tombait sur Paris lorsque nous nous séparâmes, le point fait, des décisions prises. La première était d'attendre. Nous ne savions rien. Ni où Aliénor et ses belles-filles avaient été emmenées, ni ce qu'Henri proposerait en échange de leur liberté. Impossible en conséquence de tenter quoi que ce soit pour les délivrer. Otages de prix, elles seraient bien traitées, ce fut l'avis de tous. Quant à la guerre, selon Louis, elle n'était pas encore jouée. La gloire d'Henri, colportée dans le seul but de briser le moral des nôtres, était surfaite. S'il avait acquis une victoire partielle, c'était par ce coup de filet chanceux. Sur le terrain, et bien qu'il puisse s'enorgueillir d'avoir pris quelques bastions, la plupart tenaient. Taillebourg était de ceux-ci mais aussi nombre d'autres en

Angleterre où certains barons avaient quitté son camp pour se rallier à Henri le Jeune. L'idée que leur mère fût prisonnière et le demeurât si Henri emportait ce conflit, ne fit que renforcer leur détermination. Il fut donc décidé que Richard chevaucherait vers l'Aquitaine pour la relever tandis qu'Henri le Jeune se rendrait en Flandres pour engager de la soldatesque et renforcer ses troupes. Car une chose nous semblait certaine. Henri allait attendre avant de nous contacter. Le temps qu'il lui faudrait pour, lui aussi, reconstituer une solide armée.

64.

Agnès tomba dans les bras de son époux sitôt qu'il passa la porte de l'ancienne maison de Denys de Châtellerault, aujourd'hui la mienne. Informé de la capture d'Aliénor et, comme Richard, craignant pour les siens, il avait quitté ces champs de bataille où avec le duc il se distinguait, pour venir aux nouvelles. Le temps d'apprendre notre arrivée dans l'île de la Cité et il nous rejoignait. La guerre avait eu sur lui son effet dévastateur. Nous l'avions pu lire dans ses courriers. Il ne se faisait pas à la barbarie des hommes, lui qui n'avait été bercé que du chant des troubadours et de cet amour sans âge dont Jaufré et moi rayonnions. Qui grandit dans la paix ne peut qu'imaginer l'horreur des champs de bataille. Geoffroy l'avait apprise et son visage creusé, cerné, mangé de barbe et de cheveux trop longs, à l'identique de celui de Richard et de ses frères, en portait la marque. Pour le reste, si l'on exceptait quelques plaies devenues cicatrices déjà, il semblait sauf, épaissi encore par le poids de l'épée, par la puissance des combats. S'arrachant à son épouse, il enlaça son père puis moi. Moi qui le respirais comme on respire à pleins poumons une brassée printanière, comme si à travers lui c'était aussi l'empreinte de sa sœur que je retrouvais.

— Tout va, mère, tout va, affirma-t-il en réponse en me pressant plus fort.

Je me sentis fluette dans l'étau de ses bras d'acier. Tant que lorsqu'il m'écarta de lui, mes jambes tremblèrent. Je retrouvai ma stabilité dans son sourire, dans son regard détourné vers Agnès qui venait de récupérer à son cou Godefroy amené par Françoise, notre intendante. Petit Godefroy. Blondinet de deux ans arraché au sommeil comme une pierre au puits. Cessant de se frotter l'œil de sa main fermée, il la tendit de l'avant en reconnaissant son père. Le pas de Geoffroy avala la distance qui le séparait des siens. Il enleva son fils dans ses bras, l'y pressa avec la même déraison que moi quelques secondes plus tôt.

— Haut. Haut, réclama l'enfançon, après un trop bref câlin, avide de jeu à présent qu'il était réveillé.

Geoffroy le prit à bout de bras et le tendit vers le plafond de bois, amenant un rire léger dans la pièce.

— Haut. Plus haut, insista l'enfançon.

Son père se hissa sur la pointe des pieds avant de le redescendre, de le remonter encore pour enfin le poser à terre.

— Sacrebleu, mon garçon, que te voici grand et fort ! Tu me brises les bras.

Mensonge de ce jourd'hui tel que fut celui d'hier, lorsque Jaufré, harassé d'avoir porté dix ou quinze fois au ciel Geoffroy au même âge, baissait les bras. La route avait dû épuiser mon petit-fils, car, là où son père aurait crié « encore » jusqu'à ce que Jaufré cède, Godefroy recommença à se frotter les yeux, une seule requête en bouche.

— T'as ramené Pala ?

Geoffroy, qui s'était accroupi devant lui, tourna un œil interrogateur vers son épouse. Elle le rejoignit devant leur fils au visage rond, chargé d'espoir.

— Non, Godefroy. Pala est resté en Blaye. Tu le reverras bientôt.

Une moue boudeuse tordit la bouche de Godefroy. Son père ne la laissa pas devenir caprice. Il enleva du sol son fils qui tanguait de fatigue puis, se redressant, il le coucha en travers de son épaule, lui arrachant un nouvel éclat de rire.

— Il est temps d'aller vous coucher, sire Godefroy. Demain vous me raconterez qui est ce Pala demeuré en garde de notre belle cité.

— Petit cien, papa, expliqua Godefroy, simple fétu de paille sur l'arrondi de l'épaule de mon fils.

Ils disparurent dans l'entrée. Les marches craquèrent.

— On dit « chien ». « Chien », Godefroy... Et que fait un chien ?

— Ouah... Ouah...

— Et si on le chatouille ?

— Ouah aaahahahaha...

Redressée à son tour et immobile, Agnès attendit que son époux et son fils aient disparu pour se tourner vers moi, un sourire aux lèvres :

— La vie continue, dame Loanna. Comme hier, comme demain. Vous ne devez pas vous inquiéter pour Eloïn.

Je hochai la tête, convaincue qu'elle avait raison. Personne. Non, personne ne pourrait me séparer vraiment de ma fille. Pas même un roi.

Cette nuit-là, le souvenir de Denys fut si fort en moi qu'il me réveilla. Jaufré dormait paisiblement à mes côtés, harassé comme nous l'étions tous par ce voyage, ces images, ces nouvelles. Nous avions apprécié le dîner de Françoise après ces quelques jours de maigre, nous avions ri, nous avions reconstruit l'espoir, réduit notre colère dans l'amour des uns pour les autres. Je m'étais endormie comme une masse dans les bras de Jaufré. Jusqu'à ce que Denys m'en arrache pour me presser dans les siens et m'éveiller. Passant du rêve à la réalité, je n'eus pas besoin d'ouvrir les yeux pour savoir qu'il était là. Malgré sa mort déjà ancienne, il n'avait cessé de faire partie de moi, comme Guenièvre de Grimwald, ma mère d'adoption. Ma mère de cœur. Je l'accueillis avec le même amour qu'hier, certaine de retrouver ses traits intacts. Il flottait dans la pièce, brume éthérée, ses longs cheveux bouclés se diluant dans l'espace, ses yeux sombres caressant les miens de cette douceur particulière dont je n'avais jamais percé le secret. Il tendit sa main vers moi. Je repoussai les draps. Le suivre avait toujours été de confiance. N'avait-il pas autrefois donné sa vie pour moi, comme Jaufré le fit tant de fois ? Il me guida vers le grenier, avec cette lumière bleutée qui m'ouvrait la voie. Disparut sous la porte. La clef se trouvait en la serrure, lors, sans hésiter, je la tournai. Le parfum d'Eloïn m'explosa aux narines. Près d'un vieux fauteuil à l'assise crevée, Denys me souriait. Sa main caressait un linge sur lequel un rayon de lune tombait par la vitre d'un fenestron. Je m'en approchai, bouleversée par cette odeur d'elle plus forte à chaque pas, contemplant le visage de Denys empreint de la même flamme qu'hier lorsqu'il voulait me rassurer, affirmer ma croyance en demain. Je reconnus une des chapes d'Eloïn. Je la saisis comme une relique précieuse, la portai à mes narines, les larmes aux yeux. Alors seulement la voix de mon ami d'hier, cette voix perdue s'enroula autour de moi :

« Sers-toi de tes pouvoirs et vois. Vois comme tu me vois. »

Lors, dans cette lumière toute de chaleur qui m'étreignait, dans cette confiance qu'il me communiquait, j'enfouis mon visage dans le samit et je fermai les yeux.

Quelques secondes plus tard, à peine, ma fille s'éveillait à mon appel, dans ce grand lit qu'elle partageait avec les filles de France. Je flottai dans l'air de sa chambre. Comme autrefois Guenièvre de Grimwald était venue à moi.

— Mère..., me souffla-t-elle avec la douceur d'un sourire.

— Allez-vous bien ? Tous ?

— Oui. Il ne faut pas vous inquiéter. Henri nous traite avec respect. La reine aussi.

— Où êtes-vous ?

— À Chinon toujours. Mais ne tentez rien. Henri n'attend que cela. La garde du castel est telle que vous épuiseriez vos forces sans seulement pouvoir nous approcher.

— Alors je ne puis rien faire ?

De nouveau son sourire.

— Vous venez de faire, mère. Bien plus que vous n'imaginez.

— Je serai toujours là, Canillette. Toujours là à tes côtés. De près ou de loin. Oui, toujours là.

Son image se délita. J'arrachai mon souffle du tissu, entre le soulagement et le manque. Épuisée. Je me sentis chanceler.

— Dors, Loanna de Grimwald. Dors, chuchota Denys de Châtellerault.

Je me sentis portée, étendue avec délicatesse sur le plancher.

— Merci, murmurai-je, les paupières lourdes.

— Je suis comme la magie, Loanna de Grimwald. Je suis une partie de toi. Ne l'oublie pas.

Non, Denys. Je ne l'oublierai pas.

65.

Ce fut l'hiver qui contraignit les deux royaumes à une trêve. Il commença une dizaine de jours après notre arrivée à Paris, obligea les ouvriers du chantier de la cathédrale Notre-Dame à poser leurs outils, ramenant le silence dans notre rue et repoussant le départ de Geoffroy pour le front. Les températures étaient si basses que la Seine elle-même gela. En quelques jours on ne put se déplacer, sinon à pied, chaussé de palettes pour glisser sur les pavés gelés. Le temps de remonter l'eau des puits, elle se changeait en cristaux qu'il fallait faire fondre devant l'âtre. Les bûches brûlaient les unes derrière les autres et, malgré cela, de la buée s'échappait de nos narines à l'intérieur même de la maison. Fort heureusement l'apothicaire de la rue Sainte-Geneviève tenait encore boutique, si bien que ma première occupation fut de composer de nouveaux onguents et potions pour contrer la froidure et ses maux. Jaufré n'en avait pas besoin. Il bouillait intérieurement. Ses yeux allaient de la porte à la fenêtre, de la rue désertée à sa mandore, de sa mandore à son petit-fils, de son petit-fils au rire de Geoffroy, de Geoffroy à Agnès, d'Agnès à moi. Je savais ce qui le rongeait. La haine. La haine et cet immobilisme forcé. Parfois sa main caressait l'arrondi du pommeau de sa lame et j'y venais poser la mienne. Son regard me transperçait, me hurlait son besoin d'agir, d'aller au-devant d'Henri, de laver enfin mon honneur perdu, de délivrer notre fille, notre petit-fils. Je l'attirai à moi. Je murmurai :

— Patience, Jaufré. Patience. Le moment viendra, je te le promets. Et je ne ferai rien cette fois pour l'empêcher.

Lors il consentait à relâcher sa tension, me serrait plus amoureusement dans ses bras avant de rejoindre les garçons et de jouer avec eux devant les braises. Ainsi, pour ne point perdre la vaillance et le maniement de l'épée, au moindre rai de soleil, nous sortions dans la cour intérieure et croisions le fer avec Geoffroy dont la science guerrière s'était renforcée.

Malgré la chape d'Eloïn dans laquelle, comme Jaufré souvent, je fourrais mon nez pour combler le manque, malgré cette quiétude qui s'emparait de moi au souvenir de notre contact, impossible depuis, et en dépit de mes efforts, à recréer, une même colère s'agitait au fond de moi. J'en voulais plus encore qu'hier à Henri. Non d'avoir capturé les miens. C'étaient les aléas de la guerre, mais de son silence. Il n'avait envoyé aucun courrier pour confirmer la captivité de la reine, pour assurer ses fils qu'elle se portait bien. Il laissait la rumeur leur pourrir le cœur, et, si je n'avais pu leur fournir, grâce à cet instant de magie, la certitude de sa bonne santé, le doute aurait fini par les broyer. Sa cruauté me faisait mal. D'autant plus mal que malgré moi je me sentais coupable de l'avoir provoquée.

*

En cette veillée de Noël qu'elle passait seule dans la plus haute des chambres du donjon de Chinon, Aliénor avait le cœur gros. Elle voyait s'écouler les jours, les semaines, avec le même sentiment d'impuissance, la même nostalgie. Si elle ne regrettait rien de ses actes contre Henri, un seul lui pesait. Celui d'avoir tardé à quitter Poitiers, ses chantres, sa lumière. Et d'avoir cru ensuite qu'elle n'y était plus en sécurité. Henri avait bien joué en lui envoyant Pierre de Blois.

Malgré sa méfiance, elle s'était laissé prendre à l'ultime conseil du secrétaire de son époux, se précipitant tout droit dans le piège qu'Henri lui avait tissé. Elle s'était pourtant rendue à sa captivité comme on se rend à la mort d'un être cher. Avec résignation. Avait-elle le choix d'ailleurs ? Elle le savait mieux que quiconque pour avoir aidé à consolider ce bastion piqué sur son éperon rocheux et dominant la Vienne. Il était imprenable. Tant qu'elle y demeurerait, nul ne pourrait y pénétrer pour la délivrer. Quant aux souterrains qui couraient loin sous la roche vers l'ouest, la plupart avaient été murés de plusieurs grilles séparées par de petits intervalles, béances d'ailleurs hérissées de piques. Les autres se terminaient en cul-de-sac, leur fonction n'ayant jamais été d'offrir la fuite mais bien plutôt de chercher des accès souterrains au puits afin qu'en cas de siège prolongé l'eau reste accessible. En faisant de cet endroit sa base de repli, Henri ne s'y était pas trompé. Aucun secours ne viendrait. Le seul réconfort qu'Henri accordait à sa captive était la visite d'Eloïn et de ses belles-filles que dès le premier jour il avait laissées libres d'aller et venir à leur gré dans le château. Au moins ces chères enfants pouvaient-elles continuer de jouir des festes et du chant des troubadours.

Aliénor soupira devant la vitre du fenestron de sa chambre. La vue portait loin, sur la campagne environnante couverte de givre. Aussi immobile qu'elle. Henri avait pourtant veillé à son confort. Elle ne manquait de rien sinon de chevauchée, de rires, de musique. Elle ne manquait de rien pour subsister. Mais c'était là toute la perversité de son époux. Tout en lui laissant l'essentiel, il la privait de tout ce qui la faisait vivre. Ils ne s'étaient pas reparlé depuis le soir de son arrivée. Il n'était pas remonté la voir, comme si pour lui elle n'existait déjà plus. Et, s'il n'y avait eu Eloïn pour lui affirmer que Ventadour avait été emmené à Toulouse, sous la responsabilité du comte Raymond, elle n'aurait pas même su qu'Henri avait entendu son plaidoyer. Elle ne s'en plaignait pas en vérité. Qu'aurait-elle eu à lui dire ? Souffrir son triomphe lui aurait crevé le cœur. Elle se réconfortait du babillage de petit Philippe autant que des nouvelles qui arrivaient au castel et plaçaient çà ou là Henri en difficulté. Persuadée que ses fils n'attendaient que son déplacement vers l'Angleterre pour tenter de la délivrer.

Lorsque la porte s'ouvrit dans son dos, elle pensa qu'on venait la quérir pour assister à la messe de minuit, ainsi que le roi l'y avait autorisée. Son sourire accueillant se changea en rictus, autant de surprise que de déplaisir, devant Henri.

— Vous, mon époux ?

— Moi, ma femme.

— Et que me vaut ?

— N'est-ce point Noël ?

Elle leva un sourcil curieux en le voyant déposer, sur le coin d'une table continuellement dressée d'un solitaire de buis, un coffret enrubanné.

— Ouvrez donc !

Gênée par son indéchiffrable sourire, perturbée par l'absurdité de ce présent, elle s'exécuta. Et tout aussitôt se tétanisa, frappée de stupeur et d'effroi devant deux mains puantes de décomposition, sectionnées à hauteur de poignet et posées à plat l'une à côté de l'autre sur un velours gris. À l'annulaire de la droite se trouvait encore un anneau de cachet dont le cœur était traversé d'une mandore. Bouleversée d'horreur autant que de détresse, elle détourna les yeux avant de reculer de quelques pas vacillants.

— J'ai supposé que ces nouvelles de votre troubadour, arrivées ce matin, vous seraient agréables. Aux dires du comte de Toulouse, il a survécu au couperet, même s'il s'ennuie de ne plus pouvoir que chanter, s'amusa cruellement le roi d'un timbre doucereux en se rapprochant de la table pour suivre d'un doigt le contour du coffret.

Elle se braqua de tout son être contre ces larmes qui montaient. Jamais. Jamais il ne la verrait pleurer. Et elle ne s'accorderait pas plus longtemps à sa jouissance morbide.

Elle trouva en elle le courage des désespérés. Se forçant à sourire, elle regagna la distance qui les séparait et retint le geste d'Henri à l'instant où il voulut rabattre le couvercle. Sa voix elle-même avait cessé de trembler :

— Je ne vous remercierai jamais assez, mon époux, de cette délicate attention. Quant à ce présent, à mes yeux d'une valeur inestimable, vous comprendrez que je ne puisse le garder sans vicier à jamais l'air de cette geôle. Si vous permettez toutefois…

Il s'écarta pour la laisser plonger sa dextre à l'intérieur du coffret et dégager l'anneau d'un index évidé de sang. Au passage, prenant sur elle, elle examina soigneusement la forme des ongles, le dessin des articulations. Puis elle se détourna, le sceau de Ventadour dans sa main refermée. Sans un regard vers son époux, elle s'en fut ouvrir la fenêtre et y resta plantée, le visage balayé d'un vent glacial.

— Je serai prête dans quelques minutes pour l'office. À moins que vous n'ayez changé d'avis ?

— D'une certaine manière, en effet. Une messe a été préparée dans votre chapelle par le père Benoît afin que vous n'ayez pas à souffrir ma présence et celle de mes gens.

— Une fois encore cette attention vous honore, mon époux. Or donc, puisque nous ne nous reverrons pas, je vous souhaite un joyeux Noël…

Elle attendit que la porte se refermât sur le roi, admiratif malgré lui de son courage, pour relâcher cette tension qui l'avait broyée. Les larmes qui débordèrent ses paupières ne furent pourtant plus de détresse mais de soulagement. Malgré l'inimitié qu'il lui portait, à elle, la duchesse d'Aquitaine qui tant de fois par le passé s'était dressée devant lui, le comte de Toulouse n'avait visiblement pas eu le courage d'appliquer la sentence du roi. Il respectait trop les troubadours et leur musique pour se priver du plus talentueux d'entre eux. Fourbe et déloyal, Raymond V l'avait toujours été. Il avait dupé Henri Plantagenêt. Pas elle. Elle connaissait trop ces mains qui l'avaient caressée. Bernard de Ventadour portait toujours les siennes, elle pouvait en jurer.

Pour autant, le simple fait qu'Henri les lui ait offertes, ce soir tout particulièrement, acheva de la convaincre que la folie s'était emparée de lui. Une folie dans laquelle il continuerait de glisser et dont elle devrait, à tout prix, se protéger.

66.

Ce fut pour nous aussi un triste Noël, malgré la présence de Geoffroy et celle, insouciante et légère, de petit Godefroy. Il ressemblait à son père, possédait la même imagination, la même propension aux sottises, épuisant Françoise qui le grondait autant qu'elle fondait devant son regard noisette. Seule Camille, ma chère Camille, dame d'atour, de compagnie, de courage et toujours à notre service avec son époux, parvenait à en venir à bout comme c'était autrefois le cas avec Geoffroy. Elle était d'autant plus attachée à lui que ses deux fils entrés voici deux ans dans l'équipage des valets d'Henri, par la faute de cette guerre, ne pouvaient plus lui rendre visite. Fort heureusement pour soulager les deux femmes, Jaufré eut l'heureuse idée de dénicher un chiot et de le ramener. Dès lors, ce furent non pas un, mais deux garnements qu'il nous fallut maîtriser à l'heure où une neige compacte se mettait à tomber. Elle chut sans discontinuer sur le pays tout entier, des jours et des jours, recouvrant tout, des ornières aux toits, des forêts aux castels. Haute d'une toise, elle empêcha le ravitaillement des villes, des bastions. S'y ajoutèrent des bourrasques violentes venues du nord. Le froid, de plus en plus mordant, décima l'armée d'Henri comme la nôtre, immobile au siège des places. Les charniers se multiplièrent alors que le sang pourtant avait cessé de couler. À l'inquiétude que nous éprouvions continuellement pour Aliénor, Eloïn et le petit Philippe s'ajouta celle pour nos gens de Blaye et de la châtellenie du Vitrezais que la mort de ses maîtres nous avait léguée. Pour la tromper, nous déplaçant à pied dans les rues déblayées, nous avancions jusqu'en bordure de Seine afin de jouir de la vue des patineurs sur son étendue gelée, devant la masse imposante de la cathédrale en construction bardée d'échafaudages et ceinturée de barrières.

Nous nous rendions aussi quotidiennement dans le palais de la Cité. Depuis mon intervention dans cette salle du conseil où Aliénor avait, par le passé, eu tant de mal à imposer son avis, le mien était apprécié, par ceux-là mêmes qui, hier, l'avaient réfuté. Je l'avais donné sur Chinon, contre l'espoir de tous et le mien. Attendre. Attendre qu'Henri déplace ses prisonniers. Quel que soit le temps que cela prendrait. Pour le reste, Louis de France, Henri le Jeune et ses frères étaient mieux à même que moi de juger. Si je me sentais inutile en ces heures d'immobilisme, comme chacun de ceux qui siégeaient à cette table, pour rien au monde je n'aurais voulu en être écartée, car c'était là qu'arrivaient toutes les nouvelles des deux royaumes, là que Jaufré et moi entretenions notre confiance en demain. Ensuite de quoi, pour garder en nous un peu de légèreté, nous nous mêlions aux festes sans éclat de la cour de France. Le petit Philippe Auguste, âgé de huit ans, s'y distinguait par une morgue insupportable et une austérité de caractère que sa mère, plus bigote encore que Louis, encourageait. Seuls les fils Plantagenêts semblaient le distraire, ce qui augurait, pour le futur, une amitié solide sur laquelle les couronnes d'Angleterre et de France pourraient s'appuyer. Pour l'heure, son père entretenait ce lien, acceptant même que Jaufré, Geoffroy, Richard donnent sérénade et réveillent cette cour qui bâillait d'ennui devant le peu d'enthousiasme des quelques trouvères qui s'y hasardaient.

Février passa de même. Et puis un matin, Agnès dévala les escaliers alors que nous prenions matinel, un franc sourire aux lèvres.

— Je suis enceinte ! cria-t-elle avant de se pendre au cou de son mari.

Nous nous levâmes, Jaufré et moi, pour la féliciter tandis qu'elle éclatait d'un rire léger.

— Le croyez-vous, mes amis ? Je ne peux visiblement concevoir que dans le chaos !

— Peut-être parce que l'incertitude du lendemain exacerbe les sentiments, répondis-je en me dirigeant d'un pas ferme vers la cheminée.

J'arrachai le tisonnier de son support avant que Godefroy ait réussi à s'en emparer.

— Pas touche, mauvaise graine ! Combien de fois faudra-t-il te le répéter, le sermonnai-je en lui tapant sur les doigts.

Il me couvrit d'un œil noir avant de tourner les talons, son chiot dans les jambes.

Derrière nous, le rire de Jaufré, ce rire si peu entendu ces derniers mois, explosa dans la pièce.

— Un de plus et c'est ici, dans cette maisonnée, que la guerre sera déclarée !

— Eh bien, père, pour le moment, laissons la guerre où elle est, et buvons, dansons, chantons ! Une fois ne sera pas coutume, répliqua Geoffroy, fou de joie.

Et d'entraîner son épouse dans un tourbillon tandis que Jaufré se dirigeait vers son instrument. Lors, pendant quelques heures, trompant ce manque de ma fille qui ne me quittait, je me laissai bercer par sa musique, même si à sa manière de jouer, plus nerveuse, plus affirmée que d'ordinaire, je percevais un changement en Jaufré. À soixante et un ans, dans ces rides qui lui cerclaient les yeux, ces paupières alourdies, sa force était pourtant plus vive qu'hier, sa détermination plus marquée. Il forçait mon admiration et mon respect autant que ma tristesse. J'avais connu le troubadour, l'homme, le sage. J'aurais, je crois, préféré ne jamais rencontrer le guerrier.

Début mars, la douceur regagna les terres. Toutes les terres. Un courrier d'Henri arriva enfin. Il réclamait la fin des hostilités, la reddition complète de ses fils sans aucune contrepartie, faute de quoi les conditions de détention de la reine se durciraient. Il ne parlait pas de moi. Le chevalier de Tauzan que nous avions laissé à la garde de Blaye nous avait informés par écrit que notre châtellenie avait été épargnée. Si nous nous en réjouîmes, ce silence à notre égard, cette négligence envers nos biens me semblèrent plus éloquents encore. Henri attendait que je me rende à lui. Pire encore, il ne doutait pas que je le ferais. Tôt ou tard. Lorsque deviendrait trop vive ma peur de le voir toucher Eloïn ? Je la savais capable de se défendre, capable de s'opposer à lui pour protéger son enfant. Grâce à cette certitude je m'étais interdit d'y songer, de penser Henri capable de forcer sa filleule, imaginant égoïstement que la jeune Adélaïde de France, qui l'avait si joliment troublé un an plus tôt à Poitiers, serait plus vitement que ma fille son jouet. Sitôt après, je me dégoûtai de l'espérer. Comme pour mon époux, l'envie de battre campagne et de tuer ce roi que j'avais tant aimé me torturait.

Henri le Jeune, ayant repris espoir avec la relève d'une nouvelle armée, trouva sans peine l'accord de ses frères. Plier ne rendrait pas la liberté à leur mère. Tout au contraire, leur refus inciterait le roi à la déplacer. Début avril, sous des trombes d'eau et tandis qu'ils reprenaient le chemin des batailles avec mon fils, des espions se déployaient autour de Chinon pour tenter d'en apprendre davantage.

Jaufré et moi étions de ceux-là, bien décidés à trouver le moyen d'entrer dans la forteresse pour, au moins, rassurer de notre amour ceux qui s'en berçaient.

*

S'il n'en fut pas surpris, Henri s'enragea de la réponse de son aîné. Il jeta furieusement le parchemin aux flammes, s'en fut trouver la jeune Adélaïde de France qui brodait avec ses compagnes, puis lui ordonna de le suivre quand, jusque-là, il s'était contenté, élégamment, de la courtiser. La porte de sa chambre refermée à clef sur elle, tremblante, il l'obligea à s'agenouiller devant lui.

— Pitié, Votre Majesté. Pitié, pleurnicha-t-elle en se rendant pourtant à sa volonté.

Henri s'en fut récupérer dans un coffre ce flacon d'or que lui avait vendu Aristophane Bec et dont le contenu avait eu raison de ses douleurs les plus enracinées. Il se planta devant la promise de Richard et arracha le bouchon.

— Tire la langue.

Elle secoua la tête, convaincue qu'il voulait l'empoisonner.

— Aargghh ! gronda-t-il, excédé, avant de lui pincer le nez.

Elle voulut se dégager des deux mains. Il la lâcha, la gifla. Elle éclata en sanglots.

— C'est un nectar, sotte ! Vois.

Il en fit tomber une goutte dans sa propre bouche. Puis, regagné de douceur, caressa la joue de la damoiselle avant de la lui relever.

— Je ne vous veux aucun mal, Adélaïde. Laissez-moi vous en convaincre. Trois gouttes seulement.

Comprenant que rien ne plierait le désir du roi, elle ferma les yeux comme on se livre au bourreau et laissa le liquide couler dans sa gorge.

Dans les minutes qui suivirent, Henri obtenait d'elle, et sans la contraindre, tout ce dont il avait rêvé, assuré qu'au lendemain elle ne s'en souviendrait plus. Ensuite de quoi, convaincu que personne ne viendrait à bout de la garde qu'il avait encore renforcée, il s'en fut, lui aussi, rejoindre son armée, sans se douter que les ombres, elles, peuvent, partout, s'infiltrer.

67.

Changer d'apparence n'avait pas été difficile. Il suffisait d'utiliser du brou de noix pour foncer une chevelure, faire apparaître des taches de vieillesse sur la peau du visage et des mains, tracer quelques rides. De la mie de pain permettait d'arrondir les joues par l'intérieur de la bouche, une frottée d'ortie de faire gonfler les paupières et les lèvres. Quant à l'allure, se voûter ou se déhancher était le lot de tous les vendeurs de miracles qui mendiaient au coin des rues de Paris. Jaufré, lui, s'était seulement rasé puis coulé dans une bure de moine, le capuchon rabattu sur les yeux, quand j'avais adopté l'habit d'une servante, les seins alourdis par des chiffes. Ensuite de quoi, pour éviter les contrôles réguliers aux portes du château, nous étions passés en nous mêlant moi à un convoi de marchands, lui d'abbés, trois des hommes de Richard, vêtus de hardes, ayant eu soin de faire diversion en se disputant pour la putain qui les accompagnait.

Le seul sans doute qui eût pu me reconnaître sous ce déguisement aurait été Henri, mais il avait déserté la place, avions-nous appris à notre arrivée à Chinon. C'est donc en toute sérénité que Jaufré et moi déambulâmes dans les couloirs du palais, lui prêt à contrefaire sa voix dans les graves, moi dans les aigus, tous deux non loin l'un de l'autre pour nous protéger mutuellement en cas de besoin, cherchant le plus discrètement possible à glaner les informations qui nous intéressaient. J'appris ainsi qu'Aliénor était maintenue dans le donjon, qu'elle n'en sortait qu'aux heures des offices pour se rendre à la chapelle contiguë, et une fois par jour pour s'aérer, sous solide garde, le long de la coursive. Le reste du temps, elle recevait la visite des autres captives, Adélaïde et Eloïn le plus souvent, de la dame d'atour qu'Henri lui avait choisie et des servantes qui lui montaient ses repas. Jaufré découvrit sans peine que notre fille participait aux activités des gens de cour, même si s'occuper de son fils et tenir compagnie à la reine occupait la plupart de ses journées. Depuis que le printemps s'était installé, elle avait obtenu de ne plus partager la couche de ses compagnes, préférant, son fils grandissant, dormir à ses côtés. Henri, visiblement, l'y avait autorisée.

Profitant du va-et-vient constant et discret des ombres du palais, Jaufré et moi nous glissâmes dans cette chambre qu'elle occupait, puis, grignotant en silence les pommes que nous avions chapardées dans un compotier, nous attendîmes son retour, le cœur bondissant chaque fois que dans le couloir quelqu'un approchait.

Son fils dans les bras, elle entra dans la pièce, précédée par un porteur de lanterne. Prudents, nous nous étions rabattus derrière les lourdes tentures qui permettaient de calfeutrer les fenêtres pour se protéger du froid. Épaisses et tombant jusqu'au sol, elles nous masquèrent jusqu'à ce que l'homme se fût retiré. La surprise qui se peignit sur les traits de notre fille lorsqu'elle se redressa après avoir couché son fils dans le grand lit fut à la mesure de l'émotion qui nous étreignait. Craignant qu'elle ne se méprenne sur notre identité dans la trop faible luminosité de la pièce, Jaufré avait découvert son visage. Mais c'était sans compter sur son instinct et cette complicité qui nous liait. Sans un mot, un cri ou une larme alors que tout en elle exprimait sa joie, elle nous tomba dans les bras, nous broyant tour à tour à nous étouffer.

Ensuite seulement, lorsque nous fûmes rassasiés d'étreintes et de baisers, elle eut ce petit rire léger, cette étincelle dans le regard qui m'avaient tant manqué.

— J'étais certaine que vous ne reculeriez devant rien pour me retrouver !

— Te voir, t'entendre, te respirer, mais non point te libérer, hélas.

Elle prit mon visage grimé entre ses paumes. M'embrassa tendrement sur le nez avant de me lâcher.

— Mère… si chère, si tendre mère… ne vous désolez pas. Vous ne m'avez jamais quittée, et je vous l'ai dit, cette nuit où vous vous invitâtes dans ma chambre, jolie brume de soie pour envelopper ma peine, d'ici, nul ne peut fuir.

Elle se reprit à rire.

— Au point que je me demande même comment vous-mêmes en ressortirez.

— Il n'est pas dans notre intention d'en ressortir, Eloïn.

Elle accrocha le regard de son père.

— Êtes-vous sérieux ?

— Et pourquoi non ? renchérit-il, amusé.

Elle secoua la tête.

— Vous ne mesurez pas le danger.

Je m'approchai d'elle, la ramenai dans mes bras.

— Si, Eloïn. Mais c'est notre seule chance de connaître les intentions d'Henri, de prévenir votre éventuel déplacement et, par là, de préparer une embuscade. C'est là notre seule chance de rendre Aliénor à ses fils. Notre seule chance de te rendre à Richard. À ton frère. À notre famille qui d'ailleurs s'agrandit doucement dans le ventre d'Agnès.

Sa légèreté s'envola.

— Alors il vous faut savoir. Tout savoir.

Et elle nous raconta.

Dès le lendemain de leur capture, Henri était venu la trouver pour l'assurer de son affection. Il ne lui en voulait pas d'avoir suivi Richard.

— Vous êtes liés l'un à l'autre depuis le premier instant et plus encore par la naissance de votre fils. Lors, je me refuse à vous compter, ma chère enfant, au nombre de mes ennemis et vous eusse davantage blâmée de vous détourner de lui. Il en est de même de votre frère et je fais serment de lui rendre ses terres et privilèges dès lors que cette guerre sera finie. Pour l'heure, si je gage d'adoucir au mieux votre captivité, vous comprendrez qu'elle me soit nécessaire pour entrevoir une issue heureuse à ce conflit.

— Je le conçois, sire. Puis-je seulement espérer même clémence envers mes parents ?

Le visage d'Henri, accort, s'était aussitôt durci.

— Il est des trahisons dont on ne se relève jamais. Votre mère le sait. Je ne peux vous donner qu'une assurance. Celle de la garder en vie pour qu'elle puisse chaque jour, depuis sa geôle, le regretter.

Le cœur d'Eloïn s'était serré.

— Et pour mon père ?

Elle avait vu les poings d'Henri se refermer. Il n'avait pas répondu, lui avait souhaité le bonsoir puis s'était retiré. Depuis, allaitant toujours son fils, elle désespérait de ces relevailles qui lui interdisaient de voir, d'entendre toutes choses cachées. Vivant de crainte face à cette certitude, si Jaufré était pris, Henri le tuerait.

Face à la voix brisée de sa fille à ce constat, Jaufré, nullement inquiet, l'embrassa au front.

— Le troubadour a plus d'une corde à sa mandore et plus d'un tour dans son sac. Cesse de trembler, Canillette. Henri est occupé à guerroyer et nul ne trouvera à redire des deux valets que nous sommes désormais. Lorsqu'il se fera de nouveau annoncer, je te promets que nous serons à l'abri, mais point assez loin de toi pour que tu ne puisses nous respirer. À présent, si tu nous éclairais cet enfançon que tu as bordé ?

Elle nous mena à lui qui dormait en tétant son pouce, petit ange blond qu'elle blottit contre elle pour nous laisser nous coucher.

Cette nuit-là, la porte bouclée, je dormis dans son parfum qui n'était plus un rêve seulement caressé.

Au lendemain, ayant eu soin d'emporter sous mes jupons un saquet contenant le brou de noix, je reprenais mon allure de servante et me faisais engager au service de la reine. Jaufré, lui, comme bas valet, certain qu'aucun des grands ne s'abaisserait alors à le regarder.

68.

Aliénor était lointaine face à son plateau de jeu lorsque, sous mon allure contrefaite, j'entrai dans la pièce avec son repas. Elle m'accorda un sourire bienveillant avant de s'absorber de nouveau dans la contemplation solitaire de ses pions.

— Je vois que tu es nouvelle, ma bonne. Or donc, ne te sens pas obligée de me plaindre ou de me divertir si tu n'en éprouves pas l'envie. Pose ton plateau et retire-toi.

J'obéis à ce premier ordre, pas au second, le cœur serré de la voir résignée, et cependant soulagée de ne pas la trouver amère, vieillie ou amaigrie. Malgré la simplicité de sa mise, elle était coiffée et fardée comme de coutume. Belle. Toujours. Voyant que je demeurais là, droite et immobile, les mains croisées sur mon tablier de servante, près de la table que j'avais dressée de ce que j'avais apporté, elle consentit de nouveau à relever la tête. Une lueur fugitive passa dans son regard qui détailla mes traits, avant de retomber, comme on s'interdirait un espoir sur un navire en détresse. Elle se cala contre le dossier de son fauteuil, pencha la tête de côté avec grâce.

— Eh bien, puisqu'il semble que mes conseils te laissent froide, me diras-tu de quel nom il me faut t'appeler ?

M'interdisant alors de jouer plus avant, puisque convaincue désormais que, si elle ne me reconnaissait,

Henri lui-même ne le pourrait, je me fendis d'une révérence, telle qu'autrefois, lorsque je lui fus présentée.

— Loanna de Grimwald. Pour vous servir, duchesse.

Un petit cri de surprise et de joie s'étrangla dans sa gorge avant qu'elle ne bondisse pour se planter devant moi et me détailler. Redressée, je mêlai mon rire au sien, discret, tandis qu'elle répétait :

— Toi. Toi. Toi. Est-ce bien toi ?

— Et qui d'autre, ma reine ? Qui d'autre serait assez fou pour préférer le lin au samit et les brimades aux compliments ?

Pour toute réponse, elle éclata en sanglots contre mon bliaud taché.

Il me fallut de longues minutes à la bercer avant qu'elle ne se calme, bouleversée autant qu'elle de sa joie, de sa détresse, de son espoir et de ses illusions perdues. Elle s'accrochait à moi comme un esquif à un rocher, craignant quelque rêve que le réveil viendrait lui enlever et tout à la fois m'arrachant la certitude qu'elle était bien éveillée.

— Là. Là, ma douce, ma duchesse, ma reine. Je suis là.

— Tu es là. Oui. Tu es là.

Elle finit par s'en convaincre, assez pour s'écarter de moi, les yeux brûlants, pour sourire, puis rire, puis m'étreindre de nouveau, puis sourire et rire encore. Avec moi. Contre moi. De moi. Enfin.

— Seigneur Jésus que tu es laide ainsi...

— Au moins Henri ne posera pas les yeux sur moi.

— Il est loin.

— Mais il reviendra.

— Tu seras loin. Avec moi.

— Sans vous.

Son visage se ferma.

— N'es-tu point venue me délivrer ?

Je secouai la tête, le cœur en deux.

— Juste m'assurer de votre sort, de celui des autres damoiselles. Vous le savez comme moi, Chinon vous garde trop bien pour que vous vous en évadiez. Je ne peux pas même m'attarder longtemps auprès de vous sans attirer plus de soupçons qu'il ne faudrait.

De nouveau cette tristesse dans son regard.

— Alors quoi, Loanna?

— Alors rien, Aliénor. Vous me verrez aux heures des repas et devrez vous en contenter. Jusqu'à ce qu'Henri ait la bonne idée de vous faire quitter la place.

Elle hocha la tête, regagnée à ma pensée.

— Je vois. Une embuscade.

— Soigneusement préparée. Je suis là pour cela. Avec Jaufré.

— Deux fous. Vous êtes deux fous.

— Mais rien l'un sans l'autre, vous le savez.

Je la pris aux épaules.

— Prenez patience. Vous n'êtes plus seule désormais.

Elle effleura mes lèvres des siennes.

— L'ai-je jamais été, Loanna de Grimwald?

— Et vous ne le serez jamais.

Je quittai la pièce sur cette promesse. On ne me fit aucun reproche, ne me demanda rien sinon d'aller desservir une heure plus tard et de nettoyer soigneusement la place. Pendant que je m'y appliquais, abîmant mes mains comme j'avais déjà commencé à le faire avant d'entrer au château pour qu'on ne s'étonne point de les voir si soignées, elle me demanda des nouvelles de ses fils, de leurs alliés, y compris du roi de France.

Nous devisâmes ainsi à chacun de mes services, elle me racontant les débordements d'Henri, la duplicité savoureuse de Raymond de Toulouse, moi la nourrissant des uns et des autres. Lorsque je la quittais, elle reprenait son masque de résignation pour aller aux offices religieux. Elle le conservait lorsque Adélaïde venait la visiter. Car je le lui avais bien recommandé. Ne rien dire. À personne. Pas même aux filles de France. Notre sécurité à Jaufré et à moi était à ce prix. Sa liberté aussi. Non que je doutasse un seul instant de leur affection ou de leur fidélité, mais la joie est difficile à cacher. Si Eloïn et Aliénor en étaient capables, j'ignorais s'il en serait de même pour les autres, et dès lors nous serions en danger.

Le temps passa ainsi, la journée avec Aliénor, la nuit auprès de ma fille, de mon petit-fils et de mon époux, renouant entre nous cinq les liens qu'Henri avait voulu briser, si bien que, lorsqu'il s'annonça, fin juin, fatigué d'autant de victoires que de défaites, nous étions si fortement imprégnés de nos personnages, Jaufré et moi, si intimement mêlés à la vie du château, que nous ne pûmes nous résoudre à gagner les souterrains et à nous y cacher.

Il ne nous remarqua pas. Mais moi je remarquai. La lueur dans ses yeux, différente d'avant. Tantôt sauvage, tantôt d'absence. Tantôt reflétant le calme, tantôt la vengeance. Henri n'était plus le même. Plus le même qu'à l'heure de son couronnement, je le savais déjà. Mais différent encore de cette dernière fois où je l'avais croisé. Je mis plus de une semaine avant de découvrir ce qui avait pu ainsi le changer. Lorsque je me rendis compte qu'Adélaïde de France ne se souvenait pas d'avoir passé la nuit dans la chambre du roi, d'avoir subi ses assauts. Et mon cœur fut plus douloureux encore de comprendre que cette dépendance à la liqueur d'opium dans laquelle il était probablement tombé et dans laquelle il avait entraîné la promise de Richard ne le quitterait plus jamais.

Au 1er juillet, notre vigilance fut enfin récompensée. Eloïn nous apprit que le roi avait décidé de les prendre avec lui en Angleterre. N'ayant pu, sur le terrain, rompre ses fils, il entendait appliquer ce qu'il avait promis. Un renforcement des conditions de détention de ses prisonnières. S'il refusa de leur en révéler l'endroit, je ne doutais pas un seul instant de celui auquel il songeait.

Le 2, sans rien en dire à ma reine qui s'en serait déprimée, je la pressai sur mon cœur.

— Bientôt. Bientôt nous serons l'une à l'autre, Aliénor, et l'Angleterre nous sera regagnée.

Elle me sourit. De ce sourire que j'aimais tant dans lequel sa vaillance pétillait.

— Va, Loanna de Grimwald. Vole comme ces aigles, mes aigles des Pyrénées. Vole et ne te retourne pas.

Je la quittai. Aussi difficiles furent les adieux avec notre fille. Elle eut les mêmes mots que la reine pour nous encourager au départ. Comme nous étions venus, nous quittâmes la place. C'était bien connu. Je l'avais moi-même appliqué. Va-et-vient de petites gens n'attire pas l'œil des puissants.

69.

C'était au tout début du mariage d'Henri et Aliénor, quelques semaines après leur couronnement, en ces heures d'insouciance qui les nouaient l'un à l'autre dans l'idée d'un empire à créer. En ces heures où Henri me tenait encore à ses côtés, accordant à la magie la place qu'elle avait toujours occupée auprès des rois d'Angleterre. Aliénor n'en connaissait que ma lignée. Alors Henri avait décidé de lui en montrer les vestiges, ceux encore piqués au sol de l'ancienne Grande-Bretagne. Nous avions fait le tour de l'île, nous arrêtant près des menhirs, des dolmens, des cromlechs. Aliénor s'était amusée des historiettes qui couraient sur les farfadets, les lutins, les gnomes, sur les elfes et les fées tandis que, derrière Henri, je faisais la part du vrai et du légendaire. Telle pierre appelait le culte de la lune, telles autres servaient de calendrier, là d'autel sacrificiel en une période troublée où, rejetant les préceptes des Anciens, les druides et les prêtresses s'étaient imaginé plaire aux dieux en leur offrant la vie de pucelles. Je lui avais raconté comment Merlin, sage parmi les anciens sages et depuis longtemps devenu énergie pure, s'était matérialisé dans cette lumière bleutée si particulière, frappant le sol de son bâton, immense dans un ciel ramassé soudain de nuages blancs. Comment sa colère, cette colère qui avait décidé la naissance de la lignée dont j'étais la dernière descendante, avait rappelé aux Celtes les préceptes de la magie blanche, le respect de toute forme de vie, la nécessité pour l'homme de faire corps avec la nature, d'en accueillir les bienfaits, de les sanctifier par l'amour et d'ainsi émettre cette vibration nécessaire à l'équilibre de l'univers, nécessaire à la paix et à l'harmonie. Cette vibration qui les avait autrefois éloignés d'Avalon, le refuge, le temple de la lumière.

Aliénor l'avait entendue comme autrefois Henri, dans ces jeunes années où l'idée de ne pas être à la hauteur de sa tâche rejoignait la crainte que j'avais de ne pas être capable de mener la mienne. Avec humilité et respect pour ces choses prétendument cachées et dont pourtant chaque grain de poussière, chaque caresse du vent, chaque chant d'oiseau se parait. Une fois admise cette évidence que tout se transforme, que rien ne se crée et que toute vie sert à une autre, l'essentiel était dit. La légende pouvait circuler. Nous étions au tout début aussi de l'engouement pour l'*Historia regum Britanniae* de Monmouth, pour sa *Vita Merlini* dans laquelle les prophéties de Merlin s'étaient exprimées, ces prophéties obscures dont, par mon savoir reçu à Brocéliande, j'avais reçu quelques clefs. L'une d'elles prenait tout son sens ce jourd'hui : « *L'aigle de l'alliance brisée se réjouira en sa troisième nichée. De Richard renaîtra l'espoir oublié.* » Richard. Combien de fois, enfançon, réuni en cercle avec ses frères autour de sa mère, de moi et de mes propres enfants, avait-il tendu l'oreille tandis qu'Aliénor racontait cette escapade dans les Hauts Lieux d'Angleterre... D'autres, reconnus depuis par leurs écrits, s'en étaient bercés pour exaucer les vœux de la reine et du roi. Donner souffle et vie à la rigueur historique de Monmouth. C'était ainsi qu'étaient nés le *Roman de Brut* de Wace, *Le Chevalier à la charrette* et tant d'autres romans qui, célébrant la somptuosité de la cour arthurienne, la sagesse de Merlin, la hardiesse des épopées conquérantes visant à pacifier et à réunir les peuples autour de l'idéal de la chevalerie, avaient permis aux Plantagenêts d'étendre leur influence, de laisser croire, de me laisser croire que les erreurs passées étaient à jamais écartées.

En ce temps-là, oui, Aliénor riait, m'entraînait autour des pierres levées, Henri me regardait danser autour d'elles avec ma reine au son de la mandore de Jaufré. C'est ainsi que nous nous étions retrouvés près de la petite paroisse d'Amesbury à déambuler au cœur de l'imposante structure de granit. C'est ainsi que, le quittant, nous étions arrivés à ce que Monmouth avait joliment appelé la « danse des géants[1] ». Jamais cercle magique n'avait été si grand, si puissant. Ce n'était pas seulement la hauteur des blocs de granit, la largeur des plateaux qui les surmontaient, ni les enceintes successives, ces cromlechs qui encerclaient les dolmens. Ce n'était pas non plus la pierre plate qui, au centre du cercle, accueillait le premier rayon du soleil. C'était tout. Cet ensemble majestueux défiant la capacité des hommes à hisser seuls ces monolithes, l'intensité du rayonnement des pierres, l'omniprésence de Merlin. À ce moment-là, je lui avais pourtant fermé ma porte, croyant avoir à jamais perdu la capacité de le capter encore, de recevoir son enseignement ou ses conseils. J'avais choisi, à Brocéliande, de ne plus être qu'une femme dans les bras de Jaufré. Une simple femme privée de pouvoirs alors que dans le même temps mon époux promettait de servir les préceptes de vie des Anciens. Au cœur du cercle j'avais senti. Je n'avais pas perçu. Il m'avait fallu attendre les événements tragiques de Tintagel, la perte de Caledfuwlch dans les eaux sombres, le foudroiement d'Henri pour que de nouveau je redevienne moi-même. Pour que Merlin m'apparaisse. Pour que je me souvienne d'avoir eu conscience de sa présence là où autrefois des géants dansaient. Je n'y étais pas retournée. À cause d'Aliénor. Elle s'était soudain sentie petite dans cet espace, frissonnante dans cette cathédrale de granit.

— Je sens la mort autour de moi, avait-elle murmuré soudain, blanche, en se frottant les épaules, quand, quelques minutes plus tôt, elle chantait avec moi.

— Vous ne vous trompez pas, ma reine, ce lieu est le cœur d'une importante nécropole. Voyez-vous cette butte ?

1. *Stonehenge.*

J'avais tendu mon doigt vers une colline surmontée d'un castel, distante de deux lieues et demie de l'endroit où nous nous trouvions et qui dominait la plaine.

— C'est un tumulus. Le plus haut de la contrée.

Henri s'était mis à rire, de ce rire tonitruant si particulier.

— Cessez donc de l'effrayer, Loanna de Grimwald, car c'est dans ce château-là que nous allons passer la nuit.

Old Sarum. Il s'appelait Old Sarum et avait été bâti par Henri Beauclerc, le père de l'emperesse Mathilde, le grand-père d'Henri.

Le visage d'Aliénor n'avait cessé de se décomposer malgré tous mes efforts au fur et à mesure que nous approchions de cette forteresse.

— Mais enfin, ma mie, que lui reprochez-vous? s'était amusé Henri.

— Je ne sais, mon époux. Je ne sais. Il n'est pas plus austère que tant d'autres où nous avons séjourné, et ce n'est pas le premier qui siège sur des catacombes. Les ossements ne m'ont jamais effrayée.

Je me souviens d'avoir senti un froid glacial m'envahir alors face à son regard de petite fille égarée, face à cette tour rectangulaire, proche du logis et d'une toute petite chapelle. Cette tour de granit percée de meurtrières.

— Je n'aime pas cet endroit, Loanna. Non, je ne l'aime pas.

Nous y étions pourtant restés. Aliénor n'avait pas réussi à fermer l'œil de la nuit. Moi non plus, mais pour d'autres raisons. J'avais l'impression que le cercle de pierres avait un message à me transmettre, sans parvenir à le décrypter. Au lendemain, avant notre départ, Henri avait contraint Aliénor à braver sa peur.

— Elle ne vous ressemble pas, ma mie. Elle est sans objet.

Ma reine le lui avait accordé et, derrière lui, me laissant à son pied, avait emprunté l'escalier en colimaçon de la tour. Elle en était redescendue en courant moins de une minute plus tard, avait enfourché son cheval et quitté l'enceinte du castel au grand galop sans que je puisse seulement savoir, ni ce jour-là ni plus tard, ce qui l'avait tant alarmée. Mais elle avait transmis son malaise à ses fils, provoquant chaque fois le rire d'Henri.

Oui. S'il était un endroit en Angleterre où le roi voudrait enfermer sa captive, Richard, Henri le Jeune et Geoffroy de Bretagne furent d'accord avec moi, c'était à Old Sarum qu'il le ferait.

Lors, devançant Henri dans ses projets, grimés pour n'être point reconnus durant la traversée, nous franchîmes la Manche pour nous constituer une armée. Une armée que Richard et mon Geoffroy mèneraient.

70.

Les vagues cinglaient la jetée de Barfleur tandis qu'au loin l'horizon se couvrait d'un noir d'encre. Dans la chaleur moite de ce 8 juillet de l'an 1174, debout sur le pont du premier navire de sa flotte ancré à quelques encablures du port, les mains solidement accrochées au bastingage qui tanguait, Henri leva le visage vers ce timide rai de lumière qui, au-dessus de lui et entre deux nuages, tentait de s'imposer. L'opinion de tous était faite. L'orage serait violent, la mer démontée. Ce serait folie que d'appareiller. Mais n'avait-il bravé semblable tempête quelque vingt années plus tôt pour s'imposer roi d'Angleterre ?

— Sire ?

Il se tourna vers le capitaine qui attendait ses ordres. L'homme était d'un grand courage et d'une navigation sûre. Henri chassa le doute en son cœur.

— Faites donner la voile.

Il sentit une réticence, la tua d'un regard appuyé. Le capitaine s'éloigna. Henri le suivit un instant des yeux, le cœur empli de cette amertume qui ne le quittait plus. Il était las. Las de lutter contre ses fils, las de voir son royaume ravagé, las de la haine qu'il portait en lui. Malgré ses succès remportés. S'il n'y avait eu cette liqueur d'opium pour soulager ses maux, pour faire s'alanguir dans sa couche la jeune Adélaïde… peut-être aurait-il fini par se rendre à la volonté de tous, même du pape qui recommençait à le sermonner. Non. Il secoua la tête dans ce vent d'orage. Non. Jamais il n'aurait cédé. Jamais il ne céderait. Il finirait par vaincre. Un sourire mauvais étira son visage. Il finirait par voir plier devant lui, comme Adélaïde le faisait, la petite sorcière de Becket, Loanna de Grimwald. Là seulement il serait en paix. Là seulement il serait vengé. Et cette heure était proche, tout en lui le pressentait. Elle n'accepterait pas le sort qu'il réservait à sa fille. À la reine. Elle se rendrait. Elle se rendrait pour qu'elles soient épargnées.

Dans le ventre du navire, Eloïn, Constance de Bretagne, Adélaïde, Marguerite et Aliénor s'étaient peu à peu accoutumées à l'obscurité dans laquelle, pour éviter tout risque d'incendie par le chavirement d'une lampe, on les avait enfermées. Le petit Philippe, qui avait forci, s'agitait dans ses linges. Il riait des assauts répétés de la mer contre la coque, amenant un peu de légèreté dans la pièce. En entendant les ordres du roi se répercuter dans le navire jusqu'à traverser la cloison de bois qui les isolait du reste de l'équipage, toutes cinq sentirent un frisson leur glacer l'échine. Elles quittaient le continent. Le reverraient-elles jamais si l'on en jugeait par la tempête qui s'annonçait? Chacune d'elles, repliée sur elle-même, s'accrochait aux babillages de l'enfançon pour se rassurer. Depuis six mois qu'elles étaient captives, elles avaient dû se forger à la patience. Chacune d'elles puisant dans le quotidien des raisons de croire que ce cauchemar serait bientôt terminé. Pour Adélaïde, le plus pénible était le lever. Dans ce sentiment d'épuisement qui la maintenait de longues minutes sur l'oreiller, entre celui de vouloir à tout prix s'en arracher et la sensation d'avoir cauchemardé toute la nuit. Au point que son corps lui-même était melu sans qu'elle puisse se l'expliquer. Au point que parfois elle devenait fébrile, migraineuse, et inquiète de la présence du roi à ses côtés, comme si une part d'elle avait craint qu'il ne l'approche de trop près. Pour autant, elle ne se souvenait pas d'avoir quoi que ce fût à lui reprocher. D'une humeur bonasse, Constance de Bretagne s'accordait de tout, Marguerite de France, la jeune épouse d'Henri le Jeune, était, à l'inverse, bouillonnante de colère intérieure contre son beau-père. Elle en possédait les meilleures raisons. Ne l'avait-il bafouée déjà en l'évinçant du premier sacre de son époux, et du trône lui-même depuis qu'il s'entêtait à cette guerre, même si, depuis qu'elle était sa captive, il lui manifestait le plus grand respect ? Eloïn, quant à elle, ne songeait qu'à ses parents, à son frère, à Agnès et à l'enfant qu'elle portait. Regagnée d'espoir, comme Aliénor, à l'idée d'étreindre bientôt ceux qui lui manquaient.

À peine sorties du port, les nefs de la flotte d'Henri plongèrent dans des creux déments, soulevant le cœur des cinq femmes, provoquant le hurlement de Philippe. Elles étaient livides, brinquebalées, projetées en l'air puis rabattues sans ménagement sur la banquette rembourrée. Comme les coffres, la table, les chaises qui meublaient la pièce, leur siège était solidement cloué au plancher, de sorte qu'elles s'y retenaient des deux mains, Eloïn ayant attaché son fils autour de sa taille dans une large bande de toile. Il suivait ses mouvements, mais n'était pas épargné. Si Marguerite laissait échapper de petits cris chaque fois que la proue plongeait de l'avant dans une descente vertigineuse, Constance, Adélaïde, Aliénor et Eloïn se taisaient, cherchant par leur calme à apaiser l'enfant.

Des heures durant elles retinrent leur souffle, puis le hurlement d'une corne de brume déchira le tumulte. Contre toute attente, la flotte d'Henri était parvenue sans pertes, sinon sans dégâts, à Southampton. Elles étaient sauvées.

Tandis qu'on ancrait les navires, Henri s'invita, précédé de la lueur d'une lampe à huile, auprès de ses prisonnières. Il ôta son chapel, s'inclina devant elles et leur annonça qu'après un bref séjour à Westminster elles seraient emprisonnées dans la tour d'Old Sarum.

Eloïn sourcilla.

— N'est-ce point, sire, ce vieux château qui domine le gigantesque cercle de pierres levées appelé « la danse des géants » et dont ma mère et la reine nous ont si souvent parlé ?

— En effet, mon enfant. Vous y resterez jusqu'à ce que mes fils se soient rendus à la raison, annonça Henri en cherchant le visage d'Aliénor dans la pénombre.

Il ne le trouva pas.

Si Eloïn se rassérénait de cette nouvelle qui confirmait l'intuition de sa mère, Aliénor sentit, malgré l'espoir qu'elle ne l'atteindrait jamais, un froid glacial la pénétrer au souvenir de ce donjon carré, aux fenêtres étroites, battu par les vents, que la brume avalait souvent et que seules les corneilles visitaient. Elle n'avait jamais oublié l'effet qu'il avait produit sur elle. Tandis qu'ils en montaient l'escalier, Henri lui avait appris qu'on y enfermait les prisonniers de haut rang pour les exhorter au repentir ou aux aveux. Car, avait-il ri alors, aux beaux jours, ils y peuvent contempler la campagne environnante derrière les barreaux, y voir s'ébattre moutons, bergers et oiseaux. Parfois même respirer la promesse de ce printemps impossible à caresser quand le vent, couchant tiges de fleurs des champs, portait jusqu'au couple royal la senteur qu'il leur arrachait. L'été la chaleur y était étouffante ; l'hiver, malgré les feux dans les cheminées, les vieilles pierres demeuraient glacées. Pourtant les captifs ne pouvaient se plaindre. Bien que d'une rigueur de caveau, l'espace avait été aménagé de fauteuils rembourrés, de matelas neufs, de couvertures épaisses. On y était élégamment traité et on y bénéficiait de la protection des anciens dieux. Aliénor était entrée, malgré sa terreur et dans l'espoir de la vaincre, dans la chambre du dernier étage du donjon, vide d'occupant. Elle se souvenait encore qu'Henri l'avait entraînée vers le lit aux rideaux relevés, voulant rompre son malaise d'une étreinte. Elle n'avait su que s'en dégager, assurant qu'elle éprouvait le sentiment d'être observée par des fantômes. Henri avait ri, lui avait objecté que nul n'était défunt ici. Tout au contraire, il percevait, grâce aux vibrations bienfaitrices du cercle de pierres, un peu de ce qui faisait battre le cœur de Loanna. Ne pouvait-elle, comme lui, s'y laisser prendre, s'en laisser bercer ? Au mieux, elle pouvait toujours se placer devant la fenêtre pour regarder les pierres levées d'un œil nouveau tandis qu'il la bélinerait.

— Non, décidément non. Je ne peux. Quoi que vous en disiez, je ne perçois ici que la souffrance des prisonniers, capturée par le temps dans ces pierres noires. C'est leur détresse et leur détresse seule que ce haut lieu a conservée, lui avait-elle répondu en s'enfuyant.

Il s'était précipité derrière elle dans l'escalier.

— Allons ma reine, que vous importent-elles puisque jamais vous n'y demeurerez ?...

Elle avait continué à dévaler les marches.

— Point, messire. Je n'y veux point retourner.

Au sourire cruel qu'il lui adressa lorsqu'elle releva la tête, avant qu'il ne s'efface du passage pour les laisser sortir sous la pluie drue qui continuait de tomber, elle se mit, plus encore qu'Eloïn, à espérer que Loanna les y avait devancées.

71.

Bien que rien ne le laissât deviner pendant tout le trajet qui les mena de Southampton à Westminster, un incident avait malmené le cœur d'Henri durant cette traversée. Ce n'étaient pas les deux marins arrachés au pont par une vague ni le déchirement de la voile à quelques encablures de la jetée. Pas davantage la peur de périr noyé. Il avait fait de la camarde et depuis longtemps une amie familière. Vouer la reine à ses pires cauchemars ne lui avait pas, non plus, soutiré de regrets. Son trouble portait un nom : Thomas Becket. Au plus fort de la tempête, il avait entendu gronder la voix du défunt.

— Tu oses braver les cieux, Henri Plantagenêt? revenir en Angleterre? Mais qu'as-tu fait pour elle, toi qui as souhaité ma mort, toi qui t'en es servi pour récuser ta vérité? En quoi es-tu digne encore de régner?

Henri était sorti sur le pont, effaré de reconnaître ce timbre familier tombé du néant. Là, il l'avait aperçu, visage esquissé dans la tourmente, les yeux rougis d'éclairs de colère. Dans cette lutte pour maintenir le navire à flot, personne n'avait vu le roi tomber à genoux sous les trombes d'eau, s'accrocher d'une main à un rouleau de cordage pour ne pas être emporté par ces lames qui le fouettaient. Personne ne l'avait vu demander pardon. Lorsqu'il s'était relevé, Becket avait disparu. Henri était rentré à couvert.

Tout en se changeant, il s'était moqué de lui-même, incriminant la liqueur d'opium qu'il avait avalée avant le départ et dont les effets provoquaient parfois des apparitions irréelles. Il les avait chassées au débarquement, dans ce sentiment de victoire à voir la reine se décomposer en apprenant sa future destination.

Au soir venu, après avoir assuré les dames de France qu'il avait changé d'idée à leur sujet et qu'il les maintiendrait à Westminster, il avait oublié que Thomas Becket avait grondé. Toute la nuit pourtant, il dut subir d'impitoyables sermons dans ses cauchemars. Au matin, la douleur dans sa hanche fut si violente qu'il lui fut impossible de bouger. Même la liqueur d'opium ne put l'apaiser. Lors, il finit par admettre la vérité. S'il voulait la victoire, s'il voulait regagner son royaume, il devait se repentir. Non comme il l'avait fait jusqu'à présent. Avec le cœur. Du fond de l'âme. Et sur la tombe de Becket où il s'était interdit d'aller.

Repoussant donc son intention d'interner Aliénor à Old Sarum, nu-pieds, ses habits troqués contre une coule de serge encordée à la taille, le pas douloureux soulagé par un bâton de marche, il s'en fut en pèlerinage à Cantorbéry. Toute la nuit qui suivit son arrivée, il pria sur le gisant de Becket. Au lendemain, soulagé de douleur malgré l'inconfort de sa posture, il s'agenouilla devant l'autel de saint Jean Baptiste. Dans cette petite chapelle qui avait vu la curée contre l'ancien primat d'Angleterre, il fit sien chaque mot de la messe. Jusqu'à fondre en larmes, jusqu'à ressentir dans sa propre chair la souffrance du défunt. Alors seulement il réclama qu'on le flagelle, que son sang recouvre celui qu'il avait fait verser. Ensuite de quoi, étendu à l'endroit même où Becket s'était éteint, à bout de forces, de haine, il baisa le sol vermillon et jura de redevenir pour l'Angleterre le roi qu'elle avait espéré si ce droit lui était gardé.

Il dut rester deux jours alité avant de pouvoir, à pied, reprendre sa route. Pour autant, sa repentance ne lui semblait pas complète. Dans la douleur de ses plaies à vif, il s'arrêta à la léproserie de Harbledown et la nantit d'une rente à vie de vingt marcs en mémoire de Becket. Là, enfin, il admit de chevaucher jusqu'à Londres, bien décidé cette fois à appliquer la sentence qu'il réservait à la reine, certain que dès lors ses fils plieraient.

Il venait de donner l'ordre de son transfert lorsqu'un de ses chevaliers vint s'agenouiller devant lui.

— Sire, le roi d'Écosse est prisonnier. Raoul de Granville qui le guerroyait s'en est emparé.

— Rraahhh ! grogna Henri en levant un poing de victoire.

Avec cette prise, c'était le plus puissant des alliés de son aîné qui tombait.

— Quels sont vos ordres ?

— Enfoncer le clou, mon ami. Qu'on selle mon destrier. Je veux qu'avant la fin du mois l'Angleterre, toute l'Angleterre soit regagnée.

— Et pour la reine ?

Il fut tenté un instant de la laisser partir sous la conduite d'un de ses hommes, mais il refusa de se priver du plaisir de la voir brisée par la frayeur.

— Nul autre que moi ne l'emmurera à Old Sarum. Non. Nul autre que moi. Elle attend déjà son heure dans la Tour de Londres. Elle peut y demeurer jusqu'à mon retour. Allons. Allons guerroyer !

Persuadé que le pardon de Becket venait de lui rendre toute légitimité, Henri déboucha un nouveau flacon de liqueur d'opium qu'Aristophane Bec lui faisait désormais venir d'Orient à prix d'or, en avala de quoi étouffer sa fatigue et la souffrance du fouet, puis rejoignit son armée.

Fin août, Hugues Bigot, qui tenait le centre de l'Angleterre, pliait à son tour, vaincu par sa furie et sa ténacité. Milieu septembre, Henri jubilait. L'île était retombée sous son autorité.

Elle ne fut pas la seule, hélas.

Affaibli par la rigueur de l'hiver, un printemps exécrable et un été brûlant qui amena disette et malemort dans tout le royaume, le peuple était à bout, ses seigneurs ruinés, les places fortes ébranlées, les paroisses et les fermes pillées. Les uns après les autres les chevaliers courbèrent l'échine, privés de moyens, privés de soldats, privés de nourriture. Les hommes d'Henri se montrèrent impitoyables à qui résistait, généreux envers qui se rendait. Lors, vaincus en cette heure où, basés dans la nécropole des « géants », nous attendions le bon vouloir d'Henri, avertis par nos espions qu'il sursoyait à notre transfert, le Poitou et la Bretagne se rendirent au Plantagenêt.

72.

Le retard d'Henri à déplacer la reine à Old Sarum n'était pas seul en cause dans le désistement des mercenaires que nous avions engagés pour l'en délivrer. Vivre sous terre, au milieu d'ossements vieux de plusieurs siècles non plus. Les routiers ne craignaient pas les morts, ils en laissaient bien trop dans les fossés après leur passage. La restriction de la nourriture ne leur fit pas davantage peur. Le seul argument qui les fit peu à peu reprendre leur paquetage et disparaître fut le manque de solde. Nous leur avions promis une belle somme si l'on considérait que l'action serait prompte et courte dans le temps. Pour les garder dans l'immobilisme nous l'augmentâmes, leur affirmant que les alliés d'Henri le Jeune se portaient garants des sommes à débourser. Nous en apportâmes même la preuve. Jusqu'à ce que les uns après les autres nos payeurs fussent faits prisonniers. Jusqu'à ce que Richard, rappelé en renfort sur ses terres, fût contraint de nous laisser.

À l'heure où Henri se mettait en branle pour enfin se rendre à Old Sarum, des cent cinquante routiers que nous avions recrutés pour être certains d'emporter la victoire, ne restaient plus qu'une quinzaine d'hommes. Les quinze chevaliers chargés de les encadrer. Ceux-là mêmes pour qui l'or et l'argent comptaient moins qu'une victoire ou la mort du Plantagenêt.

Était-ce suffisant pour vaincre l'escorte de la reine ? suffisant pour délivrer les nôtres sans risquer de blesser l'enfant qui les accompagnait ? Geoffroy, Jaufré et moi en doutions, mais nous savions qu'aucune autre occasion ne nous serait offerte. Nous savions aussi que, l'hiver approchant, petit Philippe ne résisterait pas dans la froidure de ces vieilles pierres. Quant à Aliénor, il me suffisait de me souvenir de sa terreur pour deviner qu'elle deviendrait folle si cet endroit se refermait sur elle, si elle perdait tout espoir d'en ressortir jamais. Cette guerre qui s'épuisait, notre guerre avait besoin de sa libération pour tenir tête encore à Henri. Pour l'emporter malgré le désistement des derniers de nos alliés. Louis de France lui-même, privé du soutien des plus grands feudataires de son royaume, était sur le point de nous lâcher. Contre son gré. Son trésor était à sec, et faute de combattants... Face à tous ces arguments, nous ne pouvions reculer. Quitte à mourir là, sur cette lande désertique, quitte à rejoindre les inconnus de cette nécropole. Sous le regard des dieux et des géants. Sous le regard de Merlin.

— Il ne le permettra pas, m'affirma Jaufré en coulant ses bras autour de ma taille pour m'attirer de dos contre son ventre.

Old Sarum n'était pas habité. Qui y venait apportait tout le nécessaire pour y demeurer le temps qu'il le souhaitait. Valetaille comme denrées. Dès qu'on nous prévint de l'avancée d'Henri, nous plaçâmes une sentinelle au sommet de la tour, chargée de nous faire signe à la vue de son équipage. Elle venait de s'agiter. Telles des ombres, nous avions jailli de nos caches pour prendre position dans le cercle de pierres, invisibles derrière les dolmens. Le chemin creux qui montait au castel le longeait.

Je me pressai davantage contre mon époux. Mon cœur battait aussi méchamment que le sien. Parce que je savais. Je savais qu'il n'en chercherait qu'un seul au mitan des soixante cavaliers qui approchaient, encadrant la litière de ces dames. Un seul que je voulais voir au bout de sa lame, au bout de la mienne. Conscients toutefois qu'avec sa pratique du combat nous avions peu de chances, Jaufré et moi, d'en réchapper. Notre seul espoir de délivrer Aliénor et Eloïn tenait dans notre fils. Malgré la crainte que j'éprouvais de le voir tomber le premier, il dardait sur nous, par intermittence, un œil chargé d'amour et de confiance. À lui seul, m'avait affirmé Richard, il valait quatre guerriers.

Lorsque l'avant-garde d'Henri s'engagea dans la courbe du chemin qui voisinait les pierres d'enceinte du cercle, les nuages se ramassèrent au-dessus de nous. Le vent, jusque-là discret, forcit. Le granit se mit à dégager une vibration anormale.

— Que te disais-je? chuchota Jaufré contre mon oreille avant d'y déposer un baiser et d'affirmer sa lame à son poing.

J'armai plus solidement encore la mienne, forte de ce constat. Le souffle de Merlin s'était levé.

Nous attendîmes quelques secondes encore, que la voiture aux volets rabattus fût suffisamment engagée dans le virage pour que ses gardes ne puissent lui imposer de retour en arrière. Jaufré murmura encore :

— À toi, pour toi et à jamais.

— À toi, pour toi et à jamais, répétai-je avant de m'arracher à lui.

Lors, succédant à la salve de traits que trois arbalétriers venaient de lancer depuis les pierres plates des cromlechs, dans ce hurlement guerrier que je poussai, nous jaillîmes tous, qui par-devant, qui par le milieu, qui par-derrière, face à ces épées, à ces braquemarts que les survivants de l'escorte d'Henri brandissaient.

Le temps d'arriver sur eux et une seconde salve nous ramenait à trois contre un. Sans plus réfléchir, dépourvue de sentiments ou de crainte, je m'attaquai de toutes mes forces au premier qui me fit face. Jaufré aussi, à mes côtés, tandis que Geoffroy se frayait un passage vers la litière qu'Henri lui-même avait abandonnée. S'il parvenait à s'en saisir, à tuer son conducteur et lui faire quitter la place, alors plus rien, non plus rien ne compterait sinon cette lutte à mort pour laquelle, depuis des mois, nous étions prêts.

— Loanna de Grimwald !

L'appel me vrilla les tympans alors que je venais de surprendre mon adversaire d'une feinte et de lui cisailler la glotte d'un glissement d'épée, repoussée par ses assauts à l'intérieur du cercle. Me découvrir femme l'avait trop assuré de vaincre. C'était le second qui commettait cette erreur, le second qui la payait.

Je me retournai vers Henri alors que la voiture s'ébranlait en direction du castel, entraînée par Geoffroy qui l'avait dégagée. S'il y parvenait, ces dames trouveraient des coursiers rapides prêts à les emmener par la poterne qui s'ouvrait à l'est. Celles qui s'en effraieraient pourraient attendre à l'abri l'issue de la bataille. Quelle qu'elle fût.

Je n'eus pas le temps de répondre à la sommation gourmande de mon roi que Jaufré s'interposait, son épée ensanglantée au bout de son poignet gainé de cuir.

— Après moi, Votre Majesté ! Nous avons un vieux compte à régler.

Henri ricana, aussi sûr de lui que mes assaillants l'avaient été.

— Rien ne pourrait me plaire davantage, troubadour. Il est grand temps que je te reprenne ce que tu m'as volé.

Un des chevaliers d'Henri se précipitant vers moi, je n'eus d'autre choix que de laisser les deux hommes à leur combat, consciente cette fois que j'aurais du mal à l'emporter tant la vaillance du seigneur de Rauzan était louée. Je me campai plus solidement sur mes cuisses, renforçai la tenaille autour du pommeau. Il m'apostropha. Sans haine.

— Tombez la garde, dame Loanna. La plupart de vos hommes sont à terre…

— Les vôtres aussi, chevalier.

— Je ne veux pas vous blesser.

— Alors vous mourrez.

Il eut un soupir navré puis, comprenant que je ne me rendrais pas, engagea le combat. Laissant mon esprit absorber la puissance du lieu, je regagnais en frappe, le surprenant souvent par ma rapidité, ma fluidité. Il barrait par le haut, j'esquivais, il fendait, j'évitais, il frappait, je contrais. Quand, tournoyant sur moi-même pour reprendre puissance, ma lame ne croisait pas violemment la sienne pour le forcer à reculer, tant j'étais convaincue à son jeu qu'il visait mes poignets pour me désarmer, ou mes jambes pour me faucher. Ainsi qu'il l'avait annoncé, il tenait à m'épargner, ce qui me donnait un avantage certain sur lui. Chacune de mes estocades cherchait à le tuer. Pour autant, je le percevais autour de moi, le nombre de nos alliés s'amenuisait. Jaufré et Henri s'escarmouchaient avec violence, isolés au cœur du cercle de pierres. Et bientôt, malgré ma vaillance, le chevalier de Rauzan fut rejoint par deux autres qui m'épuisèrent. L'un d'entre eux m'entailla ce bras qui fourbissait l'épée. Mes doigts s'ouvrirent malgré moi. Mon fer tomba à terre. Je tentai de reculer, de regagner l'abri des pierres levées, de me rapprocher de Jaufré. Je fus encerclée. La gorge pointée par trois lames. Vaincue, je baissai les yeux. Mon seul espoir désormais était de voir ressortir Jaufré. Seul. Alors ces hommes me relâcheraient.

Le comprenant, ils me forcèrent à avancer. Le cœur en deux, les poignets liés au dos par un lacet de cuir qui m'entailla les chairs, je sus que ma vision d'hier, celle dans laquelle je regardais, impuissante, mourir Jaufré, allait se réaliser.

73.

Jaufré se battait avec méthode et instinct, tel qu'il l'avait toujours fait. Loin d'affaiblir sa garde, la vue de ma capture le fit redoubler d'ardeur. Vingt années séparaient les deux hommes. Rien pourtant ne le laissait paraître et je me sentis fière, oui, d'une fierté immense à voir briller dans les yeux de mon troubadour cette flamme insoumise, cette puissance de vaincre qu'il avait acquise dans le malheur puis dans les douceurs de Brocéliande. Au-dessus de nous, le ciel se barrait de nuages de plus en plus noirs, d'éclairs appelés par la vibration de la roche. Merlin grondait. Lorsque deux de ses hommes s'approchèrent pour lui venir en aide, Henri les renvoya violemment. Il sentait contre lui la colère des anciens dieux. Leur soutien à Jaufré. Mais il n'en avait cure. Il avait déterré Caledfwlch sous les éclairs, l'avait brandie sous les éclairs. Il tuerait son rival sous les éclairs, dût-il en être foudroyé une fois encore ! Il était le roi. Un roi placé sur ce trône par Merlin. S'il avait survécu aux offenses précédentes, il survivrait à celle-ci. On avait trop œuvré à son avènement. Cette victoire contre ses fils le prouvait. Il était le roi. Il le resterait.

À chaque attaque, Jaufré parait. Comme lui, il visait les organes vitaux, comme lui il connaissait les faiblesses des hauberts à triples mailles. Sur le côté, au niveau des agrafes. Ou dans le repli de la gorge. La face ou le cœur. L'éclat de l'acier frappé résonnait de granit en granit. J'avais mal. Mal de ne pouvoir rien faire, tenue en respect malgré mes liens par une lame sous ma gorge. Tenter quoi que ce fût pour m'en dégager aurait distrait l'attention de Jaufré. Je m'y refusai, espérant un miracle de ce ciel en colère quand la fureur d'Henri se décuplait, quand la haine de Jaufré crevait son regard. Derrière sa peur. Non de mourir, mais que j'assiste à sa fin.

Les assauts d'Henri, forcenés, le contraignirent à reculer contre le cromlech. Je le compris en même temps que lui, en même temps qu'Henri. Malgré sa hargne, il faiblissait. Son adversaire avait sur lui l'avantage de l'endurance au combat, dans les conditions les plus inhumaines. Il n'avait jamais perdu. Jamais. J'étais tétanisée. Henri cessa de chercher à tuer. Il usa de rouerie, ouvrit une feinte pour laisser Jaufré s'y engager. Mon cri de désespoir s'étrangla dans ma gorge en voyant l'épée de Jaufré lui échapper des mains par ce coup de poing d'Henri sur l'intérieur de son poignet. Je crus qu'il allait le planter là, à cet instant. Il n'en fut rien. Henri piqua sa lame dans le sol et arracha son poignard. Mes yeux ruisselaient. Jaufré souriait. Il empoigna le sien dans sa cache habituelle. Ils se tournèrent autour quelques secondes, puis se jetèrent l'un sur l'autre sous le cromlech.

C'est à cet instant que le ciel se déchira. Que la terre trembla. Dans le hurlement que je poussai. Tandis qu'elle se fendillait sous nos pieds, faisant vaciller les blocs de granit, un éclair traversa le ciel, à l'horizontale, illuminant l'encre des nuages. Un second s'y accrocha qui descendit telle une épée de lumière, droit sur la pierre plate qui recouvrait le cromlech. Henri en fut arraché, tiré vers l'arrière par une main invisible. Pas Jaufré. Lorsque le fracas se tut, les deux morceaux de la pierre plate étaient piqués dans la brèche ouverte sous ses pieds, marquant l'emplacement de son tombeau.

Geoffroy avait été prompt à comprendre. Les chevaux de bât qui portaient la litière ne seraient pas assez rapides pour empêcher que les cavaliers d'Henri les rattrapent. À l'instant où l'éclair frappa, il venait de tirer sur le mors et de mettre pied à terre. Il perçut mon hurlement dans sa chair autant que dans la violence de l'impact. Il en demeura quelques secondes statufié, aveuglé par la lumière, incapable pourtant de détourner le regard du cercle, fût-il éloigné d'une demi-lieue. Puis, luttant contre lui-même, des papillons noirs devant les yeux, il frappa de sa lame sur la chaîne qui retenait fermée la porte de la voiture. Aliénor en jaillit comme une furie.

— Une lame. Une lame, vite.

— Trop tard, Votre Majesté, répondit-il.

Elle était blême. Tout le trajet depuis que mon cri avait annoncé la bataille, elle avait cogné des pieds sur ce battant qui résistait, pour l'écarter, sortir, quitte à rouler dans la poussière. Se battre. Elle courut se jucher sur un rocher. On s'agitait là-bas. Les soldats reprenaient leurs montures. Lorsqu'elle se retourna, égarée, douloureuse, ses belles-filles étaient sorties à leur tour. Avec elles Eloïn, le visage grave, barré de souffrance, son fils dans les bras. De nouveau le choc métallique de la lame sur le fer. Geoffroy avait dégagé un des chevaux de son attelage. Il le mena à la reine.

— Ces dames ne risquent rien. Fuyez, Majesté. Fuyez.

Elle secoua la tête, hagarde. Brûlant d'en découdre encore.

— Il faut secourir Loanna.

Il la secoua aux épaules.

— Vous ne pouvez plus rien. Ni vous ni personne. Fuyez, je vous en conjure. Fuyez ou son sacrifice n'aura servi à rien.

Son regard voilé de douleur autant que de détermination la décida. Elle enfourcha sa monture. Il lui tendit son épée.

— Et vous ? demanda-t-elle en la prenant.

Pour seule réponse, il claqua la croupe du cheval et Aliénor fut emportée au loin.

Dans le bruit de ce galop qui s'éloignait, de ceux qui se rapprochaient, Eloïn déposa son fils dans les bras d'Adélaïde puis lui enjoignit comme à ses compagnes de remonter en voiture. Ensuite, elle s'en vint au-devant de son frère et lui tomba dans les bras.

— J'ai tout vu, Geoffroy. La capture de mère. Le combat entre Henri et père. L'éclair. La pierre coupée en deux. Henri qui se relève.

Elle le repoussa, planta un regard aimant dans le sien, bouleversé.

— Il est vivant. Père est vivant. Blessé mais vivant, Geoffroy. Va. Va par les catacombes. Va et emmène-le, loin d'Henri.

Il la pressa de nouveau contre lui, puis, animé par ce sentiment d'urgence et de survie qu'elle lui avait communiqué, il détela un autre cheval, sauta dessus et détala.

Lorsque les hommes d'Henri arrivèrent, Eloïn avait regagné la litière. Où aller dans cette lande désertique sinon à Old Sarum ? Elles affirmèrent d'une même voix ignorer quelle était la direction prise par la reine. Les chevaliers s'éparpillèrent. Un seul resta. Pour attendre le roi.

Henri me tenait, évanouie de chagrin, couchée en travers de sa selle.

— Elle n'a rien, crut-il bon de rassurer Eloïn avant de détourner le regard, glacé par la froideur de celui de ma fille.

Ensuite de quoi, tandis qu'on reformait attelage avec deux palefrois, il me déposa dans l'habitacle, puis, chargeant deux hommes de nous conduire, s'élança derrière la fugitive.

74.

Le cœur d'Aliénor lui martelait la poitrine au rythme du galop qui l'emportait. Elle tenait encore l'épée en travers de l'animal, devant elle, prête cette fois à s'en servir si des hommes d'Henri lui barraient la route. Ce n'était pourtant pas au roi qu'elle songeait, ni à ses chevaliers, mais aux siens qu'elle avait abandonnés derrière elle, dans l'incertitude de leur devenir. Privée de chevauchée ces derniers mois, elle ressentait la fatigue des années perdues dans les cuisses, dans le ventre, dans l'âme. Pourtant elle allait de l'avant, dans la direction qu'on lui avait indiquée, sûre de trouver le relais promis. S'obligeant à laisser au vent qui lui battait le visage le soin de sécher ses larmes de colère, de peur et de déni. Forte de cette évidence que lui avait assenée Geoffroy Rudel. Le sacrifice de ses parents n'aurait servi à rien si elle était reprise.

Lorsque, au détour d'un chemin, elle vit enfin se dresser devant elle Patrice de Salisbury sous la bannière de Richard, elle était si tendue qu'il lui fallut quelques secondes avant de comprendre qu'elle venait de rejoindre son escorte. Elle tira aussitôt sur la bride pour immobiliser sa monture à leur hauteur.

— Heureux de vous revoir, Votre Majesté, l'accueillit le fils de son amant défunt.

Il avait le sourire, le regard franc de son père. Elle regagna courage et confiance.

— Point autant que moi, mon jeune ami.

Il sauta de sa selle, s'avança pour lui présenter son poing et l'aider à descendre de la sienne. Elle s'y accrocha avec la sensation que ses cuisses étaient devenues de plomb. Il dut le deviner, car ses sourcils se froncèrent.

— Voulez-vous prendre quelques minutes de repos ?

Elle secoua la tête.

— Nous ne les avons pas. Je connais bien assez mon époux pour le deviner capable de crever monture.

Les traits harmonieux de Patrice de Salisbury se troublèrent.

— Est-ce à dire que les autres... ?

Elle détourna les yeux pour lui masquer sa véritable faiblesse, pesa sur son bras tandis qu'on approchait d'elle un autre palefroi.

— Morts ou captifs... je ne sais pas.

Il lui offrit marchepied de ses mains jointes. Elle s'éleva dans les airs pour retomber plus lourdement que tantôt sur la selle. Alors seulement, récupérant l'épée qu'il lui tendit, elle plongea dans son regard attristé.

— Je souffre à l'idée que vos terres se soient couvertes de leur sang, comte de Pembroke. Je souffre à l'idée que le roi les ait saisies pour y emmurer mes compagnes. Et tout autant à l'idée qu'à cause de moi, désormais pour elles vous êtes devenu un paria.

Il s'écarta, la main sur le cœur.

— Je ne possède plus rien ce jourd'hui que la fierté de mon défunt père. Il vous aimait profondément et m'a fait promettre de veiller sur vous, quoi qu'il advienne. Je sers ses dernières volontés avec honneur, justice et foi.

— Et je vous vois digne de la tâche qu'il vous alloua, le remercia Aliénor, troublée par cet aveu.

Autour d'elle les chevaux piaffaient. Elle arracha l'épée de Geoffroy Rudel à son fourreau siglé de runes puis la brandit vers le ciel ramassé de nuages noirs.

— Pour que jamais l'espoir ne meure !

— Pour que jamais l'espoir ne meure ! répondirent en chœur les cavaliers, la lame pareillement dressée.

Émue par leur détermination à vaincre, pleine de courage malgré cette gravité qui lui étreignait le cœur, elle s'élança en direction de la côte.

*

Je repris connaissance comme je l'avais perdue. En hurlant. L'insupportable mort de Jaufré devant les yeux. Les ouvrir me précipita dans les bras de ma fille assise près de moi sur la courtepointe de ce lit où un des chevaliers d'Henri m'avait déposée avant de nous laisser seules, toutes deux, dans cette chambre au sommet de la tour d'Old Sarum. Elle caressa le haut de ma tresse désordonnée, rougie du sang de la bataille, comme je le faisais hier lorsque, enfant, elle se débattait avec un mauvais rêve. Sa voix se voulait apaisante. Mais je n'étais qu'un bloc. Un bloc que rien ne semblait pouvoir transpercer.

— Chuuuut… chuuuut, mère. Tout va bien. Tout va bien, croyez-moi…

J'entendais. Je n'écoutais pas. L'esprit avalé par l'image de cette table de granit brisée. Au-dessus de mon époux. Au-dessus de son père. Broyée d'une douleur qui m'arrachait tout souffle, toute énergie vitale.

— Non, Eloïn. C'est fini…, hoquetai-je dans un sursaut de conscience avant de replonger dans mon néant.

Elle m'arracha à elle, l'œil animé d'un éclat. Incapable de le soutenir, je rivais les miens à cet anneau à mon doigt. Parla-t-elle ? Seul me parvint un murmure. Incompréhensible tant cette douleur me vrillait. Elle m'empoigna les épaules, me secoua.

— Allez-vous entendre, mère ? réagir ? Il vit ! IL VIT !

Hébétée. Je demeurai face à elle tandis qu'elle répétait sans cesse ces mêmes mots. Il vit. Il vit. Il vit. Alors enfin, tuant celles qui s'étaient imprégnées en moi, d'autres images s'invitèrent. D'Eloïn, elles passèrent en moi. Et, loin de cette mort que j'appelais en refuge, une chaleur douce me regagna. Là, quittant la nécropole dans laquelle nous avions vécu ces dernières semaines, soutenu par l'épaule solide de Geoffroy, Jaufré avançait à petits pas, couvert de poussière, le front coupé d'une plaie ruisselante, mais son regard portait vers l'air libre, vif, confiant. Mes larmes continuaient pourtant à couler. Mais elles ne se faisaient plus l'écho de ce désespoir contenu depuis des mois, depuis que j'avais eu la prémonition de son ensevelissement. J'avais vu un tombeau. C'était un mausolée. Dressé par Merlin pour protéger mon époux de l'ire de son roi. À quelle fin ? À quelle fin sinon nos retrouvailles ?

J'accolai mon front à celui de ma fille, les yeux clos sur la pénible marche des deux hommes jusqu'au couvert d'un bosquet. Geoffroy aida son père à se mettre en selle avant de monter derrière lui et de botter la cuisse du cheval. Mes dernières peurs s'éteignirent dans un soupir de soulagement.

— Il vit ! Je le vois ! Ils sont saufs, Canillette.

Elle s'écarta, le visage empreint d'une impitoyable détermination.

— Et nous le serons aussi, mère. Dès lors que vous aurez dupé Henri. Car il ne devra jamais découvrir que père a survécu. Comprenez-vous ce que cela signifie ?

Je me raidis sous la pression de ses doigts sur mes épaules, sous son regard soudé au mien.

— Oui, ma fille. Que je suis veuve. Et devrai le demeurer au regard de tous jusqu'à ce qu'Henri soit trépassé.

75.

Southampton… Bien avant d'amorcer le dernier virage dans cette nuit noire épaissie d'un froid crachin et traversée d'éclairs, Aliénor retrouva dans ses narines le parfum des embruns. Malgré cette tension qui l'avait roidie sur sa selle, ses vêtements mouillés qui lui collaient au corps en une chape glaciale, elle se sentit plus légère. Le port était à quelques encolures. Le navire à quai, prêt à appareiller, lui avait assuré Patrice de Salisbury. Henri ne les avait pas rattrapés. Dans moins de une heure, elle serait au chaud, et aurait des vêtements secs, un bouillon de poule devant elle comme un festin. Et elle pourrait espérer regagner sans dommage le continent, puis de là les terres de France. Tout son parcours avait été soigneusement préparé. Quand bien même Henri trouverait un autre navire en partance, il faudrait encore qu'il la devance sur les flots pour la cueillir à l'arrivée. Elle se surprit à sourire en talonnant sa monture pour franchir les dernières toises. Il avait perdu. Elle pleurerait les siens après. Dans le ventre du vaisseau.

Elle tira sur la bride devant les entrepôts, puis, comme ses compagnons, continua au pas le long des quais. Le vent hurlait dans les drisses. La mer cognait sauvagement les carènes. Une lueur trouait pourtant l'obscurité, celle de la lanterne aux vitres épaisses que le capitaine avait accrochée au mât de leur bateau pour le leur signaler. Ils s'immobilisèrent devant la passerelle. Patrice de Salisbury se rapprocha d'elle, décoiffé par les bourrasques, obligé de crier :

— La tempête a forci. À vous de décider, Majesté. Attendre ou embarquer.

Elle n'eut pas la moindre hésitation. Elle obligea son palefroi, réticent devant le tangage, à enjamber le rebord de bois. Elle préférait encore mourir en mer que retomber dans les griffes d'Henri.

On les guettait sans doute depuis le bord puisqu'on se précipita au-devant d'eux sitôt qu'ils furent montés. Un matelot saisit le mors de son cheval qui, nerveux, s'agitait. Un second l'aida à en descendre.

— Courez à l'abri, je me charge du reste, hurla encore Salisbury, ramené à ses côtés.

Aliénor n'aspirait à rien d'autre. Elle se sentait épuisée. Elle emboîta le pas à un troisième homme qui lui ouvrait la marche en direction des cabines sous le gaillard d'avant. Elle vit la passerelle remonter sous la traction des cordes, perçut les hennissements craintifs des chevaux qu'on dirigeait vers les soutes. Un nouvel éclair zébra les flots noirs. Ma reine accéléra son pas, franchit le seuil de cette porte que l'homme d'équipage venait de pousser avant de s'effacer pour la laisser entrer. Sa surprise fut telle qu'elle n'eut pas le réflexe de reculer, si bien que le battant se referma sur elle, statufiée. Et sur Henri Plantagenêt.

Il se tenait assis sur une fesse, en équilibre instable compte tenu du roulis, sur une table clouée au sol. Les cheveux attachés en arrière, la barbe humide encore de sa chevauchée sous la pluie, il souriait, l'œil du fauve qui vient de piéger sa proie et sait que rien, plus rien ne la pourra sauver. Elle frissonna. Entre l'incompréhension et l'angoisse. Entre la reddition et la révolte. Cette dernière l'emporta.

Elle dégaina son épée.

— Est-ce bien raisonnable, ma mie ? Vos hommes sont, en ce moment même, encerclés par les miens et l'ancre vient d'être remontée.

Elle affirma son emprise sur le pommeau et, regagnée de courage, releva le menton.

— Alors que craignez-vous ?

Le rire d'Henri, simple salve, couvrit les craquements du bois, le sifflement atténué des bourrasques, les voix des hommes aux manœuvres. Lorsqu'il retomba, laissant Aliénor décidée à en finir, Henri s'arracha à son assise inconfortable, ramena sa lame dans sa main pour, debout et instable, lui faire face.

— Rien, Aliénor. Je ne crains rien. Ni vous ni la tempête. Ni les dieux ni le diable. Vous m'imaginiez sur vos traces, je les ai devancées par des chemins improbables, misant sur votre désir et celui de vos fils de vous arracher à l'Angleterre. J'aurai toujours, quoi que vous fassiez, une longueur d'avance sur vous. Je l'ai toujours eue.

Elle ne baissa ni les yeux, ni la garde. Il haussa les épaules.

— Le temps des tournois est révolu. Si vous engagez le fer, ce sera pour un duel à mort.

— C'est bien comme cela que je le conçois.

Il s'inclina devant elle. Elle se jeta de l'avant. Leurs fers s'entrechoquèrent en garde haute.

— Est-ce tout ce que vous savez faire, mon épouse ? Vous m'avez habitué à mieux.

— Tour de chauffe, Votre Majesté.

De sa main libre, il la repoussa avec violence vers l'arrière. Elle atterrit de dos contre le mur de la cabine. La place manquait pour un véritable combat. Le roulis gâtait leur équilibre. Celui d'Aliénor davantage que celui d'Henri, forgé aux affrontements extrêmes. Elle savait n'avoir aucune chance de l'emporter. Cela lui était égal. Elle voulait mourir avec panache. Le panache avec lequel elle avait mené sa vie. Elle revint à la charge, décidée au moins à le blesser. Elle connaissait ses faiblesses, cette cicatrice sur la cuisse gauche qui lui interdisait un appui solide, cette autre à son poignet creusée par la pourriture et dont les chairs, repoussées de manière incohérente, avaient conservé la douleur. Si elle pouvait les atteindre, les rouvrir... Lui faire mal avant que de trépasser. Un coup d'avance, avait-il dit. Elle détourna son attention par une frappe rapide, haute de nouveau, comme si elle voulait viser sa gorge. Il para, elle se dégagea, estoqua en bas, puis de côté, puisant sa vivacité dans cette dernière volonté de vengeance. C'était la seule qui lui restait. Henri semblait s'amuser. Il esquivait, contrait, mais n'attaquait pas. Lorsqu'elle s'en aperçut, elle voulut l'utiliser contre lui. Elle s'immobilisa, le souffle court, jouant l'épuisée, la pointe tournée vers le sol. Surpris un instant, il ricana.

— Merci, Aliénor ?

Elle ne répondit pas. Il tomba sa garde. Approcha. Elle le laissa venir, le front bas. Lorsqu'il fut à portée, elle se ranima, vive comme l'éclair, et cisailla ses cuisses, à l'horizontale, de la longueur du fil. Elle se recula aussitôt pour jouir de sa surprise, du sang qui inondait ses braies. Elle n'eut que le temps de regretter de ne pas l'avoir émasculé, qu'elle percevait le piquant de l'acier contre son ventre. Alors, avec ce courage dont elle avait toujours fait preuve, le regard fier dans le sien, elle s'empala sur la pointe acérée.

76.

Lorsque, dix jours plus tard, Henri passa le seuil de ma chambre dans la tour d'Old Sarum, il me trouva les yeux rivés au cercle de pierres par-delà le fenestron grand ouvert. Je l'avais vu revenir de loin, sur le chemin, escortant une litière, chevauchant malgré ses bandages. Laissant Eloïn se rendre à la messe, je l'attendais, seule. J'avais eu tout le temps de réfléchir, de me préparer à cette confrontation, tout le temps d'anticiper les réactions d'Henri, la colère d'Henri, le châtiment d'Henri. Avec cette certitude au cœur. Je n'avais qu'un seul moyen pour sauver l'Angleterre, pour regagner ma liberté, un seul moyen pour vivre de nouveau avec les miens. Assassiner mon roi, quoi qu'il doive m'en coûter, quel que soit le courroux de mes ancêtres. Et, pour ce faire, je devais me sacrifier.

La porte refermée, constatant que je me refusais à bouger, prostrée dans cette posture que ses hommes avaient dû lui dépeindre comme continuelle, il vint poser ses paumes sur le haut de mes épaules. Je ne réagis pas davantage, fidèle au jeu que je m'étais imposé. Parce que je savais, grâce à cette nouvelle qui l'avait devancé, ce qu'il allait me demander.

— J'ai besoin de vous, Loanna de Grimwald.

Le ton était pesé, loin de la haine qui nous avait opposés dans le champ clos des pierres levées. Puisque le temps était de nouveau à la rouerie, j'en adoptais les règles.

— Il faudra vous passer de moi, mon roi.

— Même pour sauver la reine ?

— Je doute qu'elle le souhaite.

— Si c'était vraiment le cas, elle serait morte déjà. Or, elle s'accroche à la vie, malgré les déplacements que je lui ai imposés.

Il s'appuya plus lourdement sur moi. Je répliquai :

— Eloïn sera aussi savante que moi.

Agacé, il se pressa contre moi, m'encercla la poitrine de ses bras comme on rive un carcan de fer au torse d'un prisonnier agité.

— Fi ! Canillette. Toi seule, par ce sang que vous avez déjà partagé, peux la tirer des limbes où elle s'enferme. Son cœur bat, mais elle refuse de revenir. Autant que de trépasser.

— Alors nous sommes deux et je ne veux rien, ni pour elle, ni pour vous.

Il resserra encore son étau, étouffant ma respiration. Prenant un plaisir pervers à fixer ces ruines dans lesquelles il avait emporté ce qu'il imaginait être sa plus grande victoire. Je ne cherchai pas à me dégager. Je voulais qu'il me croie vaincue. Il soupira bruyamment contre mon oreille.

— Jaufré est mort, Loanna. N'as-tu pas payé assez cher l'envie de me défier ? Et pourquoi d'ailleurs ? Mes fils se sont rendus. Il ne reste guère que Richard pour guerroyer encore avec une petite poche de rebelles aquitains. J'ai lancé un assaut contre eux. Demain, ils seront défaits. La guerre est finie. Je l'ai gagnée. Guéris la reine et je libère Eloïn, je pardonne à ton Geoffroy et je t'accorde tout ce que tu demanderas.

Mon cœur s'accéléra autant de haine que d'un plaisir désespéré lorsque je perçus le gonflement de son vit contre mes reins. Comme je m'en étais doutée, débarrassé de son rival, Henri n'aurait de cesse que de me posséder. C'était dans son tempérament, sa nature profonde. Asservir, soumettre. Mais il n'était pas question de lui laisser entendre que j'étais prête. Prête à tout pour détruire ce que j'avais créé. Bien au contraire. Denys de Châtellerault me l'avait enseigné autrefois. Il fallait retourner les faiblesses de ses ennemis contre eux s'ils s'avéraient trop puissants pour être vaincus. Et la plus grande faiblesse d'Henri, c'était l'orgueil.

Ma voix se berça d'une lueur d'espoir.

— Tout ce que je demanderai ?

La sienne se fit caressante :

— Oui, Loanna de Grimwald. Tout.

Ma décision claqua, comme un coup de fouet dans le silence.

— Écartez-vous de moi.

Il hésita quelques secondes, puis recula. Je pivotai pour lui offrir ce visage dont j'avais forgé l'expression au fil des jours, cette apathie composée pour mieux le duper. Il blêmit. Jamais mon regard n'avait été plus éteint, plus froid.

— L'île des Bannis, murmurai-je.

Il sursauta. Je regagnai un pas sur la distance qui nous séparait.

— Vous avez bien entendu, Henri Plantagenêt. L'île des Bannis, ce rocher au large de l'Irlande, piqué d'une seule et unique tour où furent enfermés tous les druides rebelles à la soumission catholique. Je veux y être conduite. Et oubliée.

Il secoua la tête, les yeux traversés d'effroi. C'était, je le savais par Eloïn, la punition qu'il me réservait. Je venais de lui en ravir l'envie. Il me le confirma :

— Tu ne peux pas désirer cela, Canillette. Mon pardon oui, pas cela.

J'eus un sourire amer, de défi, puis me détournai pour reprendre ma place face à ce qu'il croyait être le tombeau de Jaufré. Je n'avais rien à ajouter. Le silence pesa quelques minutes entre nous. Il finit par le rompre, d'un timbre assourdi.

— C'est entendu, Loanna. La reine rétablie, cette île sera à toi.

À cet instant, je sus que j'avais gagné. Il ne m'y conduirait pas.

77.

Dans ce grand lit, cette grande chambre aux murs froids qui l'avait tant effrayée autrefois, grâce à mon sang qui, de nouveau, nourrissait ses veines, Aliénor avait enfin repris connaissance. En quatre jours à peine, sa blessure qui, par miracle, n'avait lésé aucun organe vital, s'était refermée. Je m'étais attendue qu'elle m'en veuille de l'avoir sauvée. À l'inverse, elle venait de me serrer dans ses bras. Puis Eloïn qui m'avait accompagnée. Alors que m'étranglait le remords de l'avoir rendue à ses terreurs secrètes, à cette captivité sordide le temps qu'il me faudrait pour débarrasser l'Angleterre d'Henri, elle caressa ma joue d'une main tendre.

— J'ai voulu mourir, Loanna. De toute mon âme. Mourir plutôt que d'être cloîtrée dans cet endroit sinistre. Mais cela aurait été une erreur, à présent je le sais.

Son œil pétilla.

— Je survivrai à Henri. Je l'ai vu. Oui, je l'ai vu. Et vous reviendrez à mes côtés, toi et Jaufré… Non. Ne dis rien. Je sais qu'il passe pour enterré sous le cromlech, je sais que tu le laisses croire, je sais aussi qu'Henri a fait rechercher son corps mais a été empêché d'avancer par un éboulement.

Je tiquai. Ce détail, je l'ignorais. Elle s'amusa de mon étonnement.

— Ton aïeul est un curieux personnage, Loanna de Grimwald. Oui, un bien curieux personnage.

— Merlin ?

Elle porta ma main à ses lèvres, y déposa un baiser avant de me la rendre.

— Et qui d'autre ? Qui d'autre aurait pu me tenir en vie jusqu'à ce que je t'aie retrouvée ? Qui d'autre aurait pu me raconter tout cela ?

Je me sentis soulagée. Ainsi donc Merlin lui-même participait à ma guerre de l'ombre ! Comme pour m'en conforter et alors même que j'avais insisté pour qu'elle ne se laisse pas gagner par son propre désir de vengeance, Eloïn me renvoya la chaleur de son sourire.

— Il rôde autour de ce lieu depuis la bataille. Comme une âme en peine pour tenter de soulager la nôtre, mère. Ne l'avez-vous capté ?

— Si. Mais tant de sentiments contradictoires m'animent que je ne l'ai pas accepté.

Aliénor se redressa contre ses oreillers.

— La patience, Loanna. Merlin me l'a confié. Malgré cette rage qui cogne à mes tempes comme un mal inguérissable, dix jours de limbes m'ont contrainte à la regarder en face. Henri fut un grand roi. Autrefois. En cette époque où nous l'aimions, toi et moi. Il nous a trahies, il a trahi l'Angleterre, il s'est trahi lui-même. Mais il fut un grand roi.

Je me durcis. Ce n'était pas à un serment d'allégeance que je m'attendais. Elle s'en amusa.

— Ne te méprends pas, ma douce. Je ne regrette rien. Seulement les faits sont là et, quoi qu'il nous en coûte, toi comme moi devons les admettre. Il règne encore. Il règne toujours. Et je ne veux pas retrouver à sa mort un empire en déliquescence, je ne veux pas que ce que j'ai aidé à bâtir soit perdu par son inconstance.

Son œil avait regagné sa lumière, sa détermination. Mais je restais dubitative face à ce discours qui ne lui ressemblait pas.

— Où voulez-vous en venir, ma reine ?

— Je veux que tu prennes ma place auprès de lui. Comme il l'espère depuis le premier jour. Je veux que tu me gardes ce trône sur lequel tu m'as placée. Jusqu'à ce qu'il baisse suffisamment sa garde pour que...

Elle n'acheva pas sa phrase. J'avais compris. Dans la violence de ses poings qui brusquement s'étaient ramassés sur les draps. Mesura-t-elle soudain l'incongruité de ce qu'elle me demandait ? Se méprit-elle sur ma grimace ? Son regard vira, devint d'une dureté d'acier.

— Si je dois survivre entre ces quatre murs pour préserver l'Angleterre, alors toi aussi, Loanna de Grimwald, tu dois te sacrifier pour elle ! Comme tu l'as toujours fait !

Le bruit de la clef tournée dans la serrure m'empêcha de lui révéler que sa cause était déjà entendue. Malgré la souffrance morale que j'imposerais à Jaufré. Lorsque Henri franchit le seuil, comme chaque jour, j'étais déjà debout. Il nous salua d'un mouvement élégant du menton avant de s'approcher du lit.

— Je venais aux nouvelles.

Soulignant du regard son léger déhanchement, Aliénor lui offrit en retour le reste de cette colère froide qui l'avait si soudainement emportée.

— Elles seraient meilleures si je pouvais achever auprès de vous ce que j'ai commencé.

Il sourit.

— Je doute de vous en fournir encore l'occasion, Aliénor. L'Aquitaine vient de se rendre. Poitiers ne vibre plus du chant des troubadours et les derniers de vos vassaux qui ont refusé de plier ont été passés par le fil de l'épée. Vous êtes définitivement perdue. Pour ces terres que vous aimâtes tant, pour vos gens que vous avez sacrifiés à une vengeance devenue sans objet. Si j'ai accepté le pardon de vos fils, c'est à une condition : qu'ils ne vous revoient jamais. Et voyez-vous, même Richard vient de me le concéder.

Comme moi, elle blêmit. Comme moi, elle se reprit. Le roi s'était tourné vers Eloïn.

— Vous êtes libre, ma chère enfant, ainsi que les épouses ou promises de mes fils. Vous serez avec le vôtre ramenée dès demain sur le continent et escortée jusqu'en Blaye. Quant à vous, Loanna de Grimwald, une autre destination vous a été réservée. Je ne saurais trop vous recommander à toutes deux de faire vos adieux à la reine.

Il s'approcha du lit, lui enleva la main et déposa un baiser dans sa paume avant de la ramener sur le drap.

— J'ai besoin que vous viviez longtemps, Aliénor, pour tenir nos fils sous ma coupe, mais sachez que désormais pour moi vous êtes morte, ainsi que le sont toutes feuilles qui, par trop de soleil, ont fini piétinées par l'automne.

Aliénor redressa le menton, l'œil noir.

— Feuilles rendues à la terre nourrissent le pied des chênes qu'elles ont éclairés, Henri. Au soir de votre mort, des bourgeons seront verts… Et je les regarderai pousser.

Il recula, troublé par son assurance.

— Si ce seul espoir peut vous aider à vivre, ma femme, il fera mon intérêt autant que le vôtre. Je vous dis adieu.

Il sortit dans le silence retombé. La porte rabattue sur lui, Aliénor planta son regard, redevenu impitoyable, dans le mien.

— Alors, Loanna de Grimwald ?

Je haussai les épaules, plus déterminée que jamais malgré la souffrance que cette décision me causait.

— Alors rien, ma reine. Votre volonté était déjà ma volonté.

Elle s'allégea d'un coup, tendit ses mains vers nous pour que nous puissions les presser, et moi lui rapporter les manigances que j'avais imaginées.

Le lendemain, alors qu'un froid glacial prenait la contrée, derrière Eloïn, Adélaïde et les autres damoiselles, j'étreignis une dernière fois ma reine. Refusant de réjouir Henri, elle ne laissa rien voir de la peur que continuait à lui inspirer cet endroit, cette peur qui gangrénerait sa solitude. Ce fut comme si tout en elle s'apprêtait à se couler à l'hiver, à dormir dans son sein pour mieux renaître ensuite, lorsque le printemps, celui promis par Merlin, reviendrait.

Je montai dans la litière avec le sentiment déchirant de la trahir. De n'avoir pu l'arracher à ces pierres. De l'y abandonner. Elle eut plus de courage que moi. À l'heure où la voiture s'ébranla, par le fenestron ouvert, elle nous salua d'un chant d'adieu. Avec une voix profonde et sûre, dans laquelle rien ne laissa deviner à quel point, comme moi et malgré nos accords, elle souffrait.

78.

Eloïn fut exemplaire à l'heure de notre séparation. Déjà, par sa retenue face à l'annonce de la mort de son père, elle avait forcé l'admiration d'Henri. Sans doute est-ce cela qui le décida à nous laisser seules quelques minutes supplémentaires. Il avait fait immobiliser la voiture sous les branches givrées d'un hêtre pour permettre à ces dames, qu'une autre escorte devait conduire à Southampton, de descendre. Le nez dans mon cou, ma fille s'enivrait de l'odeur de ma peau, comme j'avais en Paris respiré la sienne à travers son mantel.

— Vous me manquez déjà, mère, murmura-t-elle, la gorge nouée, dans la pénombre de l'habitacle.

Je la pressai plus fort dans mes bras, le cœur broyé malgré mes résolutions.

— Toi aussi, Canillette. Mais il ne faut pas. Il ne faut pas y songer. Tu le sais. Tu l'as constaté déjà. Je serai toujours à tes côtés, à ceux de ton frère. À ceux de…

Je ne prononçai pas son nom, de crainte qu'il ne franchisse l'épaisseur des volets de cuir. Ma voix se fit murmure :

— Dis-lui bien, Eloïn. Qu'il comprenne. Qu'il admette et qu'il s'arme de patience. Je lui reviendrai. Toujours. Quoi qu'il advienne. Je vous reviendrai.

— Oui, mère. Je le lui dirai.

Elle s'écarta de moi. Nos fronts se joignirent, salut des prêtresses d'Avalon. Autrefois. Durant quelques secondes, dans nos yeux clos passèrent ces images d'hier de rires, de connivence, de la petite fille qu'elle était à la femme d'aujourd'hui, de l'épouse que je fus à la mère que j'étais devenue.

— Que ce qui doit être soit.

— Ce qui doit être sera, ma fille.

Nos bras retombèrent. Elle coula vers moi un dernier regard chargé d'un amour incommensurable puis quitta l'espace clos.

Je me rassis sur la banquette rembourrée de coussins, seule avec ma peine, avec ma peur, avec mes doutes. Avec ma haine pour Henri. J'entendis se fermer la portière de l'autre voiture dans laquelle mon petit-fils avait déjà trouvé place au creux des bras de sa nourrice. J'entendis le claquement du fouet du conducteur, le crissement des roues sur le chemin. Un sanglot remonta dans ma gorge. Je ne cherchai pas à le refouler. Pas davantage lorsque Henri s'installa, silencieux, face à moi, le temps qu'on ait rabattu le battant par l'extérieur. Je me contentai de détourner la tête. La litière tangua au rythme du pas des chevaux de bât. Me laissant à ma tristesse, Henri glissa contre le bois de l'habitacle, étira ses pieds pour les reposer sur la banquette, à frôler mon mantel. Il croisa les bras sur sa poitrine, tomba le menton puis ferma les yeux. Quelques minutes plus tard, il offrait l'illusion qu'il dormait. Si je ne l'avais si bien connu, j'aurais pu m'y laisser prendre, donner libre cours à mon déchirement, à ma soif de vengeance. Je me serais jetée de l'avant pour lui arracher ce poignard qu'il portait à la ceinture, j'aurais tenté de le saigner à la gorge. Et j'aurais fini rejetée de l'arrière avec violence, sans même l'avoir blessé, mes véritables intentions et sentiments dévoilés, détruisant à jamais mon unique chance de lui laisser croire que la perte de Jaufré m'avait atteinte assez pour que toute rébellion soit vaincue en moi, pour que mes réserves à son égard tombent enfin et que, douloureuse dans l'âme, je cède à sa tendresse comme un naufragé s'accroche à l'unique planche de salut qu'il a trouvée. Henri mettait mon désœuvrement à l'épreuve, m'humiliant plus encore sans le savoir d'imaginer un seul instant que je pouvais tomber dans le piège qu'il me tendait. Je m'abstins donc, permettant, pour regagner courage et dignité, à mes pensées de courir vers mon fils et mon époux que j'avais vus embarquer pour le continent, même si je les sentais déchirés l'un comme l'autre de devoir me laisser derrière eux pour l'instant.

La voiture s'arrêta de longues heures plus tard. Je relevai le volet de cuir, Henri les paupières. Le blanc des yeux rougi par l'attention qu'il avait gardée durant tout le trajet, il reprit posture normale, celle à laquelle il s'était contraint lui coûtant visiblement. J'en ressentis un plaisir malsain.

— Bien dormi ? le narguai-je.

Il eut ce sourire que je détestais, celui qu'il affichait toujours devant un échiquier lorsqu'il feintait pour laisser croire à son adversaire que ce dernier pouvait encore gagner, alors que la partie était déjà jouée.

— Autant qu'il m'était nécessaire, Loanna.

— Alors, j'en suis fort aise, Votre Majesté.

La porte se déverrouilla par l'extérieur sur le baron Clifford. Le marchepied avait été déplié. Henri courba le front et descendit le premier dans la cour de cette demeure dont je venais, par l'encadrement du battant, de reconnaître les élégantes proportions. Celle qu'il avait autrefois donnée à Rosamund, celle qui avait valu la disgrâce puis l'assassinat à Becket. Se substituant au valet, Henri m'offrit l'appui de sa main. Je l'acceptai pour m'arracher à la voiture.

— Vous voici chez vous, Loanna de Grimwald, annonça-t-il, satisfait de lui-même, à peine mes souliers eurent-ils écrasé le gravier.

Fidèle à mon jeu, je le foudroyai d'un œil noir.

— Ce n'étaient pas nos accords.

— Comme vous me l'avez si bien prouvé ces derniers mois, ma chère, les accords sont parfois faits pour être violés, me servit-il avec une pointe d'ironie, en broyant méchamment mes doigts dans les siens.

Je ne baissai pas les yeux sous la douleur. Tout au contraire. J'avais besoin qu'il croie qu'elle me régénérait.

Qu'elle me rendait la force de le défier. C'était le seul moyen pour lui interdire de l'utiliser.

— Si vous pensez que je vais, comme Rosamund en ce lieu, satisfaire à vos pulsions, vous vous trompez, Henri Plantagenêt. Plutôt me défenestrer.

De nouveau ce sourire carnassier, alors même que l'œil caressait. La nuit et le jour. L'ange et le diable. Jamais Henri n'avait mieux incarné cette dualité qui le caractérisait.

— Je ne crois rien, Loanna de Grimwald, venant de vous j'ai depuis longtemps cessé d'espérer.

M'entraînant dans son pas, il me força à avancer vers le seuil du corps de logis. Derrière nous, les valets s'empressaient à descendre les malles, l'escorte royale à confier monture aux palefreniers. Un soleil au déclin embrasait les toits, la forêt de Sherwood au mitan de laquelle la bâtisse avait été enchâssée. Ironie du sort, ne pus-je m'empêcher de songer, j'échappe, avec ce lieu, au sort que j'ai fait à celle qui précédemment l'occupait.

Une jouvencelle se présenta à nous en haut des marches, la double porte franchie. Une blonde aux yeux clairs et aux proportions généreuses, le sourire simple et facile.

— Ida, votre nouvelle dame d'atour.

Il lâcha enfin ma main, rouge de son empreinte de bourreau.

— Conduisez dame Loanna à sa chambre et apprêtez-la pour le dîner.

Elle s'inclina devant lui, dissimulant sa surprise à voir qu'on ne me demandait pas mon avis. Je m'en moquai. Autrefois, face au basileus Comnène, j'avais usé trop tôt de fourberie pour m'en débarrasser. Cela m'avait valu la mort de Denys. L'âge aidant, je ne referais pas la même erreur. Qu'Henri décide, impose, se serve. Il userait un corps sans âme. Jusqu'au jour où sa garde baisserait. Sans un regard vers lui, impitoyable dans ma détresse, je suivis cette silhouette d'une quinzaine d'années à peine en direction de l'escalier qui déployait ses deux ailes face à nous.

79.

La pièce occupait presque l'étage tout entier et, conforme à mon souvenir, était telle que Rosamund Clifford l'avait quittée. Le parfum capiteux de l'ancienne maîtresse du roi persistait dans les lourdes tentures galonnées d'orfroi du lit et des fenêtres. L'or et l'argent s'enroulaient partout, des piliers aux motifs floraux des coffres, des coupelles aux vases, des tissus aux tapisseries. Comme ce jour où elle m'y précéda pour me prêter toilette avant de donner tête baissée dans le piège que je lui avais tendu, le faste de cette chambre m'écœura. Je pris sur moi pour contrôler mon malaise, me retranchant derrière le courage de ma reine emmurée dans cet endroit sinistre et battu par les vents qu'était Old Sarum. Elle eût cent fois préféré coucher dans le lit de son ancienne rivale que de subir l'isolement et la froidure du vieux château de Salisbury. Je n'avais pas à me plaindre. Quoi qu'Henri m'ait réservé.

Ida, dans ce décor princier, ressemblait à une fleur sauvage au milieu d'un bouquet trop savamment arrangé. Les joues étaient rondes et rouges, légèrement piquées, comme les miennes, de taches de son. L'œil était vif, intelligent. Après m'avoir ouvert la porte, me laissant à l'inspection visuelle de ce lieu surchargé de meubles, de potiches et d'écrins, elle venait d'écarter les battants d'un coffre imposant.

— Voulez-vous choisir votre tenue, dame Loanna ?

Je m'approchai d'elle, accroupie devant la soie et le samit. Jetai un œil par-dessus son épaule.

— Sont-ce celles de l'ancienne propriétaire du lieu ?

Elle releva vers moi son minois gracieux.

— Oh non ! dame Loanna. Jamais le roi ne vous aurait fait semblable offense. Elles ont été commandées et façonnées à partir d'une des vôtres qu'il a confiée aux petites mains de la contrée. Elles ont dû s'activer pour que tout soit prêt à votre arrivée.

Je n'en fus pas autrement surprise. Henri était capable du meilleur comme du pire.

— Laquelle préfère-t-il ?

Elle me désigna un bliaud long parfaitement repassé mais qui laissait deviner de savants jeux de plis aux manches. D'un ivoire de perle, il satisfaisait au bon goût d'Henri en la matière. Je ramenai mon regard sur Ida, qui n'attendait que mon approbation pour la sortir.

— Et vous, Ida, laquelle préférez-vous ?

Elle marqua une seconde de surprise avant, vu mon sourire engageant, de m'en désigner une autre, plus simple de façon, mais d'un orange subtil. Cela confirma mon sentiment à son égard. Je hochai la tête.

— N'en déplaise au roi, il semble que nous ayons les mêmes goûts, ma chère enfant.

Elle s'illumina.

— Vraiment ?

— Vraiment.

Me détournant d'elle, je me dirigeai vers un miroir proche d'une tablette surmontée de brosses et de peignes.

— Allons, ne tardons pas davantage. Je suis melue. Délacez celle que je porte et, pendant que vous me ferez préparer un bain de fleurs d'oranger, vous me parlerez un peu de vous.

— Ce sera avec joie, dame Loanna.

Elle s'en fut déposer la tenue sur la courtepointe du lit, sonner pour réclamer un seau d'eau chaude, puis revint vers moi.

En parvenant dans la grande salle des banquets je m'étais attendue à me retrouver face aux proches d'Henri, cette mini-cour de campagne qu'il déplaçait dans son sillage, composée de chevaliers, de prélats grassouillets et de bardes aussi talentueux que débauchés. Les dames y étaient rares, remplacées souvent par des putains que fournissaient les lieux malfamés des fiefs visités. On y riait fort des plaisanteries du roi, on ripaillait, chantait, dansait, pour finalement trousser allégrement. En place et à ma grande surprise, Henri était seul, assis dans un fauteuil, entre l'âtre rougeoyant et une table dressée pour deux. Il ne se leva pas à mon approche, mais me désigna le siège voisin du sien. Je m'y installai entre la curiosité et l'inquiétude, me méfiant moins de ses emportements que de ses délicatesses.

— Joli choix, dit-il en accompagnant mon geste pour ramener la courte traîne de mon bliaud sur le côté.

Il recroisa aussitôt ses mains par-dessus son court mantel. Il avait mis à profit mon absence pour soigner sa coiffe, ses ongles, sa tenue, des heuses de cuir brossées et cirées aux galons de sa barbe. Ces détails me déplurent profondément, car ils témoignaient de son désir de me plaire, de me séduire. De me contraindre. J'en frissonnai derrière le masque sévère de mon visage. Il me sourit. Je lui battis froid.

— Inutile, Henri. Vos attentions ne me touchent pas davantage que votre prétendu pardon. J'ai cessé de croire en vous, cessé d'avoir envie de vous plaindre, de vous conseiller, de réparer vos blessures ou vos maux. Vous ne représentez plus rien pour moi. L'Angleterre ne représente plus rien pour moi.

Il se cala dans le rembourrage du dossier, visiblement plus amusé que courroucé par mon discours, me laissa m'abîmer dans la contemplation des flammes qui léchaient la coupe de chêne, puis, prenant appui sur les accoudoirs, se dressa avec un aplomb désarmant.

— Je meurs de faim, Canillette. Pas toi ?

Il me tendit la main. Je me relevai sans. Il haussa les épaules et se détourna. Deux valets attendaient derrière les chaises au dossier haut, aux pieds en col de cygne. Un improbable assemblage de mauvais goût. Ils tirèrent l'assise en même temps vers l'arrière, nous laissèrent nous y installer avant de la repousser vers l'avant. Face à face. Les mets, délicats, se succédèrent. Henri soliloqua. De la fraîcheur de l'air, du gibier, abondant dans la forêt profonde, du besoin de neuf dans ces pièces et du soin qu'il m'en laissait. De tout, de rien, comme un époux à sa femme dans un quotidien sans envergure, sans rêves, sans espoir, sans amour. Et je l'écoutais, mangeant du bout des lèvres, ahurie, désarçonnée pour la première fois de mon existence. Parce que ce discours, cette attitude ne lui ressemblaient pas. Parce que j'ignorais soudain ce que dissimulait cette légèreté factice qui me renvoyait à l'état de potiche, comme s'il avait admis que j'en devienne une. Était-ce cela sa vengeance ? Me contraindre à vivre dans l'insignifiance la plus totale ?

La dernière coupe de vin vidée, il se leva, s'inclina devant moi, me remercia pour ma compagnie, ajouta qu'il me souhaitait une nuit paisible, puis, me laissant au soin d'un valet, quitta la pièce en bâillant. Je demeurai quelques secondes encore à ma place, entre le soulagement et l'incompréhension, avant de gagner ma chambre, convaincue que les portes du castel avaient été solidement barrées et gardées, et que, si ce n'était le cas, mieux vaudrait pour moi ne pas tenter de le vérifier.

Je laissai Ida me dévêtir, enfiler par-dessus ma nudité un chainse de nuit, tirer les rideaux du lit sur un souhait de bonne nuit puis se retirer. Je finis par m'endormir, torturée de doutes, de questions sans réponses, torturée du manque des miens et finalement épuisée. Convaincue par le nombre d'heures qui s'étaient écoulées depuis que j'avais quitté la salle des banquets qu'Henri ne se montrerait pas, je succombai enfin au sommeil.

Mais Henri avait toujours été imprévisible.

Ce fut l'odeur qui m'éveilla. L'odeur caractéristique de l'opium bien avant le bruit ou le mouvement à mes côtés.

Le temps que j'ouvre les yeux sur la lumière d'un falot levé au-dessus de ma couche et deux poignes d'acier me plaquaient le dos sur le lit, les bras en croix. Je me souviens de la panique qui s'empara de moi à la vue de ce flacon d'or débouché à côté de ma joue, du sourire d'Henri qui le tenait d'une main tandis qu'il me pinçait le nez de l'autre. Je me souviens d'avoir cherché l'air en ouvrant ma bouche malgré ma volonté de ne pas céder. Des recommandations que j'avais faites de l'usage de cette liqueur si particulière à l'apothicaire de Chinon qui me l'avait procurée. Quatre gouttes au maximum. Pour provoquer un oubli momentané. Une. Deux. Trois. Quatre. Cinq... je cessai de compter en sentant couler dans ma gorge le liquide épais et amer. L'équivalent d'une bonne goulée. Je ne pus le recracher, malgré mes gesticulations. Henri m'avait refermé les lèvres, un de ses hommes de main renversé la nuque vers l'arrière. J'avalais. Alors seulement on me libéra. Alors seulement, entre deux quintes de toux, dans cette lucidité que je savais prête à s'envoler, je hurlai.

— Pourquoi ? Pourquoi, Henri ? Pourquoi ?

Les ombres qui l'avaient accompagné se retiraient déjà, le flacon remporté. Il s'assit sur le lit, l'œil empreint d'une indéfinissable lueur dans celle, ambrée, de la lanterne. Dans ce flou qui, déjà, en moi s'invitait, un sanglot chercha à me débarrasser des limbes qui m'attiraient.

— Pourquoi, Henri ? Pourquoi ? répétais-je, éperdue.

Il caressa ma joue d'un revers de main.

— Parce que je vais t'offrir une nouvelle vie, Loanna de Grimwald. Une vie dans laquelle Jaufré Rudel n'a jamais existé. Une vie dans laquelle moi seul serai à tes côtés.

80.

Jaufré ne croyait pas à la chance. Il se souvenait parfaitement de la scène sous le cromlech. De son poignard qui avait buté contre le haubert qu'Henri portait sous ses vêtements. Du rire de ce dernier contre son oreille tandis qu'il tentait de dégager la pointe de sa lame, prise dans les mailles. De la jubilation d'Henri lorsque, les yeux dans les siens, il lui avait craché un « adieu » à la face, la main levée pour le piquer au cou. Oui, il se souvenait de tout : du cri de Loanna qui lui avait vrillé les tympans, ce cri brusquement avalé par le fracas du tonnerre. De l'éclatement de la pierre au-dessus de lui. Il lui semblait encore, dans ses cauchemars, entendre ce sifflement qui avait précédé la répulsion du métal entre le roi et lui, les séparant avec violence. Le sol ne s'était pas ouvert par hasard sous ses pieds. Les forces du lieu l'avaient protégé. Mais, loin de s'en réjouir, il éprouvait un profond sentiment d'injustice. Certes, il était sauf, mais réduit à l'impuissance quand Loanna avait plus besoin de lui que jamais.

Chaque nuit il revivait les minutes, les heures, les jours qui avaient suivi son glissement dans la nécropole. Il revoyait la faille se refermer tandis qu'il chutait. Il retrouvait la dureté des pierres inégales sur lesquelles il s'était reçu, la poussière épaisse qui avait recouvert son visage, la toux qui l'avait emporté. Sa rage devant la douleur qui lui avait aussitôt cisaillé la poitrine. Il retrouvait la pénombre autour de lui à peine trouée par deux rais de lumière qui tombaient du plafond. Le silence qui avait fait suite au tumulte. Un silence de tombeau.

Il avait mis de longues minutes avant de regagner assez de forces et d'air pour s'asseoir. Pour tâter ses membres, les faire bouger, déterminer l'ampleur de ses blessures, se lever, refuser la souffrance, la sienne, celle de Loanna à le croire perdu. Avancer. La tête courbée, les épaules voûtées, une main en appui contre la paroi, l'autre soutenant ses côtes brisées. Avancer, oui. Sans savoir dans quelle direction aller, mais une seule idée en tête. Sortir. C'était alors qu'il avait reconnu la voix de Geoffroy qui l'appelait. Oui. Il se souvenait de tout. De la joie de son fils à le revoir vivant, de leur périple difficile jusqu'à l'air libre, de l'acceptation de leur défaite. De leur fuite. D'une étape improbable dans une cabane de berger lorsqu'il n'avait plus pu tenir en selle, harcelé par la douleur autant que par la distance que le pas du cheval de son fils mettait entre Loanna et lui. Il se souvenait dans un brouillard des deux jours qui avaient suivi, à cracher du sang, à délirer de fièvre. D'une médication amère pour l'en soulager. Puis de nouveau le pas du cheval, insoutenable pour ses fractures. Il se rappelait sa volonté de n'en rien montrer à son fils. Sa volonté de guérir. De revenir. Vite. Très vite tandis qu'appuyé au bastingage il avait vu s'éloigner le rivage, toutes pensées vers son épouse, mais le cœur à l'image de son poumon. Déchiré.

Depuis il s'était réfugié à Brocéliande dans l'attente de sa complète guérison et du retour de son fils, avide des nouvelles que ce dernier lui faisait parvenir des champs de bataille sur lesquels il avait rejoint Richard. Il avait ainsi appris avec douleur que l'expédition punitive d'Henri en Poitou avait eu raison de leurs amis Geoffroy de Rancon et Panperd'hu. Les deux hommes s'étaient battus côte à côte devant Taillebourg avec bravoure et honneur avant de tomber, le nez dans le sang et la tourbe, comme tant d'autres qui étaient restés fidèles à Richard et à Aliénor, jusqu'au bout. Jaufré avait serré les poings devant la reddition finale du duc d'Aquitaine que Louis avait définitivement abandonné avec l'espoir de délivrer Aliénor. Puis il s'était réjoui qu'Eloïn ait été rendue à Blaye et Blaye à Geoffroy. Même si cette clémence d'Henri ne pouvait se justifier sans contrepartie. S'il n'avait tenu qu'à lui, il aurait galopé jusqu'à sa fille, pour lui arracher des nouvelles de sa mère. Le vieux Mauray, qui courait sur ses quatre-vingt-neuf ans avec une santé de fer, l'en avait dissuadé. Outre qu'il ne tiendrait guère longtemps en selle sans risquer de rouvrir ses plaies internes, mieux valait pour Loanna elle-même qu'Henri la croie veuve. La guerre était terminée mais ses chevaliers rôdaient encore, défaisant, çà et là, de petites poches de rebelles. S'il était capturé à son tour... Il s'était rendu à la raison, à l'attente. Conforté dans son inaction par un courrier d'Eloïn lui annonçant sa visite prochaine, mais pestant contre ce poumon perforé qui lui laissait encore un souffle trop court. Bien trop court pour traverser de nouveau la Manche l'épée au poing et reprendre Loanna des mains d'Henri.

En ce 3 novembre de l'an de grâce 1174, un mois jour pour jour après son arrivée ici, dans la forêt de Merlin épargnée par la guerre grâce à la magie qui en interdisait l'accès aux non-initiés, il venait de pousser un galop depuis l'Hotié de Viviane jusqu'au château. L'air était doux malgré l'hiver qui encerclait le domaine et, répondant à chacune de ses sollicitations, son corps lui avait affirmé qu'il était fin prêt pour sa quête. Depuis l'avant-veille, il retrouvait une vigueur de jouvenceau malgré l'âge réel de ses artères. Les Anciens d'Avalon continuaient, ici, de lui insuffler force et courage, bravoure et détermination. Mauray le lui avait fait remarquer au souper. Ses traits paraissaient rajeunis, son allure plus musculeuse alors même qu'il avait dû cesser tout exercice. Il ne s'était jamais mieux porté physiquement alors qu'en son âme régnait le chaos. Parce que, malgré ses invocations au pied de la source de vie de Barenton, nul ne lui avait répondu. Ni les siamoises de Grimwald ni Merlin. Sa seule certitude était que Loanna était vivante et qu'Henri avait abusé d'elle comme autrefois. Par esprit de vengeance. Pour lui rappeler qu'il était le maître. Il talonna sa monture en inspirant largement ce vent qui lui battait les narines. Bientôt, même s'il ignorait encore comment, bientôt Henri paierait pour cela.

Dans les vapeurs du couchant, il longea le bord de l'étang puis passa sous la herse, une faim de loup au ventre, certain de trouver couvert dressé et fricot mitonné avec tout le savoir-faire du vieux Mauray. Dans la cour du castel où il pénétra, il aperçut Geoffroy qui jouait avec le vieux chien de l'intendant, comme au premier temps de leurs enfances respectives, l'un envoyant le bâton, l'autre courant derrière. Sur les marches du corps de logis, Mauray essuyait ses mains grasses sur son tablier, Eloïn à ses côtés. Ses enfants venaient d'arriver. Jaufré sentit une bouffée d'amour lui élargir le cœur. Il s'immobilisa devant les écuries puis, descendu en hâte de sa monture, les rejoignit alors que, déjà, ils s'avançaient au-devant de lui au milieu des jappements du chien.

Le temps d'échanger avec Eloïn un regard lourd d'émotion et de promesse, il l'attirait dans ses bras. Geoffroy s'immisça entre eux, renouant la trinité de leurs étreintes juvéniles, cette trinité qui réjouissait Loanna autrefois avant qu'elle finisse par faussement s'en courroucer et les rejoindre. Elle leur manquait. Elle leur manqua. Jaufré écarta ses enfants, enroula ses bras à leurs épaules et les entraîna de l'avant, vers le corps de logis depuis lequel, immobile et ému, le vieux Mauray venait d'annoncer que les cailles farcies seraient froides s'il ne les servait pas.

81.

Jaufré n'attendit pas que ses enfants soient attablés dans la salle de réception du castel pour poser la question qui lui usait le cœur depuis des jours :

— Des nouvelles de votre mère ?

S'installant, Geoffroy hocha la tête.

— Nous en avons, père, mais, avant que de vous les donner, mieux vaudrait que vous entendiez le message qu'elle avait chargé Eloïn de vous transmettre.

Sa fille s'était assise à la table rectangulaire, les deux mains posées à plat sur la nappe blanche égayée d'une branche de gui, de chaque côté d'un tranchoir de pain dégageant une appétissante odeur d'ail frotté. Jaufré en fit autant, repris d'inquiétude devant leurs traits soudainement affaissés.

— Allons, l'un ou l'autre, peu m'importe. Parlez.

Tandis que Geoffroy versait dans leurs hanaps respectifs une rasade de vin épicé, Eloïn soupira.

— Les mots sont difficiles, père. Aussi difficiles que fut sa décision au lendemain de sa capture, alors que par mes yeux elle découvrait, soulagée, que vous aviez survécu, que Geoffroy vous guidait en sécurité. Vous la connaissez. Courageuse, combative. Toujours prête à se sacrifier…

Il hocha la tête. Elle lui sourit tristement.

— Nous avons partagé la même soif de vengeance. Le même désir d'en terminer avec Henri. Mais elle refusa que j'y sois impliquée d'une manière ou d'une autre. Elle se pensait capable de retourner la colère d'Henri, de ranimer en lui les feux d'hier...

Elle marqua un temps d'arrêt devant le rictus qui venait de déformer les traits de son père, avant de s'obliger à poursuivre :

— ... Face à mon incompréhension, elle m'a avoué qu'épris d'elle Henri l'avait forcée par le passé, que vous aviez voulu le pourfendre, venger son honneur mais qu'elle vous en avait empêché, liée à lui par son serment de druidesse...

Geoffroy venait de crisper les poings sur la table, submergé par le souvenir d'une discussion qu'il avait eue à ce sujet avec son père quelques années plus tôt. Tandis qu'une bouffée de haine le transperçait, la voix de Jaufré crissa, comme chaque fois qu'il était perturbé.

— Inutile d'aller plus avant, Eloïn. Je connais assez bien votre mère pour deviner ses intentions. Profiter de ce qu'Henri me croit mort pour tromper autant son cœur que sa vigilance. Assez longtemps s'entend pour qu'il baisse sa garde et lui offre l'occasion, la seule sans doute de l'assassiner.

— Oui, père.

Son œil triste se posa sur les cailles odorantes. Mauray venait de les déposer en centre de table avant de prendre place à son tour, comme de coutume. Il n'était rien ici que le vieil homme n'eût partagé.

L'appétit coupé, Jaufré enchaîna :

— Votre mère a toujours été libre de ses choix, de ses gestes. Je ne les ai pas toujours approuvés, mais je les ai toujours compris et acceptés. Cette fois encore, malgré ce qu'il m'en coûte, malgré ce qui va lui en coûter. Car elle a raison. Seule la mort d'Henri peut nous libérer, tous. Et nul désormais, à part elle, ne peut la provoquer. Ainsi donc, j'attendrai que, sa mission achevée, elle me revienne, comme elle l'a toujours fait.

À l'aide d'une pique métallique, Mauray venait d'embrocher une caille dans le plat et de la déposer devant Eloïn sur le tranchoir. Jaufré s'obligea à sourire pour chasser la tristesse et la résignation qui le tenaient.

— Bien. La cause de votre mère étant entendue, savez-vous où elle a été emmenée ?

Dans les vapeurs odorantes de l'oiseau bardé d'une fine tranche de lard, Eloïn arracha une lettre de sa manche pour la lui tendre.

— Lisez, père, mais n'écoutez que les battements de votre cœur à la faveur de ce que je viens de vous conter. Lisez et tirez-en vos conclusions, comme Geoffroy et moi l'avons fait. Ensuite je vous dirai ce que j'en sais.

Face à ses enfants qui le couvraient d'autant d'amour qu'ils le pouvaient, Jaufré sentit un étau lui broyer la poitrine. Le sceau, décacheté, était celui d'Henri Plantagenêt. Laissant Mauray, d'apparence imperturbable, achever de servir, il déplia le bref que le roi leur avait adressé et, afin que le vieil homme puisse en partager le contenu avec lui, se mit à lire à voix haute :

— *« Mes chers enfants,*

Triste jour que ce jourd'hui où il me faut vous apprendre le drame dont je suis seul, hélas, responsable. Vous le savez, Eloïn, pour avoir partagé ces quelques heures auprès de votre mère à Old Sarum, sa volonté était de se voir conduite et oubliée en l'île dite des Bannis au large de l'Irlande. J'ai tenté d'infléchir sa volonté, car, malgré ma rancœur à son égard, malgré nos différends, elle fut pour moi un guide autant qu'une amie. Rien n'y fit. La mort de votre père lui était insurmontable, et sitôt votre séparation, Eloïn, elle perdit tout sens, toute raison, refusant, avec cette volonté qui la caractérisait si bien, une captivité digne de ce qu'elle fut pour moi. Je cédai donc, avec au cœur l'idée de la laisser quelques semaines sur ce roc, le temps qu'elle y pleure son époux dans le fracas de l'océan et, je l'espérais, retrouve la force de vivre. Pour vous… Nous n'y parvînmes pas. Il lui suffit de voir, au large, paraître le donjon depuis le bastingage du navire qui l'y amenait pour comprendre pourquoi j'en avais rejeté l'idée. Du moins est-ce la conclusion à laquelle je me suis arrêté, car, et mon cœur saigne, avant que j'eusse rien pu empêcher, elle basculait dans les eaux tumultueuses et ni moi, ni personne ne put la repêcher... »

Jaufré marqua un temps d'arrêt, la voix brisée, l'œil relevé vers Mauray qui s'était statufié sur son siège au dossier de jonc tressé.

— Poursuivez, père, je vous en prie, refusez cette image qu'on veut vous imposer, insista Eloïn avec douceur.

Jaufré s'éclaircit la voix, le souffle court, les doigts tremblants, la peur au bord des lèvres.

— « *... En... Entraînée par le courant... elle... elle disparut à nos yeux en quelques secondes.* »

Il déglutit, s'obligea à suivre le conseil de sa fille pour terminer, vite. Comme on se débarrasse d'une corvée.

— « *À ce jour, mes chers enfants, son corps n'a pas été rejeté et avec vous je la pleure. Avec vous je la regrette. Car, n'en doutez pas. Je l'ai aimée.* »

82.

Durant les secondes qui suivirent, Jaufré ne put relever les yeux de cette écriture qu'il savait être celle de Pierre de Blois, le secrétaire royal. Henri l'avait signée de son seul prénom, comme s'il avait voulu se rapprocher d'eux dans le chagrin, oublier le roi qui l'avait condamnée. Mauray était blême, ses rides semblables à des sillons de labour, resserrées plus encore que d'ordinaire. Il ne bougeait pas. Pas plus que Geoffroy et Eloïn qui fixaient leur père occupé à suivre les pleins et déliés de la plume. Ils le sentaient bousculé de sentiments contradictoires, comme eux-mêmes l'avaient été, comme le vieux Mauray. Incapable de donner un sens, une réalité à la description de cette tragédie. Et puis soudain, son poing levé s'écrasa sur le bois de la table, à côté de la caille farcie qu'il n'avait pas touchée.

— Il ment ! Ce scélérat nous ment ! Elle est toujours en vie. Je le sens, je le sais !

Parvenu à la même conclusion, Mauray approuva d'un hochement de tête. Eloïn et Geoffroy en furent soulagés, craintifs jusque-là à l'idée que l'intuition de leur père ne se révèle différente de la leur.

— Oui, il ment, père. Reste à savoir pourquoi, nota fort justement Geoffroy.

Jaufré planta son regard chargé d'espoir dans celui d'Eloïn. Elle eut un triste sourire.

— J'ai cessé de la capter quelques heures seulement après que nous avions été séparées. Mais point comme s'efface la vibration d'un être que la camarde a emporté. Comme si son esprit n'était plus relié au mien, comme si…

— … on le lui avait effacé…

Ils se tournèrent d'un même élan vers Mauray qui venait de parler. Eloïn fronça les sourcils.

— Oui, c'est cela même, comme si elle nous avait oubliés. À quoi pensez-vous, Mauray ?

Les yeux délavés du vieil homme trouvèrent ceux, incrédules, de Jaufré. Son timbre aux sonorités profondes s'imposa de nouveau dans la pièce :

— À l'usage que fit autrefois Guenièvre de la liqueur d'opium sur vous-même, sire Jaufré, après l'attaque du castel du Puy du Fou par le cavalier noir. Or je sais que Loanna l'utilisait pour certaines de ses médications…

— En effet. Elle m'en a enseigné l'usage, releva Eloïn, sidérée de ne pas y avoir songé, avant d'ajouter : Henri s'en sert pour soulager ses douleurs de hanche. J'ai vu plusieurs fois Aristophane Bec, l'apothicaire qui servait mère, venir au palais tandis que nous étions retenues à Chinon.

Jaufré demeura dubitatif.

— De ce que j'en connais, et tu rectifieras si je me trompe, Eloïn, cette liqueur n'affecte les souvenirs que temporairement.

— C'est cela, père. Employée goutte à goutte et dans un but bienfaisant. Or je doute que ce soit le cas d'Henri. Pour la maintenir sous sa coupe, il faut qu'il ait utilisé le même procédé que Guenièvre autrefois avec vous deux, lorsqu'elle décida de vous faire oublier jusqu'à l'existence d'Aude. La liqueur d'opium pour annihiler la volonté, la manipulation de l'esprit pour la contrôler. De sorte que, l'un dans l'autre, au réveil, ne restent en la mémoire que les souvenirs qu'on y a implantés. Et personne mieux qu'Aristophane Bec, à qui mère faisait confiance au point de lui avoir révélé une partie de ses secrets, ne sait comment s'y employer.

Jaufré sentit la haine l'envahir. Ainsi donc ce chien d'Henri avait pris exemple du cavalier noir pour ravir Loanna aux siens ! Alors même qu'il s'était tant ému du sort d'Aude de Grimwald par le passé ! Il enragea. D'autant que son fils, déjà, résumait à haute voix le fond de sa pensée :

— Donc, de ce que j'entends, si nous n'intervenons pas, mère restera acquise et soumise au Plantagenêt.

Chiffonnant la lettre dans son poing, Jaufré ajouta, grinçant :

— Et Henri aura obtenu d'elle ce qu'il voulait sans qu'elle se souvienne seulement des griefs qui les ont séparés et de la mission qu'elle s'était donnée.

Faisant corps avec leur coléreuse détresse, la voix d'Eloïn trembla :

— Pire encore. Elle l'aime, sincèrement. Parce qu'elle porte cet amour en elle depuis qu'Henri est venu au monde. Si vous ne l'aviez pas rencontrée, qui peut dire si elle n'y aurait pas succombé ?

Il blêmit. Le choix. L'éternel choix. Entre Henri et lui. Combien de fois depuis qu'ils se connaissaient Loanna l'avait-elle fait ? Il ricana :

— Moi, moi je peux l'affirmer ! Si je n'avais existé, c'est à Denys de Châtellerault que votre mère se serait donnée, corps et âme. Elle n'a jamais été destinée à Henri. Jamais !

Eloïn sentit un sanglot lui remonter en gorge. Sa voix, d'une clarté de source, se troubla plus encore :

— Encore faudrait-il qu'elle s'en souvienne, car, en cette heure où nous parlons, je le puis jurer, elle ignore même que Denys, vous, moi, Mauray ou même Aliénor avons existé. Elle est prisonnière du passé qu'Henri lui a inventé, un passé dans lequel il est seul à ses côtés.

— Et cette lettre que vous tenez, Jaufré, n'est destinée qu'à nous obliger, de notre côté, à faire notre deuil pour mieux l'y abandonner, conclut Mauray, glacé.

Bondissant de sa chaise, Jaufré envoya le papier s'écraser contre un des murs de granit rouge, avant de revenir vers eux, l'index brandi comme une épée, le masque dur.

— Jamais. Jamais je ne le permettrai, vous entendez? Dussé-je parcourir le pays tout entier et y consacrer le reste de mon existence, je la retrouverai.

Un instant l'espoir ranima la couleur sur leurs traits, puis de nouveau l'angoisse perça les yeux d'Eloïn.

— Et si elle ne vous reconnaissait, père ? Si, pour l'avoir si souvent contré, son amour pour Henri l'emportait ?

Il releva le menton, sûr de son fait.

— Souviens-toi du pacte que nous avons conclu en ce jour d'orage, dans cette crypte du château de Vendrennes où Aude de Grimwald fut emmurée. La promesse que nous avons faite à ta mère de la ramener à nous dans ses vies futures, quels que soient les obstacles, quels que soient les anathèmes. Quel que soit Henri Plantagenêt !

— Dans vos yeux. C'est dans vos yeux qu'elle retrouvera sa vérité.

— Oui, Eloïn. Aujourd'hui, demain, dans cent ans comme dans mille ans, elle sera mienne. Non parce que je le veux, mais parce qu'elle, et elle seule l'a choisi, chaque fois et de pleine liberté. Parce qu'elle sait que nous sommes faits l'un pour l'autre. Que nos auras sont indissociables et que, quoi qu'il advienne, nous sommes, de chair, d'âme et de cœur, liés à jamais. Je le lui ai juré. Je tiendrai ma promesse. Je tiendrai ma promesse ou bien, foi de Jaufré Rudel, je mourrai.

Quelques jours plus tard, laissant le castel à la garde de Mauray, ils se séparaient aux portes de Brocéliande. Jaufré avait refusé l'aide de son fils, arguant que Blaye et sa famille, prête à s'agrandir, avaient besoin de lui. Eloïn prit le pas de son frère. Ils le regardèrent s'éloigner avec un pincement au cœur, conscients qu'un homme neuf les quittait. Un homme entouré de cinq autres, ceux de l'escorte de Geoffroy, routiers fiables devenus des amis par les hasards des champs de bataille. Un homme de l'ombre. Un renégat. Un bandit. Un fantôme. Dont le seul but désormais serait de regagner sa vie. Et la femme qu'il aimait.

83.

Cela faisait quelques semaines qu'Aristophane Bec se sentait surveillé. Depuis son retour d'Angleterre, en fait. Il n'avait pourtant rien surpris d'inhabituel autour de lui sinon qu'on s'était inquiété de voir son officine rester dix mois fermée. Il avait rassuré son monde en prétextant quelque héritage qu'il avait dû régler avant de reprendre le cours normal de ses affaires. Recontactés, ses fournisseurs avaient afflué, négociant toujours plus cher les raretés orientales. Ses clients étaient revenus aussi. Si l'on excluait quelques empoisonneurs qui eussent pu lui attirer des ennuis, la plupart étaient de belle notoriété et avaient assis sa renommée. Non, c'était intuitif. Le sentiment qu'on épiait ses faits et gestes jusque dans ses moindres pensées. Comme il vivait seul au premier étage de son échoppe, il ne pouvait accuser une quelconque compagne d'avoir des vues sur sa fortune et de vouloir l'escamoter. Pareil pour ses voisins, de braves gens que le grand âge avait guéris de la soif de richesse, et desquels il éloignait les maux courants sans demander un denier. La venelle sur laquelle s'ouvrait sa porte se voyait la mieux fréquentée de Chinon, au point qu'aucun mendiant, aucune prostituée n'y mettait les pieds. La maréchaussée n'y avait, depuis des années, relevé le moindre larcin. Aristophane Bec était donc circonspect face à ces brusques sueurs qui, sans prévenir, lui descendaient le long de l'échine, le glaçaient d'angoisse au point qu'il se jetait sur sa porte pour la verrouiller. À la faveur des jours qu'il passait au milieu des parfums d'épices, d'essences rares et de racines séchées, il avait fini par se moquer de lui-même. C'était certainement le remords qui se rappelait à lui de si indélicate manière. Car du remords, Aristophane Bec en avait. Autant que de la crainte à désormais se dresser contre ce roi d'Angleterre que, pour avoir voulu le soulager, il avait transformé en le plus cruel des geôliers.

Alors qu'octobre de cette année 1175 venait de commencer, après avoir maintes et maintes fois regardé par-dessus son épaule pour vérifier que nul ne le suivait, il avait quitté Chinon pour Barfleur. Après un voyage harassant à s'inquiéter de tout, jusqu'au moindre grincement de parquet dans les chambres des auberges où il s'était arrêté, il s'était abrité du brouillard à l'intérieur d'un de ces navires relais qui traversaient la Manche sans discontinuer pour satisfaire au flux constant des voyageurs. Assis sur un banc de bois rivé au plancher, il serrait sa besace de cuir contre son flanc. Point trop cependant afin de ne pas laisser supposer que son contenu était précieux. Avec son allure modeste et ses traits insignifiants, on le différenciait peu des autres passagers qui riaient fort autour de lui, discutaient, regardaient leurs chausses en soupirant, quand ils ne s'éventaient pas, blêmes et nauséeux, à cause des remugles de crasse, de vase et de déjections d'oiseaux qui empestaient la cabine. Repris par cette sensation diffuse de danger, il lui tardait de parvenir à destination, pour remettre au roi d'Angleterre la liqueur d'opium que celui-ci lui avait commandée. La traversée durant, sur une mer étonnamment calme et sans incident particulier sinon la régurgitation d'un enfant sur les souliers de son voisin, un prélat sottement vexé, Aristophane Bec dut se faire violence pour ne pas se retourner de droite ou de gauche.

Sitôt le navire arrimé, il quitta le ponton à petits pas pressés, loua monture, puis, dans cette laiteuse brume qui lui piquait le nez, se hâta de déserter le port de Southampton. Il galopa sans discontinuer vers Maunffeld jusqu'à ce que son cheval montrât signe de fatigue et qu'il fût contraint de le changer. Il reconnut le relais dans lequel il s'arrêta pour y avoir fait halte une fois déjà. On y servait une cervoise tiède, des beignets d'oignons et des rognons de veau. Le tenancier était un Anglais jovial dont les moustaches lui caressaient les oreilles et qui accueillait ses clients d'une claque sur l'épaule avant de les conduire à table et de les contraindre d'un clin d'œil à y rester. Il y déjeuna d'un bel appétit retrouvé, se remit en selle pour parvenir, ainsi qu'il l'espérait, à la tombée du jour en lisière de la forêt de Sherwood. Dans moins de une heure, il serait en sécurité. Il accéléra plus encore l'allure, appréciant peu ces couverts dans lesquels souvent des brigands se cachaient, même si, lui avait-on affirmé à son dernier relais, la contrée était paisible, le sheriff ayant reçu l'ordre d'y veiller. Pour autant, Aristophane Bec était de moins en moins rassuré. Comme chacun, il avait eu vent de cette rumeur qui courait les terres de la couronne. Une petite troupe contrecarrait les entreprises royales. Nul n'en pouvait brosser portrait mais, parce que ces bandits restaient introuvables et signaient leurs méfaits d'une plume taillée, leur impertinence faisait le bonheur discret de ceux qui, hier, s'étaient opposés au règne du Plantagenêt. Et Aristophane Bec, avec ce qu'il transportait, se demandait si, tôt ou tard, ils n'allaient pas lui surgir sous le nez.

Ainsi, lorsqu'un tronc d'arbre couché en travers du chemin l'obligea à tirer bride et à immobiliser son palefroi au cœur d'une forêt rendue à la décrue du jour, sentit-il son sang se glacer. D'instinct, il tira son braquemart du fourreau tout en maudissant le roi de lui refuser escorte par crainte, justement, d'attirer l'attention sur lui. Aux aguets, maintenant, une main sur son cheval qui piétinait, l'autre sur le pommeau, il fureta d'un œil effrayé les frondaisons alentour. Rien ne bougeait sinon quelques feuilles rousses bousculées par la course rapide d'un écureuil qui sauta d'une branche à l'autre. Il passa quelques secondes à écouter battre le cœur de la forêt, bien plus lentement que le sien. Puis, rassuré, se moquant de lui-même, il rengaina sa lame pour mieux diriger sa monture hors du sentier, au travers des taillis qu'il lui faudrait forcer pour contourner l'obstacle. Pressé d'arriver au castel désormais tout proche, il s'enfonça dans l'obscurité du sous-bois en longeant jusqu'à sa base le tronc qui avait basculé. Ce fut devant la coupe franche pratiquée à un quart de toise de la racine qu'il comprit avoir été joué. Le temps de talonner sa monture pour tenter d'échapper au piège, il recevait le poids d'un homme sur les épaules et se retrouvait projeté violemment à terre sous sa poussée. Avant même d'avoir pu songer à se débattre, Aristophane Bec cognait de la tempe contre une protubérance.

Avec la connaissance il perdit cette peur qui n'avait cessé de le hanter.

Lorsqu'il s'éveilla, migraineux et un goût de sang dans la bouche, il était solidement ligoté au tronc d'un bouleau, dans une clairière. Au-dessus de lui, dans cette pénombre qui le cernait, des étoiles scintillaient. Le silence, seulement troublé des bruissements nocturnes de la forêt, ranima sa frayeur, d'autant plus grandie en quelques secondes qu'il s'imagina abandonné là, à la merci de bêtes sauvages. Il voulut appeler à l'aide mais ne put lâcher qu'un gargouillis tant sa gorge était serrée. Cela suffit pour qu'une ombre, plus dense que les autres, se déplie lentement de la lisière des fourrés et s'approche. Un des bandits, à n'en pas douter. Le voyant décrocher quelque chose à sa ceinture puis relever le bras à quelques pas de lui, Aristophane Bec poussa un hurlement.

— Cessez donc de vous époumoner comme un goret qu'on saigne ou vous allez m'en donner l'envie, crissa l'inconnu.

Cette voix… Aristophane Bec se figea, tandis que souplement l'homme s'accroupissait devant lui.

— Vous devez avoir soif après semblable chevauchée. Allons, buvez. Si j'avais voulu vous occire, il y a longtemps que ce serait fait.

Il lui présenta devant la bouche la gourde de peau qu'il tenait en main. Aristophane Bec se rasséréna du vin qui coula dans sa gorge, puis, lorsqu'elle lui fut retirée, chercha, à la faveur de la lune, les traits de son agresseur. Ce dernier se redressa avant qu'il ait pu les jauger, mais son sentiment était fait. Autant par ce parfum qui venait de lui chatouiller les narines que par ce timbre si particulier. Comprenant qu'une part de lui allait pouvoir se soulager d'un fardeau devenu trop lourd à porter, il soupira :

— Point ne sera besoin de me contraindre. Je serai bien heureux de vous aider, messire Jaufré.

Jaufré Rudel ne s'en émut pas. Il avait perdu toute once de pitié à vivre comme un fantôme, à chercher l'apothicaire des mois durant puis à le surveiller étroitement dans tous ses déplacements, certain qu'il finirait par le mener à la cache, introuvable, de sa femme. Il eût pu le bousculer dans son officine, mais il avait craint qu'Henri ne l'eût mis sous protection et, une fois avisé, ne déplaçât aussitôt sa captive. Lors avec ses routiers, devenus amis fidèles, il s'était imposé patience et abnégation, tout en agaçant Henri de petites actions mesquines chargées de détourner son attention. En voyant l'apothicaire se diriger vers la Manche, ils s'étaient embarqués en même temps que lui, l'avaient suivi discrètement comme à l'accoutumée, pour prendre table dans le relais où il s'était arrêté pour manger. Il avait été alors facile de le devancer. Jaufré sourit méchamment dans la pénombre de la clairière face à cet homme qui s'était tant inquiété en chemin de vérifier la sûreté de sa route qu'il leur avait indiqué, sans s'en douter, le meilleur endroit pour une embuscade. La hache de Petit Jean, un solide gaillard joufflu, avait fait le reste.

— Je n'en attends pas moins de vous, Aristophane Bec. Sinon, vous l'avez bien compris, je vous tuerai sans hésiter.

L'apothicaire déglutit.

— On vous affirmait mort...

— Je le suis.

Jaufré revint à la hauteur de son prisonnier, le masque froid.

— Un troubadour sans voix, un seigneur sans terres et un époux sans femme. Quelle place ai-je du côté des vivants ? Sinon celle que vous pourriez me rendre.

— Comment ?

— À vous de me le dire. Elle est sous votre contrôle, non ?

Aristophane Bec baissa la tête, honteux jusque dans l'âme.

— Vous savez donc...

Jaufré l'empoigna par les épaules, à lui faire mal.

— Non, Aristophane Bec, je ne sais rien. Je suppose. Voilà pourquoi je vous traque depuis des mois. Alors dites-moi ! Est-ce dans le castel voisin qu'il la retient ?

— Oui. Mais vous vous trompez, Jaufré. Ce n'est plus lui, moi ou la liqueur d'opium qui la retiendra désormais.

Jaufré le lâcha, sonda ce visage à la faveur du falot qu'un de ses hommes, Merchadier, revenu de sa ronde, approchait d'eux.

— Qui alors ?

Aristophane Bec se racla la gorge sur la certitude que cet homme allait la lui serrer, sans la moindre hésitation. Parce que c'était ce que lui aurait fait. Il avoua pourtant. Au moins mourrait-il en paix.

— Geoffrey Plantagenêt. Le fils qu'elle vient de lui donner.

Pendant quelques secondes, il sembla à Jaufré que son cœur avait cessé de battre, le temps de s'écouler, la vie d'animer le sous-bois. Puis, il s'ébroua comme un rapace sous l'orage, la fureur au bord des lèvres.

— Vous mentez, Aristophane Bec. Faudra-t-il donc vous torturer pour vous arracher la vérité ?

L'apothicaire blêmit. La mort, passe encore. La souffrance...

— Je sais que dame Loanna avait perdu tout espoir d'enfanter de vous, et ce depuis de longues années. Mais elle n'était pas pour autant en retour d'âge...

Tandis qu'à quelques pas de là Merchadier s'était mis en quête de brindilles pour allumer un feu, Jaufré posa son poing sur son épée, l'esprit bouillonnant d'un sang mauvais.

— Est-ce à dire que vos potions... ?

— Point ne me fut besoin, hélas. Si je ne craignais de vous dresser plus encore contre moi...

La sentence tomba, aussi froidement qu'un couperet :

— Vous avez déjà atteint le seuil de non-retour, Aristophane Bec.

— Alors soit. Tuez-moi, vous n'y changerez rien. Le roi a vingt ans de moins que vous et sa sem...

Il ne termina pas, la joue emportée par une gifle magistrale qui lui déboîta la mâchoire. Jaufré s'était aussitôt redressé, entre la douleur et la haine. Petit Jean revenait à son tour, accompagné de Robin de l'Oxley, un Gallois fidèle à Richard. Les deux derniers de leur bande étaient restés en poste de guet. Aristophane Bec délia lentement son cou et le releva vers cet homme pour lequel il avait toujours éprouvé respect et amitié.

— Tuez-moi, Jaufré Rudel. Tuez-moi ou laissez-moi me racheter.

— Qui me prouve qu'une fois libéré vous n'allez pas nous vendre comme vous l'avez vendue, elle, à la perversité d'Henri ?

Des larmes de remords piquèrent les yeux de l'apothicaire.

— Vous n'avez pas d'autre choix que de me faire confiance. Sevrer dame Loanna de la liqueur d'opium ne suffit pas. Encore faut-il libérer son esprit des entraves que le roi m'a contraint à y placer. Cela ne changera pas son lien à l'enfant, mais au moins saura-t-elle, de nouveau, qui elle était. Et je suis le seul à pouvoir l'y aider.

Jaufré arracha sa dague au fourreau. La peur reprit tant Aristophane Bec qu'il sentit ses braies s'inonder. La seconde d'après, ses liens étaient tranchés et, honteux plus encore, il saisissait la main que Jaufré lui tendait.

84.

Henri Plantagenêt envoya son hanap voler en travers de la pièce, éclaboussant meubles et tapis avec le vin qu'il n'avait pas achevé de boire. Aristophane Bec, qui se tenait à quelques pas de lui, ne fut pas épargné. Passant un revers de manche sur sa joue, il essuya les quelques gouttes à la senteur de cannelle qui avaient giclé dans l'envol, avant de soupirer :

— Repeindre le lieu n'y changera rien, Votre Majesté. Je n'ai pas le pouvoir de faire parler les morts et celui-ci était seul à connaître l'endroit où la liqueur était fabriquée. J'ai dépêché des émissaires, partout. Ils sont revenus bredouilles. La source est tarie, vous dis-je, je n'y peux rien changer.

Les yeux d'Henri s'exorbitèrent d'exaspération. Aristophane Bec se tétanisa des pieds à la tête, angoissé plus encore qu'il ne l'avait été dans la forêt, la veille. Jaufré Rudel n'était pas Henri Plantagenêt. L'un avait besoin encore de lui. L'autre... Il ne bougea pas, cependant, empli de ce sentiment de dignité qui lui avait tant fait défaut ces derniers mois. Henri secoua un index menaçant, puis, devant le mutisme fataliste de l'apothicaire, finit par le baisser, croiser ses mains dans le dos et se mettre à marteler le sol taché de ce petit cabinet. Il se planta enfin devant une des étroites fenêtres, l'œil perdu dans les circonvolutions des cygnes sur l'argent du petit lac qui voisinait ce côté de la maison forte. Un long moment passa qu'Aristophane Bec se refusa de troubler.

Durant les dix mois de son précédent séjour, alors que, inquiet pour l'enfant à venir, Henri avait insisté pour qu'il demeure auprès de sa captive, il avait eu cent fois l'occasion de juger du caractère pervers du roi. Aux colères brutales succédait souvent une froideur de tombeau ou le mielleux des caresses. Souvent, face à une situation qui le laissait perplexe, il appliquait une feinte indifférence, pour se donner le temps d'analyser, de comprendre, de mesurer les dangers ou les avantages, jusqu'à trouver le moyen insidieux de réduire les premiers, de s'assurer les seconds. Quel qu'en fût le prix. Oui, Aristophane Bec savait exactement quel genre d'individu se cachait derrière Henri Plantagenêt et les risques qu'il encourait à le trahir. Mais, cette fois, par le simple fait que Jaufré Rudel vivait, il ne pouvait envisager de retour en arrière. Le regard vrillé du troubadour déchu l'avait ému autant que celui, privé d'âme, de cette grande prêtresse d'Avalon qui lui avait autrefois transmis tous ses secrets. Si Henri, voyant sa réserve s'épuiser, ne l'avait pas renvoyé à Chinon avec mission de lui rapporter de son précieux poison, Aristophane Bec ne l'aurait pas quittée, se persuadant qu'avec l'oubli de Jaufré c'était la souffrance qu'il lui avait enlevée. Le sachant vivant, il ne pourrait plus se regarder en face s'il ne la ramenait à la réalité. Il l'avait vue, à son arrivée, accoudée au bras du roi, énamourée d'une existence factice et insipide, approuvant ses moindres mots, riant de ses rires, incapable d'une décision, d'un choix qui ne lui eût été suggéré tant il avait, lui, Aristophane Bec, éteint en elle toute flamme, tout esprit, toute connaissance par la suggestion, allant jusqu'à lui imposer des migraines dès lors qu'une pensée lui venait... Il frissonna dans ses vêtements de voyage. Comment le roi pouvait-il jouir de cette ombre qu'il avait créée? Comment pouvait-il se satisfaire de cette compagnie, l'aimer, la chérir? Était-ce donc cela l'ambition qu'il avait eue pour elle, en faire son esclave, quand elle avait été un des esprits les plus brillants de son temps ? Il avait renoncé à comprendre. Mais, à l'inverse d'hier, il ne pouvait plus le supporter.

— Quelles seront les conséquences sur elle ? lâcha enfin le roi en pivotant de nouveau vers lui.

Aristophane Bec haussa les épaules.

— Je l'ignore, Votre Majesté. Vous l'abreuvez depuis des mois d'une substance destinée à un usage temporaire. Et dans des proportions que je n'avais jusque-là osé imaginer. Je crains qu'un sevrage brutal ne la tue.

Le masque de contrariété d'Henri se voila d'une austérité supplémentaire.

— Il m'en reste encore assez pour diminuer les doses progressivement et pendant quelques jours… Mais ce n'est pas ce que je vous demande.

Un profond sentiment de dégoût emplit le cœur de l'apothicaire. Sa voix s'en troubla tandis qu'il gonflait poitrine face à son roi.

— Or donc, sire, est-ce là votre seule inquiétude ? Qu'elle retrouve la mémoire ? Qu'elle cesse de vous aimer ?

Henri le foudroya du regard.

— N'oubliez pas à qui vous parlez, Aristophane Bec !

— Je n'oublie rien, Votre Majesté. J'ai seulement du mal à croire que vous n'ayez point de remords à sa vue, que vous la préfériez morte que ramenée à elle-même !

Quelques pas les séparaient. Henri les franchit de deux enjambées. Sa poigne épaisse enserra cette gorge qui le défiait, rehaussant l'apothicaire sur la pointe des pieds.

— La seule chose que je veuille, Aristophane Bec, c'est que vous m'obéissiez ! Suis-je assez clair ?

Il gargouilla, étouffé par cet étau qui le broyait. Henri le repoussa violemment en arrière, lui fracassant les reins contre un recoin de table, le laissant reprendre souffle dans une toux violente, plié en deux, une main massant sa glotte, l'autre soulageant son dos.

— Arrachez-la de ses limbes puisque nous n'avons d'autre choix, mais faites en sorte qu'elle ne retrouve que sa vivacité.

— Sinon ?

Pour seule réponse, Henri lui retourna un rictus mauvais. Aristophane Bec sentit une sueur froide l'inonder. Le Plantagenêt n'aurait aucune pitié. Et d'autant moins qu'il allait lui-même être contraint de se priver de cette miraculeuse potion dont il était devenu dépendant. À moindre dose mais tout de même. L'apothicaire n'était pas dupe. Comme sa prisonnière, le roi allait devenir enragé.

Sous le poids de cette menace, il s'inclina devant lui avant de quitter la pièce. Ne lui restait plus qu'à espérer qu'elle, au moins, survive. Puis qu'avec son aide elle se souvienne. Assez pour achever la mission qu'elle s'était donnée. Car Jaufré Rudel l'avait exigé avant qu'ils ne se séparent à l'orée de la forêt. À cause de l'enfant, c'était à elle de choisir. Assassiner Henri comme prévu ou rester, de son plein gré, à ses côtés et sur le trône pour l'élever.

85.

La douleur physique est un combat, m'avait assuré Henri. Un combat dont seule la ténacité et le courage peuvent venir à bout. Mais sans doute n'avait-il jamais connu souffrance semblable, cette sensation de manque qui vous plie en deux, vous arrache le ventre, vous fait régurgiter même une goutte d'eau, vous vrille le crâne, vous broie les os, vous interdit le moindre mouvement, la moindre accalmie, jour comme nuit. Le sentiment de n'être plus rien sinon rattaché à un besoin viscéral. Dans ce tumulte qui me vrillait sur ma couche, des voix, inquiètes, me parvenaient sans que je puisse les identifier. La mienne implorait, ma main, comme une serre de rapace, se tendait vers des ombres, avant de se recroqueviller et de me lacérer le visage devant leur impuissance à me satisfaire, à me soulager. Je crois n'avoir retenu de cet enfer qu'une succession de sanglots et de hurlements.

Et l'absence d'Henri qui aurait dû les apaiser.

Cette nuit-là, après qu'Aristophane Bec s'en fut retourné dans ses appartements, satisfait et soulagé de me voir enfin détendue après deux semaines d'agonie, je fis un rêve étrange. Un homme se tenait debout, au sommet d'une tour, face à un bras de mer. Il ouvrait les siens et m'appelait. Sa présence m'était rassurante, apaisante. Malgré la tristesse qui creusait ses traits, malgré la peur dans ses yeux. Il m'était familier. Oui, infiniment familier. Et, alors que je croyais cette souffrance vaincue, elle revint en moi comme une bourrasque. Au point qu'elle me redressa sur ma couche, un nom en bouche :

— Jaufré !

Réveillé par mon cri, Henri, qui m'avait enfin rejointe, s'assit à mes côtés. Avec cette douceur dont il avait l'habitude de m'envelopper, il noua son bras autour de mes épaules et m'attira à lui. Je m'y blottis, effrayée soudain de ne pouvoir retrouver le souvenir de ce visage ébauché.

— Tout va bien, ma mie. Geoffrey dort dans son berceau, tout à côté.

Dans la douce clarté des flammes de l'âtre, je relevai vers lui mon visage ravagé.

— Non. C'était un autre. Un autre Geoffrey.

Il fronça les sourcils. Cela éveilla mes soupçons. Assez pour que je demande :

— Ai-je connu un autre Geoffrey ?

Il secoua la tête.

— Non, Loanna. Vos idées sont encore brouillées. Mais tout ira bien. Tout ira bien, mon aimée.

Il me rallongea doucement dans la couche, m'enlaça et me berça avec tendresse. À son contact, je finis par m'apaiser, par me relâcher. Sa voix chuchota contre mon oreille :

— Je vous aime, Loanna Plantagenêt. Vous ne devez pas en douter.

— Je vous aime aussi, Henri.

— Alors rendormez-vous. Je veille pour vous. Je veille sur vous.

Cette nuit-là, je l'ignorais encore lorsque le sommeil me reprit, une faille venait de s'ouvrir en mon âme. Loin d'être destinée à me détruire comme je m'en tourmentais, elle l'était à me sauver.

Au lendemain matin, ce fut le geste énergique d'Ida relevant mes rideaux de lit qui m'arracha de rêves inconsistants. Des rais de lumière pénétraient gaillardement la pièce. Je frottai mes yeux comme une enfant qui peine à quitter la douceur des songes, un bâillement en bouche mais toute douleur éteinte.

— Ai-je dormi longtemps ?

Elle eut un petit rire en cascade tout en se dirigeant vers le berceau.

— Plus qu'il n'en faut pour avoir joli teint, dame Loanna. Vous pouvez vous féliciter d'avoir mis au monde enfançon si accommodant. Il ouvre les mêmes yeux surpris que vous !

Je me redressai contre les oreillers, étreinte par une curieuse sensation. Comme si je n'étais pas à ma place dans cette chambre, dans ce lit qu'Henri avait déjà quitté, comme si ce décor appartenait à quelqu'un d'autre. Troublée, je ramenai le drap sur ma poitrine, l'œil rivé à cette jouvencelle qui enlevait le nourrisson dans ses bras en babillant des onomatopées ridicules. Pourquoi ce matin en étais-je agacée ? Pourquoi, alors qu'elle s'approchait de moi, eus-je le sentiment de ne l'avoir jamais porté ? Ce fut si violent en moi que, m'interdisant de le prendre dans mes bras alors même qu'elle me le tendait, j'ordonnai qu'elle le conduise directement à sa nourrice. Ses yeux s'arrondirent de surprise. Refusant de me contrarier sans doute, elle s'installa sur une chaise à proximité de ma couche et dénuda son sein. Il était gonflé. Mon fils ne s'y trompa pas. Sans la moindre hésitation il se mit goulûment à téter. Je branlai de ma tête vide. Cet enfant lui allait bien. Trop bien. Comment avais-je pu oublier son rôle auprès de lui ? Reposant la tête en arrière, je fermai les yeux, en quête des images de son accouchement, du mien... Avait-elle mis au monde un fils, une fille ? Avant ? Après moi ? De qui ? Seul un épais brouillard me vint. Dans le silence qui s'était installé entre nous, les bruits de succion du petit Geoffrey renforcèrent mon sentiment de solitude. Je finis par n'y plus tenir, par reporter mes yeux sur leur complicité, me remplir d'amertume sous le joug de ce désert qui m'accablait. Assez sans doute pour que la sérénité de mes traits s'en ressente.

Elle me lança un œil inquiet.

— Vous sentez-vous bien, dame Loanna ?

Envie de les chasser, elle et mon fils. Je me fis violence. Me raclai la gorge. Pourquoi voir en elle une ennemie ? N'était-elle pas à mon service ? toute disposée à me venir en aide ? Je me forçai à sourire.

— Les souvenirs semblent me fuir ce matin. Pardonne-moi mais, si je me souviens de ton nom, j'ai oublié celui de ton enfançon...

Son visage se voila de tristesse.

— Il n'a pas eu le temps d'en recevoir un, hélas.

Je tiquai.

— Était-il... ?

— Mort-né, oui.

Un sentiment de honte me submergea qui me fit croiser les mains sur le drap. Endormi quelques secondes, mon fils s'était décalé du mamelon. Il s'agita pour le retrouver. Ida le lui rajusta en bouche avant d'ébaucher un sourire.

— Il ne faut pas vous en vouloir, dame Loanna. Ces derniers jours ont été éprouvants pour vous.

— Sans doute, m'entendis-je répondre. Je suis si fatiguée...

— Voulez-vous que je vous laisse ? Je peux terminer de l'allaiter plus loin et revenir une fois sa toilette achevée pour m'occuper de la vôtre.

Son regard m'enveloppait d'une chaleur douce. Je me sentis vulnérable. Infiniment vulnérable.

— Oui. S'il te plaît.

Elle resserra ses bras autour du petit Geoffrey, puis se leva.

— Voulez-vous l'embrasser ?

— Plus tard.

Elle n'insista pas. Je la vis quitter la pièce, aussi déstabilisée de n'éprouver aucun regret que soulagée de me retrouver seule. Je demeurai quelques secondes encore dans la chaleur du lit puis, oppressée soudain par le parfum musqué que les draps portaient, en rejetai les couvertures pour le quitter. Enlevant une chape de velours d'un portant, je m'en enveloppai pour me diriger vers l'âtre qu'on avait probablement rechargé discrètement durant mon sommeil, car des braises y rougeoyaient encore. Sans hésiter, je m'emparai d'une bûche, puis d'une autre. Ce ne fut qu'en voyant reprendre les flammes sur le tas que j'avais savamment organisé que j'eus conscience d'avoir accompli cette tâche réservée aux domestiques. Surprise, je reculai, le cœur battant soudain carole, prise d'une bouffée d'angoisse. Qui étais-je pour avoir oublié le bienséant ? Pire, l'essentiel ? Car enfin, quelle mère refuserait le contact de son enfant ? Se pouvait-il que je fusse toujours possédée par cet esprit malin dont la traque m'avait broyé le corps et l'âme des jours durant ? Henri avait affirmé le contraire. Aristophane Bec et l'exorciste appelé à mon chevet aussi. Mais qu'en savaient-ils en vérité ? Je pivotai sur moi-même, effrayée. Il me fallait comprendre. Mon œil accrocha un miroir qui voisinait mes brosses à cheveux dans un panier posé sur une tablette. Je me précipitai sur lui. Ne disait-on pas que les démons s'apercevaient par transparence ? Je m'y mirai avec tant de crainte que mon visage le refléta et que je dus retourner m'asseoir sur le lit, à bout de souffle. Il me fallut quelques secondes avant de m'apaiser, de trouver le courage de recommencer. Je m'attachai à ce regard perdu, à la ligne du nez, à ses ailes piquées de taches de rousseur, à la rondeur des joues, stigmates de ma grossesse, au dessin des lèvres. À ces quelques rides au coin de mes yeux, à mon front balayé de mèches rousses. À cette petite cicatrice sur le haut de la pommette. Toute petite. Ce fut elle qui retint mon attention, dans le sentiment étrange qu'elle appartenait à une autre, à un événement important de sa vie. Je la fixai, fixai jusqu'à en avoir les yeux brûlants, jusqu'à retrouver l'image d'une fillette qui s'était cachée sous une table et que, pour la débusquer, dans ce jeu qui nous tenait, j'avais rejointe. C'était en me relevant que je m'étais déchirée sur la tête d'un clou qui dépassait. Une fillette aux yeux violets pailletés d'or et aux boucles d'ambre. Son nom me vint comme un murmure en même temps que le manque d'elle.

Eloïn.

La seconde d'après, je m'effondrai sur les draps froissés sans comprendre pourquoi je pleurais.

Lorsque Ida repassa la porte, je n'étais toujours pas calmée. Elle se précipita vers moi.

— Eh bien, eh bien, dame Loanna…

J'acceptai la rondeur chaleureuse de ses bras, m'y blottis, me laissai bercer, bousculée par des sentiments incohérents, des images qui sitôt venues me fuyaient, sans que je parvienne à en garder trace. Ida ne disait mot, mais sa présence me fut bénéfique. Peu à peu tout cessa, renvoyé au néant, et je me retrouvai vide. Lors, épuisée, je réclamai de dormir encore. Elle ramena sur mon corps recroquevillé la couverture de laine, me bisa au front et me laissa m'enfoncer dans ce sommeil de plomb qui m'attirait.

86.

Henri vint me visiter une bonne heure plus tard, alors que j'émergeais lourdement, la bouche redevenue pâteuse. Il caressa mon front, inquiet.

— Ida vous a trouvée en grand tourment tantôt. M'en direz-vous la cause ?

Je plantai sur lui le même regard égaré que sur notre fils tout à l'heure avant de frissonner et de le baisser.

— Je l'ignore, mon époux. Cela m'a pris comme un coup de tonnerre. La conséquence de ces jours derniers, m'entendis-je tenter d'éviter le sujet.

Il m'attira contre lui.

— Il ne faut pas vous laisser abuser par des cauchemars, Loanna. Votre grossesse vous a considérablement affaiblie, assez pour qu'un démon s'immisce en vous, mais nous l'avons chassé. Toutes les images qui vous viendraient désormais ne seraient que réminiscences de sa présence. Peu à peu, si vous les refusez, elles disparaîtront.

Il releva mon menton sur son poing fermé, plongea son regard ardent dans le mien, douloureux.

— Vous voulez me rendre heureux, n'est-ce pas ?

Il prit mon clignement de paupières pour un assentiment. Frôla mes lèvres des siennes.

— Mettez-vous en paix. Et souvenez-vous. Il n'y a jamais eu, il n'y aura jamais qu'un seul Geoffrey. Celui que vous m'avez donné.

Je hochai la tête, mais, curieusement, par le simple fait qu'il eût jugé utile de le marteler, j'eus la certitude qu'il me mentait. En eut-il conscience ? Il s'écarta de moi, regagna la porte puis, sur le seuil, se retourna, le visage traversé d'un rictus que je ne lui connaissais pas.

— Je ne saurais vous laisser dans la crainte ou le doute, ma femme. Je vais aller quérir Aristophane Bec. Lui saura dégager le faux du vrai.

Soudain, prise d'une inexplicable panique, je me mis à chiffonner les draps entre mes mains, le souffle court. Fuir. Cet endroit. Ma peur. Mes démons. Fuir. Henri. L'envie m'en prit sitôt que la porte se fut refermée sur lui. Je ne comprenais pas ce qui m'arrivait.

Fuir Henri. Était-ce concevable ? Qu'avais-je à lui reprocher? Mais des images m'assaillaient de nouveau, cette fillette, cet homme au sommet de sa tour, impressions fugaces sur lesquelles mon esprit ne parvenait à se fixer. Pour les écarter ou leur rendre une réalité, je tentai de me remémorer mes épousailles avec Henri, ma vie avant lui. J'en fus incapable. Comme si ma seule existence tenait à ce jourd'hui. Comme si je n'avais pas de passé, de parents. Les avais-je perdus dans un drame effroyable, un drame qui m'aurait anéantie assez pour que mon esprit eût voulu l'oublier? Ou bien était-ce le démon qui avait effacé jusqu'au moindre recoin de mon âme pour mieux se l'approprier? Je m'aperçus n'être pas même capable de savoir quel titre était rattaché au nom des Plantagenêts. Quelle influence mon époux avait à la cour. Quelle cour d'ailleurs? Gouvernée par quel roi? Que possédions-nous de domaines, de privilèges? Je ne me souvenais pas davantage d'avoir jamais franchi les limites de cette maison forte, solidement gardée, d'y avoir reçu des amis, des voisins, à l'exception de quelques chevaliers avec lesquels mon époux disparaissait ou revenait. Comme si toute mon existence se résumait à un brouillard épais duquel des silhouettes émergeaient avant, de nouveau, d'être avalées. Je balayai l'air comme on se veut garder d'une guêpe. Folie. Folie. Que ces ombres appartiennent ou non à hier était sans importance.

Henri m'aimait. De cela j'étais certaine. Il m'aimait et me voulait protéger. Peu importait de quoi. Mieux valait d'ailleurs que je ne le sache jamais. Je devais me calmer. À tout prix. Ne pas laisser de nouveau une entité me posséder, me plier à sa volonté, me rouler dans ses rets. J'avais trop souffert de l'avoir voulu chasser. Je ne voulais plus.

Non.

Je ne voulais plus.

Je me battis les joues à pleines mains pour m'en rappeler le cinglant, pour m'éveiller, me forcer à réagir. Je finis par y parvenir. Je finis par me lever de nouveau, me servir un verre d'eau sans trembler. Le boire sans que mon gosier fût trop serré. Des réminiscences, avait assuré Henri. Seulement des réminiscences.

J'en guérirais.

Lorsqu'il revint, j'étais décente, assise dans un fauteuil, les deux bras reposant sur les accoudoirs. Convaincue que le tumulte cesserait en moi dès que l'apothicaire, à ses côtés, m'aurait examinée, je souriais.

À ma vue, Aristophane Bec n'afficha pas le même air fermé qu'Henri. Tout au contraire. Une petite lumière dansa dans ses yeux lorsqu'il s'accroupit devant moi.

— Me laisserez-vous sonder votre regard ?

— Aussi longtemps qu'il vous le faudra, sieur Bec.

Précautionneusement, du bout des doigts, il écarta les paupières de mon œil gauche, fit rouler le globe en tous sens. Il relâcha l'écartement, recommença de l'autre côté avant de se redresser.

— Je ne vois rien ici qui laisse supposer une présence démoniaque. Quelques jours de repos supplémentaires, et, je vous l'affirme, vous cesserez d'être angoissée.

Ma tension se relâcha d'un coup. Lui retournant son sourire chaleureux, je me reculai contre le dossier.

— Vous me libérez d'un grand poids, mon ami, car, depuis ce matin, je l'avoue, je craignais de ne plus être moi-même. Je vais suivre vos conseils et, grâce à l'amour de mon époux, très vite me retrouver.

— Je vous le souhaite. Votre Jaufré a besoin de vous, dame Loanna.

Pourquoi de nouveau eus-je l'impression que ce n'était pas de mon fils qu'il parlait? Pourquoi ce sentiment de méfiance à l'égard d'Henri vers lequel Aristophane Bec venait de se retourner pour ajouter : « Tout autre traitement serait à mon sens inutile. » À cause de sa réponse à l'apothicaire?

— Mieux vaut prévenir que guérir, sieur Bec. N'est-ce point ce que vous préconisez?

— Certes mais...

À cause du regard noir dont Henri le couvrit, aussitôt enveloppé de miel lorsqu'il découvrit que je le fixais?

— Il n'y a pas de « mais ». Mon épouse mérite les meilleurs soins et j'entends que vous les lui donniez.

Un frisson détestable me parcourut l'échine, de sorte que, instinctivement, alors que quelques minutes plus tôt je m'étais convaincue de lâcher prise, je fus bousculée par une petite voix intérieure. Une petite voix qui ressemblait étrangement à la mienne mais plus autoritaire, plus affirmée. Une voix qui m'imposait de résister. S'approchant de moi, Henri enleva ma main, redevenue tremblante, pour la porter à ses lèvres.

— Ne m'en veuillez pas de m'imposer, ma mie, mais je vous ai vue si mal, j'ai tant craint de vous perdre que je refuse de courir à nouveau le moindre risque. Acceptez de fixer cette pierre qu'on va vous présenter. Elle possède grand pouvoir de protection et écarterait de vous et de notre fils d'autres entités maléfiques. Ainsi ni vous ni moi n'aurions plus de raison de nous inquiéter.

Je levai les yeux vers l'apothicaire qui venait de sortir un pendentif de la fine besace de cuir à sa ceinture. Fut-ce parce que cet objet me sembla familier que je laissai de nouveau Aristophane Bec s'accroupir devant moi? le bijou osciller sans pouvoir en détacher mon regard?

— Ne pensez plus à rien, dame Loanna. À rien d'autre qu'aux mouvements de cette pierre de lune, à ma voix. Faites le vide en votre esprit. Le vide. Le vide...

Le vide. N'était-ce pas déjà de vide que j'étais cernée? Bientôt je n'entendis plus qu'un murmure, une litanie de mots incompréhensibles mais qui trouvèrent un écho lointain en moi. Un écho à la fois rassurant et troublant.

— *Ouïmaona inemaï*... Vous êtes ce à quoi vous vous devez... *Ouïmaona inemaï*... *Ouïmaona inemaï*... *Ouïmaona inemaï*...

Lorsque la pierre enchâssée dans l'argent s'immobilisa devant moi, plongée dans une léthargie qui me clouait sur mon siège, la voix d'Henri couvrit celle de l'apothicaire :

— C'est à moi et à moi seul que tu appartiens, Loanna. Tu m'aimes et tu ne désires rien d'autre que vivre à mes côtés. Tu ne dois pas en douter.

J'eus conscience de répéter ces mots-là. J'eus conscience de m'en convaincre et, tout à la fois, par cette conscience même, je sus qu'une part de moi les refusait. Une part de moi qui se voyait attacher au cou d'une petite Eloïn cette pierre de lune, qui, maintenant qu'elle était devenue femme, tressautait sur sa poitrine. Une part de moi qui s'entendait prononcer avec elle ces mêmes mots : *Ouïmaona inemaï*... Il doit mourir...

Lorsqu'un claquement de doigts retentit, me libérant de toute emprise pour me rendre au présent, ce fut non pas le visage d'Henri qui dansa dans mon cœur, mais celui de cette Eloïn, avec en moi la certitude de l'avoir enfantée. Avec en moi la conviction que c'était la mort d'Henri que, toutes les deux, nous avions décidée. Restait à comprendre ce qui avait justifié ce choix. Et pourquoi, étrangement, cela ne me chagrinait aucunement.

Tandis que, m'arrachant au fauteuil, les bras d'Henri m'enlaçaient, qu'Aristophane Bec, dans une œillade complice, dissimulait la pierre de lune au bas du dossier dans le creux de l'assise que je venais de quitter, entre le dégoût et le désir que mon époux m'inspirait, apaisée d'angoisse, je me sentis prête à découvrir enfin ce qu'on avait pris tant de soin à me faire oublier.

87.

Les premiers temps, dans cette tour sombre d'Old Sarum, Aliénor n'avait cessé de compter les jours, le nez à la fenêtre. L'hiver l'avait repoussée devant l'âtre, d'abord transie malgré un feu nourri, mais, peu à peu, son corps s'était forgé à l'humidité des vieilles pierres, au souffle du vent qui forçait les huisseries. Elle s'était adaptée. S'amusant du fait que ses geôliers se mouchaient, toussaient, crachaient alors qu'elle, malgré l'usure des ans, malgré l'austérité des conditions de sa détention, demeurait solide, en pleine santé. À aucun moment, en dépit de l'effroi que lui avait inspiré ce lieu, elle ne s'était laissé abattre. Son affrontement avec Henri l'avait rendue à l'évidence qu'elle n'aurait jamais dû, à Chinon, renoncer à ses exercices journaliers. Elle les avait repris, dès le lendemain de sa solitude imposée. Préservant sa souplesse, mais aussi sa musculature en agitant des livres dans ses poings fermés. Elle eût cent fois préféré les affirmer sur le pommeau d'une épée, mais, craignant qu'elle ne s'en serve contre eux, le chevalier qui la gardait le lui avait refusé. Qu'importe. Elle avait obtenu de sortir, une heure au moins par jour, dans la cour du château. Comme si elle avait été d'une dangerosité effroyable, aucun des gardes présents, que ce fût sur les chemins de ronde, au sommet des tours de guet ou au pied des différents édifices, ne la quittait des yeux durant sa promenade. Elle les narguait de son indifférence, de sa force tranquille, suscitant plus encore leur respect. Jamais elle n'avait laissé échapper une plainte. Jamais elle n'avait réclamé ne fût-ce qu'un verre de lait. Mieux, alors que tous s'usaient dans la tristesse de ce lieu, dans l'austérité de cette lande, dans la peur des fantômes de la nécropole, pour avoir admis et apprivoisé ses propres démons, elle se mettait à chanter. En haut de sa tour, dans la cour, dans la chapelle, à l'oiseau qui survolait sa prison, à celui qui se posait sur le chambranle de sa fenêtre, aux nuages, au soleil, dans le brouillard épais, s'accordant à la musique des gouttes de pluie, aux tambours de l'orage, Aliénor dansait et chantait. Persuadée au fond d'elle que sa voix, portée par le vent, amplifiée par l'écho, rejoignait les siens. Ses fils à qui Henri avait interdit sa porte, Bernard de Ventadour prisonnier en Toulouse, les troubadours qui, elle en était convaincue, avaient mis son courage en cansoun, Loanna de Grimwald qui œuvrait à leurs intérêts.

Le printemps n'avait rien changé à ses nouvelles habitudes. La croyant prise d'une douce folie, Henri avait seulement allégé ses interdits. Elle avait vu revenir vers elle Eloïn et Geoffroy Rudel. C'était à cette occasion qu'elle avait appris le sort qu'Henri avait réservé à leur mère, la quête de Jaufré. Comme eux, elle s'était mise à attendre. À espérer. Autrement. Grâce à Eloïn, elle avait eu des nouvelles de sa chère Aquitaine. Elle s'était réjouie de savoir que Poitiers reprenait vie, que Richard ne l'oubliait pas, tout au contraire. Que ses fils, s'ils subissaient la loi de leur père, ne perdaient pas espoir de lui arracher un jour sa libération ou, à défaut, le droit de l'embrasser. Que, pour l'heure, ils rebâtissaient leurs domaines dévastés par la guerre.

L'été qui avait suivi, le chevalier Ralph Fitz-Stephen, commis à sa surveillance, lui avait autorisé quelques promenades à cheval, sous solide escorte d'une quarantaine d'hommes, après avoir soigneusement vérifié que les alentours étaient calmes. Le bruit courait qu'une petite troupe armée cherchait à la délivrer. Eloïn, qui était revenue lui rendre visite, lui avait annoncé que son père était à sa tête. Qu'Agnès de Blaye avait enfanté d'une petite Alix, et que les troubadours recommençaient à affluer en Poitiers. Aliénor s'était rassérénée d'écouter, par sa voix, les vers qu'ils lui dédiaient. Tous continuaient d'espérer son retour. Un en particulier. Bernard de Ventadour qui, par l'intermédiaire de Geoffroy Rudel, puis de sa sœur, lui avait transmis un billet. Quelques mots volés à l'arrachement des heures, à la distance qui les séparait. Quelques mots pour la rassurer. *« Je suis vôtre, d'hier et d'aujourd'hui, de toujours et à jamais »*, avait-il signé après lui avoir raconté sa prison de miel en terre toulousaine. Les murs roses du palais, de la ville, les attentions de la comtesse qui cherchait à lui faire oublier ses amours passées. Et cette certitude au fond de lui, chaque fois que ses doigts effleuraient les cordes, qu'elle, sa muse, sa dame, sa reine, pouvait l'entendre jouer, et que, malgré les apparences, malgré les circonstances, ils seraient réunis encore pour s'aimer. Il ne se passait pas un jour depuis qu'Aliénor avait découvert ces lignes sans qu'elle les relise, au point de les connaître par cœur, d'en avoir usé les coins du parchemin, précautionneusement caché sur elle, en permanence, comme un trésor. On la pensait résignée. Elle ne l'était pas. Même si elle avait compris que sa détention serait longue, plus longue qu'elle ne l'avait imaginé au départ. Même si elle admettait la possibilité que cette tour si effroyable hier lui devînt tombeau. Non seulement elle n'en éprouvait aucune tristesse, mais cette réclusion, monastique sans l'être, lui avait donné le goût du silence, de la sérénité de l'instant. Le plaisir d'un échange entre deux oiseaux, celui de la couleur des feuilles au gré des jours et des saisons. Toute une palette inexplorée jusqu'ici parce que voilée du tumulte des festes et des tournois, des êtres et des instruments. Par-delà cet enclos qui retenait la femme de pouvoir, une autre s'éveillait à la nature environnante, et, loin d'être brisée comme Henri s'en persuadait, elle en tirait, semaine après semaine, une force sereine, un équilibre nouveau, une vérité plus profonde sur elle-même et sur ce qui l'entourait. Son miroir le lui affirmait autant que sa dame d'atour. À cinquante-trois ans, elle rayonnait de sagesse par le constat de ses échecs comme de ses victoires, dans la lucidité de ses erreurs passées, de ses torts, de ses lacunes, décidée à profiter de cette réclusion comme d'une chance pour les corriger et par là même, une fois sortie, être capable de nouveau, mieux et plus encore, de régner.

Ce 27 octobre de l'an de grâce 1175, la porte de sa chambre s'écarta pour laisser entrer Eloïn Rudel dont, par sa fenêtre, elle avait suivi l'avancée vers le vieux castel de Salisbury sur le chemin qui voisinait l'imposant cercle de pierres. Ravie de cette visite et devançant son arrivée, Aliénor avait elle-même rajusté sur son front le fin diadème de velours bleu nuit posé au matin, renoué au bas de sa tresse les liens dorés qui la traversaient, lissé son long bliaud d'azur, rajusté sur ses hanches la ceinture aux cabochons de saphir, resserré autour de sa poitrine les lacets de son giron brodé d'arabesques de fils d'or, et épaulé, pour s'assurer d'une symétrie parfaite, le mantel d'intérieur sans manches aux rayures blanches et bleues doublé de fourrure. Sa mise mettait en évidence ses formes à peine alourdies faisant d'elle, presque autant qu'hier, une des plus belles femmes de son temps.

Eloïn ne s'y trompa pas en se jetant dans ses bras. Sa marraine avait encore de la ressource et du temps devant elle. Ce temps que l'homme dans son sillage, rendu méconnaissable, était venu lui demander de lui donner.

Un sourire discret aux lèvres, il se maintint en retrait, dos à la porte que le garde avait refermée, tandis que les deux femmes s'étreignaient. Amusé de constater que la reine, toute à son manque de tendresse, l'avait à peine remarqué. Peu lui importait. Jaufré Rudel avait depuis longtemps appris la patience.

Et l'art de se montrer autre qu'il n'avait été.

88.

— Ma chère petite. Tu embellis de mois en mois ! s'exclama Aliénor en écartant d'elle sa filleule pour la prendre par les épaules, juger de son teint de rose, de ses formes pleines.

— Les bons soins de Richard, marraine.

— Et mon fils, est-il heureux ?

— Il l'est, Majesté. Mais point pleinement puisque vous lui manquez.

La main d'Aliénor brassa l'air chargé de senteurs de cannelle, un privilège que son geôlier lui avait octroyé.

— Qu'il s'en guérisse dans la douceur de vos étreintes. Je vais bien. Mieux que je ne l'aurais cru il y a seulement une année. J'ai fait de la liberté un amour impossible…

Elle eut un petit rire léger.

— … Presque une œuvre de fin'amor… Et grâce à toi. À ce billet de Ventadour que tu m'as porté. Puis-je en espérer un second ?

Eloïn tira un pli de sa manche pour le lui remettre.

— Ne voulez-vous le lire ? s'étonna-t-elle en la voyant le glisser dans son corsage.

— Plus tard. Lorsque ces murs, de nouveau, se seront resserrés. Pour l'heure, je veux profiter de toi. As-tu des nouvelles de ta mère ?

Eloïn fit un pas de côté, un sourire moqueur aux lèvres.

— Je pense que mon père sera mieux à même que moi de vous en donner.

Jaufré s'inclina devant elle, bouleversée.

— Heureux de vous revoir, Votre Majesté, murmura-t-il, la voix déformée par la mie de pain placée à l'intérieur de sa bouche pour enfler ses joues.

Elle le releva d'une main tremblante, détailla ces joues glabres et fardés, ce crâne regarni par les cheveux noirs et longs d'un autre, ces épaules élargies, musculeuses.

L'œil s'emplit de tendresse.

— Jaufré. Mon cher Jaufré. Quelle joie ! Quelle folie ! Si...

— Vous-même n'avez percé mon secret. Qui le découvrirait ? Je suis mort. Et les défunts n'ont pas pour habitude de se promener.

Elle rit.

— Cela est vrai. Allons, venez vous asseoir tous deux et racontez-moi. La porte est épaisse. Rien n'en peut sortir ou entrer que l'on n'ait décidé, se moqua-t-elle en relevant élégamment le bas de son bliaud pour prendre place.

Ils s'installèrent dans les deux fauteuils qui restaient, près de l'âtre allumé. Puis, sachant que le temps des visites était toujours compté, une fois débarrassé des mies de pain qui entravaient son discours, Jaufré se mit en devoir de lui rapporter ce qu'Aristophane Bec lui avait confié. Lorsqu'il se tut, les traits d'Aliénor exprimaient autant de colère que de tristesse. Henri avait toujours été capable du pire comme du meilleur. N'avait-il pas osé, autrefois, espérer qu'une de ses grossesses la tue ? Il n'était pas à un enfant près pour obtenir ce qu'il souhaitait. Car Loanna était bien trop mère pour rejeter ce petit être qu'elle avait porté. Elle soupira, amère.

— Piégée. Ainsi donc, quoi qu'elle fasse désormais, par cet enfant de lui, elle est piégée.

Jaufré hocha la tête.

— Je le crains, en effet.

Elle leva vers lui un œil morne.

— Qu'allez-vous faire, mon ami ?

— Rien pour l'heure. L'apothicaire est mon seul recours et il semble que le remords lu dans ses yeux le porte à notre cause. Ainsi que nous en étions convenus, il a agité une lanterne depuis le chemin de ronde pour me signifier qu'elle avait survécu au sevrage de la liqueur d'opium. C'est déjà beaucoup. Combien de temps faudra-t-il à présent pour qu'elle recouvre la mémoire, nul ne peut le dire...

— Si elle la recouvre jamais, laissa tomber Eloïn.

Aliénor la regarda avec tendresse.

— Ne sous-estime pas les pouvoirs de ta mère. Elle reprendra ses esprits.

— Je le veux croire, marraine, mais de là à se dégager de l'emprise d'Henri et à l'assassiner froidement...

Aliénor hocha la tête. Elle venait de comprendre.

— Je sais ce que cela sous-entend. Que je reste prisonnière à jamais.

Jaufré lui sourit.

— J'ai constitué une petite troupe. Six hommes en qui j'ai une confiance absolue, capables d'en rallier d'autres si l'occasion se présentait.

— Oui, Eloïn me l'a rapporté.

— L'un d'entre eux surveille Old Sarum en permanence, depuis des mois. Il sait où me trouver. Je veux que vous sachiez que...

Elle battit l'air d'une main agacée.

— Oubliez ce projet, Jaufré. Vous avez essayé une fois déjà. Ce fut une fois de trop. Qu'on me déplace ou non ne changera rien. Ma garde est permanente, imposante et déterminée. Personne ne la fera plier. Pas même une armée.

Elle soupira, emplie d'une abnégation dont jamais hier elle ne se serait crue capable.

— Occupez-vous d'elle. Et d'elle seule. Et si, par chance, vous pouvez l'arracher à ses griffes, lui rendre l'amour qu'elle vous portait, alors qu'Henri vive ou meure m'importera peu. Je serai vengée.

C'était ce qu'il espérait entendre. Il secoua pourtant la tête.

— Elle ne vous abandonnera jamais, Aliénor, vous le savez. Et moi non plus. Mais c'est l'exil qui nous attend, elle et moi, si je veux la sauver. Si je veux protéger nos enfants et, peut-être, celui qu'elle lui a donné.

Elle se pencha de l'avant pour lui prendre les mains, les presser dans les siennes, l'œil ardent.

— Et dire qu'un jour je vous ai trouvé fat, sans envergure, sans courage ! Quelle belle leçon vous m'avez donnée, quelle belle leçon vous me donnez encore, Jaufré Rudel ! Et combien j'aurais voulu être aimée comme vous l'aimez.

L'œil de Jaufré se troubla. Il porta les doigts d'Aliénor à ses lèvres, y déposa un baiser avant de murmurer :

— Vous l'êtes, ma reine. Par Bernard de Ventadour qui vaut bien l'ombre que je suis devenu. Je vous le rendrai. Je vous en fais serment. Quel que soit le temps que cela prendra, Henri périra. Si ce ne peut être de la main de Loanna ou de la mienne, un autre s'y emploiera. J'y veillerai.

L'émotion lui broya la gorge. Rejetée en arrière, les paumes réchauffées, elle se tourna vers sa filleule bouleversée.

— Souviens-toi, Eloïn, dans cette vie de sacrifice qui t'attend auprès de mon fils, souviens-toi toujours de ne juger sur la mine. Car je ne connais personne, quoi qu'en dise ton père, qui soit d'aussi belle âme qu'il est.

Lorsqu'ils eurent quitté Old Sarum sur une dernière étreinte, un dernier baiser, comme à son habitude, Aliénor se mit à fredonner. Mais ce fut avec les mots de Ventadour en bouche, ceux de cette chanson qu'il lui avait composée :

« De deux captives, la plus choyée sera sauvée, la plus lointaine sera gardée. »

Certaine que son bel amour lui pardonnerait d'avoir, différemment de lui, interprété son trait…

89.

Les heures qui suivirent l'oscillation du pendentif et la tentative d'incursion d'Henri sur mon esprit amenèrent en moi des sentiments contradictoires. Tour à tour soumise ou rebelle, complice ou méfiante, impliquée ou lointaine, comme si une autre me regardait vivre, je pris mon fils dans mes bras, le reposai, l'aimai, le haïs, jouai aux échecs avec Henri, déjeunai, fis quelques pas dans le jardin aux couleurs de l'automne, cherchai du regard les gardes sur les chemins de ronde des remparts, les comptai sous le ciel gris, m'agaçai de leur trop grand nombre, rentrai au chaud, dans la salle de réception trop vaste pour trois, face aux bûches qui flambaient, devisai avec Aristophane Bec de faits insignifiants comme de la cueillette exceptionnelle de cèpes qu'avait réalisée notre intendant. Puis au dîner, j'accueillis notre clerc lisant à la veillée et le laissai nous bercer de passages bibliques avant d'ouvrir un échange sur des points de théologie. Bien que jugeant les arguments d'Henri plats, ceux d'Aristophane Bec légèrement impertinents, je fus incapable d'une opinion personnelle tout en ayant l'intuition d'en posséder de blasphématoires, au point de décider finalement de me taire, comme à l'accoutumée, pour les écouter débattre.

Pas un seul instant je ne fus laissée à moi-même, pas un seul instant je n'eus la possibilité d'examiner la pierre de lune, comme si Henri avait tenu, par sa présence désormais permanente à mes côtés, à m'imprégner de lui par la vue, l'odorat, le toucher. Si bien qu'à l'heure du coucher, lorsqu'il posa ses mains sur mes épaules pour les dénuder, étais-je entre le désir et le dégoût, entre l'envie de lui et celle de le repousser. Ce fut la première qui finalement l'emporta sous la douceur de ses caresses, par la délicatesse de sa patience. Il me bélina en m'arrachant autant de plaisir que de remords avant de rouler sur le côté et de s'endormir, me laissant à plat dos sur le drap, les yeux ouverts sur les arabesques dansantes des lueurs d'une chandelle mourante, entre la satisfaction du corps et la culpabilité de l'âme. La même question en tête. Au nom de quoi ou de qui avais-je décidé qu'il devait mourir ? Car, malgré tout et bien au-delà du sentiment profond d'avoir été influencée, je sentais que je l'aimais. Oui. Je l'aimais.

La nuit qui suivit me roula dans ses rets, m'épuisant de fièvre, de rêves aussi insaisissables que les précédents mais dans lesquels je gardais au réveil la constance de ces deux êtres. L'homme sur la tour, ce Jaufré impalpable, et cette enfant devenue femme, Eloïn.

Je devais découvrir la vérité.

Aussi, lorsque Henri, précautionneusement pour ne pas m'éveiller, quitta la chambre, n'attendis-je pas plus longtemps pour arracher la pierre de lune de dessous le matelas où je l'avais dissimulée. Dans la pénombre du lit aux rideaux refermés, je ne pus que retrouver la sensation familière de ses contours. Craignant d'être surprise pourtant, je refusai de quitter mon enclos. Plus tard, me dis-je pour me convaincre, plus tard, je la regarderais de près. Vraiment. Autrement qu'Aristophane Bec me l'avait montrée. Tout au contraire, la serrant entre mes mains jointes, je fermai les yeux et me laissai guider. Il me fallut un long moment avant que des images ne me viennent. Celles d'une source au milieu d'une forêt baignée d'une lumière presque irréelle. Une source voisine d'un dolmen. J'avançai vers elle, m'agenouillai dans la vaste fontaine de pierre creusée à son pied, offris mes paumes ouvertes, puis mon visage vers le ciel. Je me sentis apaisée. Délicieusement apaisée. Plus encore lorsqu'une silhouette émergea de l'onde en un tourbillon. La silhouette d'un être sans âge, les cheveux d'un blanc bleuté aussi longs que la barbe, aussi ruisselants que l'eau de laquelle il était formé. Il me sourit. Sa voix vibra dans ma tête avec la musicalité d'une harpe.

— Voici bien longtemps. Oui, bien longtemps.

— Je me suis perdue, m'entendis-je murmurer.

— Parce que tu as oublié l'essentiel. Une vie pour une vie, mais l'amour pour seule vérité. Tout se transforme, Loanna de Grimwald, rien ne se crée. Retrouve-toi et ta mémoire reviendra. Retrouve-toi et tu retrouveras Jaufré.

— Mais qui est Jaufré ?

— L'homme qui, de toujours et pour toujours, t'a été destiné.

L'apparition se délita sur ces derniers mots et je demeurai songeuse, assise contre la tête de lit, les paumes aussi brûlantes que le cœur. Lorsque Ida écarta les rideaux, c'est ainsi qu'elle me trouva, dans cet ailleurs formé d'intonations lointaines, de musique, de rires, de visages changeants. Rien de fixe, de suffisamment net pour me permettre de reconstituer mon passé mais assez toutefois pour me rendre au sentiment qu'il fut heureux et qu'Henri m'en avait arrachée, moi Loanna de Grimwald et non Loanna Plantagenêt.

Avec la présence de ma chambrière, je repris conscience du babil de mon fils dans son berceau. Comme la veille pourtant, je n'éprouvai le besoin ni de le prendre dans mes bras ni de l'embrasser. Comme la veille, ce qui m'en surprit le plus fut de ne pas m'en sentir coupable. Je me contentai de sourire à la jouvencelle qui m'apportait mon mantel de chambre.

— Messire Henri m'a chargée de vous monter matinel.

Je lui rendis son sourire.

— Voilà une excellente idée, je suis affamée.

Me levant, je la laissai me couvrir les épaules, la pierre de lune toujours enfermée dans ma main, puis vins m'attabler devant les œufs coque et le bouillon d'herbes qu'elle m'avait préparés. J'attendis qu'elle se retournât pour me déhancher et laisser le pendentif glisser entre le plancher disjoint et la plinthe au bas du mur de pierre. Ainsi nulle autre que moi ne le remarquerait. Puis, sacrifiant à mon impatience d'en savoir davantage, pendant qu'elle se penchait au-dessus du lit pour retendre les draps, je trempai mes mouillettes dans l'œuf qu'elle avait en partie décoquillé. Mon œil songeur traînait sur elle tandis que je succombais à ma gourmandise, l'esprit en quête du nom du vénérable de la forêt, lorsqu'une nouvelle image vint s'y superposer. Celle de son corps nu entre les bras d'Henri.

Ma main resta quelques secondes en suspens devant ma bouche ouverte avant que la question ne s'en échappât :

— Es-tu la maîtresse de mon époux, Ida ?

Elle pivota, un oreiller regonflé à la main, un fard aux joues.

— Vous moquez-vous, dame Loanna ?

Aucune jalousie, aucune animosité dans ma voix, mais le besoin de vérifier cette intuition soudain dérangeante. Et si cet enfant dans le berceau n'était pas le mien, mais celui de cette femme ? Si on les avait échangés ? Si Henri les avait échangés ?

— Réponds s'il te plaît…

Elle haussa les épaules.

— Je n'ai rien fait que vous n'ayez consenti.

Mon sang se mit à pulser à mes tempes. Je ne me souvenais pas. Avais-je participé à leurs ébats ? Je le lui demandai. Elle me sourit avec tristesse.

— Non. Mais vous étiez présente, abrutie par votre médication.

Je tiquai, incapable, une fois encore, d'en retrouver le goût, la contrainte. Elle baissa les yeux.

— Je ne vous en veux pas, dame Loanna.

— Et de quoi m'en voudrais-tu ?

Elle les releva pour me fixer avec curiosité.

— Vous ne voyez pas ?

Je secouai la tête. Elle bredouilla :

— Il ne pouvait vous prendre. À cause de l'enfant que vous portiez. C'était trop risqué. Alors il me forçait. Chaque fois. Il me forçait.

J'eusse dû me mettre en colère, rejeter en bloc cette absurdité. Curieusement elle trouva en moi un écho lointain, affirmant ma conviction que je pouvais avoir confiance en cette petite, en ce regard blessé qui coulait sur moi avec une affection réelle. Je lui désignai la chaise qui me faisait face de l'autre côté de la table, sous l'une des fenêtres, là où Henri s'installait pour partager mon repas lorsque, trop affaiblie par ma grossesse, j'avais dû garder la chambre.

— Assieds-toi.

Elle lorgna vers la porte, puis, traversant la pièce encombrée de mobilier, satisfit à mon ordre. Ses mains tremblaient lorsqu'elle les croisa sur le plateau de hêtre.

— As-tu peur de lui ?

Son regard parla de lui-même. Elle le détourna. J'insistai :

— J'éprouve un sentiment étrange, Ida. Une force nouvelle afflue en moi, une force dont j'ignorais l'existence jusque-là. Comme si une part de moi m'était inconnue, comme si elle cherchait à renaître. Une part que l'on m'aurait volée…

Par-delà la largeur de la table, je couvris son bras de ma main.

— … J'ai besoin que tu m'aides.

Se retirant à mon étau, elle me poignarda d'une tendresse effrayée.

— S'il le sait, il me tuera, dame Loanna…

Mes sourcils se froncèrent.

— Henri ? N'est-il pas la bonté même ?

Elle baissa la voix. Une voix brisée.

— Il est ce qu'il veut vous faire croire. Vous n'avez pas plus été possédée qu'exorcisée. Il a juste été contraint de vous sevrer de cette liqueur qu'il vous faisait prendre. Lui aussi, qui en usait, a été méchamment perturbé d'en manquer.

— Sais-tu pourquoi ?

— Je crois que l'apothicaire ne peut plus s'en procurer.

Était-ce l'excuse qu'Aristophane Bec avait trouvée pour m'en libérer ? Plus tard. Plus tard, je le découvrirais.

— Une dernière question, Ida. Quand as-tu accouché ?

Elle se troubla.

— Quelques heures après vous, dame Loanna. Après que la ventrière m'eut forcée à boire un breuvage amer.

— Une potion abortive ?

— Je l'ignore. À une semaine près j'étais à terme. Mais j'ai toujours pensé que mon enfant était de trop dans la maisonnée, que c'était à cause de cette maudite mixture qu'il était mort-né. Peut-être n'avait-on besoin de moi que comme nourrice en vérité.

— Était-il d'Henri ?

Ses joues se colorèrent de nouveau, appuyant le courroux de sa voix.

— Et de qui d'autre en vérité ?

— Pardonne-moi d'en avoir douté, mais…

— Ne vous excusez pas, dame Loanna, ce n'est pas à vous que j'en veux, malgré votre état vous avez toujours été bonne envers moi… Je ne peux en dire autant de lui…

Je plantai un œil désespéré dans le sien, rancunier.

— Alors sauve-moi…

Un pas derrière la porte. Elle bondit, s'arracha fébrilement du poignet, sous son chainse, une fine corde qui retenait une petite clef.

— Sous la tapisserie. Entre les deux fenêtres. Regardez dans la cache sous la tapisserie…, chuchota-t-elle en me la mettant en main.

Lorsque la porte s'ouvrit sur Henri, elle était déjà penchée au-dessus du berceau pour prendre Geoffrey. Mon époux pénétra dans la pièce, un sourire enjôleur aux lèvres.

Il ne remarqua pas son trouble. Elle s'effaça discrètement, me suppliant du regard de ne pas la trahir. Je n'en avais pas l'intention. Tout au contraire. Même si Henri exerçait sur moi ce pouvoir visiblement né de sorcellerie, une part de moi était assez forte désormais pour le duper. Je le laissai s'avancer jusqu'à moi, silencieux et félin. Lorsqu'il passa derrière moi, une vague de désir m'emporta tant l'idée de son contact me restait douce. Je tentai de me faire violence. De résister. Je n'y parvins pas. Sa voix, rauque, glissa en même temps que ses mains sur le haut de mes épaules.

— Êtes-vous à moi, Loanna Plantagenêt?

— Oui, Henri, m'entendis-je répondre.

— Prouvez-le-moi.

Il se pencha au-dessus de mon visage renversé en arrière, cueillit mes lèvres entrouvertes, m'abreuva d'un baiser tendre, puis, sans trouver en moi cette résistance que la minute précédente j'étais disposée à lui opposer, m'enleva dans ses bras pour me coucher à plat ventre sur le lit.

90.

Henri repartit comme il était venu, après m'avoir annoncé, tout en se rebraguettant, qu'il recevrait quelques voisins dans l'heure suivante pour régler une affaire de litige de terrain. Bien évidemment, mieux valait que je ne me montre pas au risque qu'on s'interroge sur ma petite mine. Il avait payé assez cher l'exorciste pour son silence. Inutile, tant que je n'étais pas totalement remise, d'aiguiser la curiosité, souvent malsaine. Je fis semblant de le croire, les reins brisés par son étreinte trop impérieuse, presque brutale, soulagée qu'elle n'eût duré que quelques minutes. Ce n'était pas la première fois qu'il me rudoyait ainsi, me dis-je en quittant la couche. Pas ces derniers mois. Avant. Mais avant quoi ? Je me dirigeai vers le cabinet de toilette attenant pour me bassiner l'entrejambe. Me nettoyer de lui comme si, soudain, hors sa présence, sa semence en moi m'avilissait, m'empêchait de réfléchir, d'agir.

Rafraîchie, je revins récupérer la petite clef que j'avais laissée choir, comme la pierre de lune, dans l'orifice que le bois du parquet, en travaillant, avait ouvert. Il me fallut un bon moment, à quatre pattes et avec l'aide du manche de la petite cuillère qui devait me servir à curer mon œuf coque, pour la ramener à la surface. L'appétit coupé par les ardeurs d'Henri autant que par le bouillon froid, l'index piqué d'une écharde, je me plantai entre les deux fenêtres, devant cette tapisserie que je découvrais hideuse. De loin, il se dégageait d'elle l'illusion d'une jouvencelle alanguie, étendue dans une alcôve de verdure. Elle n'était de près qu'un entrelacs de corps tordus, de visages grimaçants dans des taillis épais. Comme si l'on avait voulu contraindre l'œil à, intuitivement, en rester éloigné. Astucieux, me dis-je en relevant un des pans à hauteur de visage. Ida n'avait pas menti. Une porte de bois, gondée dans la muraille, m'apparut. Craignant une autre visite impromptue, j'insérai la clef dans la serrure, la tournai, puis enfilai ma main dans la cavité. Je ramenai à moi un coffret sur lequel un anneau avait été posé. Un simple anneau d'or mais qui, inexplicablement, fit manquer un battement à mon cœur. Abandonnant la boîte sur l'angle de la table, je le fis rouler entre l'index et le majeur sous la lumière qui coulait de la croisée. Des signes inconnus étaient gravés sur le pourtour externe. Je les déchiffrai pourtant spontanément :

« De trobar et d'épée. »

Je n'eus pas besoin cette fois de lire les deux noms ciselés à l'intérieur. De mémoire je les prononçai :

— Loanna et Jaufré.

Dans la fraction de seconde qui suivit, je le vis, lui, l'homme de la tour, glisser cet anneau à mon doigt devant le dolmen, près de la source du vénérable. Je l'entendis prononcer son serment. « À toi et à jamais. » Et je sus, du plus profond de moi, que là, dans cette forêt de Brocéliande dont le nom venait de chanter dans ma tête, sous la bénédiction de Merlin l'enchanteur... Mon aïeul? Oui, mon aïeul... Jaufré, prince de Blaye et fameux troubadour, m'avait épousée, moi Loanna de Grimwald, la dernière descendante des grandes prêtresses d'Avalon. Je me laissai tomber sur la chaise, le cœur bondissant du rire rauque de Jaufré, de nos corps enlacés à même la muraille de notre chambre juste après que je lui eus annoncé que j'attendais notre enfant, notre premier. Je revis mon ventre rebondi sur lequel il posait baiser, la naissance d'Eloïn puis de son frère... Geoffroy... Penchée au-dessus du berceau, une reine, ma reine qui souriait... Et Henri Plantagenêt, ce roi d'Angleterre que je lui avais amené.

Un râle animal sortit de ma gorge, tandis qu'en moi des bribes d'hier reprenaient leur place et avec elles l'ampleur des mensonges d'Henri. Arrachant de mon annulaire la bague qui s'y trouvait, je remis à sa place celle de Jaufré puis, animée d'une même ardeur colérique, je fis jouer le couvercle du coffret. Une fiole s'y trouvait, couchée sur un lit de velours sombre. La médication dont m'avait parlé Ida ? Je la débouchai sous mes narines. Ellébore. *Ellébore* fut le nom qui me vint. Puis une succession d'images. Ma reine... Aliénor... Immobile sur sa couche, les traits tirés. Ma propre voix face à Eloïn, à ses enfants. « Votre mère a été empoisonnée. » Mon sang se mit à battre plus fort dans mes veines. Était-ce ainsi qu'elle avait fini ? Empoisonnée par son époux ? Et Jaufré ? Qu'avait-il fait de Jaufré ? de nos enfants ?

Une douleur me tordit la poitrine. Est-ce pour tous ces crimes qu'Eloïn et moi l'avions condamné ? malgré cet amour que je lui portais ? Si seulement cette mémoire, cette mémoire qu'il m'avait volée revenait ! Balayant la table d'un revers de main, entre le désespoir et la fureur, je me couchai sur mon bras replié, en proie à de violents sanglots d'impuissance que rien, de longues minutes durant, ne sembla vouloir apaiser. Et puis, soudain, ils cessèrent. Vaincus par un sentiment plus fort que le désespoir ou la fureur. La vengeance. Et je sus, oui je sus du plus profond de moi, que c'était ce qu'ici j'étais venue chercher, juste avant d'être piégée. Essuyant morve et larmes d'un même revers de manche, comme un garçonnet mal élevé, je bondis jusqu'à mes vêtements qu'Ida avait placés au portant la veille au soir après les avoir repassés, les enfilai sans son aide, convaincue de savoir me passer d'elle, brossai ma chevelure mise en désordre par Henri, la tressai devant le miroir, devant ce regard de mousse de chêne qu'enfin je reconnaissais, puis, le visage et les mains bassinés, je sortis de la chambre, sûre de trouver à l'armurerie ne serait-ce qu'un poignard à défaut d'une épée.

91.

Henri venait de donner congé au sheriff de Nottingham lorsque je déboulai dans son cabinet, munie d'un stylet, arraché à l'arbalétrier qui m'avait interdit l'accès à la salle d'armes. Mon roi se tenait debout près de sa table de travail sur laquelle deux petits sacs d'or avaient été posés. Dans cette furie qui m'habitait et face à sa stupeur, je fondis sur lui le poing levé, certaine de l'abattre. Mais à l'instant de frapper ce corps immobile contre la tranche du bois, devant ces traits livides, ces yeux perdus, je chancelai. Ma main trembla autour du poignard.

Henri avait compris que ma mémoire s'était réveillée. Sa voix me cueillit. Douloureuse. Résignée.

— Frappe. Frappe, Canillette. Frappe si tu as des raisons de frapper. Frappe si tu as cessé de m'aimer...

Je le voulais. Oui, je le voulais. Pourtant, contre cette volonté qui hurlait en mon âme, je finis par reculer d'un pas et laisser mon bras retomber.

— Je ne suis pas votre épouse, mon roi. Je suis celle de Jaufré Rudel, articulai-je, consciente que je venais de perdre la seule chance qui me serait donnée, consciente que la prêtresse d'Avalon en moi aurait, de toute manière, aussi bien hier que ce jourd'hui, été incapable de tuer. C'était cela que la pierre de lune et à travers elle Merlin étaient venus me rappeler.

Henri dodelina lourdement de la tête.

— Oui, Loanna. C'est vrai.

Il me fixait avec douceur. Une douceur enveloppante qui me crispa. Il tendit sa main vers moi.

— Je ne suis pas ton ennemi. Malgré nos différends d'hier, je ne l'ai jamais été. Je t'aime.

Un ricanement, lourd, empreint de fatalité, m'échappa tandis que ses doigts, refusés, s'accrochaient à sa ceinture, au pommeau de son épée.

— Le bel amour que celui-là ! Le bel amour qui, pour se faire entendre, contraint son objet ! Quel ami êtes-vous donc en vérité ?

— Le seul qui te sauva après la mort de Jaufré.

Je vacillai.

— Vous mentez.

Il voulut s'approcher. Je relevai le stylet. Il s'immobilisa. Soupira.

— Que crois-tu donc ? Que c'est pour t'asservir que j'ai utilisé la liqueur d'opium sur toi ?

De la liqueur d'opium. Oui, ce nom m'était familier.

— As-tu aussi oublié ses propriétés ? L'oubli. La paix. C'est la paix que j'ai voulu te donner tant le chagrin te rongeait après qu'il était tombé.

— Où ? Quand ?

— Près de Salisbury, il y a un peu plus de une année. Alors que vous tentiez avec une poche de résistants de délivrer Aliénor et Eloïn... Nous nous sommes battus dans le cercle de pierres, lui et moi, sous l'orage...

L'image me foudroya.

— La terre s'est ouverte sous lui. Il...

— Il a été enseveli... Oui. Il a été enseveli, toi capturée, la reine évadée, reprise.

Je me souvenais. Old Sarum. Aliénor, bien vivante, qui chantait sous sa fenêtre le jour de mon départ. Eloïn qui m'embrassait avant de me quitter. *Ouïmaona inemaï.* Henri devait mourir. Pour m'avoir pris l'homme que j'aimais, mon mari, le père de mes enfants. Et j'avais été incapable de les venger. Le poignard glissa de mes doigts. Si Henri ne s'était précipité pour me retenir, comme ce stylet j'aurais chu sur le tapis. Je n'offris pas de résistance. À quoi bon après tout ce qui, entre nous, avait précédé ? Il me soutint jusqu'à l'unique fauteuil qui voisinait avec une harpe. Je m'y laissai tomber, le cœur en morceaux, happée par la détresse. Mon roi s'accroupit devant moi, emprisonna entre les siennes mes mains glacées.

— Tu ne désirais plus rien sinon qu'on t'oublie sur l'île des Bannis, au large de l'Irlande, comme les anciens druides déchus. Je n'ai pas pu. Alors je t'ai amenée ici. Et j'ai tenté, à ma manière, de te guérir de toi-même.

Je dégageai mes doigts. Sa voix se brisa.

— Tu étais perdue pour lui. Pas pour moi. Je ne t'ai pas contrainte. Aristophane Bec te le confirmera si tu ne t'en souviens. La liqueur d'opium ne crée pas les sentiments. Si tu ne m'avais aimé toi aussi, tu ne m'aurais pas ouvert tes bras. Tu ne serais pas venue y chercher la tendresse, le réconfort. Je n'ai rien volé, Loanna. Ni à ta mémoire, ni à ce que tu fus. J'ai juste ranimé en toi cet amour que votre rencontre avait éteint, annihilé ta volonté pour te permettre de tout recommencer. Souviens-toi de nos étreintes. Du plaisir que tu y prenais. Des caresses que tu me rendais. Peux-tu nier que je t'aie redonné sourire et légèreté ?

Mes yeux s'emplirent de larmes amères.

— Ce n'était pas ce que je voulais.

— Non. C'était la mort que tu voulais. Qu'attends-tu de moi ? Que je t'en demande pardon ? Je ne peux pas, Loanna. Parce que je ne regrette rien et moins encore la naissance de notre fils.

Mes ongles s'enfoncèrent dans le rembourrage des accoudoirs tandis qu'en moi renaissait le doute derrière ses élans de sincérité.

— Ce n'est pas le mien.

Il se troubla. Assez pour me convaincre que j'avais raison. L'œil noir, je le martelai de nouveau. Il laissa échapper un nouveau soupir.

— J'ignore d'où te vient cette idée, Loanna, mais comme toi il possède cette petite tache de naissance à l'épaule gauche. Preuve indiscutable que c'est bien toi qui l'as mis au monde. Si tu ne l'as déjà remarqué, tu pourras le vérifier.

Nous nous affrontâmes du regard quelques secondes, lui apitoyé, moi refusant l'évidence, puis, de nouveau je rendis les armes. Que cet enfant fût de moi ou non ne changeait rien. Je n'éprouvais aucun sentiment à son égard. Conséquence de la liqueur d'opium? Sans doute. Mon esprit n'avait imprégné ni la douceur de ma grossesse ni les douleurs de l'enfantement quand à présent je pouvais ressentir en moi ceux d'Eloïn et de Geoffroy qui avaient précédé. Même si pour avoir failli à ma mission je devais me condamner à ne revoir jamais ces derniers. À cet instant, ma décision fut prise. Me penchant de l'avant, j'enveloppai le visage d'Henri entre mes paumes, partagée entre l'envie de le griffer à le défigurer et celle de le caresser. Il fallait que cette ambiguïté cesse. Que je puisse enfin distinguer le faux du vrai. Pour cela je n'avais qu'un moyen. Retrouver mon passé.

— Vous m'aimez, Henri, alors prouvez-le-moi vraiment.

— Tout ce que tu voudras, Canillette.

— Quoi qu'il doive vous en coûter?

— Quoi qu'il doive m'en coûter.

— Donnez-moi du temps.

— N'est-ce point ce que je t'ai déjà accordé?

— L'oubli n'est pas le deuil. J'ai besoin de le faire. Seule. Dans un lieu aussi dépouillé que l'est encore mon âme. Je crois que c'était dans ce but que j'avais réclamé l'île des Bannis. Conduisez-moi là-bas, s'il vous plaît.

Il blêmit. J'effleurai ses lèvres d'un baiser avant de plonger mon regard suppliant dans le sien. Il hésita longtemps avant de hocher la tête au creux de mes mains. Je lui souris. Il se redressa, m'attira dans ses bras pour m'y serrer. Sans doute comprit-il qu'en pensée j'étais déjà partie. Il me laissa le repousser délicatement sans insister davantage, m'éloigner de quelques pas en direction de la porte.

— Je vais donner l'ordre qu'on prépare mes malles. Sommes-nous loin de la côte ouest ?

— Nous avons l'Angleterre à traverser.

— Alors ce sera un beau voyage. Nous partirons après déjeuner. Puisque vous êtes le roi, je ne doute pas que nous trouvions hébergement sur le parcours, même à l'impromptu.

— En effet.

Je lui tournai le dos. À l'instant de quitter la pièce pourtant, je me retournai une dernière fois vers lui. Il ne m'avait pas quittée des yeux. Des larmes s'étaient mises à couler, fins sillons que mangeait sa barbe. Je m'en troublai.

— Vous ai-je déjà vu pleurer, Henri ?

— Non, Loanna de Grimwald. Jamais.

Je fus convaincue qu'il mentait… J'eusse sans doute dû m'en apitoyer. Je me sentis vengée.

92.

À l'approcher, l'île des Bannis m'apparut plus sauvage que de la côte où nous avions laissé notre escorte. Ce n'était qu'un bloc de granit sombre surmonté d'une tour unique et carrée contre laquelle des vagues venaient s'écraser, à peine adoucies par les brisants qui l'encerclaient. Une prison hier. Un refuge aujourd'hui. Accoudé à mes côtés au bastingage, Henri tourna un œil vers moi. Je savais que jusqu'au dernier moment il espérerait m'y voir renoncer. Je demeurai impavide. Au-dessus de nous, des mouettes tournoyaient, attirées par les nombreux bancs de poissons de cette passe. Leurs cris, assourdissants, empêchaient tout échange. Je m'en félicitai. Si la plupart de mes souvenirs me fuyaient encore, certains, comme la mort de Becket, étaient revenus, creusant la distance entre nous, même si je ne pouvais me défaire encore de mon attirance, de mon amour pour lui. Même si, à cause des effets pervers de la liqueur d'opium, j'avais peine à retrouver en moi celui, si grand hier, que j'éprouvais pour Jaufré. Henri sentait cette faille en moi. Je ne l'avais pas laissé en jouer. Je n'avais plus confiance en lui. En remontant dans ma chambre, après notre affrontement, mon regard avait accroché la silhouette pressée d'Aristophane Bec par la fenêtre. Il achevait de se mettre en selle, l'œil effrayé. Sitôt la herse relevée, il avait quitté la place au grand galop. Sans doute Henri l'avait-il vu, lui aussi, car il était sorti en trombe de son cabinet, la fureur au visage, pour donner l'ordre qu'on le pourchasse. J'avais ouvert la vitre qui me faisait face, l'avais apostrophé de l'escalier de la tourelle, l'obligeant à lever les yeux vers moi depuis la cour.

— Soyez assez aimable de suspendre votre ordre, Henri. J'ai besoin de simples à cueillir en forêt pour me préparer à la rigueur de ma retraite et j'ai dépêché le sieur Bec pour me les rapporter avant notre départ. Votre impulsivité à lui prêter d'autres intentions m'en priverait. Quelles intentions d'ailleurs ? N'est-il pas votre obligé ?

— Si fait, Loanna. Si fait, avait-il été contraint d'approuver devant mon sourire confiant.

Je m'étais accoudée au linteau jusqu'à ce que le soldat, arrêté dans son élan, en eût été débouté. Puis de longues minutes encore, inspirant faussement l'air frais, convaincue qu'Henri, qui piétinait sur les gravillons en me couvrant d'œillades tendres, lancerait ses hommes aux trousses de l'apothicaire sitôt que je serais éloignée. Autant lui donner de l'avance. Henri avait fini par tourner les talons et regagner le logis pour ne pas risquer d'accentuer plus encore ma méfiance. J'étais remontée pour me pencher au-dessus du berceau, dénuder l'omoplate du petit Geoffrey et caresser de l'index le point roux qui s'y trouvait. Henri avait dit vrai. Mais je savais aussi combien il était facile de foncer une peau tendre. Si cette empreinte était réelle, elle grandirait au fil des années, sinon, comme j'en étais persuadée au plus profond de moi, elle disparaîtrait. L'enfançon s'était mis à pleurer lorsque j'avais voulu le prendre, comme souvent. Lui non plus ne me reconnaissait pas quand, dans les bras d'Ida, il s'apaisait, babillait, souriait. Elle saurait l'élever. Elle saurait lui donner l'affection dont je manquais. Je m'étais détournée pour le lui confier. Avant d'apprendre d'elle qu'Henri m'avait arraché l'anneau au soir de mon arrivée, qu'elle l'avait trouvé sous le lit en nettoyant la chambre et l'avait dissimulé dans la cache secrète de son ancienne maîtresse, Rosamund Clifford. Ida avait toujours su qui j'étais. Henri ignorant l'existence de la cachette de Rosamund, il me fut facile de dire, lorsque au déjeuner il me l'avait demandé, que la mémoire m'en était revenue ainsi que le souvenir de l'endroit où la clef était dissimulée. Il ne lui vint pas à l'idée que la jouvencelle m'avait aidée, obnubilé par la perspective de se venger d'Aristophane Bec dont la fuite s'était confirmée.

Quoi qu'il en soit, les jours suivants, au gré des paysages, des gens que nous avions croisés, des vassaux qui nous avaient accueillis, je m'étais drapée de froideur hautaine. À la fois pour me protéger de lui et de moi-même. Ma vigueur était sauve, mais ma mémoire endeuillée me fragilisait plus que je ne voulais le lui laisser penser. En cela je ne mentais pas. J'avais besoin de solitude. J'avais besoin de me retrouver. Assez pour décider de ce que serait demain. Assez pour décider de vivre. Ou de mourir.

La chaîne de l'ancre du navire s'était déroulée pour me permettre de rallier l'île des Bannis. Autour de nous, les mouettes voletaient bas en hurlant, agacées de notre étrave qui dispersait les bancs de poissons. Henri approcha ses doigts des miens, les recouvrit de sa paume chaleureuse. C'est le moment que choisirent deux matelots pour descendre la barque le long du bastingage. Je me retirai à son étreinte. Ébauchai une caresse sur sa joue mangée de barbe. Il sourit tristement mais ne chercha pas à me retenir, convaincu, je m'en doutais, que l'endroit aurait raison de moi, que je finirais par revenir à ses côtés une fois mon deuil fait. Que sa reddition trop facile, sa prévenance et sa tendresse sauraient me faire oublier le roi rugueux, pervers et intransigeant dont je me souvenais désormais. Craignant de voir ressurgir ce dernier, je m'étais gardée de le détromper. L'instant d'après, le laissant, le cœur écorché, à la même place, deux marins, l'un tenant l'échelle de corde, l'autre ma main, m'aidaient à quitter le bord. Tandis que le frêle esquif, poussé par le mouvement des rames, fendait les flots agités en direction de la grève, je sentis le regard de mon roi s'attarder sur mes épaules. Je n'eus qu'un désir, furtif mais impitoyable.

Qu'il en soit brûlé.

Sitôt que j'eus pris pied sur le sable, face à un homme de fort petite taille qui m'attendait, les deux matelots m'abandonnèrent au sort que j'avais choisi. Je n'en éprouvai pas le moindre regret. Le vent hurlait aussi fort que les mouettes, les vagues, furieuses contre les rochers qui cerclaient la crique, me giflaient d'embruns. Le gardien de l'île des Bannis me gratifia d'un regard d'océan et d'une courbette avant de me désigner d'un index déformé la porte qu'il avait laissée ouverte au ventre de la tour, au sommet d'un escalier de plusieurs toises creusé à même la roche dure de l'île. Je le grimpai d'un pas décidé, en vacillant sous la force des bourrasques et sans le moindre regard en arrière, vers Henri, qui, je le sentais, continuait de suivre mon avancée.

— Mon nom est Gwalf, dame Loanna. Il ne vous sera pas difficile de le retenir puisqu'en dehors de moi vous ne verrez personne, se présenta le gardien du lieu sans méchanceté, une fois le battant rebouclé, une fois le fracas étouffé par l'épaisseur des murs.

La pièce carrée et dépouillée prenait, à cet étage, la tour entière. Une table en chêne épais y restait continuellement dressée. Deux bancs assuraient les assises. Des casseroles pendaient au mur avec d'autres ustensiles de cuisine, la cheminée était froide malgré une solide réserve de bois rassemblée contre un mur. L'air, vif, sentait l'océan et la fumée. La lumière était celle d'étroites meurtrières à hauteur des yeux. Henri n'avait pas menti. L'ancienne prison tenait ses promesses. Un couvent aurait été moins austère !

Je souris avec bienveillance à ces yeux espiègles qui me fixaient.

— Gwalf. Fort bien. Quelles sont les règles ici ?

Il eut un petit rire, tortilla ses mains noueuses l'une dans l'autre.

— Les règles ? Il n'y en a pas. On mange, on dort, on dort, on mange.

J'avançai de quelques pas dans l'espace, m'en appropriant les contours. Les murs de pierre noire recouverts de mousse, un bar de plusieurs livres à moitié écaillé sur une planche de bois, quelques légumes dans un seau. Je me souvins que Guenièvre, ma mère adoptive, m'avait appris qu'une source, improbable présence cristalline, alimentait ce roc. Que le donjon avait été bâti au-dessus pour la protéger, puisque, disait-on, elle était reliée, comme la fontaine de Barenton en Brocéliande, aux forces de vie immémoriales et par là même destinée à ne se tarir jamais. Pour ce qui était du ravitaillement en nourriture, outre le poisson, visiblement en abondance, Henri avait assuré qu'un navire y pourvoirait chaque semaine. Navire que bien évidemment je pourrais emprunter pour lui revenir... Peut-être était-ce grâce à la sobriété du lieu, à ces parfums indéfinissables qui flottaient dans la pièce, mais je fus certaine d'y trouver ma place et de la vouloir garder.

Apaisée, je me tournai vers Gwalf, immobile, les traits éclairés d'un sourire qui traduisait son embarras devant si pauvre demeure et la chaleur qu'il voulait y apporter.

— Ma cellule ?

De nouveau ce petit rire de lutin. Il en avait l'aspect. Racorni par l'humidité des lieux, le nez en trompette, les oreilles légèrement pointues et des rides profondes. Le tout engoncé dans plusieurs couches de tissu preuve que les bûches n'étaient destinées qu'à la cuisson des aliments.

— Oh non ! point de cellule. Pas pour dame aussi bienveillante que vous.

— Bienveillante ? Qu'en savez-vous ?

Il haussa les épaules.

— On me l'a dit.

— Et qui vous l'a dit, Gwalf?

Il toqua contre sa tempe.

— On dit beaucoup de choses à Gwalf, dame Loanna. Beaucoup de choses dans sa tête. Mais il ne sait pas qui. Gwalf s'est habitué.

D'un geste élégant du poignet, il me désigna l'escalier à vis. Une partie descendait, barrée par une lourde porte cintrée, l'autre montait. Son geste ayant été éloquent, je relevai le bas de mon bliaud et le gravis. Derrière moi, le petit homme grimpa d'un pied plus alerte que je ne m'y attendais.

— Aimez-vous le poisson ?

Je lui répondis que oui, l'esprit soudain ailleurs. Dans le murmure des pierres. L'impression qui m'avait saisie persistait et je fus certaine qu'elles m'attendaient. Depuis longtemps. Cela me troubla. Infiniment. Aurais-je eu une autre raison que le deuil de Jaufré pour désirer venir ici ?

Ma chambre, ou du moins ce qui en faisait office, se trouvait au dernier étage. Elle était munie de deux fenêtres que l'on pouvait barrer de solides volets intérieurs. L'une à l'est offrait vue sur l'Irlande, impossible à atteindre à la nage à cause de l'eau glaciale et des courants. J'y suivis quelques secondes le glissement du navire qui regagnait le rivage avant de me planter devant l'autre, au sud, où la ligne d'horizon se perdait entre ciel et mer. Tandis que nous cheminions vers l'île au rythme d'une litière, ralentis par l'espoir qu'il avait mis à réveiller mes émotions et mon sens du devoir face aux paysages anglais, Henri avait fait rajouter des tentures aussi épaisses que les rideaux du lit pour me protéger des vents coulis qui sifflaient, sans doute en permanence, entre les vieilles huisseries. Les malles, ouvertes, qui m'avaient précédée d'une journée, débordaient de vêtements chauds. Oreillers et édredons étaient gonflés de plumes neuves. Je ne pus m'empêcher de m'attendrir devant sa prévenance. Il avait même fait aménager un recoin pour ma toilette. Sommaire. Juste un pot de chambre, à vider, je le devinai, dans l'océan, une bassine et un broc empli d'eau.

Une chaise plantée devant une écritoire composait le restant du mobilier. Ce fut pourtant vers cette dernière que je me dirigeai, attirée par l'épaisseur d'une liasse de parchemin posée juste à côté d'une lampe à huile, d'une plume et d'un encrier. Mon cœur s'accéléra dans ma poitrine. Les armes de Blaye avaient été frappées dans le cuir de la couverture. Je la rabattis sur le côté pour reconnaître aussitôt les premières phrases qu'autrefois, il y a bien longtemps, j'avais tracées :

« *Je ne m'aimais pas. Et cette nuit moins encore que d'ordinaire. En ce 16 mai de l'an de grâce 1133, personne n'avait besoin de moi…* »

Mon livre d'heures. Celui dans lequel j'avais consigné jour après jour mes actes et mes pensées. Relié. L'œuvre d'Henri pour me rendre cette mémoire qu'il m'avait volée ? Des larmes me piquèrent les yeux tandis que j'en tournais les pages pour m'arrêter sur une, d'une autre écriture. Mon index en suivit les pleins et déliés quelques secondes avant que je fusse certaine que c'était celle de Jaufré. Oubliant Gwalf, je me mis à lire. Prenant le pas sur mon récit, il évoquait à la troisième personne, tel Chrétien de Troyes et sous la forme du roman, cette nuit passée entre Aliénor, jeune duchesse d'Aquitaine, et son oncle Raymond, juste avant que je ne la rejoigne en Bordeaux, juste avant que je ne fasse sa connaissance. D'autres, plus loin, entrecoupaient mes traits de plume, reconstituant par l'imaginaire ou le témoignage les intentions et les actions des uns ou des autres, amis ou ennemis, que j'avais pu croiser. Je dus m'asseoir sur la chaise, ébranlée. Quand Jaufré avait-il rédigé ces pages ? M'en avait-il parlé ? Sans doute. J'avais oublié. Mais je fus convaincue soudain que ce cadeau précieux ne venait pas d'Henri. Alors qui, si Jaufré était mort à Salisbury ? Eloïn qui m'avait, un an plus tôt, entendue réclamer l'asile de l'île des Bannis ? dans l'espoir que j'y trouve la force de me relever ? Je cherchai des yeux Gwalf pour lui demander qui l'avait apporté. Il avait regagné discrètement le rez-de-chaussée. Alors, dans la lumière rasante du soleil qui déclinait, je repris du début en quête de mon histoire et de mes émotions passées. En quête du secret de ces vieilles pages qu'un parfum de lys était venu imprégner.

Puisque ce quelqu'un y avait veillé, toutes les réponses à mes questions, à mes peurs, à mes doutes, oui toutes les réponses s'y trouveraient.

93.

Les jours qui suivirent s'étirèrent au gré de ma lecture. Refusant de sauter la moindre page, captivée par l'écriture de Jaufré dont le talent de trobar entretenait la verve, je revécus chaque scène, chaque émotion avec la même intensité, tour à tour riant, pleurant ou me rebellant. Je me couchais, le soir, épuisée. Chaque réveil pourtant me voyait regagner en force et sérénité. Gwalf faisait montre avec moi d'une attention touchante. Discret sur sa propre histoire, il m'incitait à lui parler de la mienne, à me la réapproprier. Dans ces moments où le souvenir retrouvé me broyait le cœur, il venait prendre mes mains, et, sans les lâcher, en silence, attendait que mes pleurs s'arrêtent. Ensuite de quoi, invariablement, il me proposait d'aller pêcher depuis un petit promontoire escarpé contre lequel, sur la face est, la tour s'appuyait. Devant l'océan, le visage fouetté par les embruns, ma ligne bravant les remous, je ne faisais plus qu'une avec les éléments. Je ne faisais plus qu'une avec cette jouvencelle d'hier qui, de mes mots ou de ceux de Jaufré, grandissait. Nous rapportions toujours de quoi assurer le repas. J'écaillais le poisson en inventant quelque recette improbable pour le cuisiner. Il finissait invariablement sur le grill, je me réchauffais des braises et Gwalf riait. Tout ce que j'avais pu tirer de lui était que de père en fils ils gardaient la place. Une sorte de sacrifice consenti par leur famille, conséquence d'un châtiment ancien. Depuis deux cents ans, personne n'avait été incarcéré ici. D'une certaine manière, nous étions, lui comme moi, prisonniers de nous-même. Était-ce pour cela ? Il y avait fort longtemps que je n'avais éprouvé amitié si sincère et immédiate. Parfois il prenait l'air lointain, hochait la tête plusieurs fois de suite et marmonnait. À mes questions, il toquait sa tempe en haussant les épaules. J'en avais déduit que les voix lui parlaient, mais je n'avais pu lui arracher leur secret. Et jusque-là, aucune des cellules des étages supérieurs ne me l'avait livré.

Henri me vint visiter quinze jours plus tard, dans cette même chambre, alors que j'apprenais les raisons pour lesquelles je m'étais détournée de lui. Je le reçus devant la fenêtre par laquelle je l'avais vu arriver. Son œil de velours et sa voix tendre se heurtèrent plus encore qu'au jour de notre séparation à ma froideur. Il feignit de ne la point remarquer. Refrénant visiblement son désir de me prendre dans ses bras, il s'accorda à me trouver amincie, plus belle que jamais. Ayant eu soin, avant de le recevoir, de dissimuler le livre entre la tête du lit et les oreillers, je lui racontai que la répétition des jours sans autre raison d'être que de subsister en était la cause. Que je me sentais mieux. Beaucoup mieux. À voir grandir son sourire, ses yeux pétiller, je compris que c'était la réponse qu'il espérait.

— Le cardinal de Saint-Ange de Rome m'a annoncé sa visite prochaine. Je compte lui demander l'annulation de mon mariage avec Aliénor.

Il se racla la gorge.

— Bientôt je serai libre. Bientôt je redeviendrai ce grand roi que tu espérais. Bientôt il ne tiendra plus qu'à toi de régner à mes côtés.

Une colère froide me gagna, tant désormais je savais à quel point Aliénor l'avait aimé, à quel point il l'avait trahie, humiliée. À quel point il nous avait trahies, humiliées.

— Ni ce jourd'hui ni demain, Henri. Ici est mon royaume désormais.

Frappé en plein cœur, il explosa :

— Impossible. Je refuse de le croire. As-tu donc vraiment tout oublié ? Tes enfants ? Tes domaines ? L'Angleterre pour laquelle tu as tant œuvré ? Cette année d'amour et de complicité que tu m'as donnée ?

Je m'adossai au linteau de la fenêtre, au mépris de la tenture que je froissai, pour darder sur lui un œil bien éloigné de la tendresse que mon amnésie y avait impulsée.

— Au contraire, Henri. Je me souviens de tout. Oui, de tout désormais. Y compris des raisons pour lesquelles je me suis dressée contre vous.

D'une main aux jointures blanchies il s'accrocha à l'un des piliers du lit. Secoua ses boucles entre le fauve et l'ébène.

— Mais point de l'amour qui nous entremêlait, n'est-ce pas ?

— Si, Henri. Mais il m'est devenu épine. Comment pourrais-je vous caresser encore, comment pourrais-je apparaître à vos côtés en sachant ma reine emprisonnée, en sachant que vous ne la relâcherez jamais ? Car, bien sûr, et quand bien même vous m'en feriez promesse, jamais vous ne le feriez…

— Si tu…

Je le fauchai :

— Ne m'enlevez pas ce sursaut de respect que je vous porte par un mensonge éhonté.

Il soupira :

— Tu as raison, Canillette. Je n'ai pas les moyens de me priver de l'Aquitaine. Or Aliénor, libérée, ne cesserait de comploter.

Je me détachai du linteau pour le rejoindre, adoucie par sa sincérité.

— Vous souvenez-vous de la chanson de Jaufré ? « *Lorsque les jours s'allongent en mai, beau m'est le doux chant des oiseaux au loin. Mais alors que je cesse de l'écouter, je me souviens d'un amour lointain. J'erre alors pensif, triste et déclinant, si bien que ni fleur d'aubépine ni chant ne me plaisent plus que l'hiver gelé.* »

Il ne sut que répondre. Je souris tristement.

— Retournez-vous-en, Henri. Et dites à mes enfants que je suis libre. Enfin libre. Lors, si d'affection vous me fûtes vraiment un jour, oubliez-moi. Tous. S'il vous plaît.

Il hésita un instant, puis tourna les talons. Sans doute dans l'espoir que le temps n'était venu. Que le temps me plierait.

Gwalf me monta un bouillon de crevettes à peine le navire se fut-il éloigné. Rompus l'un et l'autre aux ressources inépuisables de la mer, nous avions peu usé celles que l'on nous apportait. Je m'étais remise à la lecture, le cœur serré à l'approche de cette scène qui avait vu le cromlech se déchirer et la camarde m'enlever Jaufré. Mon nouvel ami me força à m'en arracher en me pressant l'épaule.

— Gwalf a entendu, Loanna. Le roi vous aime. Et vous aussi vous l'aimez. Êtes-vous sûre de ne rien regretter ?

J'enroulai mes mains autour du bol fumant qu'il venait de poser près de moi pour les réchauffer. Le vent qui sifflait entre les interstices du bois de la fenêtre les avait glacées. Mais peut-être était-ce mon cœur qui l'était. Je plongeai dans son regard marine.

— Peut-on aimer l'assassin de son époux, Gwalf ?

— Il y a petit Geoffrey.

J'avalai une gorgée, me brûlai la langue, la gorge, sans me ragaillardir pour autant.

— Peut-on aimer un homme qui donne à votre enfant le prénom de l'homme qu'il vous a arraché pour mieux vous tromper ?

— L'enfant n'est pas responsable.

— Tu as raison, Gwalf. Mais il ne me manque pas. N'est-ce point la preuve qu'une autre que moi l'a porté ?

Il hocha la tête.

— Je suis sûr qu'un jour vous découvrirez la vérité.

Il se pencha au-dessus de mon livre d'heures, les sourcils froncés.

— Sais-tu lire ? demandai-je.

Il se redressa en soupirant, navré.

— Non. Mais vous me raconterez.

— Je ne sais pas, Gwalf. J'en suis à…

Ma gorge se noua. Il intensifia la pression de ses doigts à mon épaule.

— … À la mort de Jaufré ?

— Oui. À la mort de Jaufré.

— Alors je vais me retirer. Et vous attendre en bas, près du feu que j'ai allumé. Et ensuite… ensuite, dame Loanna, je vous demanderai de m'accompagner à la source puis de m'aider à remonter le seau.

— Ne crains-tu plus que je me rompe le cou sur les marches suintantes et irrégulières des soubassements du donjon ? me moquai-je gentiment.

Son œil pétilla.

— Puisque être reine vous ne voulez, c'est à mon aide que vous viendrez.

Je ris. Il me salua d'une pirouette avant de me quitter.

Je terminai mon bouillon, puis, repoussant le bol, armée de ce courage dont je m'étais disciplinée à plusieurs reprises déjà, comme à l'heure de la douloureuse fin de Denys, j'accrochai mon écriture altière pour ne la plus quitter.

94.

Je pleurai. Des larmes douces comme de la soie. Des larmes qui ramenaient en moi la chaleur et la lumière, comme la source de Brocéliande, souvent, l'avait fait. Je pleurai, enveloppée dans ce parfum de lys porté par la ronde des pages. Parce que désormais je savais. Je savais pour les avoir entendus sonner à mes tympans en même temps que je les lisais. Ces mots prononcés par ma fille.

« Il est vivant. Père est vivant. »

Mais plus encore. Je pleurai des mots de Jaufré. De la lettre qu'Henri avait écrite pour annoncer ma perte. De la capture d'Aristophane Bec dans la forêt de Sherwood. De l'abnégation d'Aliénor face à mon troubadour, à ma fille. De leur complicité. De cet amour, immense et désintéressé, qu'ils me portaient. Lors, prenant la plume, à mon tour je la trempai dans l'encrier pour la poser là où Jaufré s'était arrêté. Dans l'attente. Dans l'espoir que je me réveille de ce cauchemar. Que je lui revienne. Puis, lorsque la lumière me manqua, avalée par la nuit qui tombait, je me rejetai en arrière contre le dossier de ma chaise pour fixer les dernières lueurs sur l'océan et mesurer à quel point, malgré le trouble qui subsistait en moi des caresses d'Henri, des baisers d'Henri, de la tendresse d'Henri, Jaufré méritait bien plus encore que ce que je lui avais déjà donné.

Lorsque je descendis l'escalier dans cette obscurité qui avait avalé le donjon, guidée par le point lumineux du feu que Gwalf avait allumé en bas, elles coulaient toujours ces larmes, mais comme une pluie de printemps. Comme un bourgeon s'ouvre. Comme la vie renaît.

Gwalf me regarda approcher sans mot dire. Il était assis à la place qu'il préférait, à même le sol, sur un coussin devant l'âtre. Négligeant le fauteuil dans lequel, d'ordinaire, je m'installais, je vins le rejoindre. Durant de longues minutes nous restâmes ainsi, côte à côte, partageant cette chaleur dont le brasier crépitant nous enveloppait, l'œil perdu dans la beauté des flammes. Peu à peu, elles asséchèrent le sel sur mes joues, me laissant au cœur la certitude de la complicité du petit homme. Il tendit ses mains vers les flammes. Je tendis les miennes. Il rit. Je demandai :

— Quand est-il venu ? Jaufré…

— Deux jours avant votre arrivée.

— C'était lui les voix ?

Il rit de nouveau.

— Non, dame Loanna. Gwalf n'avait pas besoin de lui pour être toqué.

— Mais Gwalf a besoin de moi pour porter l'eau de la source…

— Le bois flotté est dur à couper, et mes épaules fatiguées…

— Sans doute. Mais ce n'est pas la seule raison, n'est-ce pas ?

Il haussa les épaules. Je me redressai pour lui tendre une main amicale.

— Je porte la lanterne. Vous prenez le seau, décida-t-il tout en récupérant une clef derrière un des piliers de soutènement du plafond.

J'obéis. Il ouvrit la porte qui interdisait l'accès aux soubassements du donjon, puis, me précédant, descendit l'escalier. Au bout de quelques marches, le silence nous enveloppa, l'obscurité se fit plus dense malgré la lueur du falot. Point de meurtrières à ce niveau, les vagues qui s'écrasaient contre les brisants les auraient aspergées. À mi-chemin, j'entendis enfin le murmure de la source et, avec lui, celui des pierres qui m'avaient happée à mon arrivée. Si secret il y avait, c'était là qu'il était gardé.

Constituant le seul ornement du lieu, l'eau jaillissait en plein centre de la petite cavité rocheuse pour s'ébattre dans un réservoir naturel dont le trop-plein, invisible, devait se déverser dans l'océan. Gwalf posa sa lanterne sur une pierre en saillie. Je lui tendis le seau. Pendant qu'il le remplissait, le nez chatouillé encore par le parfum de lys des pages de mon livre d'heures, je pivotai sur moi-même, laissant mes sens se conforter de cette magie dont la pièce était imprégnée. Mon œil finit par accrocher une grille gondée dans la vis de l'escalier. Si je n'avais accordé autant d'attention aux pourtours de cette salle, je ne l'aurais remarquée. À présent, je ne pouvais m'en détacher. Dans la clarté du falot qui projetait jusqu'à elle son halo ambré, je découvris une vieille chaîne qui, dans le cachot qu'elle barrait, pendait tristement d'un anneau ancré dans la muraille. Rien d'autre ne meublait la cellule. Je ne pus m'empêcher d'y voir similitude avec cette geôle dans laquelle j'avais emmuré Rosamund Clifford, sans regret. Mon cœur se serra. Irrésistiblement attirée, je franchis les quelques pas qui m'en séparaient.

— Qui fut emprisonné là, Gwalf ?

La question avait brûlé mes lèvres. J'entendis le choc du seau de fer contre le roc. Les pas du petit homme trottiner sur la roche pour s'immobiliser à mon côté.

— Un vieux druide que les catholiques ont persécuté.

Je tombai les yeux sur lui.

— Pourquoi ? Cette prison n'était-elle pas assez terrible qu'on l'ait ainsi traité ?

Il sourit tandis que je poussais la grille pour entrer.

— C'était bien avant moi. Je ne sais...

Sa voix mourut dans une explosion de lumière qui me força, d'un pas, à reculer. Elle s'atténua aussitôt, ne dessinant plus sur le sol poussiéreux que le tracé régulier d'un rectangle de pierre.

— Un vieux druide, disais-tu... Du nom de Kelchw peut-être.

Il leva son regard vers moi, un regard entre l'émerveillement et le respect.

— Oui, dame Loanna. Du nom de Kelchw…

— On prétend qu'il allait toujours flanqué d'un écuyer choisi parmi les nains de l'île de Mona.

— Mon aïeul, m'accorda-t-il dans un petit rire.

— Sieur Gwalf, vous êtes un méchant cachottier. Me prêteriez-vous votre coustel à coquillage que je puisse décoller cette trappe pour la faire ensuite coulisser ?

Il l'arracha à sa ceinture. Je m'en servis de levier. Lorsque la pierre se souleva, plus facilement que je ne l'avais imaginé, il m'aida à la dégager assez pour que je puisse enfiler ma main dans la cavité. J'en rapportai un fourreau gravé de runes d'où dépassait le pommeau d'une épée. Je le pris en main, le sentis se fondre à ma paume, s'y modeler. La puissance de sa magie oubliée me pénétra tout entière. Lorsqu'elle retomba, acquise en moi à jamais, la lame était redevenue simple acier et la lumière autour de nous celle de cette modeste lanterne qui luisait. Lors, l'arrachant à son étui, je l'admirai, sous le regard émerveillé du petit homme. Marmiadoise. La troisième des épées forgées en Avalon avec Caledfwlch et Durandal. La troisième des épées de vérité. Je compris pourquoi il avait toujours refusé que je l'accompagne là. Il savait, depuis le premier jour de mon arrivée, qu'elle m'était destinée. La voix, celle du druide dont l'âme hantait encore ces pierres, le lui avait murmuré. Mais je n'étais pas prête. Pour que la magie opère, il fallait que je sois en paix. Pour que je puisse l'utiliser, il fallait que la grande prêtresse en moi se soit retrouvée.

Je pointai la lame sur son bliaud, l'air grave.

— Il semble que notre temps, à tous deux, soit terminé en ces lieux. Connaîtriez-vous un moyen de nous en arracher autre que les navires apprêtés par Henri Plantagenêt ?

Son visage s'empourpra, ses yeux s'arrondirent de surprise, puis d'espoir. Sa voix se fit murmure comme s'il avait craint d'avoir rêvé :

— Vous m'emmèneriez ?

— N'êtes-vous point messire Gwalf et de père en fils le gardien de cette épée ? Je ne vois pas comment vous en séparer...

— Alors il disait vrai...

Mon cœur s'accéléra.

— Jaufré ?

Il hocha la tête. Sa main s'enroula dans la mienne.

— Venez, dame Loanna. Venez.

Il m'entraîna vers le fond de la grotte et ne me lâcha qu'une fois parvenu devant un mur. Il fit un pas de l'avant et disparut, comme par enchantement. J'avançai à mon tour, sentis un vent froid me balayer le visage. Mon sang pulsa plus fort dans mes veines. Deux murs. L'un devant l'autre... J'enfilai le couloir qu'ils dissimulaient. Au bout, une grotte, invisible de l'extérieur par sa configuration en entonnoir accueillait une des lames paisibles de l'océan. Grâce à son plafond de roche scintillante, comme en Brocéliande, il y faisait presque grand jour. J'avançai vers le ponton de bois au bout duquel une barque se balançait à peine. J'avançai entre le bonheur et le sentiment d'avoir tout à réinventer.

Car là, juste à côté d'elle, une heuse en appui sur le pilier de bois auquel elle était attachée, éclairé plus encore par la lanterne de Gwalf qui se tenait à ses côtés, un homme me souriait.

Un homme qui avait, discrètement, veillé sur moi, prisonnier volontaire d'une source enchantée.

Un homme à l'âme plus pure encore que le cristal d'où elle s'écoulait.

Un homme, oui.

Le mien.

Pour toujours et à jamais.

De trobar et d'épée.

Chers amis lecteurs,

Voici dix ans déjà que vous m'offrez de merveilleux interlignes. Dix ans que nous partageons le goût des belles histoires. Celle-ci, je le sais, vous en attendiez la suite depuis longtemps. Et vos mails, vos visites sur les salons du livre prouvent que Loanna et Jaufré autant qu'Aliénor vous sont d'une tendresse particulière. Renouvelée. À l'heure où ce livre se referme, un autre naît de la plume incisive des dernières années de vie de vos héroïnes. Il est témoin d'aventures, de courage, de combats, d'espoir, de désillusions, de musique et d'amour. Il est témoin d'un règne légendaire. Celui d'un cœur de Lion.

Bientôt, avec vous, je le partagerai. Mais jusque-là et pour vous remercier de ces dix années de complicité, vous trouverez quelques extraits du livre d'heures de Loanna et un épilogue à ces pages sur mon site Internet mireille-calmel.com, ainsi que de nombreux bonus dont les photos de ce castel de Blaye qui me donne toujours l'impression d'être hanté.

Peut-être parce que, au fond de moi, je rêve encore d'être celle qui réunira, dans cette vie, Loanna et Jaufré.

Votre dévouée
Mireille Calmel

BIBLIOGRAPHIE FACILEMENT CONSULTABLE

BEFFEYTE, Renaud, *L'Art de la guerre au Moyen Âge*, Ouest France, 2010

BELLEMER, Émile, *Histoire de la ville de Blaye*, éditions Lorisse le livre d'histoire, rééd. 2011

CLÉMENT-DUMAS, Gisèle, *Des moines aux troubadours*, IXe-XIIIe *siècle : la musique médiévale en Languedoc et Catalogne*, Nouvelles Presses du Languedoc, 2004

DELORME, Philippe, *Aliénor d'Aquitaine : épouse de Louis VII, mère de Richard Cœur de Lion*, Tallandier, 2011

FABRE, Paul, *Anthologie des troubadours*, XIIe-XIVe *siècle*, Paradigme, 2011

FLORI, Jean, *Aliénor d'Aquitaine, la reine indomptable*, Payot, 2004

GILLET, Philippe, *La Cuisine et la table au siècle d'Aliénor d'Aquitaine*. Beauchesne, 2004

GOUGAUD, Henri, *Poésie des troubadours*, Points, 2009

LACROIX, Paul, *Mœurs, usages et costumes au Moyen Âge*, Firmin Didot, 1877

LEGUAY, Jean-Pierre, *La Rue au Moyen Âge*, Ouest France, 1984

LHÉRISSON, Fernande, *La Légende de Jaufré Rudel, prince de Blaye, et ses chansons*, PyréMonde, 2007

MARKALE, Jean, *La Vie, la légende, l'influence d'Aliénor, comtesse du Poitou, duchesse d'Aquitaine, reine de France puis d'Angleterre, dame des troubadours et des bardes bretons*, Payot, 1979

MAROL, Jean-Claude, *La Fin'amor : Chants de troubadours* XIIe *et* XIIIe *siècle*, Seuil, coll. Points, 1998

MONTAIGU, Henry, *Histoire secrète de l'Aquitaine*, Albin Michel, 1979

PARIS, Matthieu, *La Grande Chronique de Henri II Plantagenêt 1154-1189*, Paleo, 2011

PERNOUD, Régine, *Aliénor d'Aquitaine*, Albin Michel, 2000

QUICHERAT, Jules, *Histoire du costume en France*, Hachette, 1875

TURNER, Ralph V., *Aliénor d'Aquitaine*, Fayard, 2011

VERSEUIL, Jean, *Aliénor d'Aquitaine et les siens*, Critérion, 1991

Les textes de Jaufré Rudel ont été adaptés récemment de l'occitan par mon fils, Anaël Train. Vous les trouverez sur mon site. Une version chantée de *Lanquan li jorn*, la meilleure à mon sens, est en écoute sur Youtube. Elle est interprétée par le groupe EVO…

Qu'ils en soient remerciés.

Un immense merci aussi à toute l'équipe des Éditions XO et tout particulièrement à Bernard Fixot, Édith Leblond et Caroline Lépée qui depuis dix ans me soutiennent fidèlement de chaleureuse amitié.